Motivos de conversación

FIFTH EDITION

Essentials of Spanish

Motivos de conversación

ROBERT L. NICHOLAS
Professor Emeritus,
University of Wisconsin, Madison

MARÍA CANTELI DOMINICIS
St. John's University, New York

McGraw Hill

Boston Burr Ridge, IL Dubuque, IA Madison, WI New York San Francisco St. Louis
Bangkok Bogotá Caracas Lisbon London Madrid
Mexico City Milan New Delhi Seoul Singapore Sydney Taipei Toronto

McGraw-Hill Higher Education

A Division of The McGraw-Hill Companies

This is an  book

Motivos de conversación
Essentials of Spanish

This book is printed on acid-free paper.

2 3 4 5 6 7 8 9 0 VNH VNH 9 0 9 8 7 6 5 4 3 2 1

ISBN 0-07-240489-2 (Student Edition)
ISBN 0-07-230923-7 (Teacher's Edition)

Editor-in-chief: Thalia Dorwick
Senior sponsoring editor: William R. Glass
Senior development editor: Becka McGuire
Development editor: Ina Cumpiano
Senior marketing manager: Karen W. Black
Project manager: Natalie Durbin
Senior production supervisor: Richard DeVitto
Designer: Suzanne Montazer

Cover designer: Deborah Chusid
Cover illustrator: Tana Powell
Photo research coordinator: Dallas Chang
Editorial assistants: Matthew Goldstein, Karen Privitt
Compositor: York Graphic Services, Inc.
Typeface: Palatino, Univers, Stamp, Arriba
Printer: Von Hoffmann Press, Inc.

Library of Congress Cataloging-in-Publication Data
Nicholas, Robert L.
    Motivos de conversación : essentials of Spanish / Robert L. Nicholas, María Canteli Dominicis. — 5th ed.
        p.   cm.
    English and Spanish.
    "This is an EBI book" — T.p. verso.
    Includes index.
    ISBN 0-07-240489-2 (student ed. : alk. paper). — ISBN 0-07-230923-7 (teacher's ed.)
    1. Spanish language — Grammar.   2. Spanish language — Textbooks for foreign speakers — English.   I. Dominicis, María Canteli.   II. Title.
    PC4112.N53 1999
    468.2'421 — dc21
                                        99-23951
                                          CIP

http://www.mhhe.com

CONTENTS

 **G**RÁFICOS    **G**RAMÁTICA ESENCIAL    **C**OMUNICACIÓN

 **GRÁFICOS**    **GRAMÁTICA ESENCIAL**    **COMUNICACIÓN**

GRÁFICOS   **GRAMÁTICA ESENCIAL**   **COMUNICACIÓN**

PREFACE

To the Instructor

Welcome to the fifth edition of *Motivos de conversación!* This brief Spanish textbook for beginners presents the essentials of Spanish grammar and the vocabulary needed for effective communication in everyday situations. Its attention to the four skills is complemented by an enhanced focus on the culture, people, and geography of the Spanish-speaking world. The title reflects the book's primary goal: to motivate students to use Spanish actively in different situations and cultural contexts.

Each of the fifteen regular lessons of *Motivos de conversación* features illustrated thematic core vocabularies, real-life situations in the form of dialogues or narrative passages, and concise grammatical explanations. Abundant form-focused exercises and open-ended communicative activities help students learn structures and vocabulary, while encouraging them to be creative. Each lesson culminates with an "excursion" to one or more Hispanic countries, introducing students to some of the people, places, and customs that make the Spanish-speaking world so culturally diverse. Thus, proficiency is promoted not only in listening, speaking, reading, and writing, but in culture as well.

Allowing for a variety of teaching and learning styles, *Motivos de conversación* is designed with flexibility in mind; it is easily adapted to programs that meet from three to five times a week, whether they are on a semester or quarter system. Moreover, all the core vocabulary and essential grammar are covered in the first two sections of each chapter, thus allowing the instructor the option of selecting as much of the material in the third section as appropriate for the given course.

Motivos de conversación has several other features that make it an ideal learning aid for Spanish: a manageable vocabulary load; **Estudio de palabras** boxes that help students develop their skills in word building; **Memopráctica** boxes that offer students suggestions on how to study, memorize, and create their own learning aids; and five reading and review sections (**Ampliaciones**) that provide additional guided reading practice, targeted review of vocabulary and structures, and a test for self-assessment.

Motivos de conversación consists of a preliminary lesson, fifteen regular lessons, and five review lessons (**Ampliaciones**). Each of the fifteen regular lessons is developed around a principal theme and has the following organization:

- **Gráficos**
- **Gramática esencial**
- **Comunicación**

Cultural collages (**Viaje por el mundo hispánico**), containing photographs, readings, and poetry excerpts, appear after each lesson.

CHAPTER OPENING PAGES

preview the chapter themes with a still photo from the chapter's video episode and accompanying introductory text and questions. Lexical and grammatical goals for the chapter are highlighted, and the web icon encourages students to visit the *Motivos de conversación* web site.

GRÁFICOS introduces basic vocabulary through illustrations and brief dialogues or narrative passages. Abundant communicative activities follow each topic. The CD-ROM icon on this page lets students know that they can find additional practice with vocabulary, grammar, and communication on the accompanying CD-ROM.

LECCIÓN 3

LA ROPA QUE LLEVO

METAS

Comunicación: In this lesson you will learn vocabulary and expressions related to clothes and accessories. You will talk about the way you dress and shop for clothes. In addition, you will learn to describe the conditions and characteristics of people and objects. You will also learn about shopping and fashions in Spanish-speaking countries, and will see a regional costume and dance from Cuba.

Estructuras:
3.1 More Irregular Present Tense Verbs: **estar, ser, dar, ir**
3.2 **Ser** Used to Express Identification, Origin, Material, and Possession
3.3 **Estar** Used to Express Location
3.4 **Ser** and **estar** with Adjectives
3.5 Present Participles and Progressive Forms

En este episodio del vídeo visitamos una tienda muy bonita en el centro de Quito, capital de Ecuador. José Miguel acompaña a Paloma, que busca un par (*pair*) de jeans. ¿Tiene Ud. que (*Do you have to*) ir de compras hoy? ¿Qué quiere comprar? ¿Quién va a acompañarlo/la? ¿Va de compras con frecuencia?

Visit the *Motivos de conversación* web site at www.spanish.mhhe

GRÁFICOS

La ropa

In the CD-ROM to accompany *Motivos de conversación* you will find additional practice with vocabulary, grammar, listening, and speaking.

GRAMÁTICA ESENCIAL

5.1 The Preterite Tense

Sí, y gasté demasiado dinero en el supermercado. El precio de los comestibles subió mucho.

In the CD-ROM to accompany *Motivos de conversación* you will find additional practice with vocabulary, grammar, listening, and speaking.

There are two simple past tenses in Spanish: the preterite and the imperfect (presented in **Lección 7**). The preterite expresses a past action that had a definite beginning and end. The duration of the action is unimportant; the essential thing is that the action is viewed by the speaker as being over and done with. Compare the preterite and the present tenses as shown below.

PRESENT		PRETERITE	
(yo) compro	*I buy, do buy, am buying*	(yo) compré	*I bought, did buy*
(él) escribe	*he writes, does write, is writing*	(él) escribió	*he wrote, did write*

GRAMÁTICA ESENCIAL presents three or more concise explanations of essential, first-year grammar. Form-focused exercises and communicative activities follow each grammar point.

1. hacer la tarea (*homework*)
2. leer el periódico
3. tener la clase de español
4. comer un sándwich
5. tomar un examen
6. hablar por teléfono
7. mirar la televisión
8. venir a la universidad

B **¿Cómo son?** *Answer a friend's questions about the following things, using the correct possessive adjective and the correct forms of the adjectives in parentheses.*

MODELO: ¿Cómo es *tu* amiga Patricia? (bonito, inteligente, generoso) .
Mi amiga Patricia es bonita, inteligente y generosa.

1. ¿Cómo son las clases *de la profesora Jiménez?* (interesante, difícil)
2. ¿Cómo son *tus* nuevos compañeros *de casa?* (inteligente, difícil)
3. ¿Cómo son las fiestas *de Esteban?* (inteligente, cómico)
4. ¿Cómo es la comida *del restaurante de don Tomás?* (bueno, grande)
5. ¿Cómo son los exámenes *del profesor Montiel?* (delicioso, caro)
6. ¿Cómo es *tu* apartamento? (pequeño, feo)

PARA VER DE VERAS

Vuelva a mirar la foto de la página 44 para contestar estas preguntas.

1. ¿Dónde está la señorita? ¿Con quién habla? 2. ¿Qué desea ella saber (*to know*)? ¿Qué pregunta? 3. ¿Quién es el señor? ¿Dónde trabaja él? 4. ¿Le gusta a Ud. estar en la calle? ¿Hay seguridad en las calles de una ciudad grande? 5. ¿Habla Ud. con otras personas en las calles de una ciudad grande? 6. ¿Con qué otras personas habla Ud. cuando realmente necesita saber algo (*something*)? ¿con una mujer? ¿con un hombre? Explique.

PARA VER DE VERAS, in the **Para resumir y repasar** section, consists of a series of questions about the video still on the chapter opening page. Students refer to that photo to answer the questions, speculate about what is happening in the photo, and discuss the cultural elements visible in the photo and/or related topics from their own culture.

COMUNICACIÓN is an optional section that gives students an additional opportunity to express themselves more freely through a series of communicative activities for pair and group work.

Videotemas, in the **Comunicación** section, assesses students' understanding of the chapter video episode and allows them to discuss their own experiences related to the video themes with a partner.

Viaje por el mundo hispánico, following every main chapter, highlights basic facts and figures about the Spanish-speaking countries featured; offers photographic and narrative insights into the history, geography, culture, and people of the Hispanic world; and reproduces a brief poetic selection from the region. The headphones icon with each **Poesía** section reminds students that these selections are also recorded on the Listening Comprehension Program, available on audiocassette or audio CD, that accompanies their textbook.

In the CD-ROM to accompany **Motivos de conversación** you will find additional practice with vocabulary, grammar, listening, and speaking.

COMUNICACIÓN

De la vida real

Horacio y Felipe
Unidos por Encima de Todo.[a]

Horacio y Felipe son abuelo y nieto. Pero, más que nada, son dos buenos amigos que cuando están juntos lo pasan fantástico.[b] Lo único malo[c] es que Felipe vive en Montevideo, con sus padres, así es que no se ven todo lo que quisieran. Pero Horacio lo llama por teléfono todas las semanas y es, naturalmente, socio del Círculo FamiliAmigos de Chilesat. Ambos están esperando el comienzo del Multicarrier. Claro, con un 25% de descuento podrán hablar mucho más seguido y más largo. ¡Estar mucho más cerca! Porque para eso existe Chilesat, por encima de todo.

[a]por... above all
[b]lo... they have a great time
[c]Lo... The only bad thing
[d]todo... as often as they would like
[e]mas... more often

Videotemas

Mire el episodio del vídeo de esta lección y después haga las actividades que siguen.

A *Comprensión.* Conteste las siguientes preguntas sobre el episodio del vídeo.

1. ¿Dónde está Elisa? ¿Qué mira? ¿Por qué dice «Esto es imposible»?
2. ¿Qué dice José Miguel cuando llega (*he arrives*)? ¿Cómo debe (*should he*) separar las fotos?
3. ¿Quién es Paloma? ¿Cómo es?
4. ¿Quién es Gustavo? ¿A qué hora llegan él y Paloma? ¿Adónde van después?

B *En parejas.* Comente lo siguiente con un compañero / una compañera.

1. Traiga tres o cuatro fotos de su propia familia a la clase. Describa las fotos. ¿Quién(es) están en cada foto? ¿Cómo se llama? ¿Cómo es cada persona? ¿Qué lleva? ¿Vive todavía? ¿Dónde vive?
2. ¿Cuál es la relación entre Ud. y las personas de las fotos? ¿Le gustan esas personas? ¿Por qué (no)?
3. Si las personas todavía viven, ¿cuándo las ve? ¿Ve Ud. cambios (*changes*) en ellas? ¿Qué cambios ve (de pelo, de peso, de altura)? ¿Cuántos años tienen las personas en las fotos? ¿Y ahora?
4. ¿Tiene Ud. novio/a (esposo/a)? ¿Cómo se llama? ¿Cómo es? ¿Tiene una foto de él/ella? ¿Sale Ud. ... con frecuencia? ¿Cuándo salen? ...mente?

CUBA, PUERTO RICO Y LA REPÚBLICA DOMINICANA*

OS IMPORTANTES

OFICIAL:
e Cuba
La Habana
N: 10.999.000

60 km²
²)

IONAL: el
de la

CIAL:

ÁREA: 8.871 km² (3.425 millas²)

FIESTA NACIONAL: el 24 de junio, Día de San Juan Bautista

NOMBRE OFICIAL: La República Dominicana
CAPITAL: Santo Domingo

POBLACIÓN: 8.228.000 habitantes

El Castillo del Morro y la Fortaleza en San Juan

POESÍA

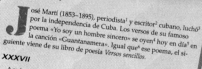

José Martí (1853–1895), periodista[1] y escritor[2] cubano, luchó[3] por la independencia de Cuba. Los versos de su famoso poema «Yo soy un hombre sincero» se oyen[4] hoy en día[5] en la canción «Guantanamera». Igual que[6] ese poema, el siguiente viene de su libro de poesía *Versos sencillos.*

XXXVII

Aquí está el pecho,[7] mujer,
que ya sé que lo herirás;[8]
¡más grande debiera ser,[9]
para que lo hirieses[10] más!

Porque noto, alma torcida,[11]
que en mi pecho milagroso,[12]
mientras más honda[13] la herida,[14]
es mi canto más hermoso.[15]

[1]journalist [2]writer [3]fought [4]se... are heard [5]hoy... today [6]Igual... Just like [7]chest (breast) [8]lo... you will hurt it [9]debiera... it should be [10]¡para... so that you could hurt it [11]alma... twisted soul [12]miraculous [13]¡mientras... the deeper [14]wound [15]es... the more beautiful [16]my song

José Martí

MOSAICO HUMANO

Una manera fenomenal de aprender algo sobre la historia de Puerto Rico y conocer a su gente es hacer una visita al Viejo San Juan, el barrio colonial de la capital de Puerto Rico. Está situado en una península pequeña entre el Mar Caribe y la Bahía[16] de San Juan. Allí hay casas, iglesias y edificios coloniales —algunos del siglo[17] XVI— restaurados a su condición original.
Además de los elegantes edificios de arqu...
dos de colores past...

▲ xiii

Other features of *Motivos de conversación:*

- **New!** A video still from the corresponding episode of the new *Video to accompany* **Motivos de conversación,** *Fifth Edition,* appears on each chapter-opening page, along with introductory text and questions that serve as a pre-viewing activity and introduce students to the chapter themes.

- **Motivo cultural** (cultural note) provides insights into cultural phenomena and customs in the Hispanic world.

- **Situaciones** presents and practices useful conversational idioms related to the lesson's vocabulary.

- **Para resumir y repasar,** concluding each **Grámatica esencial** section, synthesizes the vocabulary and grammar of the current and previous lessons.

- **New! Para ver de veras** poses questions to students that take them back to the chapter-opening video still in order to discuss it in more detail.

- **De la vida real** presents realia from Hispanic publications that illustrate the grammatical points and vocabulary of the lesson in context and provide a point of departure for personalized communicative activities.

- **New! Videotemas** contains individual comprehension questions as well as a partner/pair discussion about the video episode.

- **New!** Poetry selections in **Viaje por el mundo hispánico** are also recorded on the *Listening Comprehension Program* (available on audiocassette or audio CD) packaged with the student text.

- **Ampliaciones** contain authentic readings, **Repasos visuales** (visually cued reviews), and **Exámenes de repaso** (self-tests). Each reading includes a prereading section (**Antes de leer**) that presents reading hints and strategies and a postreading section (**Después de leer**) with comprehension exercises.

- Useful appendices include verb charts (Appendix 1); information on punctuation, capitalization, and syllabication (Appendix 2); and answers to **Para resumir y repasar** and **Exámenes de repaso** exercises (Appendix 3).

- Spanish-English and English-Spanish vocabularies are found at the end of the book.

Changes in the Fifth Edition

Motivos de conversación has been revised and updated in large part based on the valuable suggestions received from instructors and students across the country who have used the Fourth Edition. The changes we have made to the textbook are minimal in accordance with the reviewers' suggestions. However, we have made significant changes to the supplementary materials that accompany *Motivos,* including adding three new multimedia components (see Multimedia for descriptions). Following is a brief description of the major changes to the student text.

- The chapter-opening page has been redesigned to include a video still from the accompanying episode of the new video. The introductory text underneath the photo provides a preview of the video segment and an introduction to the chapter themes.

- A web address, also on the chapter opening page, directs students to the new *Motivos de conversación* website.

- **Para ver de veras,** in **Para resumir y repasar,** uses a series of directed questions to encourage students to look at the chapter-opening photo in more detail and speculate about the people and places in it. They are also encouraged to discuss some of their own related experiences and compare the aspects of Hispanic culture portrayed in the photo with aspects of their culture.

- **Videotemas,** in the **Comunicación** section of the chapter, begins with a set of comprehension questions that enable students to assess their understanding of the video episode. These are followed by a personalized pair activity in which students discuss with a partner the themes raised in the segment. This ensures that they have understood the content of the video while also providing additional communication practice.

- The **Viaje por el mundo hispánico** sections after every regular chapter now contain a brief poetry selection by a poet native to the region under discussion. These selections, which are also provided in audio format (cassette or CD) on the accompanying *Listening Comprehension Program,* are preceded by a brief introduction to the poet and his or her works, and are glossed to facilitate reading. This feature gives students an excellent opportunity to read authentic materials almost from the beginning of their study of Spanish, and may stimulate their interest in reading additional poetic or narrative works by the featured author or other authors.

Multimedia

Video. New to the Fifth Edition of *Motivos de conversación* is an exclusive, integrated 60-minute video that consists of sixteen episodes, correlated thematically to the **Lección preliminar** and each of the fifteen regular chapters in the textbook. Students will enjoy watching the diverse characters from around the Spanish-speaking world who populate the video.

The video is integrated into the textbook in three places. On every chapter opener there is a video still along with introductory text and questions that serve as a video pre-viewing activity and introduction to the chapter themes. This text is accompanied by the video icon shown here.

Later in the chapter, **Para ver de veras** asks a number of questions that encourage students to refer back to the photo on the chapter-opening page. After they answer questions about what they see in the photo and what they can speculate about it, students talk about personal experiences and, finally, try to relate the cultural aspects they see in the photo to aspects of their own culture.

In the **Comunicación** section of each chapter is the new **Videotemas** feature, also accompanied by the video icon to remind students that they need to have watched the episode in order to do these activities. Students first answer comprehension questions about the segment individually, then discuss personalized questions related to the video themes with a partner. Each time students revisit the video episode they will gain further insight into its content, the lives of the characters, Hispanic culture, and, by extension, their own culture.

Additional information on using the video in the classroom, as well as a complete videoscript, is included in the *Instructor's Manual.*

CD-ROM. Available in both IBM and Macintosh formats, the new CD-ROM that accompanies *Motivos de conversación* provides students with additional practice in each of the three main areas of their study of Spanish: vocabulary, grammar, and communication. Vocabulary displays from each of the regular chapters are reproduced on the CD-ROM in formats that help students bind meanings to the new words they are learning. Engaging grammar activities reinforce the structures that students have learned in the chapter, and communication activities give them the opportunity to record a "conversation" with a native speaker—and play it back so that they can compare their pronunciation with the native speaker's! The CD-ROM also contains the *McGraw-Hill Electronic Language Tutor (MHELT)*, which includes most of the form-focused vocabulary and grammar activities from the main text. Finally, the CD-ROM has a link to the *Motivos* website on the World Wide Web.

The CD-ROM icon shown here appears with each main section head in each chapter to remind students to use the CD-ROM for further practice with vocabulary, grammar, and communication.

World Wide Web. Bringing the Spanish-speaking world more directly into the classroom, the *Motivos* website provides links to other culturally authentic sites that students can explore on their own to gather further information about the topics explored in the text. This page also includes additional grammar practice activities. It can be accessed through the McGraw-Hill Spanish web page at http://www.spanish.mhhe.com.

The icon shown here appears on the chapter-opening pages to remind students to access the website; you should also encourage them to utilize this valuable resource!

Supplementary Materials

The supplements listed here may accompany *Motivos de conversación.* Please contact your local McGraw-Hill representative for details concerning policies, prices, and availability, as some restrictions may apply.

- The *Workbook/Laboratory Manual* provides additional form-focused and open-ended opportunities to practice the vocabulary and grammatical structures presented in the text. The workbook section also provides guided writing practice that helps students develop their expository writing skills, activities to accompany the **Viaje por el mundo hispánico** sections in the text, and a new self-quiz at the end of every Workbook chapter that students can use to evaluate their own progress in the language. The laboratory section offers practice in pronunciation, listening comprehension, and speaking.

- The *Audio Program,* available on both cassette and CD (for student purchase or free to adopting institutions), corresponds to the Laboratory Manual and contains activities for reviewing vocabulary and grammatical structures, passages for extensive and intensive listening practice, and guided pronunciation practice.

- The *Audioscript* contains a complete transcript of the Audio Program.

- Packaged with every new student text is a free *Listening Comprehension Program*, available in audiocassette or audio CD format. It contains the poetry selections and biographical information about the poets from the **Viaje por el mundo hispánico** sections of the text, enabling students to listen to the selections while following along in their book or at other times to improve their pronunciation and listening comprehension skills.

- The *Instructor's Edition* is a replication of the student text that contains extensive notes on vocabulary, grammar, and culture and suggestions for additional exercises and activities, including listening comprehension and oral practice.

- The *Instructor's Manual* contains lesson plans, a short sample text for each chapter, supplementary class aids, and methodological suggestions. It includes various approaches to difficult grammar points, more detailed explanations (when appropriate), rationales for the organization of class materials, hints on varying the presentation of the lessons, and aids for presenting students with strategies for avoiding common pitfalls and clarifying areas of confusion. It also contains a complete videoscript and a section on using multimedia (video, CD-ROM, website) in the classroom.

- Available in both IBM and Macintosh formats, the *McGraw-Hill Electronic Language Tutor (MHELT)* includes most of the form-focused vocabulary and grammar activities from the main text. It is also included on the CD-ROM that accompanies *Motivos de conversación.*

- The *Rand-McNally New Millennium World Atlas.* This robust CD-ROM, available for student purchase, contains numerous detailed maps along with visuals and textual information (in English) about key events in history, famous figures, important cities, and so on. The detail and information provided significantly enhance the foreign language experience from a cultural, historical, and geographical perspective.

- *A Practical Guide to Language Learning: A Fifteen-Week Program of Strategies for Success,* by H. Douglas Brown (San Francisco State University), offers a brief introduction to language learning written for beginning students.

- *Training/Orientation Manual,* by James F. Lee (University of Illinois, Urbana-Champaign), offers practical advice for beginning language instructors and coordinators.

- The *Storyteller's Series* offers high-interest fiction (novellas and short stories) designed for advanced-beginning or intermediate students.

- The *¡A leer! Easy Reader Series* features two short readers: *Cocina y comidas hispanas,* on regional Hispanic cuisines; and *Mundos de fantasía: Fábulas, cuentos de hadas y leyendas.* These readers, developed to reinforce vocabulary acquisition, can be used as early as the second semester and are intended for use outside the classroom.

- The *El mundo hispano* reader features five major regions of the Hispanic world, as well as a section on Hispanics living in the United States.

- The software program *Spanish Tutor,* developed by Monica Morley and Karl Fisher (Vanderbilt University), is available for purchase by students. It helps students master first-year vocabulary and grammar topics.

- A selection of top-quality Spanish-language videos, including the *Destinos Video Modules,* can be used with *Motivos de conversación.*

Acknowledgments

The authors and publisher would like to express their gratitude to the following instructors whose comments and suggestions guided our revision of this edition. The appearance of their names here does not constitute an endorsement of this text or of its methodology.

Yaw Agawu-Kakraba
Grand Valley State University
Man-Lih Chai
Notre Dame College
Nancy Crane
Tompkins Cortland Community College
Reyes Fidalgo
University of Massachusetts
Leslie J. Ford
Graceland College
John de Francesco
Camden County College
Kay Kringlie
Valley City State University
Susan Murga
Bucks County Community College
Elvira Pirraglia
Herbert S. Lehman College
Beth Spragins
Wake Technical Community College

Special thanks is owed Eduardo Neale-Silva, many of whose contributions to previous editions of *Motivos de conversación* can still be found in these pages, and to Laura Chastain, for her careful native reading of new Spanish materials.

Finally, the authors would like to express their appreciation to the McGraw-Hill editorial and production staff: William R. Glass, Diane Renda, Sharla Volkersz, Natalie Durbin, Francis Owens, Suzanne Montazer, Ina Cumpiano, Becka McGuire, and Nishka Chandrasoma. Special thanks is also owed to Margaret Metz and Thalia Dorwick, whose continued support of *Motivos de conversación* is greatly appreciated.

To the Student

Motivos de conversación is designed to give you the opportunity to speak Spanish from the very beginning: Already in the first few lessons you will be encouraged to express yourself in Spanish. We feel that this is the most important goal of learning the language, and we sincerely hope that your experience never turns into rote memorization of words and rules. Becoming fluent in Spanish means learning to use Spanish words and constructions automatically. Although you will not become fluent overnight, you may be surprised at how many things you will learn to say in Spanish after only a few days. Here are some simple suggestions to help you become a good language learner.

1. Memorization is a necessary part of language learning—it is one of the key factors in achieving fluency. Effective memorization consists of three steps: First, associate the words and phrases you are trying to memorize with a familiar thing or concept. For example, you might relate the noun **árbol** (*tree*) to *arbor* and the expression **¡No se preocupe!** (*Don't worry!*) to *preoccupation*. Second, repeat what you have learned as often as possible until the use of the word or sentence becomes automatic. Third, learn to concentrate only on Spanish when you are studying Spanish; ten minutes of concentrated study are far better than an hour of unfocused attention. The **Memopráctica** sections offer other hints and suggestions on how to study and memorize new vocabulary and constructions. Whenever possible, try to incorporate these hints and suggestions into your study routines.

2. Many of the drawings, photographs, and exercises in this text depict situations. Try to imagine yourself in those situations and then speak the Spanish required by that situation. Imagine, for example, that you have to buy a ticket in a hurry because your train is leaving in three minutes. How can you say, quickly and clearly, "one ticket to Barcelona, please"?

3. Check your progress by taking the **Examen de repaso** that appears after every third lesson in the **Ampliaciones** section and by doing the exercises in the Workbook regularly. You can check your answers. The Audio Program is another useful learning tool: With two or three short lab periods per week, you can make rapid and noticeable progress toward proficiency in Spanish.

4. Remember that learning words in isolation is of only limited value. Real language consists of connected speech: brief exchanges, short dialogues, and so on. Practicing vocabulary and constructions in conversational contexts will help you learn more efficiently and make your language usage more natural.

5. Learn to pronounce Spanish accurately from the very beginning by paying close attention to the pronunciation of fluent speakers of the language. If your pronunciation is sloppy, listeners may not understand you, and you will not achieve your goal of communicating what you want to say. Pay close attention to the native speakers on the Listening Comprehesion Program (cassette or CD) and the CD-ROM, and compare your pronunciation with theirs regularly to check your progress.

6. Pay close attention to details of form, such as spelling. A change of a single letter or a wrong accent may make a difference in meaning. For example, **converso** (*I converse*) is not the same as **conversó** (*he or she conversed*), and **puerto** (*port*) is very different from **puerta** (*door*).

7. Study with one or more friends. Pair or group practice can be very helpful and, more importantly, when you teach Spanish to another person, you will learn it yourself.

One of the most important prerequisites for learning a foreign langauge is the sincere desire to learn it. The potential rewards for learning Spanish are enormous. Not only will you acquire a useful communication tool, but you will learn about other people and how they think and live, and about how other countries and cultures have solved common human problems. Good luck in achieving these goals!

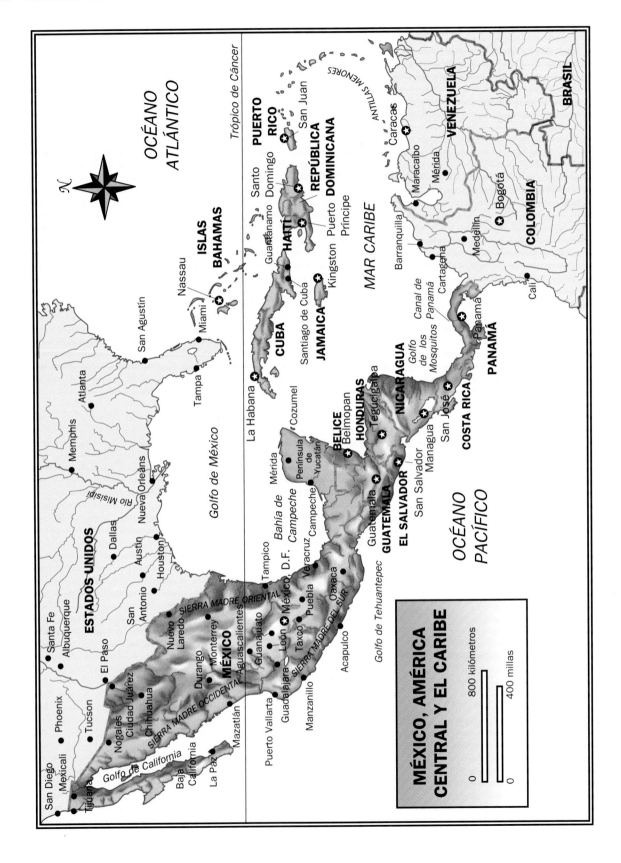

MÉXICO, AMÉRICA CENTRAL Y EL CARIBE

MAR CARIBE

OCÉANO
ATLÁNTICO

Maracaibo
Barranquilla
Caracas
PANAMÁ
VENEZUELA
Medellín
Panamá
Bogotá
Cali
COLOMBIA
Quito

GUAYANA
Georgetown
Paramaribo
Cayena
Río Orinoco
SURINAME
GUAYANA FRANCESA

Ecuador

ECUADOR
Guayaquil

Río Amazonas
Belém
Manaus

PERÚ

BRASIL

Recife

CORDILLERA DE LOS ANDES

Cuzco
Lima
Arequipa
La Paz
BOLIVIA
Sucre

Brasília

Antofagasta

PARAGUAY

Río de Janeiro

Trópico de Capricornio

CHILE
La Serena

San Miguel
de Tucumán

Asunción
São Paulo

OCÉANO
PACÍFICO

Córdoba
Rosario
URUGUAY

OCÉANO
ATLÁNTICO

Valparaíso
Santiago
Concepción

ARGENTINA
Buenos Aires

Montevideo
Río de la Plata

N

Bahía Blanca

Puerto Montt
Chiloé
Bariloche

AMÉRICA DEL SUR

0   1500 kilómetros

Islas Malvinas
Estrecho de Magallanes
Punta Arenas
Tierra del Fuego

0   1000 millas

Cabo de Hornos

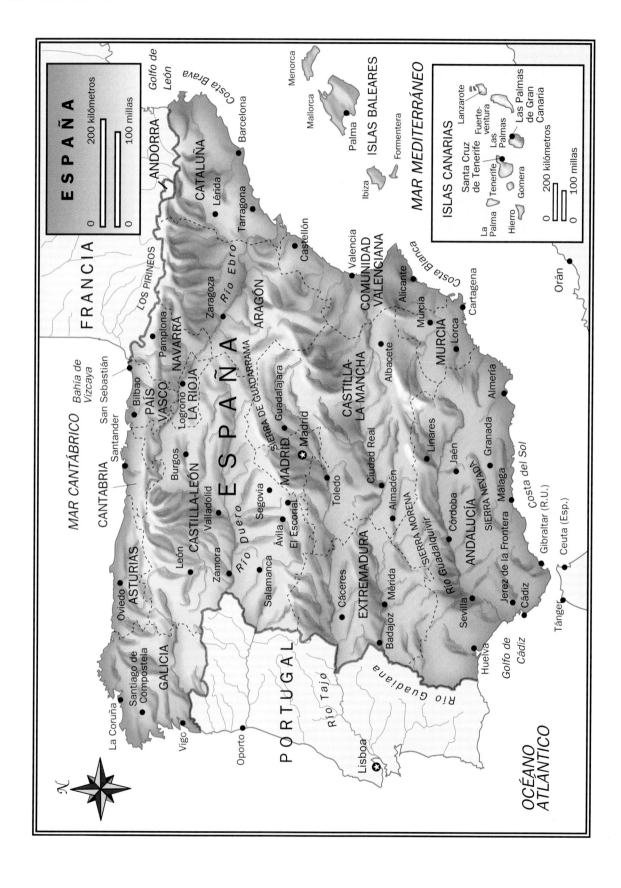

LECCIÓN PRELIMINAR

M E T A S

Comunicación: The **metas** (goals) of this lesson are to learn vocabulary and expressions related to greetings and introductions, talk about where people are from, ask and answer basic questions, discuss likes and dislikes, and tell time. You will also learn about last names and calendars in the Spanish-speaking world.

En el primer (*first*) episodio del vídeo que acompaña (*accompanies*) **Motivos de conversación,** hablan (*talk*) tres personas: Carlos, Mónica y Ana. Carlos y Mónica son (*are*) amigos. Ana es amiga de Mónica. ¿Quiénes son (*are*) los amigos de Ud.? Cómo se llaman?

Visit the *Motivos de conversación* web site at www.spanish.mhhe.com.

Nombres y personas°

Nombres... *Names and Persons*

Me llamo…
¿Cómo te llamas tú?
¿Cómo se llama usted?
¿Cómo se llama él/ella?

My name is . . .
What is your name? (familiar)
What is your name? (formal)
What is his/her name?

Juana   Isabel

Bárbara   Alicia

María

Gloria   Dolores

Paulina   Sara

Virginia

Carmen

Alberto

Enrique

José

Eduardo

Carlos   Roberto

Jorge   Miguel

Diego   Tomás

Tú and usted

In Spanish it is important to distinguish between **tú** and **usted,** both of which mean *you.* The familiar form, **tú,** is generally used among close friends, family members, and classmates, and with small children and pets. The more formal, polite form, **usted** (abbreviated **Ud.** or **Vd.**), is used when speaking with older persons, casual acquaintances, and anyone whose social or professional status requires formality and respect.

MOTIVO CULTURAL*

A Hispanic person has two last names: the first is the father's family name and the second, the mother's. If María **Gómez** Contreras married Ricardo **Plaja** Pelegrín, their son José would be called José **Plaja Gómez**, because the grandfather's name on each side is passed on.

Gonzalo **Gómez** Induráin + Dolores **Contreras** de Gómez   Enrique **Plaja** Costas + Isabel **Pelegrín** de Plaja

└── María **Gómez Contreras** + Ricardo **Plaja Pelegrín** ──┘

José **Plaja Gómez**

Actividades

A **¿Cómo se llaman todos?** (*What is everyone's name?*) *With a partner, take turns asking one another's names, and the names of several other classmates.*

MODELO:	
UD.:	¿Cómo te llamas tú?
SU (*YOUR*) COMPAÑERO/A:	Me llamo _____. ¿Cómo te llamas tú?
UD.:	Me llamo _____. ¿Cómo se llama él? (*Pointing to male classmate*)
SU COMPAÑERO/A:	Se llama _____. ¿Cómo se llama ella? (*Pointing to female classmate*)
UD.:	Se llama _____.

B **¿Tú o usted?** *How would you ask the following people what their names are?*

MODELO: your new next-door neighbor, an elderly man →
¿Cómo se llama Ud.? (*Here **Ud.** is correct, because of your neighbor's age.*)

1. your Spanish professor
2. the person who sits behind you
3. your roommate's friend
4. your biology instructor
5. the director of the financial aid office
6. the person who delivers pizzas

---

*Cultural information will be given in this section throughout the text.

MEMOPRÁCTICA* ▼▲▼▲▼▲▼

Here are some tips for studying Spanish: (1) Try to use Spanish right away, instead of just learning about Spanish. Speak it as much as possible with your teacher, classmates, and Spanish-speaking friends. (2) Study in short, frequent sessions rather than for long periods of time. Learning a foreign language is like learning how to play an instrument; you'll get better results with regular daily practice than with infrequent, marathon study sessions. (3) Keep a positive attitude, and congratulate yourself on taking the first steps toward learning Spanish.

Familiarize yourself with your textbook, including the self-tests for review (**Exámenes de repaso**), glossaries, and appendices. Use the Workbook and Laboratory Manual regularly, checking your answers with those given in the back. Visit the language lab often to develop your listening and speaking abilities, and, if possible, take advantage of the computer software supplied with the *Motivos de conversación* program.

The Spanish Vowels

There are five basic vowel sounds in Spanish. Unlike their English counterparts, Spanish vowel sounds are crisp and do not "glide." For example, the **o** in English *hello* sounds like the *ow* in *crow;* Spanish would cut the **o** shorter and would add no second vowel sound. Try to say the Spanish **aló** crisply, with no **u** sound at the end.

Repeat the following sounds after your instructor.

a: approximately like *a* in *father*

a	da	la
ama	sala	casa

e: approximately like *e* in *they*

e	de	me
Elena	elemento	Venezuela

i: approximately like *i* in *marine*

i (y)†	mi	ti
Silvia	Lima	Misisipí

o: approximately like *o* in *Coca* but without the glide of *Cola*

o	lo	yo
oro	todo	modo

u: approximately like *u* in *Julie*

u	tu	su
un	luna	mucho

---

*Suggestions for learning how to use this text and how to study Spanish will be given in this section.

†When it stands alone in a sentence, the letter **i** is written **y** and means *and.*

The Spanish Alphabet

a	a	Álava	**j**	jota	Jerez	**rr**	erre	Sierra Madre		
b	be	Bogotá	**k**†	ka	kilómetro	**s**	ese	San Salvador		
c	ce	Celaya, Cuba	**l**	ele	Lima	**t**	te	Tegucigalpa		
ch*	che	Chile	**ll***	elle	Callao	**u**	u	Uruguay		
d	de	Durango	**m**	eme	Maracaibo	**v**	ve	Venezuela		
e	e	Ecuador	**n**	ene	Nicaragua	**w**†	doble ve,	whisky		
f	efe	Florida	**ñ**	eñe	España		ve doble			
g	ge	Guatemala,	**o**	o	Orinoco	**x**	equis	examen		
		Génova	**p**	pe	Paraguay	**y**	i griega, ye	Yauco		
h	hache	Honduras	**q**	cu	Quito	**z**	zeta	Zaragoza		
i	i	Iguazú	**r**	ere	Guadalajara					

Cognados°

Cognates

Words that are identical or similar in two languages are called *cognates.*
Because Spanish and English share many cognates, you will be able to
recognize a large number of new words.

As you can see in this list, all Spanish nouns have gender; that is, they are
either masculine or feminine. In Spanish, there are four forms of the word *the:*
el, la, los, and **las. El** goes before singular masculine nouns and **la** before
singular feminine nouns. **Los** and **las** are the plural forms of **el** and **la,**
respectively. The adjectives modifying nouns must also reflect this gender.
Most adjectives end in **-o** when they refer to a masculine singular noun and in
-a when they refer to feminine singular nouns. Other adjectives do not change
form. You will learn more about gender and articles in **Lección uno.**

Read and pronounce the following words. Remember that Spanish
cognates often sound very different from their English equivalents! Ask your
instructor about words you don't recognize.

PERSONAS	LUGARES (*PLACES*)	COSAS (*THINGS*)
el actor / la actriz	el banco	el arte
el/la artista	el bar	el café
el doctor / la doctora	la clase	la computadora
el/la estudiante	la discoteca	la guitarra
el/la novelista	el parque	la música
el presidente /	la plaza	la novela
la presidenta	el restaurante	el programa
el profesor /	la universidad	la televisión
la profesora		

---

*The letters **ch (che)** and **ll (elle)** used to be considered separate letters of the Spanish alphabet.
This is no longer the case. However, you will still see them treated as separate letters in
dictionaries and texts printed before 1995.
†The **k** and the **w** are not Spanish letters. They are found only in words of foreign origin.

ADJETIVOS (*ADJECTIVES*)

-o/-a	No change
americano/a	emocional
cómico/a	excelente
estúpido/a	horrible
extrovertido/a	idealista
famoso/a	(im)paciente
generoso/a	importante
introvertido/a	(im)posible
magnífico/a	inteligente
mexicano/a	interesante
necesario/a	(ir)responsable
práctico/a	optimista
religioso/a	pesimista
romántico/a	popular
serio/a	realista
tímido/a	sentimental

Actividad

*¿**Cómo son todos?*** (*What is everyone like?*) *Use adjectives from the list in* **Cognados** *to describe yourself, a male friend, a female friend, and your Spanish teacher.*

MODELO: Yo soy... → UD.: Yo soy inteligente, romántica y optimista.

1. Yo soy...
2. Mi (*My*) amigo _____ [*name*] es...
3. Mi amiga _____ [*name*] es...
4. El profesor / La profesora de español es...

Asking and Answering Questions

One way to form a question in Spanish is to invert the word order of the sentence, placing the verb before the subject.

STATEMENT: Ella se llama Carmen.   QUESTION: ¿Cómo se llama ella?

Note that an inverted question mark is placed at the beginning of the question.

When asking a question that anticipates a yes-or-no answer, Spanish speakers often keep the normal word order and simply raise their voice at the end of the sentence.

STATEMENT: María es inteligente.   QUESTION: ¿María es inteligente?

To make a sentence negative or to respond negatively to a question, place **no** immediately before the verb.

Yo soy estudiante. → **Yo no** soy estudiante.
¿Es Ud. profesor? → No, (yo) **no** soy profesor.

Actividades

A *Conteste.* Answer the questions based on the drawings.

MODELO: ¿Es popular Elena? →
Sí, Elena es popular.

1. ¿Es idealista Juan? **2.** ¿Es religiosa Isabel?

3. ¿Es importante
el señor Rivera?

4. ¿Es inteligente
la profesora Franco?

5. ¿Es romántico Alberto?

B *Preguntas y respuestas* (*Questions and answers*). *Form questions about the things listed, using the adjectives provided. Then answer each question, based on your own opinion.*

MODELO: la clase de español / interesante →
PREGUNTA: ¿Es interesante la clase de español?
RESPUESTA: Sí, es interesante. (No, no es interesante.)

1. el presidente / popular
2. Madonna / introvertida
3. la universidad / horrible
4. el profesor / la profesora
de español / paciente

5. el café colombiano / excelente
6. la educación / importante
7. el teléfono / necesario

C *Entrevista* (*Interview*). *Find out what a classmate is like by asking him or her about the following characteristics. Then answer your partner's questions. With* *adjectives that change form, remember to use the **-o** ending to describe a man and the **-a** ending to describe a woman.*

MODELO: romántico/a →

UD.: (*To a male partner.*) ¿Eres romántico?

SU COMPAÑERO: Sí, soy romántico. (No, no soy romántico.)

SU COMPAÑERO: (*You are female.*) ¿Eres romántica?

UD.: Sí, soy romántica. (No, no soy romántica.)

1. romántico/a
2. tímido/a
3. generoso/a
4. práctico/a

5. pesimista
6. inteligente
7. (ir)responsable
8. (im)paciente

Saludos y conversaciones°

Saludos... *Greetings and Conversations*

1. —Hola, me llamo Juan Ortiz Mejía. ¿Y Ud.?*
—Me llamo María Pelayo Díaz.
—¿De dónde es Ud., señora?
—Soy de Madrid. ¿Y Ud.?
—Soy de Argentina.

2. —Buenos días, señorita.
—Buenos días, don Antonio.
—¿Cómo está Ud.?
—Bien, gracias, ¿y Ud.?
—Muy bien, gracias.

3. —Buenas tardes. Me llamo Arturo, y mi amigo se llama Pedro. ¿Cómo te llamas tú?
—Me llamo Alicia.
—¿De dónde eres tú, Alicia?
—Soy de la Ciudad de México, ¿y tú?
—Soy de Los Ángeles, y Pedro es de Los Ángeles también.

---

*Direct dialogue in Spanish is indicated by dashes, not by quotation marks as in English.
1. *Hello, my name is Juan Ortiz Mejía. And yours? —My name is María Pelayo Díaz. —Where are you from, madam? —I'm from Madrid, and you? —I'm from Argentina.* **2.** *Good morning, miss. —Good morning, don Antonio. —How are you? —Fine, thank you, and you? —Very well, thank you.* **3.** *Good afternoon. My name is Arturo and my friend's name is Pedro. What is your name? —My name is Alicia. —Where are you from, Alicia? —I'm from Mexico City, and you? —I'm from Los Angeles and Pedro is from Los Angeles too.*

Actividades

A *Diálogos.* Answer the questions based on the preceding dialogues.

DIÁLOGO 1
1. ¿Cómo se llama el señor?
2. ¿Cómo se llama la señora?
3. ¿De dónde es la señora? ¿Y el señor?

DIÁLOGO 2
1. ¿Cómo se llama el señor?
2. ¿Cómo está la señorita?
3. ¿Cómo está el señor?

DIÁLOGO 3
1. ¿Cómo se llama el amigo de Arturo?*
2. ¿De dónde es Alicia?
3. ¿De dónde es Arturo?

B *Sondeo* (Poll). *Poll three classmates for their answers to the questions listed, and indicate your classmates' responses on the chart. Be prepared to report on your classmates' answers.*

MODELO: UD.: ¿De dónde eres? →
     SU COMPAÑERO/A: Soy de Michigan. (*You write* **Michigan** *in the corresponding square.*)

	Compañero/a 1	Compañero/a 2	Compañero/a 3
1. ¿Cómo te llamas?			
2. ¿De dónde eres?			
3. ¿Cómo estás hoy?			
4. ¿Cómo eres?			

Me gusta(n) / Te gusta(n) / Le gusta(n)

Use these phrases to talk about likes and dislikes. Use **me gusta** for yourself, **te gusta** when talking to someone whom you address as **tú**, and **le gusta** with someone whom you address as **usted**.

Me gusta la universidad.
Paco, ¿**te gusta** la clase? —No, no **me gusta** nada.
Profesor, ¿**le gusta** la música clásica? —Sí, **me gusta** mucho.

I like the university.
Paco, do you (fam.) *like the class? —No, I don't like it at all.*
Professor, do you (formal) *like classical music? —Yes, I like it a lot.*

---

*Spanish does not use an apostrophe to show possession: **el amigo de Carlos** = *Carlos's friend* (the friend of Carlos).

You can also use **le gusta** to talk about what another person likes or dislikes.

A Arturo (no) **le gusta** la televisión.   *Arthur likes (doesn't like) television.*

To talk about liking or disliking a group of things, use **me/te/le gustan.**

Me gustan los restaurantes italianos.   *I like Italian restaurants.*

¿**Te gustan** las novelas de John Grisham?   *Do you (fam.) like John Grisham's novels?*

Profesora, ¿**le gustan** las fiestas?   *Professor, do you (formal) like parties?*

A Carmen **le gustan** las hamburguesas.   *Carmen likes hamburgers.*

Note that Spanish sometimes uses the definite article (**el, la, los, las**) when English omits it.

Me gustan **las** enchiladas.   *I like enchiladas.*

Actividades

A **Entrevista.** ¿Qué te gusta? *Ask a classmate if he or she likes the following items.*

MODELO: la universidad →
     UD.: ¿Te gusta la universidad?
     SU COMPAÑERO/A: Sí, me gusta mucho. (No, no me gusta nada.)

1. la televisión
2. la música popular / la música clásica
3. el tenis / el béisbol / el básquetbol
4. las fiestas
5. la clase de español
6. los exámenes
7. las hamburguesas
8. los restaurantes mexicanos

B **¿Qué le gusta?** *Ask your instructor about his or her likes and dislikes.*

MODELO: los deportes (*sports*) →
     UD.: Profesor(a), ¿le gustan los deportes?
     SU PROFESOR(A): Sí, me gustan mucho. Me gusta el béisbol en particular.

1. la pizza
2. la literatura
3. los tacos
4. los estudiantes
5. el café
6. las fiestas
7. los animales
8. el golf

C **Traducciones.** *Translate into Spanish.*

1. I like modern art. (**el arte moderno**)
2. Do you (*fam.*) like pizza? (**la pizza**)
3. I don't like exams at all! (**los exámenes**)
4. You (*fam.*) don't like discos? (**las discotecas**)
5. Do you (*formal*) like the university? (**la universidad**)
6. Does Antonio like Spanish music? (**la música española**)
7. I like my classes a lot. (**mis clases**)

El calendario

Los días de la semana° y los números 1–31
Los... Days of the Week

OCTUBRE						
lunes	martes	miércoles	jueves	viernes	sábado	domingo
1 primero* (uno)	2 dos	3 tres	4 cuatro	5 cinco	6 seis	7 siete
8 ocho	9 nueve	10 diez	11 once	12 doce	13 trece	14 catorce
15 quince	16 dieciséis	17 diecisiete	18 dieciocho	19 diecinueve	20 veinte	21 veintiuno
22 veintidós	23 veintitrés	24 veinticuatro	25 veinticinco	26 veintiséis	27 veintisiete	28 veintiocho
29 veintinueve	30 treinta	31 treinta y uno				

Compound numerals from sixteen through nineteen and twenty-one through twenty-nine are generally written as one word: **dieciséis, diecisiete, veintiuno, veintiocho,** and so on.[†] Those ending with a one-syllable number (**dos, tres, seis**) have a written accent when written as one word: **veintidós, veintitrés, veintiséis.** Note also the **z → c** change before **i** in **dieciséis, diecisiete.**

PARA VER DE VERAS ▲▽▲▽▲▽▲▽▲▽▲▽▲▽▲

Look again at the photo on page 2 to answer the following questions.

1. ¿Cuántas personas hay en la foto? ¿Son (*Are they*) profesores o estudiantes? **2.** En su opinión, ¿cómo es el estudiante? ¿Y las estudiantes? **3.** ¿Son amigos los estudiantes? ¿Cómo se saludan (*do they greet each other*)? **4.** ¿Qué hora del día es en la foto? ¿Qué estación del año es? **5.** ¿Cómo son los amigos de Ud.? **6.** ¿Le gustan a Ud. los estudiantes de sus clases? ¿Cómo son ellos?

---

*As shown in this calendar, cardinal numbers are used for all dates except the first of the month, which is expressed with the ordinal number **primero** instead of **uno.**
[†]The three-word form may also be used (**diez y seis... , veinte y uno**), although it is less common.

VOCABULARIO ÚTIL: hoy, mañana, ayer

Si **hoy** es lunes, **mañana** es martes
y **ayer** fue domingo.

*If **today** is Monday, **tomorrow** is
Tuesday and **yesterday** was Sunday.*

▶ Estaciones y meses°

Estaciones... *Seasons and Months*

LA PRIMAVERA
marzo, abril, mayo

EL VERANO
junio, julio, agosto

EL OTOÑO
septiembre, octubre,
noviembre

EL INVIERNO
diciembre, enero,
febrero

Actividades

A **Números.** *Practice counting with a classmate; continue the sequences logically.*

1. 1, 2, 3…
2. 31, 30, 29…
3. 2, 4, 6…
4. 1, 3, 5…
5. 3, 6, 9…
6. 4, 8, 12…
7. 5, 10, 15…

B **Matemáticas.** *Do these problems, pronouncing all numbers.*

MODELOS: $2 + 4 = 6$ Dos más cuatro son* seis (dos y cuatro son seis).
$8 - 3 = 5$ Ocho menos tres son cinco.

1. $2 + 3$ son _____.
2. $4 + 5$ son _____.
3. $7 + 1$ son _____.
4. $6 + 1$ son _____.
5. $30 - 13$ son _____.
6. $18 + 12$ son _____.
7. $15 - 4$ son _____.
8. $10 + 11$ son _____.
9. $17 - 4$ son _____.
10. $31 - 3$ son _____.
11. $29 - 6$ son _____.
12. $14 + 16$ son _____.

C **Más días y números.** *Practice days and numbers with a classmate, switching roles and using the calendar on page 12.*

1. Choose several dates from the calendar. Your classmate will say which days of the week they are.

MODELO: UD.: el veinticuatro
          SU COMPAÑERO/A: El veinticuatro es miércoles.

---

*Son (*Are*) is the plural of **es** (*is*).

2. Your classmate calls out the name of a day and you will give all the dates that correspond to that day.

MODELO: SU COMPAÑERO/A: el martes
UD.: el dos, el nueve, el dieciséis, el veintitrés, el treinta

D **Conteste.** *Practice the following questions with a classmate. Refer to the calendar for other days of the week and dates.*

DÍAS DE LA SEMANA
1. Si hoy es el 12, ¿qué día es?
2. Si mañana es el 5, ¿qué día es?
3. Si ayer fue (*was*) el 19, ¿qué día es hoy?

FECHAS (*DATES*)
4. Si mañana es sábado 13, ¿qué fecha es hoy?
5. Si ayer fue el 29, ¿qué fecha es hoy?
6. Si ayer fue el 9, ¿qué fecha es hoy?

E **Estaciones y meses.** *Complete the sentences.*
1. Los meses de la primavera son _____, _____ y _____.
2. Mi estación favorita es _____.
3. Mis meses favoritos son _____, _____ y _____.
4. Hay* _____ días en noviembre/agosto/febrero.
5. Hay tres _____ en una estación.

SITUACIONES

En la clase: Here are several commands and interrogative words that you will hear in the classroom and see in the exercises of this text. Learn to recognize the commands so that you can respond appropriately.

MANDATOS (*COMMANDS*)

cambie	*change*	haga	*do, make*
complete	*complete*	invente	*invent*
conteste/responda	*answer*	prepare	*prepare*
dé	*give*	pronuncie	*pronounce*
diga	*tell*	repita	*repeat*

Interrogaciones: You will need to learn these words to ask questions.

INTERROGACIONES (*QUESTIONS*)

¿cómo?	*how?, what?*	¿qué?	*what?, which?*
¿dónde?	*where?*	¿quién(es)?	*who?, whom?*

Note that all of these interrogative words have an accent mark.

---

*__Hay__ means *there is, there are* and **¿hay?** means *is there?, are there?;* **hay un estudiante en la clase** (*there is one student in the class*); **hay dos estudiantes...** (*there are two students . . .*).

F   *Opiniones.* *Answer the questions below, then ask a classmate the same questions. How many answers can you give for each question?*

MODELO: ¿Quién es famoso/a? (el actor / la actriz, el/la novelista, el/la artista, etcétera)

UD.:   Mi actor favorito, Antonio Banderas, es famoso.

SU COMPAÑERO/A: Mi actriz favorita, Emma Thompson, es muy famosa.

1. ¿Quién es famoso/a? (el actor / la actriz, el/la novelista, el/la artista, etcétera)
2. ¿Quién es importante? (el presidente, el profesor / la profesora, el/la estudiante, etcétera)
3. ¿Qué es necesario/a? (la educación, el arte, la música, el café, etcétera)
4. ¿Qué es interesante? (la clase, la universidad, la fiesta, el concierto, etcétera)

Now answer these questions for each person listed.

5. ¿Cómo es el profesor? (la profesora, su compañero/a de clase, su amigo/a, Ud.)
6. ¿De dónde es Ud.? (el presidente, el profesor / la profesora, su amigo/a, su actor favorito / actriz favorita)

¿Qué hora es?

¿Qué... What Time Is It?

A. To express time in the present, use **es** with *one o'clock* and **son** with all other hours.

Es la una.   **Son** las nueve.

NOTE: **La** is used with the first hour (*one o'clock*) and **las** with all others because it is understood that they correspond to **hora** (*hour*) and **horas,** respectively.

B. To express *quarter* and *half hour,* Spanish uses **cuarto** and **media,** respectively. Use **y** to refer to fractions of time up to the half hour; after the half hour use **menos** with the next hour.

Es la una **y cuarto.**   Es la una **y media.**   Son las diez **menos** dieciocho.

C. References to hours may be clarified by adding the phrases **de la mañana** (*a.m.*), **de la tarde/noche** (*p.m.*), and **en punto** (*on the dot*).

Son las nueve de la mañana (noche).	*It is nine o'clock in the morning (at night).*
Son las cinco de la tarde.	*It is five o'clock in the afternoon.*
Son las doce en punto.	*It is twelve o'clock on the dot.*

D. When no specific time is mentioned, use the expressions **por la mañana (tarde, noche).**

La clase de español es por la mañana.	*The Spanish class is in the morning.*

E. Use **a la...** or **a las...** to indicate at what time something happens.

¿A qué hora es la fiesta? —Es a la una.	*When is the party? —It is at one o'clock.*
¿A qué hora es la clase de español? —A las doce.	*When is the Spanish class? —At twelve o'clock.*

Actividades

A ***¿Qué hora es?*** *Use* ***de la mañana, de la tarde,*** *and* ***de la noche*** *in your responses.*

1. p.m.   **2.** p.m.   **3.** p.m.   **4.** a.m.

Son las _____.   Es la _____.   Son las _____.   Es la _____.

5. a.m.   **6.** p.m.   **7.** a.m.   **8.** p.m.

_____   _____   _____   _____

B ***¿A qué hora?*** *No one in your dorm comes back at the same time. What time do the following people come back to their rooms?*

MODELO: Estela, 3:15 p.m. → A las tres y cuarto de la tarde.

1. Inés, 1:45 p.m.   **2.** Raúl, 6:30 p.m.

3. Teresa, 11:40 p.m.
4. Pablo, 2:25 a.m.
5. Silvia, 10:20 a.m.

6. Fernando, 3:50 p.m.
7. Marta, 12:15 a.m.
8. Jaime, 7:10 p.m.

C *Un día típico.* Tell *when you usually do the following activities, first using* **por la mañana, por la tarde,** *or* **por la noche,** *and then giving a specific time, using* **de la mañana, de la tarde,** *or* **de la noche.**

1.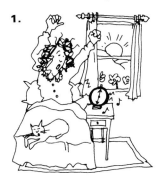

2.

3.

4.

Conversación

Minidiálogos. *Pronounce and memorize.*

1. —Buenas noches, señora Gómez Contreras.
  ¿Cómo está Ud.?*
  —Bien, gracias. ¿Y Ud.?
  —Muy bien.

2. —Buenas tardes, Julia.
  —Hola, ¿qué hay?
  —Pues... nada de nuevo. ¿Y cómo estás tú?
  —Así así. Ahora, a la clase de español.
  —Adiós. Hasta mañana.
  —Hasta luego. Buenas tardes.

---

*1. *Good evening, Mrs. Gómez Contreras. How are you? —Fine (Well), thanks. And you? —Very well (Great).* **2.** *Good afternoon, Julia. —Hello, how are you (what's up)? —Well . . . nothing new. And how are you? —So-so. Now (I'm off) to Spanish class. —Goodbye. Until (See you) tomorrow. —Until (See you) later. Good afternoon.*

Actividad

With a classmate, take turns greeting each other, asking how you are, and saying goodbye. Then repeat the conversation, this time with one of you playing the role of a professor.

Videotemas

Watch the video episode for this lesson and then do the following activities.

A Comprensión. *Answer the following questions about the video episode.*

1. ¿Cómo está Carlos?
2. ¿Cómo se llama la amiga de Mónica?
3. ¿Qué contesta (*answers*) Ana cuando Carlos le dice (*says to her*) «Mucho gusto»?
4. ¿Qué día es el concierto de Luis Miguel? ¿A qué hora es el concierto?
5. ¿Qué contesta Carlos cuando Ana le dice «Muchas gracias»?

B En parejas (*In pairs*). *Talk about the following with a classmate.*

1. ¿Le gusta ir a conciertos? ¿Qué tipo(s) de música le gusta(n)?
2. ¿Cómo se llama su cantante (*singer*) favorito/a? ¿Y su conjunto (*group*) favorito?

VOCABULARIO ACTIVO

Before going on to **Lección 1,** you should know all of the following words from the **Lección preliminar** as well as all the cognates and classroom commands studied in those sections.

Sustantivos (*Nouns*)

el amigo / la amiga	(male/female) friend
el estudiante / la estudiante	(male/female) student
el profesor / la profesora	(male/female) professor, instructor
el señor	man, gentleman; sir
la señora	woman, lady; madam
la señorita	young lady; miss
el día	day
la estación	season
la fecha	date
el mes	month
la semana	week

Adverbios

¿cómo?	how?, what?
¿dónde?	where?
¿qué?	what?, which?
¿quién(es)?	who?, whom?
ayer	yesterday
hoy	today
mañana	tomorrow
mucho	a lot; much
muy	very
pues	well
sí	yes
no	no

Saludos y conversaciones

buenos días	good morning
buenas tardes	good afternoon
buenas noches	good evening; good night
hola	hello
adiós	goodbye
hasta luego	until (I see you) later
hasta mañana	until (I see you) tomorrow
¿Cómo está Ud.?	How are you? (*formal*)
¿Cómo estás (tú)?	How are you? (*fam.*)
¿Cómo está él/ella?	How is he/she?
¿Qué hay?	What's up? What's new?
(muy) bien, gracias	(very) well (fine), thanks
así así	so-so
nada de nuevo	nothing new
¿De dónde es Ud.?	Where are you (*formal*) from?
¿De dónde eres tú?	Where are you (*fam.*) from?
Soy de…	I'm from . . .
Me llamo…	My name is (I call myself) . . .
¿Cómo se llama Ud.?	What's your (*formal*) name?
¿Cómo te llamas (tú)?	What's your (*fam.*) name?
¿Cómo se llama él/ella?	What's his/her name?
¿Quién es (él/ella)?	Who is (he/she)?
¿Cómo es… ?	What is . . . like?
¿Cómo eres (tú)?	What are you (*fam.*) like?
¿Es Ud./él/ella…	Are you (*formal*)/ Is he/she . . . ?

La hora (*Time, Hour*)

¿A qué hora es (la clase)?	At what time is (the class)?
A la una en punto.	At one o'clock on the dot.
A las dos y media.	At two thirty.
Por la mañana/tarde/ noche.	In the morning. / In the afternoon. / At night.
¿Qué hora es?	What time is it?
Es la una y cuarto.	It's a quarter after one.
Son las dos menos diez.	It's ten of (till) two.
Son las seis de la mañana.	It's six in the morning.
Son las cinco de la tarde.	It's five in the afternoon.
Son las once de la noche.	It's eleven at night.

Otras palabras (*Other Words*)

a	to
de	of; from
más	plus; more
menos	minus; less
si	if
y	and

Verbos

(yo) soy	I am
(tú) eres	you (*fam.*) are
(Ud./él/ella) es	you (*formal*) are; he/she is
me gusta(n) (mucho)	I like it (them) (a lot)
te gusta(n) (mucho)	you (*fam.*) like it (them) (a lot)
le gusta(n) (mucho)	you (*formal*) like it (them) (a lot); he/she likes it (them) (a lot)
no me gusta(n) (nada)	I don't like it (them) (at all)
hay	there is, there are

Números

uno, dos, tres, cuatro, cinco, seis, siete, ocho, nueve, diez, once, doce, trece, catorce, quince, dieciséis, diecisiete, dieciocho, diecinueve, veinte, veintiuno, veintidós, veintitrés, veinticuatro, veinticinco, veintiséis, veintisiete, veintiocho, veintinueve, treinta, treinta y uno

Días de la semana

lunes, martes, miércoles, jueves, viernes, sábado, domingo

Meses y fechas

enero, febrero, marzo, abril, mayo, junio, julio, agosto, septiembre, octubre, noviembre, diciembre

el primero de…	the first of . . .
el dos de…	the second of . . .

Estaciones

la primavera, el verano, el otoño, el invierno

LECCIÓN

MIS COMPAÑEROS DE CLASE

METAS

Comunicación: The **metas** of this lesson are to learn basic vocabulary and expressions needed in the classroom. The material presented will enable you to talk about different classroom situations and to begin working in Spanish with other students. You will also learn about the UNAM, Mexico's national university, and about the educational system in the Hispanic world.

Estructuras:

1.1 Singular Articles
1.2 Gender of Nouns
1.3 Plurals of Articles and Nouns
1.4 Agreement and Position of Adjectives
1.5 Subject Pronouns
1.6 Present Tense of **-ar** Verbs

En este episodio del vídeo, Diego habla con Lupe en la librería de la universidad. Ellos buscan (*are looking for*) libros para sus clases. ¿Qué libros usa Ud. en sus clases? ¿Cuánto cuestan (*do they cost*)? ¿Qué libros le gustan especialmente?

Visit the *Motivos de conversación* web site at www.spanish.mhhe.com.

GRÁFICOS

La sala de clase°

In the CD-ROM to accompany **Motivos de conversación** you will find additional practice with vocabulary, grammar, listening, and speaking.

La...*The Classroom*

1. la mesa
2. la silla
3. la puerta
4. la ventana
5. la tiza
6. la pizarra
7. el profesor
8. la profesora
9. el reloj
10. el borrador
11. la mochila
12. la luz

1. el libro
2. el lápiz
3. el bolígrafo / la pluma
4. el papel
5. el dibujo
6. el cuaderno
7. el alumno
8. la alumna
9. el mapa
10. la pared
11. la calculadora
12. el diccionario

MEMOPRÁCTICA

The purpose of the drawings in the **Gráficos** sections is to provide a context that will make learning new vocabulary easier. Try to "see" the new vocabulary in related groups of images rather than as abstract, individual words. Associate the numbered words with the numbered drawings and then pronounce them. Next, cover the words with your hand or a piece of paper and identify the objects in each drawing. As you study the dialogues, review the drawings frequently and try to vary your descriptions of them. You will notice that the characters in many drawings have been given names; this should also help you to remember the context of the vocabulary presentation. The more images you can associate with new words as you study them, the easier it will be for you to remember them.

Actividades

A Relaciones. *In each group, indicate the word that is not related to the others.*

1. la ventana, el dibujo, el lápiz
2. el libro, el papel, la alumna
3. el mapa, la pared, la luz
4. el bolígrafo, el cuaderno, la silla
5. la puerta, el alumno, el profesor
6. la mesa, la pizarra, la tiza
7. la mochila, los libros, la luz
8. la sala, la mesa, la silla
9. el diccionario, el reloj, el libro
10. la calculadora, el borrador, la pizarra

B *Identificaciones.* *With a classmate, point out objects or persons in the classroom. Your partner will name the items or individuals in Spanish. Then reverse roles.*

MODELO:

UD.: ¿Qué es esto? (*What's this?*)

SU COMPAÑERO/A: ¿El papel?

UD.: No, no es el papel.

SU COMPAÑERO/A: ¿El cuaderno?

UD.: Sí, eso es (*that's it*).

La clase de español

ahora	*now*
con	*with*
cosas	*things*
difícil	*difficult*
en	*in*
fácil	*easy*
nombres	*names*
palabras nuevas	*new words*
preguntas	*questions*
sobre	*about*
todas	*all*
varias	*several*

PRESENT TENSE -*ar* VERBS

▲▽▲▽▲▽▲▽▲▽▲▽▲▽▲▽▲▽▲▽▲▽▲▽▲▽▲▽▲▽

converso	*I converse*
conversa	*you* [Ud.] (*he/she*) *converse(s)*
pregunto	*I ask*
pregunta	*you* [Ud.] (*he/she*) *ask(s)*
contesto	*I answer*
contesta	*you* [Ud.] (*he/she*) *answer(s)*
enseño	*I teach*
enseña	*you* [Ud.] (*he/she*) *teach(es)*
uso	*I use*
usas	*you* [tú] *use*
estudio	*I study*
estudias	*you* [tú] *study*
pronuncio	*I pronounce*
pronuncias	*you* [tú] *pronounce*

▲▽▲▽▲▽▲▽▲▽▲▽▲▽▲▽▲▽▲▽▲▽▲▽▲▽▲▽▲▽

Julia conversa con Carla, su amiga mexicana. Carla pregunta sobre varias cosas y Julia contesta las preguntas.

CARLA: ¿Te gusta la clase de español?

JULIA: Sí, me gusta mucho. Es una clase muy interesante.

CARLA: ¿Quién enseña la clase?

JULIA: La profesora Jiménez enseña todas las clases de español elemental. Es una profesora estupenda.

CARLA: ¿Usas un libro difícil?

JULIA: No, uso *Motivos de conversación*. Es muy fácil.

CARLA: ¿Qué estudias ahora?

JULIA: Estudio los nombres de las cosas en la sala de clase: la puerta, el lápiz, la ventana, el dibujo y la calculadora.

CARLA: ¡Fantástico! Tú pronuncias muy bien todas las palabras nuevas.

Actividades

A *¿Qué hacen estas personas?* *What do the following people do? Complete the sentences based on the dialogue.*

Julia _____¹ con Carla. Carla _____² sobre la clase de español, y Julia _____³ las preguntas. La profesora Jiménez _____⁴ la clase de español elemental. Es una profesora estupenda. Julia _____⁵ el libro *Motivos de conversación*. Ahora, ella _____⁶ los nombres de las cosas en la sala de clase. Julia _____⁷ muy bien todas las palabras nuevas.

B *Con sus propias palabras* (*In your own words*). *Complete the following statements, based on your own experience and using the expressions listed. Then compare your sentences with a partner's.*

MODELO: Estudio en... →
UD.: Estudio en la clase.
SU COMPAÑERO/A: Estudio en la biblioteca.

VOCABULARIO ÚTIL

el diccionario, el libro, el cuaderno
el profesor / la profesora
la clase de... (inglés, matemáticas,
    ciencias, música, etcétera)
la sala de clase, la biblioteca (*library*),
    la cafetería

las palabras nuevas
mi amigo/a
mi compañero/a de clase

1. Estudio en...
2. Converso con...
3. Uso el diccionario en...
4. Uso la calculadora en...
5. Contesto las preguntas de...
6. Pregunto sobre...
7. Estudio con...

C *Entrevista.* *With a classmate, alternate asking and answering the following questions.*

MODELO: UD.: ¿Qué estudias en la universidad?
SU COMPAÑERO/A: Estudio español, inglés, ciencias y música.
¿Qué estudias tú?
UD.: Estudio español, filosofía, literatura y matemáticas.

1. ¿Cómo te llamas?
2. ¿Qué estudias en la universidad?
3. ¿Cuál (*Which*) es tu clase favorita?
4. ¿Te gusta la clase de español?
5. ¿Es difícil la clase? ¿Es interesante?
6. ¿Cómo se llama el profesor / la profesora de español?
7. ¿A qué hora estudias? ¿A qué hora conversas con los amigos?

En la biblioteca°

Library

MORE PRESENT TENSE VERBS
▲▽▲▽▲▽▲▽▲▽▲▽▲▽▲▽▲▽▲▽▲▽▲▽▲▽▲▽▲▽

entro	*I enter*
entra	*you* [Ud.] (*he/she*) *enter(s)*
trabajo	*I work*
trabaja	*you* [Ud.] (*he/she*) *works(s)*
preparo	*I prepare*
prepara	*you* [Ud.] (*he/she*) *prepare(s)*
practico	*I practice*
practica	*you* [Ud.] (*he/she*) *practice(s)*
hablo	*I speak*
habla	*you* [Ud.] (*he/she*) *speak(s)*

▲▽▲▽▲▽▲▽▲▽▲▽▲▽▲▽▲▽▲▽▲▽▲▽▲▽▲▽▲▽

a veces	*sometimes*	porque	*because*
aquí	*here*	sólo	*only*
horas	*hours*	también	*also*
pero	*but*	tengo	*I have*

Me llamo Bill y trabajo en la biblioteca de la universidad. Preparo los catálogos de los libros nuevos. Pero sólo trabajo aquí cuatro horas por la tarde, porque por la mañana tengo clases y por la noche estudio.

En el trabajo hablo inglés, pero también practico el español. A veces entra en la biblioteca la profesora Jiménez y hablo con ella en español. La profesora Jiménez es una persona interesante y me gusta conversar con ella.

Actividades

A Diálogo. *Bill is being interviewed by a reporter for the campus newspaper. Answer the reporter's questions, based on the passage. Then role-play the completed dialogue with a partner.*

REPORTERO/A: ¿Dónde trabaja Ud.? ¿Cuándo trabaja allí (*there*)?
      BILL:
REPORTERO/A: ¿Qué prepara Ud. en su trabajo?
      BILL:
REPORTERO/A: ¿Cuándo estudia Ud.?
      BILL:
REPORTERO/A: ¿Qué lengua (*language*) habla Ud. en su trabajo?
      BILL:
REPORTERO/A: ¿A veces habla Ud. español? ¿Con quién?
      BILL:
REPORTERO/A: ¿Por qué le gusta a Ud. conversar con la profesora Jiménez?
      BILL:

B *Entrevista.* Pregúntele a un compañero / una compañera. *With a partner, alternate asking and answering the following questions.*

MODELO:
UD.: ¿Qué lengua hablas en la clase de español?
SU COMPAÑERO/A: Hablo español. ¿Y tú?
UD.: Hablo español, pero a veces también hablo inglés.

1. ¿Qué lengua hablas en la clase de español?
2. ¿Qué estudias en la biblioteca?
3. ¿Con quién practicas en la clase?
4. ¿Con quién conversas antes de (*before*) la clase?
5. ¿Cuándo preparas la lección de español?
6. ¿A qué hora entras en la clase de español?

SITUACIONES ▲▼▲▼▲▼▲▼▲▼▲▼

Preguntas comunes

¿**Qué** lengua estudias?	*What language do you study?*
¿**Cómo** estás?	*How are you?*
¿**Quién** es tu profesor de español?	*Who is your Spanish professor?*
¿**Quiénes** son tus profesores de historia y sicología?	*Who are your professors of history and psychology?*
¿**Cuál** es tu número de teléfono?	*What's your phone number?*
¿**Cuáles** son tus clases favoritas?	*What (Which) are your favorite classes?*
¿**Dónde** trabajas?	*Where do you work?*
¿**Cuándo** estudias?	*When do you study?*
¿**Cuánto** cuesta el libro de español?	*How much does the Spanish book cost?*
¿**Cuántas** horas trabajas hoy?	*How many hours do you work today?*
¿**Cuántos** libros tienes?	*How many books do you have?*
¿**Por qué** no estudias francés?	*Why don't you study French?*

¿**Cuál?** means *which (one)?* but it is also very often the equivalent of *what?* when followed by the verb **ser** (*to be*). Note also that both ¿**cuál?** and ¿**quién?** have plural forms but not feminine ones. ¿**Cuántos?** means *how many?* and becomes ¿**cuántas?** when it refers to feminine plural nouns.

Actividades

A *Hablando por teléfono.* *Your roommate is talking on the phone with a friend. Can you guess what questions the friend asks, based on your roommate's answers? After filling in the missing questions, role-play the conversation with a classmate.*

AMIGO/A:

SU COMPAÑERO/A: Estoy muy bien, gracias.

AMIGO/A:

SU COMPAÑERO/A: Este semestre, estudio alemán, arte, historia y geología.

AMIGO/A:

SU COMPAÑERO/A: Porque el francés no me gusta mucho.

AMIGO/A:

SU COMPAÑERO/A: El libro de alemán cuesta treinta dólares.

AMIGO/A:

SU COMPAÑERO/A: El profesor de historia es el doctor Benson, y la profesora de arte es la doctora Martín.

AMIGO/A:

SU COMPAÑERO/A: La clase de alemán es estupenda. Es muy interesante.

AMIGO/A:

SU COMPAÑERO/A: Trabajo en la biblioteca de la universidad.

AMIGO/A:

SU COMPAÑERO/A: Estudio por la mañana y trabajo por la tarde.

B *Combinaciones.* *Form six questions by combining the question words from column A with phrases from column B. Then ask a classmate your questions and answer his or her questions. Some question words can combine with more than one phrase.*

A	B
¿Quién...	materias (*subjects*) estudias este semestre?
¿Cuál...	alumnos hay en tu clase de español?
¿Cuántos...	estudias?
¿Qué...	te llamas?
¿Cómo...	es tu libro de español?
¿Cuándo...	es la universidad?
¿Dónde...	es tu profesor favorito / profesora
¿Cuántas...	favorita?
	trabajas?
	enseña la clase de español?
	es tu clase favorita?
	horas estudias cada (*every*) día?
	practicas el español?
	conversas con los amigos?
	libros hay en tu mochila?

ESTUDIO DE PALABRAS

Once you learn the Spanish equivalents of certain frequently occurring suffixes, you can predict the forms of many Spanish cognates. Here are several common suffixes.

INGLÉS (ENGLISH)		ESPAÑOL	
-sion	session	**-sión**	sesión
(-tion)	indication	**(-ción)**	indicación
-ly	really	**-mente**	realmente
	sincerely		sinceramente
-ty	liberty	**-tad (-dad)**	libertad
	identity		identidad
-ure	architecture	**-ura**	arquitectura
	literature		literatura
-y	history	**-ia (-ía)***	historia
	sociology		sociología

The names of many school subjects follow these patterns. Others are very close cognates of English words. You should easily recognize the meaning of the following words.

la música
las matemáticas
el álgebra
las ciencias (naturales, físicas, sociales)

las lenguas
la medicina
la química (orgánica, inorgánica)

Exprese en inglés.

1. fraternidad
2. especialmente
3. clarificación
4. antropología

5. generalmente
6. cultura
7. educación
8. pasión

9. claridad
10. economía
11. identificación
12. generosamente

MOTIVO CULTURAL

La Universidad Nacional Autónoma de México está en la Ciudad de México. Es una universidad muy famosa. Tiene (It has) aproximadamente 300.000 estudiantes. Muchos de los líderes de la nación se graduaron en este importante centro de educación.

---

*You will have to memorize when an accent mark is needed.

GRAMÁTICA ESENCIAL

1.1 Singular Articles

—¿Te gusta la clase de español?
—Sí, me gusta mucho. Es una clase
  muy interesante.
—¿Qué estudias ahora?
—Estudio los nombres de las cosas en
  la sala de clase: la puerta, el lápiz,
  la ventana, el dibujo y la calculadora.

In the CD-ROM to accompany *Motivos de conversación* you will find additional practice with vocabulary, grammar, listening, and speaking.

	Definite Article		Indefinite Article	
Masculine	el	*the*	un	*a*
Feminine	la	*the*	una	*a*

1.2 Gender of Nouns

Most Spanish nouns ending in **-o** and those referring to males are masculine. Most nouns ending in **-a** and those referring to females are feminine. A few nouns ending in **-a,** however, are masculine: **el día, el mapa.** Definite and indefinite articles *must agree* with the nouns they accompany.

Masculine		Feminine	
el amigo	un amigo	la amiga	una amiga
el profesor	un profesor	la profesora	una profesora

Most nouns ending in **-d** or **-ción (-sión)** are feminine.

  la ciu**d**ad (*city*)   una lec**ción**   una universi**d**ad   la deci**sión**

Since the gender of nouns is not always predictable, learn nouns along with their definite article, **el** or **la: el lápiz, la clase, el papel, el inglés, el agua** (*water*).*

Actividades

A Un repaso (*review*). *Return to the drawings on page 21. Covering the printed words and, following the numbers, identify the objects in Spanish and give their correct definite articles.*

*****El** is required with feminine singular nouns beginning with a stressed **a** or **ha.**

B **¿Un o una?**

1. universidad
2. clase
3. conversación
4. día
5. ciudad
6. español
7. señor
8. ocasión
9. lección

C *Identificaciones.* *Identify these people.*

MODELO: Carmen es _____ alumna inteligente. →
Carmen es una alumna inteligente.

1. Tomás es _____ alumno extraordinario.
2. Elena es _____ joven española.
3. La señora Díaz es _____ profesora famosa.
4. Martín es _____ joven italiano.
5. Carmen es _____ amiga generosa.

Now describe these people.

MODELO: _____ joven es _____ alumno argentino. →
El joven es un alumno argentino.

6. _____ señorita es _____ persona sincera.
7. _____ señora es _____ profesora mexicana.
8. _____ joven es de _____ ciudad colombiana.
9. _____ profesor es _____ señor español.
10. _____ alumna es _____ señorita de Toronto.

1.3 Plurals of Articles and Nouns

Preparo los catálogos de los libros nuevos.

	Definite Article		Indefinite Article	
Masculine	los	*the*	unos	*some*
Feminine	las	*the*	unas	*some*

Always use a plural article with a plural noun. Remember these rules when making nouns plural.

1. Add **-s** to nouns ending in a vowel.

   el alumn**o** → **los** alumn**os**   la mesa → **las** mesas

2. Add **-es** to nouns ending in a consonant.

   la ciudad → **las** ciuda**des**   el profesor → **los** profeso**res**

3. A noun that ends in **-z** changes the **z** to **c** before adding **-es.**

   el lápiz → **los** lápi**ces**   la luz → **las** lu**ces**

4. A noun that ends in **-n** or **-s** with an accent mark on the last syllable drops the accent mark in the plural.

   la lec**ción** → **las** lec**ciones**   el in**glés** → **los** in**gleses**

Actividades

A ***Cambie al singular.*** *Change each noun to the singular, giving the correct definite or indefinite article.*

1. los españoles
2. los profesores
3. unos días
4. las clases
5. unos señores
6. los lápices
7. unas lecciones
8. las puertas
9. los meses

B ***Cambie al plural.*** *Change each numbered noun to the plural, giving the correct definite or indefinite article. Then relate each noun to one or more of the lettered categories.*

1. papel
2. mapa
3. silla
4. libro
5. luz
6. dibujo
7. novela
8. nación

a. la educación
b. la biblioteca
c. la geografía
d. el arte
e. la literatura

C ***Una descripción.*** *Working with a classmate, name as many objects as possible on this student's desk. Use indefinite articles.*

MODELO: Hay un/una/unos/unas _____ en la mesa.

D ***Sondeo.*** *Poll three classmates to find out if they have the following items in their bookbags. Record their answers in the chart. Does everyone have the same things?*

MODELO: cuadernos →
UD.: ¿Hay cuadernos en tu mochila?
SU COMPAÑERO/A: Sí, hay dos cuadernos en mi mochila.

	Compañero/a 1	Compañero/a 2	Compañero/a 3
libros			
un diccionario			
un reloj			
una calculadora			
lápices			
un mapa			

1.4 Agreement and Position of Adjectives

La profesora Jiménez enseña todas las clases de español elemental. Es una profesora estupenda.

A. Spanish adjectives ending in **-o** change the **-o** to **-a** when they modify a feminine noun.

un papel blanc**o** (*white*)   **una** pared blanc**a**

Most adjectives not ending in **-o** remain the same when modifying a singular noun, whether masculine or feminine.

un libro **especial**   **una** clase **especial**
un dibujo **interesante**   **una** lección **interesante**

Adjectives of nationality are an exception. If they end in a consonant, an **-a** is added for the feminine form. Note that the extra syllable often results in an accent being dropped.

el amigo **español** ⟩ **la** amiga **española**
un señor **francés** (*French*) ⟩ **una** señora **francesa**
un compañero **alemán** (*a German classmate*) ⟩ **una** compañera **alemana**
un joven **inglés** ⟩ **una** joven **inglesa**

B. All adjectives must also agree in number with the nouns they modify. To make an adjective plural, add **-s** if the adjective ends in a vowel and **-es** if it ends in a consonant.

el alumno **inteligente** ⟩ **los** alumnos **inteligentes**
una lección **especial** ⟩ **unas** lecciones **especiales**

Adjectives of nationality ending in a consonant add **-es** to form the masculine plural and **-as** to form the feminine plural.

muchos amigos aleman**es**   varias universidades español**as**

C. Note that all articles precede the nouns they modify. Adjectives indicating quantity and number (**muchos, varias**) also precede the noun. Most descriptive adjectives (**interesante, francés, inteligente**) follow the noun.

Actividades

A **Descripciones.** *The international center at your university is having a party for some of the new students. Describe the following people at the party.*

MODELO: Claudine es _____ señorita _____ (francés). →
Claudine es una señorita francesa.

1. Pablo es _____ estudiante _____ (español).
2. Akbar y Sabim son _____ estudiantes _____ (inteligente).
3. La joven es _____ compañera _____ (alemán).
4. Pierre es _____ estudiante _____ (francés).
5. El señor Valle es _____ profesor _____ (estupendo).
6. Diana es _____ joven _____ (inglés).
7. Mara y Kim son _____ estudiantes _____ (japonés).
8. Juan es _____ joven _____ (idealista).
9. Wolf y Hans son _____ compañeros _____ (alemán).
10. La profesora Jiménez es _____ profesora _____ (interesante).

B **Descripciones.** *Tell the nationality of the following people.*

Sylvie

Teresa y Paolo

Enrique

Fátima y Manolo

el Sr. Smith

Klaus y Anna

Now describe the people in each drawing, using as many adjectives as you can.

POSSIBLE ADJECTIVES

artístico	honesto	romántico
creativo	inteligente	sentimental
cruel	interesante	tímido
elegante	(ir)responsable	tradicional
famoso	jovial	rico (*rich*)
generoso	popular	violento

C *Descripciones. How many adjectives can you think of to describe the following people, places, and things? Describe each one, using the adjectives you've learned in this lesson, as well as the cognates from pages 6 and 7 in the* **Lección preliminar.**

MODELO: su mejor (*best*) amigo →
Mi mejor amigo es inteligente, responsable y popular. También es mexicano.

1. su mejor amigo
2. su mejor amiga
3. sus profesores
4. sus clases este semestre
5. la universidad
6. el presidente
7. el español
8. las preguntas del profesor / de la profesora

1.5 Subject Pronouns

¡Fantástico! Tú pronuncias muy bien todas las palabras nuevas.

Singular		Plural	
yo	*I*	nosotros/as	*we*
tú	*you (fam.)*	vosotros/as	*you (fam.)*
usted	*you (formal)*	ustedes	*you (formal)*
él	*he*	ellos	*they*
ella	*she*	ellas	*they*

In Spanish there is no word for *it* as a subject.

Es importante.   *It is important.*

Except for **ustedes,** the plural pronouns are either masculine or feminine according to the gender of the group they refer to. If the group includes males and females, the masculine form is used.

—¿Estudian Isabel y Tomás con Juana? —No, **ellos** estudian con Carmen.

Vosotros/as, the plural of **tú,** is used extensively in Spain but rarely in Hispanic America. There, **ustedes** serves as the plural of both **tú** and **usted.** As mentioned in the **Lección preliminar, usted** is usually abbreviated in writing to **Ud.** or **Vd.** and **ustedes** to **Uds.** or **Vds.**

Actividades

A **¿De quién habla Ud.?** *What subject pronouns would you use to refer to these people?*

1. una amiga
2. un cliente
3. las profesoras
4. Ud. mismo/a (*yourself*)
5. un amigo y Ud.
6. los señores García (*the Garcías*)
7. dos amigos
8. el presidente
9. un doctor

B **¿Con quién habla Ud.?** *Would you use* **Ud., Uds., tú,** *or* **vosotros/as** *when speaking to these people?*

1. la profesora Jiménez
2. un compañero de clase
3. tres amigas íntimas (en España)
4. el director de la biblioteca
5. papá y mamá (en Hispanoamérica)
6. el profesor Pérez y la profesora Franco

1.6 Present Tense of *-ar* Verbs

A veces entra en la biblioteca la profesora Jiménez, y hablo con ella en español.

Spanish verbs are divided into three conjugations, according to the ending of the infinitive.* Verbs ending in **-ar** belong to the first conjugation, those ending in **-er** and **-ir** to the second and third conjugations, respectively. Examples of verbs in each of these conjugations are **estudiar** (*to study*), **comprender** (*to understand*), and **vivir** (*to live*).

The present tense of first-conjugation verbs is formed by dropping the **-ar** ending of the infinitive and adding the following endings.

---

*The infinitive is the form of the verb listed in dictionaries as the main entry. Its equivalent in English is the form preceded by *to: to speak, to study, to work.*

Singular	Plural
-o	-amos
-as	-áis
-a	-an

The majority of **-ar** verbs are regular; that is, they follow this general pattern.

hablar (*to speak*)		
Singular	(yo) **habl**o	*I speak*
	(tú) **habl**as	*you speak*
	(usted, él/ella) **habl**a	*you speak; he/she speaks*
Plural	(nosotros/as) **habl**amos	*we speak*
	(vosotros/as) **habl**áis	*you speak*
	(ustedes, ellos/ellas) **habl**an	*you speak; they speak*

The Spanish present tense has three possible English translations.

hablo = *I speak, I am speaking, I do speak*

Subject pronouns are usually omitted in Spanish, since the verb endings indicate the subject.

Estud**io** español hoy.	*I study Spanish today.*
Habl**as** inglés.	*You speak English.*

To make a sentence negative in Spanish, place **no** before the verb.

Ellas **no** trabajan mañana.	*They do not work (are not working) tomorrow.*

Actividades

A *¿De quién habla?* *Eduardo keeps telling you about different people's activities without mentioning anyone by name. Give all the pronouns to show which people he could be talking about.*

MODELO: Estudian español.
Ellos (Ellas, Uds.) estudian español.

1. Habla con Carmen.
2. Pronuncian el español.
3. Estudias en la clase.
4. Practica las dos lenguas.
5. Contestan las preguntas.
6. Entramos en la biblioteca.
7. Conversáis en francés.
8. Enseña el español elemental.
9. Preparo la lección.
10. Usas el bolígrafo.

B *Actividades en la clase de español.* *Everyone seems to be doing the same thing today. Tell who else is doing the activity of the first person mentioned.*

MODELO: Bill prepara la lección de español... (yo) →
(Yo) Preparo la lección de español...

1. La profesora Jiménez enseña la clase de español elemental. Ahora ella entra en la sala de clase. Ella pregunta a los alumnos sobre varias cosas, usa la pizarra y practica con ellos las palabras nuevas. (yo, tú, los profesores, nosotras)
2. Yo examino el mapa de España que hay en la pared y estudio los nombres de las ciudades y regiones. Pronuncio los nombres de las ciudades y también converso con los compañeros de clase sobre España y los españoles. (los alumnos, Julia y Ud., tú, Ud.)

C *Conversaciones entre* (*between*) *estudiantes.* *With a classmate, present these dialogues in class, giving the correct form for the infinitive in each case.*

1. —Soy una persona muy ocupada (*busy*). Por la mañana (trabajar), por la tarde (estudiar) historia y biología y por la noche (practicar) el español.
   —Yo también soy una persona ocupada. Por la tarde (preparar) las lecciones para (*for*) mis clases y por la noche (enseñar) inglés a un compañero argentino.
2. —Julia, ¿por qué no (contestar) Ud. cuando la profesora (preguntar) sobre las palabras nuevas?
   —Porque soy tímida y a veces no (estudiar) mucho. Los compañeros de clase (pronunciar) el español correctamente, pero yo no.

D *Sondeo.* *Poll three classmates to find out about their classes and schedules. Record their answers in the chart.*

MODELO: UD.: ¿Dónde estudias?
SU COMPAÑERO/A: Estudio en la biblioteca. A veces estudio en
casa.

	Compañero/a 1	Compañero/a 2	Compañero/a 3
¿Dónde estudias?			
¿Con quién estudias?			
¿Cuándo practicas el español?			
¿Cuál es tu clase favorita?			
¿Qué clase no te gusta?			

Para resumir y repasar*°

A *Descripciones.* Describe what each person or group of people is doing in the drawings. Mention as many activities as you can for each person or group.

el profesor Vargas

Diana

Yo

Elena   Javier   la profesora Méndez

Julia   Carla   Blanca

MODELO: El profesor Vargas →
El profesor Vargas entra en la sala de clase a las diez y cinco.
Conversa con la profesora Méndez. El profesor pregunta
sobre...

1. Javier
2. Elena
3. el profesor Vargas y la
profesora Méndez

4. yo
5. Julia y Carla
6. Diana
7. Blanca y yo

B *Minidiálogos.* Complete los diálogos lógicamente.

1. —Buenos días, señor/señorita.
—¿____ ?
—¿Cómo está Ud.?
—¿____ ?
—Muy bien, gracias.

2. —Buenas tardes. Me llamo Arturo. ¿Cómo ____ tú?
—Me llamo Alicia.
—¿De dónde ____ tú, Alicia?
—Soy ____, ¿y tú?
—Soy ____ también.

PARA VER DE VERAS

Vuelva a mirar la foto de la página 20 para contestar las siguientes
preguntas.

1. ¿Quiénes están en la foto? ¿Dónde están? ¿Qué hacen?   **2.** En su
opinión, ¿de qué hablan? ¿Qué pregunta el estudiante? ¿Qué contesta ella?
3. ¿Quién es más tímido/a, él o ella? ¿Quién es más joven, el estudiante o
la estudiante?   **4.** ¿Es fácil para Ud. conversar con una nueva persona o
es difícil?

---

*The majority of the exercises in this section are designed for home study. Whenever possible,
answers are provided in Appendix 3.

COMUNICACIÓN

De la vida real

AHORA SOMOS 10 DAX

AV. CONSTITUCION Y CALLE 3ra. - AV. NIÑOS HEROES JUNTO A DORIAN'S
CENTRO COMERCIAL **PLAYAS** - PLAZA CARROUSEL EN LA MESA

CONTAMOS ESTE AÑO CON[a] LA MEJOR VARIEDAD EN ARTICULOS ESCOLARES A LOS PRECIOS MAS BAJOS[b]...COMPARE!

CUADERNOS EN VARIOS ESTILOS Y TAMAÑOS CON O SIN SEPARADORES
DESDE N\$[c]5.40

NOVEDOSO ESTUCHE ESCOLAR DE PLASTICO EN BRILLANTES COLORES
DE N\$15.00 PAGUE SOLO N\$10.00

TODA LA LINEA DE PLUMAS "BIC" **30% DESCUENTO**

[a]Contamos... *This year we have*
[b]más... *lowest*
[c]N\$... *nuevos pesos (currency of Mexico)*

Actividades

A **Estrategias para leer.** *You may be surprised to find out how much of this ad you can already understand by using some basic reading strategies. For example, you know that Spanish and English share many cognates. Using cognates will help you with this and other readings. You can also use the pictures here to figure out the meanings of unknown words. Read through the ad now, looking for cognates and studying the pictures. Can you use these two strategies to identify the meanings of the following expressions?*

1. artículos escolares
2. tamaños
3. separadores
4. estuche
5. descuento

    a. *discount*
    b. *school supplies*
    c. *sizes*
    d. *dividers*
    e. *box or kit*

B **De compras.** *Imagine that you are a salesperson at DAX. A classmate will play the role of a customer. Answer your customer's questions, then switch roles.*

UD.: Muy buenos días, señor/señorita.

CLIENTE/A: Muy buenos días. Busco (*I'm looking for*) unos artículos escolares. ¿Qué artículos hay en DAX?

UD.:

CLIENTE/A: ¿Qué diferencias hay entre los cuadernos?

UD.:

CLIENTE/A: ¿Qué estuches hay?

UD.:

CLIENTE/A: ¿Hay descuentos hoy?

UD.:

CLIENTE/A: ¿Y cuál es el precio mínimo de los estuches de geometría?

UD.:

CLIENTE/A: Pues, muchas gracias. Por favor, necesito... (*name several items*)

UD.: Gracias a Ud.

Videotemas

Mire el episodio del vídeo de esta lección y después haga las actividades que siguen.

A **Comprensión.** Conteste las siguientes preguntas sobre el episodio del vídeo.

1. ¿Son buenos amigos Diego y Lupe?
2. ¿Dónde están ellos? ¿Por qué están allí (*there*)?
3. ¿Cuáles son las cinco clases que Lupe tiene (*has*)? ¿Cuál le interesa mucho a Diego?
4. ¿Qué deciden hacer juntos (*together*) Lupe y Diego?
5. ¿Qué les gusta hacer a Lupe y a Diego en su tiempo libre?
6. ¿Qué otras cosas necesita comprar (*need to buy*) Lupe en la librería?

B **En parejas.** Comente lo siguiente con un compañero / una compañera.

1. ¿Qué clases tiene Ud. ahora? ¿Cuál es su materia favorita? ¿Qué libro(s) usa en esa clase?
2. ¿Estudia Ud. con otra persona? ¿Con quién? ¿Es un amigo / una amiga especial?
3. ¿Cuándo le gusta estudiar? ¿por la mañana? ¿por la tarde? ¿por la noche? ¿Cuándo conversa con los amigos?
4. ¿Qué lengua(s) habla Ud.? ¿Le gusta el español? ¿Es fácil o difícil? ¿Con quién(es) practica el español?
5. ¿Qué le gusta hacer a Ud. en su tiempo libre? Mencione tres actividades (o más, si es posible).

MOTIVO CULTURAL

The educational system in the Hispanic world is quite different from that of the United States and can also vary from one country to another. Generally, students attend elementary school (**escuela primaria** or **colegio**) for six to eight years and then go on to high school (**escuela secundaria, liceo,** or **colegio**) for another four to six years. Secondary studies are more extensive in Spanish-speaking countries than in the United States, and students graduate with a degree called **el bachillerato,** which is roughly equivalent to our junior college degree. In some countries, students attend an additional year or two of **preparatoria** before entering the university.

Every student must choose a course of study on entering the university, since all students working for a particular degree (**título**) take the same prescribed courses. Students are required to take more subjects in a single academic term than in the United States and are rarely offered the option of taking an elective. The lecture system is even more prevalent than it is in the United States, and university students often take oral as well as written exams.

La Universidad de Barcelona

VOCABULARIO ACTIVO

Adjetivos

alemán, alemana	German
blanco/a	white
difícil	difficult
elemental	beginning, basic
español(a)	Spanish
fácil	easy
francés, francesa	French
inglés, inglesa	English
japonés, japonesa	Japanese
nuevo/a	new
todo/a	all
varios/as	several; various

Sustantivos

Las lenguas

el alemán	German
el español	Spanish
el francés	French
el inglés	English
el italiano	Italian

La sala de clase

el/la alumno/a	student
el bolígrafo	ballpoint pen
el borrador	eraser

la calculadora	calculator
la clase	class
el/la compañero/a (de clase)	(class)mate; partner
el cuaderno	notebook
el dibujo	drawing
el diccionario	dictionary
el lápiz	pencil
la lección	lesson
el libro	book
la luz	light
el mapa	map
la mesa	table
la mochila	backpack
el papel	paper
la pared	wall
la pizarra	chalkboard
la pluma	pen
la puerta	door
el reloj	clock
la sala de clase	classroom
la silla	chair
la tiza	chalk
la ventana	window

Otros sustantivos

la biblioteca	library
la ciudad	city
la cosa	thing
el/la joven	young man/woman
la materia	(school) subject
el nombre	name
la palabra	word
la pregunta	question
la universidad	university

Verbos

contestar	to answer
conversar (con)	to converse, talk (with)
enseñar	to teach
entrar (en)	to enter
estudiar	to study
hablar	to speak; to talk
practicar	to practice
preguntar	to ask (*a question*)
preparar	to prepare
pronunciar	to pronounce
trabajar	to work
usar	to use

Otras palabras y expresiones

ahora	now
aquí	here
a veces	sometimes; at times
con	with
¿cuál(es)?	which?; which one(s)?; what?
¿cuándo?	when?
¿cuánto/a?	how much?
¿cuántos/as?	how many?
en	in; on
pero	but
porque	because
¿por qué?	why?
que	that, which; who
sobre	about
sólo	only
también	also, too
tengo	I have

Viaje por el mundo hispánico

MÉXICO

DATOS ESENCIALES

NOMBRE OFICIAL:
Estados Unidos Mexicanos

CAPITAL: Ciudad de
México

POBLACIÓN: 97.563.000
habitantes[†]

ÁREA: 1.952.500 km^2
(753.665 millas^2)

FIESTA NACIONAL: el
15 y el 16 de septiembre, el
Grito de Independencia y
el Día de la Independencia

POESÍA

Silvia Tomasa Rivera nace[1] en Veracruz, México, en 1955. A los 33 años, publica[2] *Duelo de espadas*,[3] un volumen de su poesía reunida[4] que describe la vida[5] rural y las experiencias de los vaqueros[6] mexicanos y sus familias. Ha ganado muchos premios[7] nacionales y es considerada una de las mejores[8] autoras mexicanas actuales. Como muchos de sus poemas, éste —de *Duelo de espadas*— no tiene[9] título.

El mar[10] es sólo el mar.

No es una perla, ni un muerto ni nada,[11]
no embaraza mujeres,[12] cuando lo encuentras
tú ya sabes qué hacer.[13]

Es un punto en la tierra.[14]

Silvia Tomasa Rivera

---

[1]*is born*   [2]*she publishes*   [3]*Duelo... Duel with Swords*   [4]*poesía... collected poems*   [5]*life*   [6]*cowboys*   [7]*Ha... She has won many prizes*   [8]*best*   [9]*éste... this one does not have*   [10]*sea*   [11]*ni un... or a dead man or anything*   [12]*no... it does not impregnate women*   [13]*cuando... when you find it, you know what to do*   [14]*earth*

---

* See additional information about Mexico after **Lecciones 10** and **14.**
† Population figures in the **Viajes** notes are mid-1997 estimates.

42 ▲

Te lo puedes llevar[15] en la memoria
como un niño[16] rebelde.

No es el diablo,[17]
ni el espejo[18] del diablo.
Entonces[19] es nada.

El mar es sólo el mar.

[15]Te... *You can take it with you*   [16]*child*   [17]*devil*   [18]*mirror*   [19]*So*

Este mural de Diego Rivera está en el Palacio Presidencial de la Ciudad de México.

ARTE

Diego Rivera (1886–1957) es el muralista más famoso de México. Varios de sus murales más importantes están en las paredes del Palacio Nacional* y del Teatro de Bellas Artes[20] de la Ciudad de México. Un tema muy común en los murales es la historia de México, especialmente la herencia indígena[21] de la nación, la Revolución mexicana (1910–1920) y la ideología anticapitalista tradicional. Dos características distintivas de los murales son los colores vivos[22] y las figuras sensuales. A veces, también es evidente el sentido[23] del humor, muy irreverente, de Rivera.

Frida Kahlo, *Autorretrato (Self-Portrait) con Changuito*, 1945

Otra de las figuras importantes en la historia del arte mexicano es la pintora Frida Kahlo (1907–1954). Como Rivera, Kahlo trabaja con una paleta de colores vivos. La sensualidad de las figuras es evidente en los cuadros[24] de Kahlo también, pero sus temas son completamente diferentes de los de Rivera. El tema central de su obra[25] es la experiencia personal de la pintora. En muchos de sus cuadros ella presenta el intenso dolor[26] físico y emocional que sufrió durante toda su vida,[27] resultado de un accidente de tráfico que tuvo[28] cuando era[29] joven. Otro tema es la vida difícil de la mujer.[30] El estilo de Kahlo combina el realismo con el simbolismo personal. La influencia de Kahlo en la obra de artistas chicanas[31] contemporáneas es muy importante.

[20]Teatro... *Theater of Fine Arts*   [21]herencia... *indigenous heritage*   [22]*lively, brilliant*   [23]*sense*   [24]*paintings*   [25]*work*   [26]*pain*   [27]sufrió... *she suffered throughout her life*   [28]*she had*   [29]cuando... *when she was*   [30]*woman*   [31]*of Mexican descent, living in the U.S.*

*The Palacio Nacional (National Palace) houses the main offices of the President of the Republic of Mexico.

▲ 43

MI CIUDAD

METAS

Comunicación: In this lesson you will learn vocabulary and expressions related to your city and neighborhood. You will learn how to talk about where you live and activities you do downtown, including going to a café and conversing with friends. You will learn about variations in vocabulary used in different parts of the Spanish-speaking world, lotteries in Hispanic countries, and the importance of neighborhood cafés. You will also see a glimpse of downtown Santiago de Chile.

Estructuras:
2.1 More on the Definite Article
2.2 Possessive Adjectives
2.3 Present Tense of **-er** and **-ir** Verbs
2.4 Irregular Present Tense Verbs: **hacer, decir, tener, venir**
2.5 Numbers: 20–1.000.000

 En el vídeo de esta lección, una señorita camina (*walks*) por una calle de la Ciudad de México. Busca (*She is looking for*) la oficina de correos (*post office*) porque necesita comprar estampillas (*stamps*). ¿Necesita Ud. comprar estampillas hoy? ¿Dónde está la oficina de correos en su ciudad? ¿Cuándo va Ud. (*do you go*) allí, generalmente?

Visit the *Motivos de conversación* web site at www.spanish.mhhe.com.

GRÁFICOS

Los edificios del centro°

In the CD-ROM to accompany *Motivos de conversación* you will find additional practice with vocabulary, grammar, listening, and speaking.

Los... *Downtown Buildings*

1. la calle
2. el autobús
3. el banco
4. la tienda
5. el edificio de oficinas
6. el almacén / los almacenes*
7. el cine
8. el hotel
9. el bar
10. el edificio de apartamentos
11. el taxi
12. el automóvil / el coche / el carro / el auto
13. el metro
14. el café / la cafetería
15. el restaurante
16. la gente† (*people*)

Actividades

A **Clasificaciones.** Busque en el dibujo las cosas que corresponden a las siguientes (*following*) categorías.

MODELO: edificios →
El banco es un edificio. También...

1. edificios:
   a. _____ b. _____ c. _____ d. _____
2. medios de transporte (*means of transportation*):
   a. _____ b. _____ c. _____ d. _____
3. lugares (*places*) donde comer (*to eat*) o beber (*to drink*):
   a. _____ b. _____ c. _____ d. _____

---

*The plural **los almacenes** is often used, especially in Spain.
†**La gente,** a singular noun, takes a singular verb.

B *Asociaciones.* *Cover up the definitions on the right while a classmate reads them to you. Can you identify the words he/she defines from the list on the left? Then switch roles.*

MODELO: SU COMPAÑERO/A: La gente deposita los pesos aquí.
UD.: Repite, por favor.
SU COMPAÑERO/A: La gente deposita los pesos aquí.
UD.: ¡Ah! ¡El banco!
SU COMPAÑERO/A: ¡Muy bien!

1. la tienda
2. la calle
3. el banco
4. el almacén
5. el cine
6. el edificio de oficinas
7. el autobús
8. el bar
9. el metro
10. el taxi

a. La gente deposita los pesos aquí.
b. Es una tienda grande donde hay de todo: cosas para la universidad, para la casa (*home*) y para las personas.
c. Aquí la gente conversa con los amigos.
d. Transporta muchas personas.
e. Es un medio de transporte subterráneo y muy rápido.
f. Es un almacén pequeño.
g. Para usar este tipo de coche, es necesario pagar (*to pay*).
h. Aquí la gente ve (*see*) a sus actores favoritos.
i. Aquí trabajan muchas personas.
j. Es para los coches, los taxis y los autobuses.

En mi barrio°

En... *In My Neighborhood*

1. el parque
2. la casa
3. el árbol
4. la fuente
5. el agua
6. las flores
7. el banco
8. la iglesia
9. el reloj
10. la muchacha
11. la cámara
12. el hombre
13. el periódico
14. la mujer
15. la carta

Adjectives

bueno/a	*good*	malo/a	*bad*
bonito/a	*pretty*	feo/a	*ugly*
barato/a	*cheap*	caro/a	*expensive*
antiguo/a	*old, ancient**	nuevo/a	*new*
		grande	*large*
pequeño/a	*small*	otro/a	*another*

*Although both **antiguo/a** and **viejo/a** may be used to describe objects, only **viejo/a** can be used to describe people.

MORE PRESENT TENSE VERBS

▲▼▲

vivo	*I live*	tomo	*I take; drink*
vive	*you (he/she) live(s)*	toma	*you (he/she) take(s); drink(s)*
necesito	*I need*	leo	*I read*
necesita	*you (he/she) need(s)*	lee	*you (he/she) read(s)*
deseo	*I desire*	escribo	*I write*
desea	*you (he/she) desire(s)*	escribe	*you (he/she) write(s)*
miro	*I look at*		
mira	*you (he/she) look(s) at*		

▲▼▲

¿Por qué no vivo en el centro de la ciudad? Porque los apartmentos allí (*there*) son feos y muy caros. En mi barrio los apartamentos son buenos y relativamente baratos. No tengo (*I don't have*) coche, pero hay metro y también autobuses.

Mi calle es bonita. Hay casas pequeñas, edificios de apartamentos grandes, un cine, un café y una iglesia antigua. No necesito reloj; si deseo saber (*to know*) la hora, miro el reloj de la iglesia. En el parque hay flores, árboles y una fuente.

Ahora no hay mucha gente en el parque. Una muchacha toma fotos con su cámara. En un banco, un hombre lee el periódico. En otro banco, una mujer escribe una carta.

MOTIVO CULTURAL

▲▼▲▼▲▼▲▼▲▼▲▼▲▼▲▼▲▼▲▼

Spanish names for everyday objects often vary from country to country, and this text will present some of the most frequent variants. For example, while **automóvil** is common everywhere, the word **auto** is used predominantly in South America; **carro** is used in Mexico, Central America, and most of the Caribbean; **coche** is used in Spain. The word for *bus* is **autobús** in most countries, but **camión** is used in Mexico and **guagua** is used in the Caribbean countries. The word **barrio,** which generally means the cluster of houses, apartments, parks, shops, cafés, and other small businesses that form a neighborhood, may refer specifically to poor or working-class neighborhoods in some countries. Depending on the country, residential districts are also called **colonias, repartos, urbanizaciones,** or **ciudadelas.**

▲▼▲▼▲▼▲▼▲▼▲▼▲▼▲▼▲▼▲

Actividades

A **En el barrio.** *Answer the questions about this* **barrio,** *based on the description you just read.*

1. ¿Por qué no vive esta (*this*) persona en el centro?
2. ¿Cómo son los apartamentos en el barrio?
3. ¿Qué transportes hay en el barrio? ¿Necesita coche la gente?
4. ¿Cómo es la calle? ¿Qué hay en la calle?
5. ¿Qué hay en el parque?
6. ¿Qué hace (*do*) la gente en el parque ahora?

B **Descripciones.** *Describe each item listed from the drawing in* **Gráficos** *logically, using as many adjectives as you can.*

MODELO: la iglesia → La iglesia es antigua y pequeña. También es bonita.

1. la cámara
2. el parque
3. los apartamentos del centro
4. los apartamentos del barrio
5. las flores
6. la mujer
7. el Café Imperial
8. el reloj de la iglesia
9. la calle

C **¿Qué hay en su barrio?** *Answer the questions about your neighborhood. Afterward, alternate asking and answering these questions with a classmate. Are your neighborhoods similar or different?*

MODELO: ¿Hay un parque? ¿Cómo se llama? ¿Cómo es? →
Sí, hay un parque en mi barrio. Se llama Rockbridge Park. Es grande y bonito. Hay muchos árboles.

1. ¿Hay un parque? ¿Cómo se llama? ¿Cómo es?
2. ¿Hay un almacén? ¿Cómo se llama? ¿Cómo es?
3. ¿Hay un cine? ¿Cómo se llama? ¿Cómo es?
4. ¿Hay un bar? ¿Cómo se llama? ¿Cómo es?
5. ¿Hay un café o restaurante? ¿Cómo se llama? ¿Cómo es?
6. ¿Hay una iglesia? ¿Cómo se llama? ¿Cómo es?
7. ¿Hay un hotel? ¿Cómo se llama? ¿Cómo es?

En el café

1. la cerveza
2. el jugo de naranja
3. la señora vieja, la vieja
4. los billetes de lotería
5. el joven
6. el sándwich
7. la leche
8. el señor viejo, el viejo
9. una copa de vino, el vino

el número	*number*
el regalo	*gift, present*
para	*for*
el jamón	*ham*
el queso	*cheese*
mientras	*while*
las noticias	*news*
la política	*politics*

MORE PRESENT TENSE VERBS

▲▽▲▽▲▽▲▽▲▽▲▽▲▽▲▽▲▽▲▽▲▽▲▽▲▽

bebo	*I drink*
bebe	*you (he/she) drink(s)*
vendo	*I sell*
vende	*you (he/she) sell(s)*
compro	*I buy*
compra	*you (he/she) buy(s)*
como	*I eat*
come	*you (he/she) eat(s)*
abro	*I open*
abre	*you (he/she) open(s)*
discuto	*I discuss; argue*
discute	*you (he/she) discuss(es); argue(s)*

▲▽▲▽▲▽▲▽▲▽▲▽▲▽▲▽▲▽▲▽▲▽▲▽▲▽

En una mesa del* café, un hombre bebe cerveza y su amiga toma jugo de naranja. Una señora vieja vende billetes de lotería y el hombre compra el número trescientos cincuenta y cinco (355). Es un regalo para su amiga.

En otra mesa, un joven come un sándwich de jamón y queso y toma leche, y un señor viejo abre el periódico. El señor bebe una copa de vino mientras discute las noticias del día con el joven. —¿Mi opinión personal? Pues… no me gusta la política, no me gusta la situación económica, no me gusta el presidente. No me gusta…

MOTIVO CULTURAL

▲▽▲▽▲▽▲▽▲▽▲▽▲▽▲▽▲▽▲

In Hispanic countries it has long been traditional for individuals to sell lottery tickets on the street. A portion of the funds collected is often used to support schools, hospitals, and charitable organizations.

▲▽▲▽▲▽▲▽▲▽▲▽▲▽▲▽▲▽

Actividades

A *En el café del centro.* Using the following questions as a guide, tell what the characters in the drawing on page 48 are doing.

1. el hombre: ¿Qué toma? ¿Qué compra? ¿Para quién es?
2. la señora vieja: ¿Qué vende?
3. el joven: ¿Qué come? ¿Qué bebe?
4. el señor viejo: ¿Qué abre? ¿Qué bebe?
5. el señor y el joven: ¿Qué discuten?

---

*Del is a contraction of **de** + **el**. It means *of the* or *from the*. (See **Gramática esencial 2.1.**)

B *¿Qué hace Ud.?* *Answer a classmate's questions negatively, using the cues in parentheses and following the model. Then switch roles.*

MODELO: ¿Comes con los amigos? (mi familia) →
No, como con mi familia.

1. ¿Compras libros en la tienda? (el almacén)
2. ¿Tomas jugo de naranja por la mañana? (café)
3. ¿Te gusta comer sándwiches de jamón? (de queso)
4. ¿Lees el libro de español? (el periódico)
5. ¿Necesitas cuadernos? (lápices)
6. ¿Deseas una copa de vino? (una cerveza)
7. ¿Tomas el metro a la universidad? (el autobús)
8. ¿Discutes las noticias con el profesor? (con los amigos)
9. ¿Escribes las palabras nuevas? (una carta)

C *Sondeo.* *Poll three classmates to find out if they do the following things and how often. Record their answers on the chart, using the numbers listed here.*

No = 1   A veces = 2   Sí = 3

MODELO: UD.: ¿Escribes cartas a tus amigos?
SU COMPAÑERO/A: Sí, a veces escribo cartas a mis amigos.
UD.: *(Mark "2" in the corresponding square.)*

	Compañero/a 1	Compañero/a 2	Compañero/a 3
¿Escribes cartas a tus amigos?			
¿Compras billetes de lotería?			
¿Te gusta tomar cerveza o vino?			
¿Comes en restaurantes caros?			
¿Lees el periódico?			
¿Discutes las noticias del día?			
¿Tomas el autobús?			

SITUACIONES ▲▽▲▽▲▽▲▽▲▽▲▽

Cómo preguntar por una dirección° en la ciudad   *Address*

¿Cómo llego a...
(el parque / el Hotel Colón /
el museo / el Cine Real / el
Café Imperio / el Banco Central
/ la estación del metro)?

How do I get to . . .
(the park / the Hotel Colón/
the museum / the Real movie
theater/ the Imperio
coffeehouse / the central bank /
the subway station)?

Siga derecho una cuadra (dos
cuadras, etcétera).

Go on straight ahead one block
(two blocks, and so forth).

Doble a la derecha (a la izquierda).	Turn right (left).
¿Dónde está... ?	Where is . . . ?
Está al lado de... / frente a... / en la esquina de... y...	It is next to . . . / in front of . . . / on the corner of . . . and . . .

Actividad

▶ **Minidiálogos.** *Take turns with a class-mate asking for and giving directions to the places on the map. For each conversation, give directions from the point indicated on the map. Then switch roles.*

MINIDIÁLOGO 1

UD.: ¿Cómo llego al Hotel Colón?
SU COMPAÑERO/A:
UD.: ¿Dónde está el museo?
SU COMPAÑERO/A:
UD.: ¿Cómo llego al Banco Central?
SU COMPAÑERO/A:

MINIDIÁLOGO 2

SU COMPAÑERO/A: ¿Cómo llego al Café Imperio?
UD.:
SU COMPAÑERO/A: ¿En qué esquina está el parque?
UD.:
SU COMPAÑERO/A: ¿Cómo llego a la estación del metro?
UD.:

MINIDIÁLOGO 3

UD.: ¿Dónde está el Cine Real?
SU COMPAÑERO/A:
UD.: ¿Cómo llego a la estación del metro?
SU COMPAÑERO/A:
UD.: ¿En qué calle está el Café Imperio?
SU COMPAÑERO/A:

MOTIVO CULTURAL

▲▼▲▼▲▼▲▼

There is often little difference between a **café**, a **cafetería**, and a **bar** since all three sell alcoholic beverages and you can get a cup of coffee and a snack as easily in a **bar** as in a **café** or **cafetería**. Generally, all three are well-lit, popular gathering spots where friends can spend time together. In the warmer months, **cafés al aire libre**, sidewalk cafés, are especially popular.

The word **cafetería** refers to a coffee shop, not to a self-service cafeteria like the ones in the United States. Self-service cafeterias, called **autoservicios**, are becoming more common in the Hispanic world.

▲▼▲▼▲▼▲▼

ESTUDIO DE PALABRAS

Here are some expressions of agreement and disagreement.

Claro (que sí).	*Of course.*	No estoy de acuerdo.	*I disagree.*
De acuerdo.	*Agreed.*	No es verdad.	*It isn't true.*
Es verdad.	*It's true.*		

React to these statements with an expression of agreement or disagreement. Try to use every expression at least once. Then take turns reading and reacting to the statements with a partner. Do you and your partner have the same opinions?

1. La universidad es muy cara.
2. Nuestra (*Our*) ciudad es fea.
3. La clase de español es excelente.
4. La cafetería de la universidad es buena.
5. El coche es necesario.
6. Los bares son malos.
7. Los edificios antiguos son bonitos.
8. Las clases grandes son horribles.

In the CD-ROM to accompany *Motivos de conversación* you will find additional practice with vocabulary, grammar, listening, and speaking.

GRAMÁTICA ESENCIAL

2.1 More on the Definite Article

El señor bebe una copa de vino mientras discute las noticias del día con el joven.

A. There are only two contractions in Spanish: **a** + **el** = **al; de** + **el** = **del.**

BUT: a la   a los   a las   de la   de los   de las

El alumno mira **al*** profesor.
Estudiamos la Lección dos
   del libro de español.

The student looks at the professor.
We're studying Lesson Two of the
   Spanish book.

---

*The preposition **a** must be used in Spanish before direct objects that refer to specific persons. You will learn more about this usage in **Gramática esencial 4.2.**

BUT: El alumno mira **a la** profesora. *The student looks at the professor.*
¿Por qué estudias el mapa **de** *Why are you studying the map*
la ciudad? *of the city?*

B. Nouns used in a general sense are preceded by the definite article except when the idea of "some" or "any" (an unspecified amount or quantity) is conveyed.

El jugo de naranja tiene *Orange juice has vitamin C.*
vitamina C.
Me gustan mucho **los** árboles. *I like trees very much.*

BUT: Deseo jugo de naranja. *I want (some) orange juice.*
No hay árboles en mi calle. *There aren't any trees on my street.*

C. There is no standard practice for using the definite article with the names of countries. Articles are sometimes used with these countries.*

la Argentina   el Japón
el Brasil   el Paraguay
el Canadá   el Perú
el Ecuador   el Uruguay
los Estados Unidos

BUT: **España, Francia, Italia,** and so on. Note that the definite article is part of the name of **El Salvador** and **La República Dominicana.**

D. The definite article is used with titles except in direct address.

El doctor Sánchez es de México. *Dr. Sánchez is from Mexico.*
La profesora Jiménez vive en mi *Professor Jiménez lives in my*
edificio de apartamentos. *apartment building.*

BUT: Buenos días, Dr. Sánchez. *Hello, Dr. Sánchez. How are you?*
¿Cómo está Ud.?
Profesora Jiménez, ¿de dónde *Professor Jiménez, where are you*
es Ud.? *from?*

Actividades

A **El Dr. Sánchez mira y habla.** *Dr. Sánchez is an avid people watcher. Tell whom he's looking at now.*

MODELO: los alumnos →
El Dr. Sánchez mira a los alumnos.

1. señor viejo   **4.** profesoras   **7.** señora vieja
2. muchacha   **5.** Sr. Vargas   **8.** alumno
3. muchacho joven   **6.** clase   **9.** Sra. Dávila

---

*In this text, the article is used with **los Estados Unidos** but not with the other countries in this list.

Dr. Sánchez is also very talkative. What is he talking about now?

MODELO: universidad →
El Dr. Sánchez habla de la universidad.

10. noticias
11. presidente
12. edificio nuevo
13. Sra. Méndez

14. lotería
15. problemas personales
16. iglesias antiguas

17. Sr. López
18. alumnos

B *En un café del centro.* ¿Con o sin (*without*) el artículo definido?

_____¹ doctor Fernández vive en Buenos Aires, _____² capital de _____³ Argentina. Todos _____⁴ días visita un café de _____⁵ centro de _____⁶ ciudad. Le gusta _____⁷ café y también _____⁸ cerveza. _____⁹ camarero (*waiter*) pregunta: «¿Desea tomar _____¹⁰ cerveza también hoy, _____¹¹ doctor Fernández?»

C *Preguntas y respuestas.* *With a classmate, take turns asking and answering questions according to the cues in parentheses.*

MODELO: El coche nuevo, ¿es de Alemania? (Japón) →
No, el coche nuevo es de Japón.

EN LA CLASE

1. ¿Miras a la profesora? (alumno nuevo)
2. ¿Hablas con los muchachos? (profesora Jiménez)
3. El alumno nuevo, ¿es de Bolivia? (Ecuador)

4. ¿Es Buenos Aires la capital de Chile? (Argentina)
5. ¿Hablas de la Lección dos? (palabras nuevas)

EN EL CAFÉ

6. El vino blanco que bebes, ¿es de Chile? (Estados Unidos)
7. ¿Hablas del presidente? (noticias)
8. ¿Miras a la muchacha bonita? (señor viejo)

9. El regalo, ¿es de la tienda? (almacén)
10. ¿Hablas al Sr. García? (Sra. Escobar)

2.2 Possessive Adjectives

¿Mi opinión personal? Pues...

mi, mis	*my*	nuestro/a/os/as	*our*
tu,* tus	*your (fam. sing.)*	vuestro/a/os/as	*your (fam. pl.)*
su, sus	*your (formal); his/her/its*	su, sus	*your (formal); their*

*The subject pronoun **tú** (*you*) is distinguished from the possessive adjective **tu** (*your*) by its accent.

Possessive adjectives precede the noun they modify and agree with the thing possessed, not with the possessor. **Mi, tu,** and **su** agree only in number with the noun possessed, while **nuestro** and **vuestro** agree in both number and gender.

Mi casa tiene muchas ventanas.	*My house has many windows.*
Tus cartas son interesantes.	*Your letters are interesting.*
Nuestras iglesias son antiguas.	*Our churches are old.*
Su amigo vende coches.	*Your (His/Her, Their) friend sells cars.*

Since **su** and **sus** have more than one meaning, the following constructions are used quite often to clarify who the possessor is.

su amigo = el amigo de él (de ella, de Ud., de ellos, de ellas, de Uds.)
sus amigas = las amigas de él (de ella, de Ud., de ellos, de ellas, de Uds.)

Actividades

A **En el café del centro.** *Tell what everyone is doing in the café by completing the sentences with the correct forms of the verbs in parentheses and the missing possessive adjectives.*

1. Yo _____ _____ café con leche y Laura
   (tomar)   (*my*)

   _____ con Daniela, _____ compañera de clase.
   (conversar)   (*her*)

2. Una señora vieja _____ _____ billetes de lotería. Yo
                        (vender)   (*her*)

   _____ _____ número favorito: 9898.
   (comprar)   (*my*)

3. Laura dice (*says*) que _____ números favoritos son 1234 y 777,
                              (*her*)

   y ella _____ a Daniela: «Daniela, ¿cuál es _____
          (preguntar)   (*your*)

   número favorito?».

4. _____ amigo Fernando _____ el periódico, y
       (*Our*)   (leer)

   nosotros _____ de _____ opiniones políticas.
            (hablar)   (*our*)

5. En otra mesa, hay dos señoritas. Una _____ en _____
                                            (escribir)   (*her*)

   cuaderno, y la otra _____ fotos de la gente con
                        (tomar)

   _____ cámara japonesa.
   (*her*)

6. Ellos _____ con _____ camarera sobre

        (conversar)   (*their*)

    _____ ciudad.

       (*our*)

B *Entrevista.* Nuestros gustos (*tastes*). *Find out if a classmate likes the following things by asking him or her questions.*

MODELO: profesores →

               UD.: ¿Te gustan tus profesores este semestre?

      SU COMPAÑERO/A: Sí, me gustan mis profesores. Son buenos.

Use the correct form of **tu.**   *Use the correct form of* **nuestro.**

1. profesores   **6.** universidad
2. clases   **7.** libro de español
3. barrio   **8.** compañeros de clase
4. coche   **9.** ciudad
5. apartamento (casa)   **10.** profesor(a) de español

C *¡Qué mala memoria!* (*What a bad memory!*) *Don Guillermo's memory isn't what it used to be. Answer his questions using the cues in parentheses and changing the possessive adjectives as necessary.*

MODELO: Los apartamentos de *tu* barrio son muy caros, ¿no? (baratos) →
              No, los apartamentos de *mi* barrio son baratos.

1. *Nuestra* amiga Laura es estudiante, ¿no? (profesora)
2. El café *del señor García* se llama Las Delicias, ¿verdad? (La Rosa)
3. El carro *de ustedes* es alemán, ¿no? (japonés)
4. *Tu* profesora es francesa, ¿verdad? (española)
5. El apartamento *de ustedes* está (*is*) en la Calle Goya, ¿no? (la Calle Velázquez)
6. *Nuestra* estación del metro se llama Universidad, ¿verdad? (Ópera)
7. La tienda *de doña Carmen* se llama La Preciosa, ¿no? (Alta Moda)
8. *Mi* periódico está en la silla, ¿verdad? (la mesa)

2.3 Present Tense of *-er* and *-ir* Verbs

En un banco, un hombre lee
el periódico. En otro banco,
una mujer escribe una carta.

The present indicative of second- and third-conjugation verbs (**-er** and **-ir** verbs, respectively) is formed by dropping the **-er** and **-ir** endings of the infinitive and adding the following endings.

comer (*to eat*)		vivir (*to live*)	
como	*I eat*	vivo	*I live*
comes	*you eat*	vives	*you live*
come	*you eat; he/she/it eats*	vive	*you live; he/she/it lives*
comemos	*we eat*	vivimos	*we live*
coméis	*you eat*	vivís	*you live*
comen	*you eat; they eat*	viven	*you live; they live*

Note that the only difference between the two sets of endings is in the first and second persons plural.

Here are the second- and third-conjugation verbs presented so far in this lesson.

-er		-ir	
beber	*to drink*	abrir	*to open*
comer	*to eat*	discutir	*to discuss; to argue*
leer	*to read*	escribir	*to write*
vender	*to sell*	vivir	*to live*

Actividades

A *Mis amigos y yo en la ciudad.* Diga qué hacen (*do*) estas personas.

MODELO: ellas, Ud.   leer el periódico → Ellas leen el periódico.
                                         Ud. lee el periódico.

Ud., nosotras
1. abrir un periódico
2. leer el editorial
3. discutir las noticias del día

tú, ellos
4. comer un sándwich de jamón y queso
5. beber jugo de naranja
6. escribir una carta en el café

yo, vosotros
7. no vivir en el centro de la ciudad
8. visitar la plaza central
9. vender regalos en un almacén

B *Una tarde en el centro.* Imagine that you are downtown one afternoon. Combine subjects from column A and verbs from column B to create eight original sentences about what's happening. Remember to conjugate the verb correctly for the subject chosen. At least three of your sentences should be negative.

MODELO: una familia alemana, visitar ›
Una familia alemana visita una iglesia antigua.

A	B
yo	abrir
tú	beber
un señor viejo	comer
una muchacha bonita	comprar
dos señoras	discutir
mis amigos y yo	escribir
una familia alemana	hablar
	leer
	tomar
	vender
	visitar

C *Entrevista.* Pregúntele* a un compañero / una compañera.

1. ¿Dónde vives, en una casa, un apartamento o una residencia (*dorm*)?
2. ¿Te gusta comer en restaurantes italianos? (¿japoneses? ¿alemanes? ¿mexicanos?)
3. ¿Cómo se llama tu restaurante favorito? ¿Qué comes allí?
4. Por la mañana, ¿bebes té, café o jugo de naranja?
5. En un restaurante, ¿tomas agua, vino o cerveza?
6. ¿Qué periódicos lees? ¿A veces lees periódicos de otras ciudades?
7. ¿Con quién discutes las noticias? ¿la política? ¿tus problemas personales?

2.4 Irregular Present Tense Verbs: *hacer, decir, tener, venir*

No tengo coche, pero hay metro y también autobuses.

The following verbs do not follow the patterns of regular **-er** and **-ir** verbs, so it is necessary to memorize their different forms. Note that all four have a common feature, the **g** in the first person singular.

***Le** is an indirect object pronoun. In this case it refers to **un compañero / una compañera.** Learn to recognize this *command + pronoun* construction, because it will appear in directions to other exercises. Indirect-object pronouns are explained in **Lección 9.**

-er: hacer (*to make; to do*)	-ir: decir (*to tell; to say*)	-er: tener (*to have*)	-ir: venir (*to come*)
hago haces hace	digo dices dice	tengo tienes tiene	vengo vienes viene
hacemos hacéis hacen	decimos decís dicen	tenemos tenéis tienen	venimos venís vienen

Actividades

A *¿Qué hacemos para la fiesta?* Complete con una forma del verbo **hacer.**

1. Mis amigas _____ las invitaciones.
2. Yo _____ los nachos.
3. Nosotros _____ las enchiladas de queso.
4. Vosotros _____ el jugo de naranja.
5. Lupe _____ el café.
6. ¿Qué _____ tú, Roberto?

B *¿A qué hora y cómo?* Using the times shown and the information provided, say when the following people have class, and how they come to class. Use the verbs **tener** and **venir.**

MODELO: P.M.

Patricia / en autobús →
Patricia tiene clase a las doce y cuarto de la tarde.
Viene a clase en autobús.

A.M.

1. Yo / en bicicleta

P.M.

2. Tú / en metro

P.M.

3. Pablo y Mercedes / a pie (*on foot*)

A.M.

4. La profesora Jiménez / en coche

A.M.

5. Laura y yo / en autobús

P.M.

6. Tú y Marta / en metro

C *Cosas que hago todas las mañanas.* Complete la narración con una forma del verbo indicado.

Todas las mañanas yo (hacer) las mismas (*same*) cosas. Si (tener) tiempo (*time*), (tomar) café. A las 8:00, (decir) adiós a la familia y (venir) a trabajar al centro.

Now change exercise C to tell what the following people do each morning: **tú, ella, nosotros, vosotras,** *and* **ellos.**

D *En mi café favorito.* Haga oraciones (*sentences*) completas.

MODELO: Ella / hacer / el café
          Ella hace el café.

1. Yo / tener / un café favorito
2. Es / mi favorito / porque / tener / cerveza barata
3. Mis amigos y yo / venir aquí / todos los días
4. Aquí / nosotros / hacer / muchas cosas
5. A veces / yo / hacer / mi tarea (*homework*) aquí
6. Tomás y Carlos / discutir / la política
7. Ellos / tener / opiniones muy diferentes
8. Carlos / decir que / Tomás / es / comunista
9. Yo / decir que / Tomás / es / tonto (*silly*)

2.5 Numbers: 20–1.000.000

Una señora vieja vende billetes de lotería y el hombre compra el número trescientos cincuenta y cinco.

20	veinte		200	doscientos/as
30	treinta		300	trescientos/as
40	cuarenta		400	cuatrocientos/as
50	cincuenta		500	quinientos/as
60	sesenta		600	seiscientos/as
70	setenta		700	setecientos/as
80	ochenta		800	ochocientos/as
90	noventa		900	novecientos/as
100	cien(to)			
1.000	mil		1.000.000	un millón
2.000	dos mil		2.000.000	dos millones

Beginning with **treinta,** the multiples of ten end in **-a** and are never combined in a single word: **treinta y uno, cuarenta y siete.**

Ciento is shortened to **cien** when it is directly followed by a noun, whether masculine or feminine. **Cien** is also used for 100 when counting.

Multiples of one hundred may be either masculine or feminine.

Hay ciento cincuenta y cinco muchachos en la escuela.	*There are 155 children in the school.*
Hay cien hombres y doscientas mujeres aquí.	*There are 100 men and 200 women here.*

In Spain and in many Spanish American countries a period is used in place of a comma to indicate thousands: **1.000; 17.361.210.** Conversely, a comma is often used where English uses a decimal point: **$3.036,41; 2,5%.**

Numerals above 1000, including years, are never read in Spanish by hundreds.

Hay 1.700 (mil setecientos) autobuses en la ciudad de San Juan.	*There are one thousand seven hundred (**not** seventeen hundred) buses in the city of San Juan.*
Nací en (el año) 1970 (mil novecientos setenta).	*I was born in (the year) one thousand nine hundred seventy (**not** nineteen seventy).*

Millón is always followed by **de** in Spanish if used in conjunction with a noun: **dos millones de personas. Mil,** however, does not require **de,** and it is always singular: **dos mil personas.**

Actividades

A *El censo* (*census*). Exprese en español.

MODELO: 482 autobuses →
En nuestra ciudad, hay cuatrocientos ochenta y dos autobuses.

1. 18.597 apartamentos
2. 378 tiendas
3. 224 bares
4. 548.640 casas
5. 436 iglesias
6. 2.400.970 habitantes
7. 166 cines
8. 845.910 automóviles

B *¿Cuál es su número de teléfono?* *With a classmate, take turns asking for and giving the phone numbers of the Spanish Club members listed here. As your partner reads you the numbers, cover your book and write down what you hear. Then read the number you've written back to your partner for verification. Notice that the numbers are listed following the system used in many Spanish-speaking countries.*

MODELO: Sofía: 258-33-97 →
UD.: ¿Cuál es el número de Sofía?
SU COMPAÑERO/A: Su número es el dos cincuenta y ocho, treinta y tres, noventa y siete.
UD.: ¿Dos, cincuenta y ocho, treinta y tres, noventa y siete?
SU COMPAÑERO/A: Sí, eso es.

1. Beatriz: 451-56-78
2. Javier: 572-51-64
3. la profesora Peña: 323-47-96
4. Lupe y Ana: 843-38-59
5. Martín y Daniel: 692-64-72
6. el profesor Muñoz: 719-89-36

C *De compras* (*Shopping*). *How much do you expect to pay for these items? Give your answers in dollars* (***dólares***).

> MODELO: un vino francés →
> Para comprar un vino francés, necesito veinte o treinta dólares.

1. un coche japonés
2. un reloj suizo (*Swiss*)
3. un regalo caro para tu novio/a (*boyfriend/girlfriend*)
4. una casa grande
5. una cámara alemana
6. los libros para las clases este semestre
7. leche para una semana
8. una computadora

Para resumir y repasar

A **¿Cuándo hacen Uds. estas cosas?** Diga cuándo o a qué hora hace Ud. las siguientes acciones. Después, diga cuándo o a qué hora las hace (*does them*) otra persona.

> MODELO: tomar café →
> Yo tomo café por la mañana. Mi amiga Denise toma café por la mañana, por la tarde ¡y por la noche!

1. hacer la tarea (*homework*)
2. leer el periódico
3. tener la clase de español
4. comer un sándwich
5. tomar un examen
6. hablar por teléfono
7. mirar la televisión
8. venir a la universidad

B **¿Cómo son?** *Answer a friend's questions about the following things, using the correct possessive adjective and the correct forms of the adjectives in parentheses.*

> MODELO: ¿Cómo es *tu* amiga Patricia? (bonito, inteligente, generoso) →
> *Mi* amiga Patricia es bonita, inteligente y generosa.

1. ¿Cómo son las clases *de la profesora Jiménez*? (interesante, difícil)
2. ¿Cómo son *tus* nuevos compañeros de casa? (inteligente, cómico)
3. ¿Cómo son las fiestas *de Esteban*? (bueno, grande)
4. ¿Cómo es la comida del restaurante *de don Tomás*? (delicioso, caro)
5. ¿Cómo son los exámenes *del profesor Montiel*? (difícil, complicado)
6. ¿Cómo es *tu* apartamento? (pequeño, feo)

PARA VER DE VERAS ▲▽▲▽▲▽▲▽▲▽▲▽▲▽▲

Vuelva a mirar la foto de la página 44 para contestar estas preguntas.

1. ¿Dónde está la señorita? ¿Con quién habla?   2. ¿Qué desea ella saber (*to know*)? ¿Qué pregunta?   3. ¿Quién es el señor? ¿Dónde trabaja él?
4. ¿Le gusta a Ud. estar en la calle? ¿Hay seguridad en las calles de una ciudad grande?   5. ¿Habla Ud. con otras personas en la calle? ¿Cuándo?
6. ¿Con qué otras personas habla Ud. cuando realmente necesita saber algo (*something*)? ¿con una mujer? ¿con un hombre? Explique.

COMUNICACIÓN

In the CD-ROM to accompany *Motivos de conversación* you will find additional practice with vocabulary, grammar, listening, and speaking.

De la vida real

Gane ayudando[a]

3.000.000

MAS LOS PREMIOS[b] EXTRA, CASA Y AUTO.

El Maciel es el Hospital de 3.000.000 de uruguayos. Año a año se ha modernizado y ha incorporado nueva tecnología en beneficio de ellos. Esto ha sido posible gracias a su colaboración a través de[c] la Lotería del Maciel. Este 10 de Febrero colabore[d] nuevamente con las obras de remodelación[e] de nuestro Hospital. Y gane 3.000.000 de pesos. Más los premios Extra, Casa y Auto. Gane ayudando, con la Lotería del Maciel.

LOTERIA DEL MACIEL
10 DE FEBRERO

A *La lotería del Maciel.* Lea el anuncio (*ad*) y conteste.

1. ¿Qué es el Maciel?
2. ¿En qué país está el Maciel?
3. ¿Cuántas personas usan el Maciel?
4. ¿Por qué necesita el hospital el dinero (*money*) de esta lotería?
5. ¿Cuánto dinero gana una persona con el primer premio?
6. ¿Qué día es esta lotería?
7. ¿Hay otros premios también? ¿Qué premios son?

---

[a]Gane... *Win while helping*
[b]*prizes*
[c]*a... through*
[d]*cooperate*
[e]obras... *remodeling projects*

▲ 63

B *Minidiálogo.* *Imagine that you are a lottery ticket vendor and want to sell these two tickets to a classmate. With a partner, complete and then role-play the dialogue.*

UD.: Buenos días. ¿Desea comprar unos billetes de lotería?

COMPAÑERO/A: ¿Qué números tiene Ud.?

UD.:

COMPAÑERO/A: ¿Cuánto cuesta un billete?

UD.:

COMPAÑERO/A: ¿De cuánto es el primer premio?

UD.:

COMPAÑERO/A: ¿De qué fecha son los billetes?

UD.:

COMPAÑERO/A: ¿Por qué vende Ud. billetes viejos?

UD.:

MOTIVO CULTURAL

▲▼▲▼▲▼▲▼▲▼▲▼▲▼▲▼▲▼▲▼▲▼▲▼▲▼

En esta plaza del centro de Santiago, la capital de Chile, hay tiendas, árboles, flores y una fuente con mucha agua. Santiago es una ciudad muy grande: más de cuatro millones de personas viven allí. Tiene (*It has*) una zona antigua con iglesias y edificios coloniales y otra zona moderna. También tiene barrios residenciales elegantes y tres universidades importantes.

▲▼▲▼▲▼▲▼▲▼

Videotemas

Mire el episodio del vídeo de esta lección y después haga las actividades que siguen.

A Comprensión. Conteste las siguientes preguntas sobre el episodio del vídeo.

1. ¿Cuántas personas hablan en este episodio? ¿Quiénes son? ¿Cómo son?
2. ¿Quién es muy amable? ¿Qué hace esa persona para ayudar (*to help*) a la señorita?
3. ¿Por dónde camina la señorita? ¿Qué edificio busca? ¿Por qué?
4. ¿Está lejos (*far*) ese edificio? ¿A cuántas cuadras está?
5. ¿Qué medio de transporte toma la señorita? ¿Adónde necesita ir para encontrar (*to find*) un taxi? ¿Cuánto cuesta el taxi?

B En parejas. Comente lo siguiente con un compañero / una compañera.

1. ¿A cuántas cuadras está la oficina de correos de la universidad? ¿Es posible caminar allí? ¿Cuánto cuesta un taxi?
2. ¿Vive Ud. cerca de (*near*) la universidad o vive lejos? ¿A qué hora viene a la universidad? ¿Cómo viene? ¿Camina? ¿Toma el metro o el autobús? ¿Viene en automóvil?
3. Dé direcciones completas para ir (*to go*) de la universidad a los siguientes lugares.
   a. a su restaurante favorito
   b. al banco
   c. al museo
   d. a la tienda _____

VOCABULARIO ACTIVO

Adjetivos

antiguo/a	old, ancient
barato/a	inexpensive, cheap
bonito/a	pretty, beautiful
bueno/a	good
caro/a	expensive
feo/a	ugly
grande	large, big
malo/a	bad
otro/a	other, another
pequeño/a	small, little
viejo/a	old; elderly

Sustantivos

Personas

el/la camarero/a	waiter/waitress
la gente	people
el hombre	man
el/la muchacho/a	boy/girl
la mujer	woman
el/la viejo/a	old man/woman

Edificios

el almacén (los almacenes)	department store(s)
el apartamento	apartment
el banco	bank
el bar	bar
el café	café
la cafetería	coffee shop
la casa	house; home
el cine	movie theater
el edificio de apartamentos/oficinas	apartment/ office building
la estación (del metro)	(subway) station
el hotel	hotel
la iglesia	church
el museo	museum
el restaurante	restaurant
la tienda	store

En la calle

el autobús	bus
el auto(móvil)	auto(mobile), car
el barrio	neighborhood
la calle	street
el carro	car
el centro	downtown
el coche	car
la cuadra	(city) block
la dirección	address
la esquina	corner
el (medio de) transporte	(means of) transportation
el metro	subway
el parque	park
el taxi	taxi

Para beber y comer

el café	coffee
la cerveza	beer
el jamón	ham
el jugo de naranja	orange juice
la leche	milk
el queso	cheese
el sándwich	sandwich
el vino; una copa de vino	wine; a glass of wine

En el parque

el agua	water
el árbol	tree
el banco	bench
la flor	flower
la fuente	fountain

Otros sustantivos

el billete de lotería	lottery ticket
la cámara	camera
la carta	letter
la foto(grafía)	photo(graph)
las noticias	news
el periódico	newspaper
la política	politics
el regalo	gift
el reloj	watch; clock
la tarea	homework
el tiempo	time (*in general*)

Verbos

abrir	to open
beber	to drink
comer	to eat
comprar	to buy
decir (*irreg.*)	to say; to tell
desear	to desire; to want
discutir	to argue; to discuss
escribir	to write
hacer (*irreg.*)	to do; to make
leer	to read
mirar	to watch; to look (at)
necesitar	to need
tener (*irreg.*)	to have
tomar	to drink; to take
vender	to sell
venir (*irreg.*)	to come
vivir	to live

Otras palabras y expresiones

allí	there
Claro (que sí).	Of course.
De acuerdo.	Agreed. I agree.
Es verdad.	It's true.
No estoy de acuerdo.	I disagree.
para	(intended) for; (in order) to
todos los días	every day
tomar fotos	to take pictures
¿verdad?	right?; is(n't) that so?

Números

veinte, treinta, cuarenta, cincuenta, sesenta, setenta, ochenta, noventa, cien(to), doscientos/as, trescientos/as, cuatrocientos/as, quinientos/as, seiscientos/as, setecientos/as, ochocientos/as, novecientos/as, mil, un millón

Posesivos

mi(s), tu(s), su(s), nuestro/a/os/as, vuestro/a/os/as, su(s)

Viaje por el mundo hispánico

ESPAÑA*

ESPAÑA

DATOS ESENCIALES

NOMBRE OFICIAL:
Reino[1] de España

CAPITAL: Madrid

POBLACIÓN: 39.244.000
habitantes

ÁREA: 504.750 km^2
(194.884 millas^2)

FIESTA NACIONAL: el
12 de octubre, el Día de la
Hispanidad

ARTE

El Templo Expiatorio de la Sagrada Familia,[2] la catedral diseñada por[3] el arquitecto catalán[4] Antonio Gaudí (1852–1926), es el símbolo de la ciudad de Barcelona. El magnífico edificio es producto de un movimiento revolucionario de arquitectura que se llama el modernismo catalán. Los arquitectos de esta escuela usan las formas y texturas de la naturaleza[5] y evitan las líneas y ángulos rectos.[6] Al contrario, sus edificios tienen formas ondulantes, esculturales y policromáticas. Antonio Gaudí es el arquitecto más famoso de este grupo, y el Templo de la Sagrada Familia es su creación principal. Otras estructuras famosas de Barcelona diseñadas por Gaudí incluyen las del Parque Güell.† Gaudí murió[7] en 1926, a los 74 años de edad,[8] pero la iglesia de la Sagrada Familia todavía[9] está en construcción.

[1]Kingdom   [2]El... The Expiatory Temple (Church of Atonement) of the Holy Family   [3]diseñada... designed by   [4]Catalonian (of Catalonia, a region of NE Spain)   [5]nature   [6]evitan... avoid straight lines and right angles   [7]died   [8]a... at 74 years of age   [9]still

---

*See additional information about Spain after **Lecciones 8** and **11.**
†The **Parque Güell,** an urban project designed by Gaudi between 1900 and 1914, combines gardens and living space surrounded by a wall decorated with mosaics.

El Templo Expiatorio de la Sagrada Familia

MOSAICO HUMANO

Pedro Almodóvar hizo[10] su primera película[11] en 1980, en la época de la nueva libertad cultural después de la muerte[12] del dictador Francisco Franco. Las películas de Almodóvar representan una subversión de aquellos[13] elementos de la cultura tradicional española que fueron[14] muy importantes durante los treinta y seis años de la dictadura[15] (1939–1975): la familia, la religión, el machismo y la moral convencional.[16] Pero, lejos de ser serias,[17] las películas de Almodóvar combinan una irreverencia chocante[18] con un sentido del humor muy irónico para investigar la condición humana y, especialmente, la situación de la mujer en la sociedad española. Sus películas son muy populares en España, y algunas,[19] como *¿Qué he hecho yo para merecer esto?*, *¡Átame!*, *Mujeres al borde de un ataque de nervios* y *Tacones lejanos,** son populares en los Estados Unidos también.

[10]*made* [11]*movie* [12]*después... after the death* [13]*those*
[14]*que... that were* [15]*dictatorship* [16]*moral... middle-class morals*
[17]*lejos... far from being serious* [18]*shocking* [19]*some*

Pedro Almodóvar

POESÍA

Antonio Machado (1875–1939) es uno de los poetas españoles más importantes del siglo[20] XX. Su poesía es, en general, directa, sencilla[21] y melancólica. En el siguiente poema, que es uno de sus más populares, Machado evoca los símbolos más típicos de su España.

La plaza tiene una torre[22]

La plaza tiene una torre,
la torre tiene un balcón,
el balcón tiene una dama,[23]
la dama una blanca flor.[24]
Ha pasado[25] un caballero
— ¡quién sabe por qué pasó[26]! — ,
y se ha llevado[27] la plaza,
con su torre y su balcón,
con su balcón y su dama,
su dama y su blanca flor.

[20]*century* [21]*simple* [22]*tower* [23]*lady, damsel* [24]*flower* [25]*Ha... Has*
passed (by) [26]*¡quién... who knows why he passed (by)* [27]*se... he has taken away*

Antonio Machado

*Movie titles are frequently changed in translation to something considered more appealing to the general public. The English titles of these Almodóvar movies are *What Have I Done to Deserve This?*; *Tie Me Up, Tie Me Down*; *Women on the Verge of a Nervous Breakdown*; and *High Heels*.

LA ROPA QUE LLEVO

METAS

Comunicación: In this lesson you will learn vocabulary and expressions related to clothes and accessories. You will talk about the way you dress and shop for clothes. In addition, you will learn to describe the conditions and characteristics of people and objects. You will also learn about shopping and fashions in Spanish-speaking countries, and will see a regional costume and dance from Cuba.

Estructuras:

3.1 More Irregular Present Tense Verbs: **estar, ser, dar, ir**

3.2 **Ser** Used to Express Identification, Origin, Material, and Possession

3.3 **Estar** Used to Express Location

3.4 **Ser** and **estar** with Adjectives

3.5 Present Participles and Progressive Forms

En este episodio del vídeo visitamos una tienda muy bonita en el centro de Quito, capital de Ecuador. José Miguel acompaña a Paloma, que busca un par (*pair*) de jeans. ¿Tiene Ud. que (*Do you have to*) ir de compras hoy? ¿Qué quiere comprar? ¿Quién va a acompañarlo/la? ¿Va de compras con frecuencia?

Visit the *Motivos de conversación* web site at www.spanish.mhhe.com

GRÁFICOS

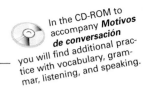

La ropa

Verbs

llevar, usar	*to wear*
combinar	*to go with, to match*

Adjectives

cómodo/a	*comfortable*
incómodo/a	*uncomfortable*

1. el traje*
2. la camisa
3. la corbata
4. los pantalones
5. el zapato
6. el vestido
7. el abrigo
8. el bolso / la bolsa / la cartera†
9. el sombrero
10. la bota

11. los pantalones cortos
12. la camiseta
13. la sandalia
14. la blusa
15. la falda
16. el calcetín
17. el tenis
18. la chaqueta
19. el suéter
20. los (pantalones) vaqueros / los jeans

Los colores

 rojo/a

 azul claro (*light*)

 amarillo/a

 color café

 gris

 verde

 rosado/a

 azul oscuro (*dark*) / azul marino

 anaranjado/a

 morado/a

 de rayas

 de cuadros

***El traje** may also refer to a woman's gown or a tailored suit.
†**La bolsa** is used in Mexico and Central America. **La cartera** is common in the rest of Spanish America; it can also mean *wallet*.

Actividades

A *¿Qué llevan?* Describa Ud. la ropa de las figuras de la página 71.

MODELO: El señor de la izquierda →
El señor de la izquierda lleva un traje,...

1. El señor de la izquierda
2. La señora de la izquierda
3. El muchacho del centro (*middle*)
4. La muchacha de la derecha
5. El muchacho de la derecha

B *La ropa que me gusta.* Explíquele a un compañero / una compañera qué lleva Ud. generalmente en las siguientes (*following*) situaciones.

MODELO: para la clase de español →
UD.: Para la clase de español, generalmente llevo
(me gusta llevar) vaqueros y una camiseta.
SU COMPAÑERO/A: Generalmente, yo llevo vaqueros también. A
veces llevo...

1. para la clase de español
2. por la tarde, en agosto
3. por la mañana, en febrero
4. para ir (*go*) a un concierto de rock
5. para ir a la iglesia
6. para una entrevista de trabajo (*job interview*)
7. para lavar (*wash*) el coche
8. para una cita (*date*)

C *¿Combina bien o no?* (*Does it match well or not?*) *You are a clerk in a large department store. Help the customers by suggesting the right colors and items of clothing to go with the clothes they already have. Suggest several items for each customer.*

MODELO: Una señora necesita algo (*something*) para combinar con una
falda gris. →
¿Qué tal una blusa azul claro? ¿O un suéter negro? ¿Necesita
Ud. unas botas negras (*black*)?

1. Un señor necesita algo para combinar con un traje azul marino.
2. Una muchacha necesita algo para combinar con una minifalda morada.
3. Un muchacho necesita algo para combinar con unos pantalones color café.
4. Una señora necesita algo para combinar con una blusa de rayas blancas y verdes.
5. Un muchacho necesita algo para combinar con unos vaqueros negros.
6. Una muchacha necesita algo para combinar con unos pantalones cortos rojos.

Clara va a una fiesta

Adjectives

alto/a	*tall*
bajo/a	*short*
delgado/a	*thin*
gordo/a	*fat*
manchado/a	*stained*
tonto/a	*dumb*
listo/a	*smart*

Other words

entonces	*then*
esta noche	*tonight*
la fiesta	*party*
juntos/as	*together*
la talla	*size* (in clothes)
lavar	*to wash*
tampoco	*either/neither*
¿Te presto... ?	*Shall I lend you . . . ?*

Telas (*Fabrics*) y materiales

el algodón	*cotton*
la lana	*wool*
la piel, el cuero	*leather*
la seda	*silk*

PRESENT TENSE

▲▼▲▼▲▼▲▼▲▼▲▼▲▼▲▼▲▼▲▼▲

estoy	*I am*
está	*you (formal) are; he/she/it is*
soy	*I am*
eres	*you (fam.) are*
es	*you (formal) are; he/she/it is*
voy	*I go*
va	*you (formal) go; he/she/it goes*

▲▼▲▼▲▼▲▼▲▼▲▼▲▼▲▼▲▼▲▼▲

CLARA: Esta noche voy a la fiesta de Carmen. ¿Llevo el suéter amarillo de lana o la blusa morada de seda?

FLOR: ¿Por qué no usas la blusa rosada de algodón? Me gusta mucho.

CLARA: La blusa rosada está manchada. Es un error lavar juntos los colores claros con los oscuros. ¡Qué tonta soy!

FLOR: No eres tonta, pero tampoco eres muy lista. ¿Te presto mi suéter anaranjado y mi falda café de cuadros?

CLARA: No, gracias. Tú eres alta y delgada y yo soy baja y gorda.

FLOR: Entonces, ¿por qué no usas mi suéter rojo, que es de una talla grande, con tu falda gris de piel? Tienes zapatos y cartera grises, ¿verdad?

CLARA: Sí, ¡estupendo! Me gusta la combinación de rojo y gris. Gracias, Flor.

Actividades

A ***¿Quién es?*** Diga si las siguientes oraciones describen a Clara o a Flor, según el diálogo.

MODELO: Dice que es tonta. → Clara dice que es tonta.

Dice que...

1. va a la fiesta de Carmen
2. tiene una blusa manchada
3. le gusta mucho la blusa rosada de algodón
4. es baja y gorda
5. tiene un suéter rojo
6. tiene una blusa morada de seda
7. tiene un suéter anaranjado
8. le gusta la combinación de rojo y gris
9. es alta y delgada

B *No están de acuerdo.* *You and a friend are out shopping. Disagree with everything your friend says. Take turns with a partner. Make any necessary changes for agreement.*

MODELO: Esa (*That*) chica / bonito →
      SU COMPAÑERO/A: Esa chica es bonita, ¿no?
            UD.: No, esa chica es fea.

1. Ese traje / caro
2. Esa falda / feo
3. Ese almacén / grande
4. Esos vaqueros / cómodo
5. Esos tenis / barato
6. Ese dependiente (*salesclerk*) / gordo
7. Esa señora / alto

C *Entrevista.* Pregúntele a un compañero / una compañera.

1. ¿Qué llevas cuando vas a una fiesta? ¿al trabajo (*work*)?
2. ¿Tienes mucha ropa? ¿Qué ropa nueva necesitas ahora?
3. ¿Te gusta ir de compras (*to go shopping*)?
4. ¿Dónde compras tu ropa?
5. ¿Cuál es tu color favorito? ¿Qué combinación de colores te gusta?
6. ¿Prestas a veces tu ropa a tus amigos?
7. ¿Cuándo lavas la ropa? ¿Lavas la ropa en casa o en una lavandería automática (*laundromat*)?

En el Almacén Neptuno

PRESENT PROGRESSIVE

estoy buscando	*I am looking for*
está buscando	*you are (he/she is) looking for*
estoy hablando	*I am speaking (talking)*
está hablando	*you are (he/she is) speaking (talking)*
estoy pagando	*I am paying*
está pagando	*you are (he/she is) paying*

1. el cliente
2. el dependiente
3. la caja
4. el dinero
5. la tarjeta de crédito

Adjectives

contento/a	*happy*
triste	*sad*
rico/a	*rich*
pobre	*poor*
joven	*young*
poco/a	*little, not much*
rebajado/a	*reduced*
simpático/a	*nice, pleasant*

Verbs

aceptar	*to accept*
buscar	*to look for*
ganar	*to earn*
gastar	*to spend*
pagar	*to pay*

Pedro es joven y simpático. Es de México y vive en Los Ángeles. Pedro está triste porque gana poco dinero. Necesita ropa porque está buscando un nuevo trabajo. Ahora está en el Almacén Neptuno, hablando con un dependiente.

PEDRO: Necesito dos camisas y también corbatas.

DEPENDIENTE: ¿De qué color son sus trajes?

PEDRO: Gris oscuro.

DEPENDIENTE: ¡Perfecto! Muchos colores combinan bien con un traje gris. Dos posibilidades son una camisa blanca y otra de color azul claro.

PEDRO: Es verdad. Compro una corbata verde para la camisa blanca y una azul marino de rayas para la camisa azul claro.

DEPENDIENTE: Tenemos camisas blancas rebajadas a veintinueve dólares.

PEDRO: Son caras. No soy rico, señor, y no deseo gastar mucho.

DEPENDIENTE: En su talla, también hay camisas blancas y azules rebajadas a dieciocho dólares. Y tenemos estas (*these*) corbatas por sólo nueve noventa y nueve. Son de poliéster, pero son muy bonitas, una imitación perfecta de las corbatas de seda.

PEDRO: ¿Aceptan Uds. tarjetas de crédito?

DEPENDIENTE: ¡Claro que sí!

Actividades

A ***En el Almacén Neptuno.*** Aquí hay unas oraciones (*sentences*) sobre el diálogo. Cada (*Each*) una contiene un error. Corrija los errores.

MODELO: En el Almacén Neptuno no aceptan tarjetas de crédito. →
No es verdad. Allí aceptan tarjetas de crédito.

1. Pedro es de España.
2. Está triste porque no le gusta Los Ángeles.
3. Está buscando ropa para llevar a una fiesta.
4. Necesita camisetas y pantalones cortos.
5. El dependiente recomienda una camisa amarilla y una de rayas.
6. Pedro compra unas corbatas de seda.
7. Pedro gasta mucho dinero porque es rico.
8. Pedro paga con un cheque.

B ***¿Qué está pasando?*** Imagine que Ud. está de compras (*shopping*) en el Almacén Neptuno. Describa qué ocurre, combinando las expresiones para hacer oraciones completas, según (*according to*) el diálogo.

El dependiente está…
Pedro está…
Otro cliente está…

buscando un nuevo trabajo
hablando con Pedro
hablando con un dependiente
pagando con dinero
viviendo en Los Ángeles ahora
mirando las corbatas y las camisas
explicando (*explaining*) los precios rebajados del almacén

▲OTIVO CULTURAL

▲▽▲▽▲▽▲▽▲▽▲▽▲▽▲▽▲▽

While Hispanic young people value comfort and informality in dress, they are generally very style-conscious. For this reason small, fashionable boutiques abound in the larger cities, along with the large department stores. **El Corte Inglés** (*The English "Cut"*) is one of Spain's best-known department store chains. Colombia has **Éxito** and, in Mexico, **El Palacio de Hierro** and **Liverpool** are large department stores with numerous branches.

Hispanic students used to dress very formally. Years ago, for example, young men were expected to wear a suit and tie to class, but in recent years dress codes have been relaxed considerably. Today many college students attend classes in jeans and sandals, much like their North American counterparts. And many imitate dress styles popularized by American and English rock stars.

▽▲▽▲▽▲▽▲▽▲▽▲▽▲▽▲▽▲▽

SITUACIONES ▲▽▲▽▲▽▲▽▲▽▲▽

Vamos de compras°

¿Cuánto cuesta... ?	How much does . . . cost?
Cuesta...	It costs . . .
Está(n) rebajado(s).	It's (They're) on sale.
¿Tiene la talla... ?	Do you have size . . . ?
Sí, tengo tallas desde la... hasta la...	Yes, I have sizes from . . . to . . .
¿Cuál es su número de zapato?	What is your shoe size?
Mi número de zapato es...	My shoe size is . . .
¿Qué le parece(n)?	How do you like it (them)?
(No) Me gusta(n).	I (don't) like it (them).
Me queda(n)... grande(s), pequeño(s), bien.	It's (They're) . . . too large, too small, just right for me.
Voy a comprar el vestido (los pantalones, etcétera).	I'm going to buy the dress (the pants, and so forth).

Vamos... *Let's Go Shopping*

Actividad

Minidiálogos. Hagan (*Make*) diálogos cortos con un compañero / una compañera, siguiendo (*following*) las siguientes indicaciones. *One of you role-plays the clerk and the other, the customer. Then switch roles.*

Minidiálogo 1

CLIENTE/A	DEPENDIENTE/A
Tell the clerk you are looking for brown shoes and black boots.	Ask your customer his or her shoe size.
Tell the clerk your shoe size.	Bring several pairs, and ask the customer how he/she likes them.
Say that the shoes are too small, and you don't like them. Say that you do like the boots.	Say that the boots are on sale.
Ask how much the boots are.	Name the price, and say that you accept credit cards.
Say that you will buy the boots.	Thank the customer.

Minidiálogo 2

CLIENTE/A	DEPENDIENTE/A
Tell the clerk you are looking for a leather jacket.	Ask your customer what color he/she is looking for.
Say you want a jacket that goes with everything (**que combine con todo**).	Say that you recommend (**recomiendo**) a black jacket, a navy blue one, or a gray one.
Tell the clerk your size, and say that you want to see a black jacket and a navy one.	Bring the jackets. Ask the customer how he/she likes them.
Say the black jacket is too large, but that you really like the navy one. Ask how much it costs.	Give the price.
Say that it's very expensive.	Agree, and explain that the leather is very good and that the jacket is Italian.
Say thank you, but you don't have the money.	Thank the customer, and say goodbye.

MEMOPRÁCTICA ▼△▼△▼△▼△▼

In memorizing new material, you are more likely to be successful if you develop systematic study habits. For example, jot down on a flash card or a slip of paper some new words from tomorrow's lesson and begin going over them as you leave class today. Go over them—English to Spanish and then Spanish to English—as you walk to your next destination. Before your next class, take advantage of the two or three minutes you have to wait for the instructor to review the list. Try to look at the new words for a few moments every hour or so; frequent reviews throughout the day will fix the words more firmly in your mind than will a single, lengthy study period.

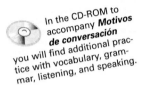

In the CD-ROM to accompany *Motivos de conversación* you will find additional practice with vocabulary, grammar, listening, and speaking.

GRAMÁTICA ESENCIAL

3.1 More Irregular Present Tense Verbs: *estar, ser, dar, ir*

—Esta noche voy a la fiesta de Carmen y mi blusa rosada está manchada. ¡Qué tonta soy!
—No eres tonta, pero tampoco eres muy lista.

In the **Gráficos** section of this lesson, you learned the **yo** and **usted** forms of the irregular verbs **estar, ser, and ir,** and also the **tú** form of **ser.** Here are the remaining present-tense forms of these verbs and the irregular verb **dar** (*to give*). Note that all four verbs share one irregularity, the **-y** ending of the first person singular.

estar (*to be*)	ser (*to be*)	dar (*to give*)	ir (*to go*)
estoy	soy	doy	voy
estás	eres	das	vas
está	es	da	va
estamos	somos	damos	vamos
estáis	sois	dais	vais
están	son	dan	van

Actividades

A *Sonia es muy optimista.* Haga oraciones nuevas para expresar lo que (*what*) ella dice sobre las personas indicadas.

1. Las alumnas son simpáticas. (nosotras, Uds., tú, Luis y Alina, yo)
2. La dependienta está contenta. (yo, vosotras, tú, Amalia y Alfredo, nosotras)

Hoy hay liquidación en el Almacén Neptuno. Diga quiénes van al almacén y quiénes compran algo (*something*).

3. Miguel va al Almacén Neptuno. (ellas, Alina y yo, Uds., tú, vosotros)
4. Mamá da el dinero a la dependienta. (los clientes, Uds., tú y Rodrigo, nosotros)

B *Una conversación telefónica.* Complete la conversación con la forma apropiada de los verbos entre paréntesis.

MIGUEL: ¡Hola! Habla Miguel. ¿(Estar[1]) Juanita en casa?
JUANITA: Sí, Miguel. (Ser[2]) (*I am*) Juanita.
MIGUEL: Juanita, ¿qué tal? ¿(Dar[3]) tú una fiesta el sábado?
JUANITA: No, yo no (dar[4]) una fiesta, pero Jaime sí (dar[5]) una. ¿(Ir[6]) tú a la fiesta de Jaime?
MIGUEL: Sí, Luis y yo (ir[7]) en mi coche.
JUANITA: ¡Ah! ¿Tú (ser[8]) amigo de Luis?
MIGUEL: Sí, Luis y yo (ser[9]) muy buenos amigos. ¿Quién más (ir[10]) a la fiesta?
JUANITA: Alina y Laura (ir[11]) y también el nuevo estudiante español.
MIGUEL: ¡Estupendo! Entonces, nos vemos (*we'll see each other*) el sábado.
JUANITA: De acuerdo.

C *Entrevista.* Pregúntele a un compañero / una compañera.

1. ¿Vas a una fiesta este fin de semana (*weekend*)? ¿Dónde es la fiesta?
2. ¿Das fiestas a veces? Cuando das una fiesta, ¿invitas a muchas personas?
3. ¿Qué haces los fines de semana? ¿Vas al cine a veces? ¿al parque?
4. ¿Vas de compras mucho? En tu opinión, ¿es muy importante la ropa?
5. ¿Te dan dinero tus padres para comprar ropa?
6. ¿Adónde vas para comprar ropa?

3.2 *Ser* Used to Express Identification, Origin, Material, and Possession

Pedro es de México.
Las corbatas son de poliéster.

A. The verb **ser** is used to indicate that one noun or pronoun is equal to another noun or pronoun.

> José es cliente de esa tienda.   *Joe is a client of that store.*
> Yo soy dependiente.   *I am a salesclerk.*

Note in these examples that the noun or pronoun before the verb and after it refer to the same person (**José** = **cliente, yo** = **dependiente**).

B. When **ser** is used to tell where a person or thing is from, it is followed by the preposition **de.**

> Somos **de** Canadá.   *We're from Canada.*

C. Ser plus **de** expresses what material a thing is made of.

> Mi abrigo es **de** alpaca y es del   *My coat is (made of) alpaca, and*
> Perú.   *it's from Peru.*

D. Ser with the preposition **de** also expresses possession.

> El vestido es **de** María.   *The dress is Maria's.*
> ¿Las botas? Son **de** la señora   *The boots? They are Mrs.*
> Andújar.   *Andújar's. (They belong to Mrs.*
>   *Andújar.)*

3.3 *Estar* Used to Express Location

Pedro está ahora en el Almacén Neptuno.

The verb **estar** (often followed by the preposition **en**) is used to express location.

> Tu camiseta está en la silla.   *Your T-shirt is on the chair.*
> ¿Dónde está el Almacén   *Where is (the department store)*
> Neptuno?   *Neptuno?*

SUPER OFERTAS   BIG SALE

ETIQUETA ROJA
$10,000 ($4 US)
RED LABEL

ETIQUETA AZUL
$15,000 ($6 US)
BLUE LABEL

PRECIOS POR COLORES

ETIQUETA VERDE
$20,000 ($8 US)
GREEN LABEL

ETIQUETA AMARILLA
$27,000 ($10 US)
YELLOW LABEL

PRICE BY COLORS

Actividades

A ***¿De dónde son? ¿Qué son?*** Use la información siguiente y diga de dónde es cada (*each*) persona y qué hace él o ella.

MODELO: Pedro Almodóvar →
Pedro Almodóvar es de España. Es director de cine.

PERSONAS	PAÍSES	PROFESIONES
Carolina Herrera	Colombia	tenor de ópera
Antonio Banderas	Cuba	actor/actriz
Pedro Almodóvar	España	director(a) de cine
Plácido Domingo	los Estados Unidos	escritor(a)
Andy García	Guatemala	líder (feminista/
Arnaldo Alemán	México	para los dere-
Gloria Estefan	Nicaragua	chos [*rights*]
Rigoberta Menchú	Venezuela	humanos)
Gabriel García		cantante (*singer*) de
Márquez		música popular
		político / mujer
		política
		diseñador(a) de ropa

B ***Hablando con los clientes.*** *You are a clerk at a department store. Using the cues in parentheses, explain to your customers what the following items are made of and where they are from.*

MODELO: corbata (seda, Italia) →
La corbata es de seda. Es de Italia.

1. suéter (alpaca, Perú)
2. chaquetas (piel, los Estados Unidos)
3. blusa (algodón, Ecuador)
4. faldas (seda, Japón)
5. abrigos (lana, Inglaterra)
6. tenis (piel, los Estados Unidos)
7. traje (seda, Italia)

C ***¿De quién es?*** *The luggage belonging to your tour group has gotten mixed up. Using the cues in parentheses, sort out everyone's belongings by asking and answering questions about the following items. Role-play with a partner.*

MODELO: botas (Ud. / la Sra. Rivera) →
UD.: ¿Las botas son de Ud.?
SU COMPAÑERO/A: No, no son mis botas. Son de la señora Rivera.

1. traje (el Sr. Alonso / el Sr. Martínez)
2. tenis (Ud. y Pablo / los muchachos)
3. abrigo (Jaime/Roberto)
4. suéteres (Ud./Elena)
5. cámara (nosotros / el Sr. Vásquez)
6. mapa (Ud./Patricia)
7. libros (las muchachas / la Sra. Montoya)

D *¿Dónde está?* *Using the expressions listed, tell a classmate who is new to the university where the following things are. Then switch roles with a partner.*

MODELO: la biblioteca →
SU COMPAÑERO/A: ¿Dónde está la biblioteca?
UD: Está frente al departamento de biología, en la esquina de las calles University y Main.

VOCABULARIO ÚTIL

a la izquierda de...	frente a...	en la esquina de... y...
a la derecha de...	al lado de...	

---

1. la biblioteca
2. el departamento de español
3. el gimnasio
4. tu casa/residencia (*dormitory*)

5. la librería (*bookstore*)
6. el cine
7. tu restaurante favorito

3.4 *Ser* and *estar* with Adjectives

Pedro es joven y simpático, pero está triste porque gana poco dinero. Él es pobre.

When used with an adjective, **ser** expresses a characteristic considered to be inherent. For example, **rico/a, pobre, joven,** and **viejo/a** are used with **ser** to classify a person according to social class or age group. **Estar** used with an adjective describes a current state and may indicate that some change has taken place. For example, **Ellos están gordos** suggests that they weren't fat previously. **Estar** used with an adjective also implies a quality or sensation that is unexpected, in which case it can convey the meaning of *to feel, to taste,* or *to look*. For example, **estar** used with **joven** or **viejo/a** suggests that the person *looks* young or old even if it isn't so. Compare the following examples.

ser: INHERENT TRAITS	**estar:** STATES OR UNEXPECTED TRAITS
El hielo es frío. *Ice is cold.*	La sopa está caliente. *The soup is hot.*
Ella es (una persona) enferma. *She is (a) sickly (person).*	Ella está enferma ahora. *She is sick now.*
Juan es alto. *John is tall.*	La hierba está alta. *The grass is tall. (It's grown and needs mowing.)*
Él es joven. *He is young.*	Él está joven para su edad. *He is (looks) young for his age.*
El café es siempre bueno aquí. *The coffee is always good here.*	El café está bueno. *The coffee (This particular coffee) tastes good.*

When an adjective expresses a state, whether it is permanent or not, **estar** must be used.

Ud. siempre está cansada. *You are always tired.*
El general está ocupado. *The general is busy.*
Lucía y Guillermo están *Lucía and Guillermo are in love.*
  enamorados.

This rule also applies to adjectives that describe a mood.

Yo siempre estoy contento. *I am always happy (in a happy mood).*

¿Cómo es... ? requests a description of the essential nature of someone or something.

¿Cómo es el dependiente? *What is the clerk like?*

¿Cómo está... ?, on the other hand, inquires about the health or condition of someone or something.

¿Cómo está la muchacha? *How is the girl (feeling)?*

Actividades

A ***Descripciones.*** *Use **ser** or **estar** as appropriate to describe these scenes. Choose from the following adjectives.*

bueno/a   elegante   gordo/a   rico/a
cansado/a   enamorado/a   nuevo/a   triste
delgado/a   enfermo/a   pobre

 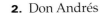

1. Eva   **2.** Don Andrés   **3.** María, 1997   **4.** María, 1999   **5.** Paquito   **6.** Mis amigos

B ***Opiniones.*** Exprese su reacción con un adjetivo apropiado.

cómodo/incómodo   elegante/ridículo   pobre/rico
contento/triste   fácil/difícil   tonto/listo

1. Si gano (*I win*) mucho dinero en la lotería, estoy...
2. Si llevo pantalones cortos y corbata, estoy...
3. Si llevo zapatos muy pequeños, estoy...
4. Si deseo ir de compras y no tengo dinero, estoy...
5. Si llevo una blusa de seda, estoy...
6. Si Luis aprende (*learns*) una lección en diez minutos, la lección es muy... o Luis es muy...
7. Si Luis estudia todo el día (*the whole day*) pero no aprende una lección, la lección es muy... o Luis es muy...
8. Si mi amigo Fernando tiene mucho dinero, él es...

C *Entrevista.* Pregúntele a un compañero / una compañera.

   1. ¿Quién eres? (nombre)
   2. ¿De dónde eres?
   3. ¿Qué eres? (estudiante, atleta, poeta, estadounidense, etcétera)
   4. ¿Cómo eres? (descripción física, personalidad)
   5. ¿Cómo estás hoy?
   6. ¿En qué situación o situaciones estás nervioso/a?
   7. ¿En qué situación o situaciones estás triste? ¿contento/a?
   8. ¿Qué haces cuando estás triste? ¿Y cuándo estás nervioso/a?

D ¿*Ser* o *estar*?

Yo generalmente voy de compras a El Gigante, que _____¹ en el centro, porque _____² un almacén muy grande. Casi (*Almost*) todos los dependientes _____³ simpáticos. Me gusta conversar con una dependienta en particular porque _____⁴ muy lista. _____⁵ de Mazatlán. Hablamos de la plaza donde _____⁶ los hoteles. En la tienda hay un dependiente que no me gusta. _____⁷ de la capital y ¡no _____⁸ muy simpático!

E ¡*Excusas y más excusas!* *A friend wants you to go to Jaime's party. Make several excuses, using the expressions listed and the correct form of **ser** or **estar**, according to the context.*

   MODELO: cansado/a →
           AMIGO/A: ¿Vamos a la fiesta de Jaime?
               UD.: Deseo ir, pero estoy cansada. (*Here **estoy** is the correct choice, because tiredness is a state.*)

   AMIGO/A: ¿Vamos a la fiesta de Jaime?

   1. enfermo/a
   2. fiestas de Jaime, aburridas (*boring*)
   3. ocupado/a
   4. casa de Jaime, lejos (*far*)
   5. pantalones nuevos, manchados

   AMIGO/A: Entonces, ¿te presto unos pantalones para ir a la fiesta?

   6. tú, alto/a y yo, bajo/a
   7. tus pantalones, verdes, y mi camisa, azul

   AMIGO/A: ¿Por qué no llevas vaqueros? La fiesta es informal.

   8. mis vaqueros blancos, manchados
   9. mis vaqueros negros, viejos

F *Sondeo.* *Poll three classmates to find out how they're feeling today and what they're like in general. Ask questions using the adjectives below and the correct form of **ser** or **estar**, according to the context. Record your classmates' responses in the chart.*

   MODELO: contento/a →
               UD.: ¿Estás contento/a hoy? (*Here **estar** is correct, because happiness is a state.*)
         SU COMPAÑERO/A: Sí, estoy muy contento/a. (No, hoy estoy un poco [*a bit*] triste.)

MODELO: inteligente →

UD.: ¿Eres inteligente? (*Here **ser** is correct, because intelligence is an inherent characteristic.*)

SU COMPAÑERO/A: Sí, soy muy inteligente. (Mis amigos dicen que soy tonto.)

	Compañero/a 1	Compañero/a 2	Compañero/a 3
enamorado/a			
de _____ (tu ciudad)			
cansado/a			
enfermo/a			
rico/a			
nervioso/a			
romántico/a			

3.5 Present Participles and Progressive Forms

Pedro está hablando con el dependiente.

Present participle is the name given in English to the verb form ending in *-ing*. Its Spanish counterpart is formed by adding **-ando** to the stems of **-ar** verbs and **-iendo** to the stems of **-er** and **-ir** verbs.*

trabajar	trabajando	*working*
comer	comiendo	*eating*
discutir	discutiendo	*discussing*

The present participle can be used with **estar** to express an action in progress at the present time. Although the present tense in Spanish can also convey this idea (**Escribo una carta** = *I am writing a letter*), **estar** followed by the present participle (**Estoy escribiendo una carta**) emphasizes the progressive meaning.

---

*The present participles of **-er** and **-ir** verbs whose stems end in a vowel use the ending **-yendo**: **leer** → **leyendo.**

Actividades

A *Un día agitado* (*busy*). *Read these paragraphs aloud to your classmate, substituting appropriate present progressive forms for the italicized present tense forms. Your classmate will then retell the information, changing the present progressive forms accordingly* (**A las doce estás comiendo...**).

1. Por la tarde. A las 12:00 *como* un sándwich de jamón y queso. A las 2:00 *busco* mi bolígrafo y *escribo* una carta a mi amiga. A las 3:00 *trabajo* en un almacén de ropa. A las 4:00, un dependiente y yo *bebemos* Coca-Cola.
2. Por la noche. A las 8:00, Enrique y yo *preparamos* la lección de español para mañana y *discutimos* varios problemas de gramática. Yo *leo* un ejercicio y Enrique *lee* las preguntas. A las 9:00 *hablo* por teléfono con un compañero. A las 10:00, mi familia y yo *miramos* las noticias del día en la televisión.

B *¿Dónde está y qué está haciendo?* Imagine que son las horas indicadas aquí. Explique dónde está Ud. y qué está haciendo. Entonces, explique dónde está y qué está haciendo otra persona.

MODELO: Son las 10:00 de la mañana. →
Estoy en la clase de español. Estoy practicando las palabras nuevas.
Mi amiga Laura está en la biblioteca. Está estudiando.

1. 8:00 de la mañana
2. 12:30 de la tarde
3. 3:00 de la tarde
4. 6:00 de la tarde
5. 8:30 de la noche
6. 11:00 de la noche

Para resumir y repasar

A *En el café.* Imagine que Ud. es espía (*spy*). Parte de su trabajo es hacer una descripción de las cinco personas que están en el café esta noche. Describa la ropa que lleva cada (*each*) persona y explique qué está haciendo cada persona.

MODELO: Hay un señor viejo. Él lleva una camisa blanca... Ahora, está leyendo el periódico...

B *Unos regalos.* *Everything costs more than your Chilean friend María expected.*
Explain the prices to her. Role-play with a partner.

MODELO: una cámara japonesa ($200/$300)

MERCEDES: ¿Cuánto cuesta una cámara japonesa? ¿unos (*around*) doscientos dólares?

UD.: No, cuesta más. Una cámara japonesa cuesta unos trescientos dólares.

1. un perfume francés ($50/$70)
2. una chaqueta de piel ($175/$225)
3. unos tenis ($40/$60)
4. una corbata de seda ($17/$25)
5. unos vaqueros ($20/$40)
6. una camiseta de algodón con el emblema de la universidad ($10/$15)
7. una botella de vino californiano ($10/$20)
8. unas botas de piel ($60/$100)

PARA VER DE VERAS

Vuelva a mirar la foto de la página 70 para contestar las siguientes preguntas.

1. ¿Dónde está el joven? ¿Qué mira él con la vendedora? En su opinión, ¿de qué están hablando? **2.** ¿De qué colores son las camisas? ¿Cuántas hay? ¿Hay mucha variedad de ellas? **3.** ¿Cómo es la ropa que lleva el joven? ¿Es atractiva la ropa que venden en la tienda? **4.** ¿Entra Ud. en tiendas de ropa con frecuencia? ¿cada (*each*) semana o cada mes? **5.** ¿Es muy importante para Ud. la ropa? ¿Cuántas camisas/blusas compra Ud. cada año? ¿Y cuántos zapatos? **6.** ¿Por qué es importante la ropa que llevamos? ¿Es sólo funcional o tiene motivos estéticos (y también sicológicos y sociales)? Explique. **7.** Cuando Ud. está triste, ¿va de compras? ¿Qué compra?

MOTIVO CULTURAL

Muchos países (*countries*) de Hispanoamérica tienen sus propios (*own*) bailes (*dances*) típicos. Generalmente, estos bailes muestran (*show*) influencia de las antiguas culturas indias o de las tradiciones del pueblo rural, combinadas con las tradiciones de los españoles. Aquí hay un grupo de bailarines (*dancers*) en una pequeña plaza de Cuba. Llevan el traje (*costume*) típico de este baile folklórico: las mujeres llevan vestidos de muchos colores y los hombres llevan pantalones y camisas blancas.

COMUNICACIÓN

De la vida real

In the CD-ROM to accompany **Motivos de conversación** you will find additional practice with vocabulary, grammar, listening, and speaking.

Anuncio 1

Anuncio 2

Ahora,
las mujeres
verán[a]
hombres
de verdad
en la 122.

Desde el 18 de Noviembre, todas
las mujeres de Santafé de Bogotá,
verán hombres de verdad
vestidos con la mejor ropa y calzado,
formal e informal, en el nuevo almacén
Arturo Calle de la 122.

Un almacén para hombres de verdad
que sienten,[b] ríen,[c] les da miedo[d] y lloran.[e]
Hombres de verdad que tienen
emociones de verdad.

Arturo Calle 122,
el almacén de ropa masculina
más grande del país.
Calle 122 No.25A-09
Tel. 2139154
Parqueadero Vigilado.

Arturo Calle

Para hombres de verdad.

Con el espíritu
aventurero, la
moda femenina
recrea los
trajes
informales con
un toque de
originalidad, para
brindarle[a] una
imagen audaz[b] y
dinámica a la
mujer de hoy.
Las prendas[c]
predilectas[d] de los
climas cálidos[e]
adquieren[f] una
apariencia
especial para
lograr toda la
comodidad.

28 maniquí

[a] offer
[b] daring
[c] garments
[d] favorite
[e] warm
[f] achieve

[a] will see
[b] feel
[c] laugh
[d] les... are afraid
[e] cry

A *Los cognados.* You already know that using cognates can help you understand something written in Spanish, and you may have already noticed the many cognates in these ads. Read through the ads again. Can you give an English equivalent for the cognates listed here?

ANUNCIO 1
formal e informal   masculina   emociones

ANUNCIO 2
espíritu aventurero   dinámica
recrea   climas
un toque de originalidad   apariencia
imagen

B *El contexto.* Another good strategy when reading in Spanish is using context to figure out unknown words or expressions. Using context means relying on the surrounding words and phrases to make logical guesses at the meaning of a particular word. When you come to a word you don't know, ask yourself: What does the text around this word mean? What would make sense here? Once you've figured out a possible meaning, continue reading and see if it fits with the text.

Below are some excerpts from the ad for Arturo Calle. Can you figure out the meaning of the underlined words and phrases from context? Go back to the ad and read it carefully before beginning.

1. hombres de verdad
2. Desde el 18 de noviembre
3. vestidos con la mejor ropa y calzado
4. el almacén más grande del país
5. Calle 122 No. 25A-09
6. Tel. 2139154
7. parqueadero vigilado

C *¿Cierto o falso?* Indique si las siguientes oraciones sobre el anuncio para Arturo Calle son ciertas o falsas. Si son falsas, corríjalas (*correct them*). *Refer back to the ad as necessary to find your answer.*

1. Arturo Calle es un hombre de verdad.
2. El nuevo almacén está en Santa Fe, Nuevo México.
3. El nuevo almacén es grande.
4. En el almacén, venden ropa para hombres y mujeres.
5. Probablemente hay pantalones cortos y camisetas en el almacén.
6. Venden zapatos en el almacén.
7. Es imposible ir al almacén en automóvil.

Videotemas

Mire el episodio del vídeo de esta lección y después haga las actividades que siguen.

A *Comprensión.* Conteste las siguientes preguntas sobre el episodio del vídeo.

1. ¿Con quién camina Paloma? ¿Qué pregunta él? ¿Adónde prefiere (*prefers*) ir ella?

2. ¿En qué tienda entran ellos, por fin? ¿Qué busca ella? ¿Los compra?

3. ¿Quiere José Miguel ir de compras? En la tienda, ¿qué mira él? ¿Cuál es el precio? ¿Cuál es su talla? ¿Qué colores le gustan? ¿Qué dice de él Paloma cuando él se va a probar (*is going to try on*) el pantalón y la camisa?

4. ¿Qué pregunta la dependienta a José Miguel primero? ¿De qué colores son la camisa y el pantalón que sugiere (*suggests*) ella?

B *En parejas.* Comente lo siguiente con un compañero / una compañera.

1. Describa tres compras recientes. ¿Cuáles son? ¿De qué color(es) son? ¿De qué material(es)? ¿Cuánto cuestan? ¿De qué talla es cada cosa?

3. ¿Qué ropa le gusta en general? ¿Qué otras cosas le gusta comprar? ¿Le gusta ir de compras con un amigo / una amiga o prefiere ir solo/a (*alone*)?

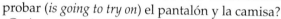

VOCABULARIO ACTIVO

Adjetivos

alto/a	tall	enamorado/a	in love
bajo/a	short	enfermo/a	ill
cansado/a	tired	gordo/a	fat
cómodo/a	comfortable	incómodo/a	uncomfortable
contento/a	happy	joven	young
de algodón	(made of) cotton	listo/a	smart
de cuadros	plaid, checkered	manchado/a	stained
de lana	(made of) wool	ocupado/a	busy
delgado/a	thin	pobre	poor
de piel	(made of) leather	poco/a	(a) little (*amount*), not much; few, not many
de rayas	striped		
de seda	(made of) silk	rebajado/a	reduced

rico/a	rich
simpático/a	nice, pleasant (*person*)
tonto/a	dumb
triste	sad

Los colores

amarillo/a	yellow
anaranjado/a	orange
azul (claro/oscuro, marino)	(light/dark, navy) blue
blanco/a	white
color café	brown
gris	gray
morado/a	purple
negro/a	black
rojo/a	red
rosado/a	pink
verde	green

Sustantivos

La ropa

el abrigo	coat
la blusa	blouse
la bolsa	purse
el bolso	purse
la bota	boot
el calcetín	sock
la camisa	shirt
la camiseta	T-shirt
la cartera	purse; wallet
la chaqueta	jacket
la corbata	necktie
la falda	skirt
los jeans	jeans
los pantalones	pants
los pantalones cortos	shorts
los (pantalones) vaqueros	jeans
la sandalia	sandal
el sombrero	hat
el suéter	sweater
la talla	size
el tenis	sneaker
el traje	suit
el vestido	dress
el zapato	shoe

Otros sustantivos

la caja	cashier's
el/la cliente/a	customer
el/la dependiente/a	salesclerk
el dinero	money
la fiesta	party
el fin de semana	weekend
el precio	price
la tarjeta de crédito	credit card
el trabajo	work; job

Verbos

aceptar	to accept
buscar	to look for
combinar	to go with, match
dar (*irreg.*)	to give
estar (*irreg.*)	to be
ganar	to earn; to win
gastar	to spend
ir (*irreg.*)	to go
ir (*irreg.*) de compras	to go shopping
lavar	to wash
llevar	to wear
pagar	to pay
prestar	to lend
ser (*irreg.*)	to be
usar	to wear

Instrucciones

la oración	sentence
según	according to
siguiente	following, next

Otras palabras y expresiones

¿Cuánto cuesta?	How much does it cost?
entonces	then
esta noche	tonight
juntos/as	together
más	more
o	or
(un) poco	(a) little bit
que	that, which
tampoco	either, neither
¿Te presto... ?	Shall I lend you . . . ?

Viaje por el mundo hispánico

ESTADOS
UNIDOS

LOS HISPANOS DE LOS ESTADOS UNIDOS *

DATOS IMPORTANTES

LOS MEXICOAMERI-CANOS

POBLACIÓN: 18.795.000 habitantes (1998)

DÓNDE VIVEN: Principalmente en los estados del Suroeste[1] y California

LOS PUERTORRI-QUEÑOS

POBLACIÓN: 3.827.000 habitantes (1997)

DÓNDE VIVEN: Principalmente en Puerto Rico, Nueva York y Nueva Jersey

LOS CUBANOAMERI-CANOS

POBLACIÓN: 1.258.000 habitantes (1998)

DÓNDE VIVEN: Principalmente en la Florida, Nueva York y Nueva Jersey

DÍAS FESTIVOS: el Día de los Reyes Magos (el 6 de enero), el Carnaval, la Semana Santa, el Día de la Hispanidad (el 12 de octubre), la Nochebuena[†]

[1]Southwest

---

*See additional information about Hispanics in the United States after **Lección 15**.
†Many people in this country are familiar with **el Cinco de Mayo,** a holiday celebrated by Mexican Americans but also by many Hispanics as a general day of solidarity with other Hispanic groups. **El Cinco de Mayo** is often mistakenly called the "celebration of Mexican Independence," which it is not. Here is information about the other holidays: **los Reyes Magos:** Day of the Magi, celebrated with parades and gift-giving; **el Carnaval:** Mardi Gras, the last week before the beginning of Lent, celebrated with costumes, parades, and general revelry; **la Semana Santa:** Easter Week, celebrated with religious processions and special Masses; **la Hispanidad:** Columbus Day, celebrated with parades and public celebrations; **la Navidad:** Christmas, celebrated with parties, Midnight Mass, family gatherings.

¡ES LO ÚLTIMO!

Con su sombrero, botas y pantalones tradicionales de vaquero,[2] Emilio Navaira, de San Antonio, Texas, es una figura familiar entre los aficionados a[3] la música tejana.[4] Esta música, que también se llama Tex-Mex, es una combinación de cumbias,* rancheras† y polcas, con elementos de las músicas country, rock y pop. El joven cantante[5] es muy popular en el suroeste de los Estados Unidos y en el norte de México. Sus canciones[6] y álbumes en español han ganado[7] varios premios[8] en los Tejano Music Awards. Canta[9] en dos lenguas y presenta canciones en dos estilos musicales, y también tiene aficionados que no saben[10] español. En su disco compacto *Life Is Good*, canta canciones clásicas de la música country and western, junto con baladas tejanas, traducidas[11] al inglés. Hablando de la música country, Navaira dice: «Es muy similar a la tejana. Tiene el mismo[12] ritmo. Todas las canciones son tristes, sólo que las palabras son en inglés.»

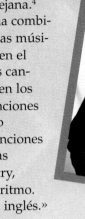

El cantante Emilio Navaira

[2]cowboy   [3]entre... *among the fans of*   [4]Texan   [5]singer
[6]songs   [7]han... *have won*   [8]prizes   [9]He sings   [10]know
[11]translated   [12]same

POESÍA

Víctor Hernández Cruz nació en Puerto Rico en 1949 y publicó su primer[13] libro de poemas, *Snaps*, a los 19 años. Desde[14] entonces ha escrito[15] otros volúmenes de poesía. Este trozo[16] del poema largo[17] «Areyto»[18] comenta la posibilidad de una «raza cósmica» que resulta de la unión de los pueblos[19] y las lenguas americanas. El uso de dos lenguas y los juegos de palabras[20] en este poema demuestra[21] esta posibilidad de una manera concreta.

Víctor Hernández Cruz

Areyto (fragmento)

America sur[22] south
America norte[23]
Juan America
Two America Juan
Juan America one
Then America blend
Give the idea roots of
Harmonious peace serene/

Sí and yes it is possible for the
Snake of heart and mind to
Grow quetzal[24] feathers and fly
Out of the Areyto circle
Areyto circle
Areyto dance

[13]first   [14]Since   [15]ha... *he has written*   [16]section   [17]long   [18]ceremonial dance performed by Caribbean Indians in their ballparks   [19]peoples   [20]juegas... *word games, puns*   [21]shows   [22]south   [23]north   [24]large, tropical bird of Central America

*The **cumbia**, a dance with a tropical rhythm, originated in Colombia but is popular throughout Latin America.
†The Mexican **ranchera** is a fast-paced country music song with a strong beat that has been consistently popular since the time of the Mexican Revolution (1910–1917).

AMPLIACIONES 1

Lectura°

Reading

The **Lectura** section, appearing after every three lessons in this text, develops your ability to work with longer, more difficult readings. The prereading strategies, notes, and post-reading activities included with the selection will help you recognize new words, understand the reading, and make logical associations between related forms.

Antes de leer°

Antes... Before Reading

One way to boost your comprehension of a reading in Spanish is to develop an expectation of what it is about before you start reading. Approaching a passage with even a general notion of its contents will facilitate your understanding of it. To predict the content of a reading and familiarize yourself with it, look over the title, accompanying photos, drawings, and captions, as well as any introductory material. Identifying the type of reading (ad, interview, article, poem, and so forth) will also help you predict its content.

You already know that context often provides clues about a word's meaning. For example, an unknown word appears in the title of this reading: **De compras en un *mercado* mexicano.** If you use the context provided by the known words **de compras** and **mexicano**, and the accompanying photo, the meaning of **mercado** becomes obvious.

Cognates can also be a great help. Be creative in associating Spanish cognates with their English counterparts and try to guess the parts of speech of new words by examining their context carefully. Many cognates like **familias, vendedores, plaza, artesanos, similares,** and **cerámica** are very similar to their English equivalents. At times, however, the meaning of a cognate may not be so clear. **Instalan,** for instance, is followed by **sus tiendas.** Here, the context of the whole reading clarifies the meaning of **instalan.** Since this market only takes place on Saturdays, there are no permanent stores in the plaza; instead, the vendors set up temporary stands or tents each week.

En el mercado de Tlacolula, México, hay flores, plantas, ropa, zapatos y muchas vasijas de barro (*pottery*).

DE COMPRAS EN UN MERCADO MEXICANO

▲▽▲

En las ciudades de México abundan los almacenes y las tiendas elegantes. Pero los almacenes modernos no me interesan porque son similares a las tiendas **de departamentos** de los Estados Unidos. Cuando visito México, prefiero los mercados y bazares típicos.

En Oaxaca, a veces voy al Mercado del Sábado y paso muchas horas comprando y tomando fotos de la gente. El sábado por la mañana muy **temprano**, los vendedores **indígenas** y sus familias instalan sus tiendas en la plaza central de la ciudad. Muchos son artesanos de **lugares remotos** como Ocotlán y Tlacolula.

En el mercado de la plaza es posible comprar tortillas y otras **comidas.** Venden muchas frutas y también flores muy bonitas: blancas, rojas, rosadas y amarillas. Pero son especialmente interesantes las **artesanías** de cerámica y **madera.** También hay ropa y accesorios: faldas de muchos colores, blusas **bordadas** con dibujos típicos, bolsas de lana y las sandalias mexicanas que se llaman huaraches.

Siempre compro la **mercancía** rebajada porque discuto los precios con los vendedores. Discutir con los vendedores es un **verdadero** arte y se llama **regatear.** ▲

> What is the meaning of **de departamentos** after **tiendas**?
>
> **Indígenas** is a cognate but in English it is more common to use another word. What is it? / Can you guess the meaning of **lugares** when followed by **remotos** and the names of two locations? / Relate **comidas** to **comer.** / Relate **artesanías** to **artesano.** / What material other than metal or clay is common in handicrafts? / What's the adjective for a blouse decorated by designs and patterns of different colored threads?
>
> What do you buy that begins with *merc...* in English? / The adjective **verdadero** comes from **verdad.** / What is *asking for a discount* called in English?

Después de leer°

> Después... *After Reading*

A Comprensión. Conteste en español según la lectura.

1. ¿Adónde le gusta a esta (*this*) persona ir en México?
2. ¿Adónde va en Oaxaca?
3. ¿Qué hace esta persona en el mercado?
4. ¿Quiénes son los vendedores? ¿De dónde son?
5. ¿Qué venden en el mercado? (Mencione cuatro cosas.)
6. ¿Qué hace esta persona con los vendedores para obtener (*get*) buenos precios?

B ¿Qué hay allí? *Answer a friend's questions about what's in Oaxaca by combining a noun from the column on the left with an adjective or phrase on the right, according to the reading. Make any necessary changes to the adjective to make it agree with the noun.*

MODELO: mercado/típico ▸ En Oaxaca, hay un mercado típico.

1. mercado	**6.** sandalias	**a.** bonito	**f.** típico
2. vendedores	**7.** mercancía	**b.** de cerámica y madera	**g.** bordado
3. flores	**8.** bolsas	**c.** mexicano	**h.** indígena
4. artesanías		**d.** de lana	
5. blusas		**e.** rebajada	

▲ 95

Repaso visual*

Without looking back, describe each drawing in as many sentences as you can. Keep in mind questions such as the following.

¿Qué hay en el dibujo?   ¿De qué hablan?
¿Cómo son las personas?   ¿Qué pasa en cada escena?
¿Dónde están las personas?   ¿Qué están haciendo?

VERBOS ÚTILES

buscar	estudiar	practicar
comprar	ir	prestar
conversar	leer	tomar
decir	llevar	trabajar
entrar	mirar	vender
escribir	necesitar	

1.

2.

3.

4.

5.

*This section repeats drawings featured in the **Gráficos** section of the previous three lessons.

Examen de repaso 1*

A ¿El o la?

En la clase: _____¹ universidad, _____² lección, _____³ día, _____⁴ borrador
En la biblioteca: _____⁵ papel, _____⁶ mapa, _____⁷ silla, _____⁸ lápiz
En la ciudad: _____⁹ fuente, _____¹⁰ árbol, _____¹¹ parque, _____¹² calle
De compras: _____¹³ almacén, _____¹⁴ traje, _____¹⁵ calcetín, _____¹⁶ suéter

B Cambie según (according to) el modelo.

MODELO: La *cámara* es cara. (reloj) →
          El *reloj* es caro. (zapatos) →
          Los *zapatos* son caros.

1. El *libro* es nuevo.

a. _____ edificio _____.
b. _____ biblioteca _____.
c. _____ automóviles _____.
d. _____ iglesias _____.

2. El *vestido* está rebajado.

a. _____ abrigo _____.
b. _____ blusa _____.
c. _____ vaqueros _____.
d. _____ faldas _____.

C ¿Qué hora es?

P.M.   P.M.   A.M.   P.M.

1. _____   **2.** _____   **3.** _____   **4.** _____

D *Traducciones.* Exprese en español.

NÚMEROS Y FECHAS

1. 2.000.000 students
2. 367 books
3. 4.579 pesetas
4. July 4th, 1999

POSESIVOS

5. our neighborhood
6. Sra. Pacheco's apartment
7. Dr. Rivera's car
8. their store

E Complete las oraciones usando la forma apropiada de los verbos entre paréntesis.

EN LA CLASE

1. La profesora _____ (enseñar) y nosotros _____ (practicar).
2. Yo _____ (escribir) las palabras nuevas y Uds. _____ (leer) el libro.
3. ¿Dónde _____ (estar) Lupe? Ella a veces _____ (entrar) tarde.
4. La profesora _____ (decir) «Buenos días, clase» y yo _____ (decir)
«Buenos días, profesora».

---

*The answers to the **Exámenes de repaso** may be found in Appendix 4.

5. Ella _____ (dar) un examen mañana y esta noche tú y yo _____ (estudiar), ¿verdad?

6. Los exámenes _____ (ser) difíciles y nosotros _____ (necesitar) estudiar mucho.

EN EL CENTRO

7. Nosotros _____ (ir) a un café, y Elena _____ (venir) con nosotros.

8. Yo _____ (tomar) una cerveza y Gerardo _____ (comer) un sándwich.

9. En el almacén, ellos _____ (vender) ropa muy elegante. Yo _____ (desear) comprar un traje.

10. Pero nosotros _____ (tener) poco dinero, y no _____ (comprar) mucho.

F Dé los colores que Ud. asocia con los siguientes objetos.

1. _____   2. _____   3. _____   4. _____   5. _____   6. _____   7. _____

G *Vocabulario.* Complete las definiciones con las palabras que faltan (*are missing*).

1. Para saber la hora, necesito _____.

2. Para escribir una carta, necesito _____.

3. Para tomar fotos, necesito _____.

4. Para estudiar español, necesito _____.

5. Si necesito comprar ropa, voy a _____ o a _____.

6. Para pagar en una tienda, necesito _____ o _____.

7. En el invierno, la gente lleva _____.

8. En el verano, la gente lleva _____.

9. En una fiesta elegante, las muchachas llevan _____ y los muchachos llevan _____.

H *Gustos.* Exprese en español.

1. I like the striped tie.

2. Sara likes the plaid skirt.

3. You (*fam.*) like the jeans, right?

4. I like big department stores.

5. Fernando doesn't like wool socks.

6. Do you (*fam.*) like to go shopping?

7. I don't like to pay with a credit card.

I *Preguntas y respuestas.* Complete each question with the correct interrogative. Then answer the questions about your favorite place to shop.

1. ¿_____ (*What*) es tu almacén favorito?
2. ¿_____ (*Where*) está el almacén?
3. ¿_____ (*What*) venden allí?
4. ¿_____ (*How*) es el almacén?
5. ¿_____ (*How many*) personas trabajan allí?
6. ¿_____ (*How many*) departamentos hay?
7. ¿_____ (*When*) vas de compras allí?
8. ¿_____ (*At what time*) abren el almacén?

J Complete con la forma correcta de **ser** o **estar.**

El Almacén Gigante _____[1] en mi barrio. La ropa de Gigante _____[2] buena, pero no compro en este (*this*) almacén porque los dependientes siempre (*always*) _____[3] muy ocupados. Generalmente, voy de compras a La Imperial. _____[4] un almacén muy grande. La chaqueta que llevo hoy _____[5] de La Imperial. _____[6] de piel y me gusta mucho. Clara, una dependienta de La Imperial, _____[7] muy simpática. Ella _____[8] mi amiga. Ella _____[9] de Venezuela, pero _____[10] viviendo en California. Clara _____[11] estudiando en la universidad aquí. Le gusta la universidad, pero a veces _____[12] triste porque su familia _____[13] en Venezuela.

K Conteste en español.

1. ¿Qué días tiene Ud. clases?
2. ¿A qué hora es su clase de español?
3. ¿Cómo son sus clases y sus profesores este semestre?
4. ¿Cómo viene a la universidad?
5. ¿Qué hace Ud. los fines de semana?
6. ¿Adónde va Ud. cuando no tiene clase?
7. ¿Qué le gusta hacer con sus amigos?
8. ¿Va Ud. al cine o a fiestas? ¿Con quién va, generalmente?

MI FAMILIA

METAS

Comunicación: In this lesson you will learn vocabulary and expressions related to the family. You will talk about your own family, describe your favorite relatives, and discuss family visits and outings. You will also learn about the concept of family in the Spanish-speaking world.

Estructuras:

4.1 Irregular Present Tense of **conocer, saber, oír, poner, salir, traer, ver**

4.2 Uses of the Preposition **a**

4.3 Idioms with **hacer** and **tener**

4.4 Affirmative Familiar Commands

En este episodio del vídeo, José Miguel y su madre (Elisa) organizan las fotos de su familia para ponerlas en un álbum. ¿Tiene Ud. muchas fotos de su familia? ¿Cuál es su foto favorita? ¿Tiene Ud. fotos muy antiguas? ¿De quiénes son?

Visit the *Motivos de conversación* web site at www.spanish.mhhe.com.

GRÁFICOS

In the CD-ROM to accompany *Motivos de conversación* you will find additional practice with vocabulary, grammar, listening, and speaking.

Parientes* de tres generaciones

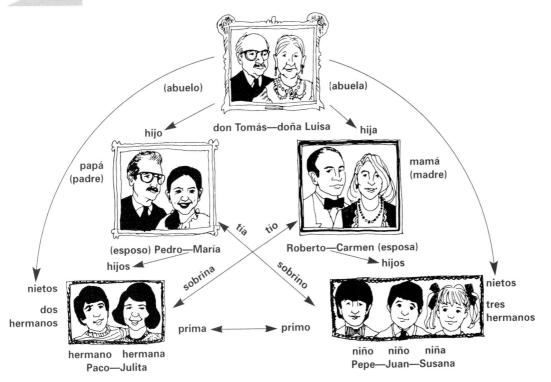

(abuelo)   (abuela)

hijo   don Tomás—doña Luisa   hija

papá
(padre)   mamá
                                        (madre)

tía   tío

(esposo) Pedro—María   Roberto—Carmen (esposa)

hijos   hijos

nietos   sobrina   sobrino   nietos

dos   tres
hermanos   hermanos

prima   primo

hermano hermana   niño niño niña
Paco—Julita   Pepe—Juan—Susana

ESTUDIO DE PALABRAS ▲▽▲▽▲▽▲▽

A plural masculine noun in Spanish that refers to people may imply an all-male group or one of both males and females, depending on the context. Note all the possible meanings of the following nouns.

los abuelos	*grandfathers; grandfather(s) and grandmother(s); grandparents*
los esposos	*husbands; husband(s) and wife (wives); spouses*
los hermanos	*brothers; brother(s) and sister(s); siblings*
los hijos	*sons; son(s) and daughter(s); children†*
los nietos	*grandsons; granddaughter(s) and grandson(s); grandchildren*
los niños	*boys; boy(s) and girl(s); children†*

***Los parientes** is a false cognate. It means *relatives*, not *parents*. *Parents* is expressed in Spanish as **los padres.**

†**Los hijos** refers to a couple's children of any age; **los niños** is generally used only with children under twelve.

—¿Tienen Uds. hijos?
—Sí, tenemos tres niños pequeños.
—Pues yo tengo sólo un hijo, y ya está casado (*married*).

los novios	*bridegrooms; bride(s) and bridegroom(s); sweethearts*
los padres	*fathers; father(s) and mother(s); parents*
los primos	*male cousins; male and female cousins*
los señores	*men; Mr. and Mrs.*
los sobrinos	*nephews; niece(s) and nephew(s)*
los tíos	*uncles; aunt(s) and uncle(s)*

Exprese en español.

Hoy vienen a casa todos nuestros parientes. Mis (*parents*[1]) tienen muchos (*brothers and sisters*[2]). Por eso [*Therefore*], tengo numerosos (*uncles and aunts*[3]). Todos ellos tienen muchos (*children*[4]). Por eso, yo también tengo muchos (*cousins*[5]). Mis (*grandparents*[6]) no vienen porque mi (*grandmother*[7]) está enferma.

Actividades

A **La familia de don Tomás y doña Luisa.** Estudie el dibujo de la página anterior y conteste las preguntas.

1. ¿Cómo se llama el abuelo de Paco y Julita?
2. ¿Quién es la esposa de don Tomás?
3. ¿Cuántos sobrinos tienen Pedro y María?
4. ¿Cómo se llama la prima de Paco y Julita?
5. ¿Cuántos hermanos tiene Susana?
6. ¿Quiénes son los tíos de Paco y Julita?
7. ¿Cuántos nietos hay en la familia?

B **Definiciones.** *Choose five people from the family diagram. Without naming him/her, explain each person's relationship to other members of the family. Your partner will try to identify the person.*

MODELO: (*You choose Carmen.*)

UD.: Esta persona es la tía de Paco. (Es la mamá de Susana.)

SU COMPAÑERO/A: ¿Es Carmen?

UD.: Sí.

C **Entrevista.** La familia. Pregúntele a un compañero / una compañera.

1. ¿Tienes una familia grande o pequeña? ¿Cuántas personas hay en tu familia?
2. ¿Cómo se llaman tus padres y tus hermanos?
3. ¿Dónde viven tus padres?
4. ¿Tienes abuelos? ¿Cómo es tu abuelo/a?
5. ¿De dónde son tus abuelos originalmente?
6. ¿Hay muchos primos en tu familia? ¿Cuántos primos tienes?
7. ¿Tienes esposo/a? ¿Tienen Uds. hijos?

MOTIVO CULTURAL
▲▽▲▽▲▽▲▽▲▽▲▽▲▽▲▽▲▽▲

In the Hispanic culture, the concept of family includes not only parents and children but other relatives as well. It is not uncommon for grandparents and single aunts and uncles to share a household with a couple and their children. Family members feel a strong bond with one another and a sense of loyalty toward the group that proves very valuable in times of difficulty.

Today, however, many young people in small towns and rural areas are leaving home and moving to large cities in search of better job opportunities. Because of this, the nuclear family is becoming more and more common. Traditionally, the Hispanic father has been the provider and the head of the household, while the wife's role has been to keep house and care for the children. These roles are also changing; very often, especially in large cities, both husband and wife work outside the home.

▲▽▲▽▲▽▲▽▲▽▲▽▲▽▲▽▲▽

Una comida* con los parientes

IRREGULAR PRESENT TENSE VERBS
▲▽▲▽▲▽▲▽▲▽▲▽▲▽▲▽▲▽▲▽▲▽▲▽▲▽▲▽

veo	*I see*
ve	*you (he/she/it) see(s)*
traigo	*I bring (take along)*
trae	*you (he/she/it) bring(s) (take[s] along)*
pongo	*I put; set [the table]*
pone	*you (he/she/it) put(s); set(s) [the table]*
oigo	*I hear*
oye	*you (he/she/it) hear(s)*
salgo	*I leave, go out*
sale	*you (he/she/it) leave(s), go(es) out*

▲▽▲▽▲▽▲▽▲▽▲▽▲▽▲▽▲▽▲▽▲▽▲▽▲▽▲▽

1. el mantel
2. el plato[†]
3. el vaso
4. el pan
5. los cubiertos
6. la copa
7. la taza
8. la cuchara
9. la cucharita
10. el tenedor
11. el cuchillo
12. la servilleta
13. la jarra
14. el hielo

Otras palabras

además (de)	*besides*
alguien	*someone*
ayudar	*to help*
casi siempre	*almost always*
mientras	*while*
no importa	*it doesn't matter, never mind*
otra vez	*again*
pon	*put (command)*
terminar de + *infinitive*	*to finish (doing something)*
voy a + *infinitive*	*I am going to (do something)*

---

*La comida means *food* in Spanish, but it can also mean *meal.* As such, it is employed in a general sense but also refers to the large midday meal in Spain and to dinner (supper) in many places in Spanish America.
†El plato can also mean a dish or culinary specialty, as well as a course or part of a meal.

OLGA: Aquí traigo los cubiertos y el pan. ¿Cuántas personas comen hoy en casa?

LUIS: Pues, además de papá y mamá y nosotros tres, vienen el tío Alberto y la abuela.

OLGA: ¡Ah!, somos siete personas. Entonces, pongo más copas para el vino.

MARTA: Para mí sólo un vaso. Voy a tomar agua. Pon más hielo en la jarra, por favor.

OLGA: ¿Tío Alberto no trae a su hijo?

LUIS: No, el primo casi siempre sale con sus amigos los domingos.

OLGA: Hay suficientes platos, pero necesitamos más servilletas, tenedores y cucharas. ¡Ay! Ahora veo que el mantel está manchado. ¿Pongo otro?

MARTA: No, no importa. La abuela no ve bien.

OLGA: Oigo a alguien en la puerta. Son los parientes. ¿Quién sale a abrir?

LUIS: Yo salgo y converso con ellos mientras Uds. terminan de poner la mesa.

MARTA: ¡Otra vez una excusa para no ayudar!

Actividades

A *¿Quién hace qué?* *Create sentences explaining what the characters in the dialogue are doing. Some subjects may be used more than once.*

1. Olga...
2. Tío Alberto y la abuela...
3. Tío Alberto...
4. El primo...
5. La abuela...
6. Luis...

a. sale con sus amigos los domingos.
b. no ve bien.
c. pone más copas para el vino.
d. trae los cubiertos y el pan.
e. sale a abrir la puerta.
f. no trae a su hijo a comer.
g. ve que el mantel está manchado.
h. vienen a comer hoy.
i. oye a alguien en la puerta.

B *Definiciones.* Identifique el objeto del dibujo de la página 103.

1. Va debajo de (*underneath*) los platos y los cubiertos.
2. Es una cosa circular para la comida.
3. Es para la leche, el agua o el jugo de naranja.
4. Es una palabra para las cucharas, los tenedores, etcétera.
5. Es para las bebidas alcohólicas como el vino.
6. Es necesario para tomar sopa (*soup*).
7. Es para el café, el té o el chocolate.
8. Son necesarios para comer un bistec.

Un perrito para Carmina

1. la frutería
2. los plátanos / las bananas
3. las manzanas
4. la tienda de animales
5. el perro
6. el perrito*
7. el gato
8. el gatito / el gatico*

Verbos

aprender	*to learn*
comprender	*to understand*
escoger	*to choose*
sacar buenas notas	*to get good grades*
tener prisa	*to be in a hurry*
tener que + *infinitive*	*to have to (do something)*
lo siento (mucho)	*I am (very) sorry*

Sustantivos

la escuela	*school*
el novio, la novia	*boyfriend, girlfriend, sweetheart*
el premio	*prize*
la sorpresa	*surprise*

Adjetivos

casado/a	*married*
mono/a	*cute*
solo/a	*alone*
soltero/a	*single*

IRREGULAR PRESENT TENSE VERBS

conozco	*I know (am acquainted with)*
conoces	*you know (are acquainted with)*
sé	*I know (a fact)*
sabes	*you know (a fact)*

FAMILIAR COMMANDS

di(me)	*tell (me); say*
haz	*do*
ve	*go*
ven	*come*

Adverbios y otras palabras

después (de)	*afterward; after*
más	*more*
nada	*nothing, not anything*

---

*The endings **-ito, -ita,** and occasionally other endings, such as **-ico, -ica,** indicate smallness in Spanish.

ELENA: Voy a comprar un perrito para Carmina, la hija de mi primo Ramón. ¿Conoces a Ramón?

CLAUDIA: Sí, conozco a Ramón, pero… ¿no es soltero?

ELENA: No, es casado y tiene dos hijos. Mi primo soltero es Miguel.

CLAUDIA: Ah, sí, conozco a Miguel. Y soy amiga de su novia. Pero, dime, ¿por qué no compras un gatito? ¡Son muy monos!

ELENA: Porque sé que a Carmina le gustan más los perros. Es un premio, ¿sabes?, porque la niña aprende a leer y saca buenas notas en la escuela. Ven a la tienda para escoger el perrito.

CLAUDIA: Lo siento mucho, pero tengo prisa. Ve tú sola. Tengo que ir a la frutería para comprar manzanas y plátanos y después a la farmacia.

ELENA: Comprendo. Pero, hazme un favor, el perrito es una sorpresa y…

CLAUDIA: De acuerdo. No voy a decir nada.

Actividades

A *¿Cierto o falso?* Corrija (*Correct*) las oraciones falsas.

1. Elena va a comprar un gato.
2. Carmina es la nieta de Ramón.
3. Claudia conoce a Ramón.
4. Miguel y Ramón son solteros.
5. A Carmina le gustan más los perros.
6. Claudia tiene que estudiar.
7. Claudia no comprende que el perrito es una sorpresa.

B *¿Casado o soltero?* *Interview a classmate about single or married life, using the appropriate set of questions. Then answer your partner's questions.*

PARA LOS SOLTEROS

1. ¿Te gusta ser soltero/a?
2. ¿Tienes novio/a ahora? ¿Buscas novio/a?
3. ¿Deseas tener un esposo / una esposa en el futuro?
4. ¿Tienes amigos casados? ¿Están contentos?
5. En tu opinión, ¿cómo es el esposo / la esposa ideal?

PARA LOS CASADOS

1. ¿Cómo se llama tu esposo/a?
2. ¿Cómo es él/ella?
3. ¿Tienen Uds. hijos? ¿Cómo se llaman?
4. ¿Deseas tener (más) hijos en el futuro? ¿Cuántos hijos deseas tener?
5. ¿Te gusta ser casado/a?

SITUACIONES ▲▽▲▽▲▽▲▽▲▽

Las presentaciones°

Las... *Introductions*

INFORMAL INTRODUCTIONS

Marta, ¿conoces a mi hermano Rafa?

Jaime, te presento a mi prima Lupe.

Marta, do you know my brother Rafa?

Jaime, this is my cousin Lupe.

Pablo, éste es mi sobrino Carlos y ésta es mi sobrina Teresa.	*Pablo, this is my nephew Carlos and this is my niece Teresa.*
FORMAL INTRODUCTIONS	
Doña Carmen, quiero (quisiera) presentarle al Dr. Vargas.	*Doña Carmen, I want (would like) to introduce you to Dr. Vargas.*
RESPONSES TO INTRODUCTIONS	
Mucho gusto (en conocerte).	*Pleased to meet you. (fam.)*
Mucho gusto en conocerlo/la.	*Pleased to meet you. (formal)*
Encantado/a.	*Delighted.*
Igualmente.	*Likewise.*
El gusto es mío.	*The pleasure is mine.*

Actividades

A **Las presentaciones.** *Give a logical response to each statement or question, using expressions from the* **Situaciones** *box.*

1. Éste es mi hermano, Luis.
2. ¿Conoces a mi esposa, Beatriz?
3. Encantada.
4. Profesora Ortiz, quisiera presentarle a (*your name*).

Now give a statement or question that could have come **before** *each of these expressions.*

5. El gusto es mío.
6. Mucho gusto en conocerlo, Doctor Ibarra.
7. Mucho gusto en conocerte.
8. Igualmente.

B **Minidiálogos.** Una reunión familiar. *Tomás's family is having a big party, and he is introducing his friend Laura to some relatives and neighbors. Complete each mini-dialogue using expressions from* **Situaciones,** *then play the roles of the characters with two other classmates.*

1. TOMÁS: Laura, ven aquí. Te quiero presentar a mi primo Roberto.
    LAURA:
    ROBERTO:

2. TOMÁS: Don Ramón, quisiera presentarle a Laura Zaldívar, una amiga de la universidad.
    DON RAMÓN:
    LAURA:

3. TOMÁS: Y aquí está doña Emilia, su esposa. Doña Emilia, le presento a Laura Zaldívar.
    DOÑA EMILIA:
    LAURA:

4.1 Irregular Present Tense of *conocer, saber, oír, poner, salir, traer, ver*

—Oigo a alguien en la puerta.
 ¿Quién sale a abrir?
—Yo salgo y converso con ellos.

In the CD-ROM to accompany *Motivos de conversación* you will find additional practice with vocabulary, grammar, listening, and speaking.

In the **Gráficos** section of this lesson, you learned two forms of the irregular verbs **conocer, oír, poner, saber, salir, traer,** and **ver.** All of these verbs except **oír** are irregular only in the first person singular. Here are the complete conjugations.

> **conocer: conozco,** conoces, conoce, conocemos, conocéis, conocen
> **oír: oigo, oyes, oye,** oímos, oís, **oyen***
> **poner: pongo,** pones, pone, ponemos, ponéis, ponen
> **saber: sé,** sabes, sabe, sabemos, sabéis, saben
> **salir: salgo,** sales, sale, salimos, salís, salen
> **traer: traigo,** traes, trae, traemos, traéis, traen
> **ver: veo,** ves, ve, vemos, veis, ven

Conocer means *to know* in the sense of being acquainted or familiar with a person, a city, and so on. It can also mean *to meet.*

¿Conoces al hermano de Susana?	*Do you know Susana's brother?*
No conozco este barrio muy bien.	*I don't know this neighborhood well. (I'm not very familiar with it.)*
¿Deseas conocer al nuevo estudiante?	*Do you want to meet the new student?*

Saber means *to know* a fact or *to know how* to do something.

¿Sabes el número de teléfono de Marta?	*Do you know Marta's phone number?*
No sé cuándo vienen los primos.	*I don't know when the cousins are coming.*
Mi sobrino ya sabe leer y escribir.	*My nephew already knows how to read and write.*

---

*In addition to the **g** in its **yo** form, **oír** has another change: the **i** of the present tense endings changes to **y** in three of the six persons of the conjugation. This change often occurs when **i** comes between two vowels. For this reason, the present participles of **oír** and **traer** are **oyendo** and **trayendo**, respectively, like **creer** (**creyendo**) and **leer** (**leyendo**).

Actividades

A **Ana está enferma.** *Retell the story, substituting the subjects indicated for* **la madre** *and changing the corresponding verbs.*

La madre trae leche para Ana, pero *ve* que Ana no bebe la leche. Después, *la madre oye* que la niña está llorando (*crying*), y *sabe* inmediatamente que está enferma. *Pone* a Ana en el coche y *sale* con ella para (*in the direction of*) la casa del doctor que *conoce,* el Dr. Jiménez.

1. yo
2. tú
3. los padres
4. vosotros
5. nosotras

Now answer these questions as if you were Ana's mother.

1. ¿Qué traes?
2. ¿Qué ves?
3. ¿Qué oyes?
4. ¿Qué sabes inmediatamente?
5. ¿A quién conoces?
6. ¿Dónde pones a la persona enferma?

B **Imagine que Ud. es miembro de la familia de Luis.** Diga qué hace Ud. para ayudar.

MODELO: Mi abuela trae la comida. (vino) →
Yo traigo el vino.

1. Nuestros tíos traen el queso. (leche)
2. Mi prima pone el mantel. (los platos)
3. Perico pone los vasos. (la jarra con el agua)
4. Mi hermana lleva el pan a la mesa. (las copas)
5. Luis pone las cucharas y las cucharitas. (los tenedores)
6. Mi sobrino lleva las servilletas a la mesa. (los cuchillos)

C **Escenas de una reunión familiar.** Complete las oraciones con la forma correcta de **saber** o **conocer.**

MODELO: No _____ a la tía de Luisa. →
No **conozco** a la tía de Luisa. (*Here* **conocer** *is correct, because you are talking about knowing a person*).

1. Mamá está nerviosa porque no _____ cuántas personas vienen a comer.
2. Elena, ¿tú _____ dónde está papá?
3. ¿Uds. _____ a Felicia, la novia de Jaime?
4. Yo _____ que el primo de Eduardo se llama Sebastián.
5. ¿_____ (tú) cómo se llaman sus otros primos?
6. Deseo _____ a la sobrina de Fernando.
7. Nosotros no _____ quién es la señora alta y delgada.
8. Felipe, necesitamos tu ayuda (*help*). ¿_____ (tú) poner la mesa?

D *Sondeo.* *Find out what and whom your classmates know, and know about, in the following survey. Record their responses in the chart.*

MODELO: UD.: ¿Sabes tocar (*to play*) un instrumento? (¿Cuál?)
SU COMPAÑERO/A: Sí, sé tocar la trompeta. (*You write* **la trompeta** *in the correct space.*)

	Compañero/a 1	Compañero/a 2	Compañero/a 3
¿Sabes tocar un instrumento? (¿Cuál?)			
¿Sabes hablar otra lengua? (¿Cuál?)			
¿Conoces a una persona famosa? (¿A quién?)			
¿Conoces a una persona de otro país (*country*)? (¿De qué país?)			
¿Conoces un restaurante bueno y barato? (¿Cómo se llama?)			

4.2 Uses of the Preposition *a*

—Conozco a Ramón,
  pero… ¿no es soltero?
—No, es casado y tiene dos hijos.

The preposition **a** is used in the following ways.

1. Before direct objects that refer to specific persons and often to intelligent animals.

Conocen **a** nuestra hija.　*They know our daughter.*
¿Ves **a** tus abuelos mucho?　*Do you see your grandparents often?*

Necesito buscar **al** perro.　*I need to look for the dog.*

BUT: No conoce la cuidad.　*He doesn't know the city.*
No miro la televisión casi nunca.　*I almost never watch television.*
Busco un diccionario inglés-español.　*I'm looking for an English-Spanish dictionary.*

The personal **a** is not generally used with **tener.**

Tengo tres hijos.   *I have three sons.*

2. Certain verbs always take **a** when followed by an infinitive: **aprender, enseñar, invitar,** and verbs of motion like **ir, venir,** and **salir.**

Ella aprende **a** hablar bien el español.   *She is learning to speak Spanish well.*

Ella le enseña **a** la clase a bailar.   *She's teaching the class to dance.*

Mi tía viene **a** ayudar a mi madre.   *My aunt comes to help my mother.*

3. The phrase **ir a** + *infinitive,* meaning *to be going to* (*do something*), is one way to express the future in Spanish.

Voy a ver a mis parientes mañana.   *I am going to see my relatives tomorrow.*

Mi madre no va a comprar el mantel rosado.   *My mother is not going to buy the pink tablecloth.*

Vamos a + *infinitive* has two possible meanings: *Let's* (*do something*) or *We are going to* (*do something*).

Vamos a comer ahora.   { *Let's eat now.* / *We are going to eat now.*

The context will reveal which meaning is intended.

Actividad

*Supply the preposition **a** if necessary.*

¿Qué veo y a quién veo?

En la sala de clase veo _____[1] la profesora y _____[2] mis compañeros. Miro por la ventana y veo _____[3] la calle y _____[4] los automóviles. También veo _____[5] el café Las Delicias. Un joven en la calle está invitando _____[6] su amiga _____[7] tomar algo (*something*) en el café.

¿Qué oigo y a quién oigo?

Oigo _____[8] la profesora que habla y enseña _____[9] los alumnos que apren-den _____[10] conjugar los verbos. Oigo _____[11] la música de un radio. Oigo _____[12] el ruido (*noise*) del tráfico en la plaza. También oigo _____[13] una mujer que llama _____[14] su perro: «Cuchicuchi, ven _____[15] comer».

¿Qué conozco y a quién conozco?

Conozco _____[16] Pedro y conozco _____[17] el barrio donde él vive con su familia. Sé que Pedro tiene _____[18] tres hermanas, pero yo sólo conozco _____[19] la hermana que aprende _____[20] hablar francés en la universidad. Sé que ella va _____[21] la cafetería _____[22] tomar café con su amiga Carla todos los días y que sale _____[23] bailar con su grupo todos los viernes.

4.3 Idioms with *hacer* and *tener*

Tengo prisa. Tengo que ir a
la frutería para comprar
manzanas y plátanos.

A. The following **hacer** idioms describe the weather.*

¿Qué tiempo hace?	*How is the weather?*
Hace mucho calor (fresco, frío, sol, viento).	*It is very hot (cool, cold, sunny, windy).*
Hace mal (buen) tiempo.	*The weather is bad (good).*

B. Several idioms with **tener** refer to bodily sensations.

¿Qué tienes (tiene, tienen...)?	*What's wrong with you (him, them . . .)?*
Tengo (tiene, tienen...) calor (frío, hambre, sed, sueño).	*I am (he is, they are . . .) hot (cold, hungry, thirsty, sleepy).*

C. There are many other important **tener** idioms.

tener _____ años = *to be _____ years old*

¿Cuántos años tiene Ud.?	*How old are you?*
Tengo 23 años.	*I am 23.*

tener que + *infinitive* = *to have to (do something)*

Yo tengo que hacer eso.	*I have to do that.*

tener razón, no tener razón = *to be right, to be wrong*

Uds. tienen razón.	*You are right.*
Pues, no tenemos razón.	*Well, we're wrong.*

tener ganas de + *infinitive* = *to feel like (doing something)*

Hoy no tengo ganas de trabajar.	*I don't feel like working today.*

tener prisa = *to be in a hurry*

¿Por qué corres? —Porque tengo mucha prisa.	*Why are you running? —Because I am in a big hurry.*

tener miedo = *to be afraid*

Tengo miedo cuando oigo ruidos por la noche.	*I'm afraid when I hear noises at night.*

tener cuidado = *to be careful*

Debes tener cuidado con las copas; son muy caras.	*You should be careful with the wine glasses; they are very expensive.*

---

*All idioms with **hacer** and **tener** contain nouns. Spanish speakers literally say, for example, *I have thirst*. Therefore, if they wish to intensify the idiom, they must use the adjective **mucho/a.**

Actividades

A *¿Qué tiempo hace?* Diga qué tiempo hace en cada (*each*) dibujo.

1.

2.

3.

4.

B *¿Qué tienen todos?* Make a logical comment about each statement, using expressions with **tener.**

MODELO: ¡Pobre Javier! Mañana tiene tres exámenes. →
Esta noche, Javier tiene que estudiar mucho.

1. La abuelita busca un suéter.
2. El tío Armando lleva camiseta y pantalones cortos.
3. Alicia toma tres vasos de agua con hielo.
4. Mi sobrinito va al cine a ver *Los hijos de Frankenstein.*
5. Ernesto come dos hamburguesas y después una pizza.
6. Mi sobrina Mónica dice que 2 + 2 = 5.
7. Hay catorce velas (*candles*) en el pastel (*cake*) de mi hermano Víctor.
8. Generalmente papá camina (*walks*) al trabajo, pero hoy va en taxi.
9. Duermo (*I sleep*) sólo dos horas.
10. Mi sobrinito siempre mira antes de cruzar (*before crossing*) la calle.

C *El fin de semana.* Combine subjects and infinitives to create six original sentences about what different people will do this weekend.

MODELO: mis padres, venir a →
Este fin de semana, mis padres vienen a la universidad.

yo...	ir a
el profesor / la profesora...	salir con
mi amigo/a...	tener ganas de
mis compañeros de clase...	tener que
mis padres...	venir a
mi hermano/a...	ver (a)

4.4 Affirmative Familiar Commands*

—Ven a la tienda para escoger el perrito.
—Lo siento mucho, pero tengo prisa. Ve tú sola.

A. The **tú** affirmative command of regular verbs is spelled the same as the third-person singular of the present indicative tense. Compare (**él**) **escucha** (*he listens*) with **¡escucha tú!** (*listen!*).

> **-ar:** mirar ¡mira (tú)! *look!*
> **-er:** beber ¡bebe (tú)! *drink!*
> **-ir:** escribir ¡escribe (tú)! *write!*

B. The irregular familiar commands must be memorized. Here are the most common.

decir	¡di (tú)!	*say!; tell!*	salir	¡sal (tú)!	*leave!*
hacer	¡haz (tú)!	*do!; make!*	tener	¡ten (tú)!	*have!*
ir	¡ve (tú)!	*go!*	venir	¡ven (tú)!	*come!*
poner	¡pon (tú)!	*put, place!*			

Actividades

A ***Instrucciones a un amigo / una amiga.*** *You have just moved into a new apartment and are having a housewarming party. Using familiar commands, ask a classmate to do the following to get to your new place and to help you prepare the party.*

> MODELO: escribir estas instrucciones en un papel →
> Escribe estas instrucciones en un papel.

1. decir a todos los compañeros que hay una fiesta
2. salir de tu casa temprano (*early*)
3. venir antes de las 5:00
4. tomar el autobús número 22
5. ir hasta la Plaza de Colón
6. bajar (*to get off*) en Colón y caminar tres cuadras
7. tener cuidado con mi perro al entrar
8. lavar las ventanas
9. poner el mantel y los platos en la mesa
10. ir a la frutería a comprar manzanas
11. comprar pan, jamón y queso
12. hacer los sándwiches

---

*The negative familiar command forms will be presented in **Gramática esencial 6.2.**

B *Carmina educa a su perrito.* *Use the familiar commands corresponding to the infinitives given, to express the orders Carmina gives her new puppy.*

1. escuchar con atención
2. comer toda la comida que pongo en tu plato
3. beber la leche
4. venir cuando te llamo
5. ir a la puerta
6. poner la pata (*paw*) en la silla
7. salir al patio
8. tener cuidado con los coches en la calle

Para resumir y repasar

Más mandatos. *Marta asks Olga, her younger sister, to help out with preparations for the family dinner. Express Marta's orders and fill in the missing items using the following list.*

copas	hielo	plato	tenedor
cuchara	jarra	servilletas	vasos
cuchillo	mantel	tazas	

1. Olga, (venir) _____ aquí. Necesito tu ayuda.
2. Por favor, (poner) _____ un _____, un _____, un _____ y una _____ para cada persona.
3. (Buscar) _____ también unas _____ para el vino y unos _____ para agua.
4. Hay agua en la _____, pero no hay _____. (Ir) _____ a buscarlo, por favor.
5. (Hacer) _____ café; al tío Alberto le gusta mucho.
6. ¡Y (tener) _____ cuidado con las _____!
7. Este _____ está manchado. (Traer) _____ otro, por favor.
8. Si traes el mantel azul, (usar) _____ también _____ azules.
9. Los parientes estan aquí. (Salir) _____ a abrir ahora.
10. (Decir) _____ «Buenos días» varias veces, porque abuelita no oye bien.

PARA VER DE VERAS

Vuelva a mirar la foto de la página 100 para contestar las siguientes preguntas.

1. ¿Cuántas personas hay en la foto? ¿Dónde están?   2. Sin duda es una familia. ¿Quién es cada persona? Invente los nombres.   3. ¿Cómo es esta familia? ¿Es pobre o rica? ¿grande o pequeña?   4. ¿Cuántas personas hay en la familia de Ud.? ¿Quiénes son?   5. ¿Le gusta pasar tiempo con su familia? ¿Por qué (no)? ¿Qué hacen Uds.? ¿Comen juntos? ¿Salen juntos? ¿Adónde van? ¿Qué van a hacer en diciembre?   6. Después de ver esta foto, ¿qué le gusta de la familia hispánica? ¿Es importante tener buenas relaciones con sus parientes, especialmente con sus padres y hermanos? ¿Por qué?

COMUNICACIÓN

In the CD-ROM to accompany *Motivos de conversación* you will find additional practice with vocabulary, grammar, listening, and speaking.

De la vida real

Horacio y Felipe
Unidos por Encima de Todo.[a]

Horacio y Felipe son abuelo y nieto. Pero, más que nada, son dos buenos amigos que cuando están juntos lo pasan fantástico.[b] Lo único malo es que[c] Felipe vive en Montevideo, con sus padres, así es que no se ven todo lo que quisieran.[d] Pero Horacio lo llama por teléfono todas las semanas y es, naturalmente, socio del Círculo FamiliAmigos de Chilesat. Ambos están esperando el comienzo del Multicarrier. Claro, con un 25% de descuento podrán hablar mucho más seguido y más largo.[e] ¡Estar mucho más cerca! Porque para eso existe Chilesat, por encima de todo.

[a]por... *above all*
[b]lo... *they have a great time*
[c]Lo... *The only bad thing*
[d]todo... *as often as they would like*
[e]más... *more often*

A ***¿Lo puedes adivinar?*** (*Can you figure it out?*) *You already know that using cognates and context will help you figure out unfamiliar words and phrases. Can you guess the meaning of the following expressions from the advertisement using those two strategies? Reread the ad, then match each expression with its English equivalent.*

1. unidos
2. llamar por teléfono
3. naturalmente
4. socio
5. descuento
6. sin costo
7. Círculo FamiliAmigos
8. larga distancia

a. discount
b. Family and Friends Circle
c. free, without cost
d. close, together
e. to call on the phone
f. long distance
g. member
h. naturally

B *Otras estrategias.* *Another strategy that can help you when reading Spanish is scanning, or reading rapidly for specific information. Looking through a newspaper for a particular article or through a list of computer files for a specific one are both examples of scanning. When you scan in Spanish, don't stop or be distracted by unfamiliar words. Remember that you don't need to understand everything in order to find an answer to a particular question. Scan the ad now to answer these questions.*

1. ¿Quiénes son Horacio y Felipe?
2. ¿Dónde vive Felipe? ¿Con quiénes vive?
3. ¿Cuándo llama Horacio a Felipe?
4. ¿De qué servicio es socio Horacio?
5. ¿Qué descuento hay con el plan Multicarrier?
6. ¿Cómo se llama la compañía de larga distancia?

Videotemas

Mire el episodio del vídeo de esta lección y después haga las actividades que siguen.

A *Comprensión.* Conteste las siguientes preguntas sobre el episodio del vídeo.

1. ¿Dónde está Elisa? ¿Qué mira? ¿Por qué dice «Esto es imposible»?
2. ¿Qué dice José Miguel cuando llega (*he arrives*)? ¿Cómo debe (*should he*) separar las fotos?
3. ¿Quién es Paloma? ¿Cómo es?
4. ¿Quién es Gustavo? ¿A qué hora llegan él y Paloma? ¿Adónde van después?

B *En parejas.* Comente lo siguiente con un compañero / una compañera.

1. Traiga tres o cuatro fotos de su propia familia a la clase. Describa las fotos. ¿Quién(es) está(n) en cada foto? ¿Cómo se llama(n)? ¿Cómo es cada persona? ¿Qué lleva? ¿Vive todavía? ¿Dónde vive?
2. ¿Cuál es la relación entre Ud. y las personas de las fotos? ¿Le gustan esas personas? ¿Por qué (no)?
3. Si las personas todavía viven, ¿cuándo las ve? ¿Ve Ud. cambios (*changes*) en ellas? ¿Qué cambios ve (de pelo, de peso, de altura)? ¿Cuántos años tienen las personas en las fotos? ¿Y ahora?
4. ¿Tiene Ud. novio/a (esposo/a)? ¿Cómo se llama? ¿Cómo es? ¿Tiene una foto de él/ella? ¿Sale Ud. con él/ella con frecuencia? ¿Cuándo salen? ¿Adónde van, generalmente?

VOCABULARIO ACTIVO

Adjetivos

cada	each, every
casado/a	married
mono/a	cute
solo/a	alone
soltero/a	single

Sustantivos

Los parientes

el/la abuelo/a	grandfather/ grandmother
el/la esposo/a	husband/wife
el/la hermano/a	brother/sister
el/la hijo/a	son/daughter
la madre	mother
el/la nieto/a	grandson/ granddaughter
el/la niño/a	child, boy/girl
el padre	father
los padres	fathers; parents
el/la primo/a	cousin
el/la sobrino/a	nephew/niece
el/la tío/a	uncle/aunt

Para comer y beber

la bebida	drink
la comida	food; meal
la copa	wine glass
los cubiertos	silverware
la cuchara	spoon
la cucharita	teaspoon
el cuchillo	knife
el hielo	ice
la jarra	pitcher
el mantel	tablecloth
la manzana	apple
el pan	bread
el plátano	banana
el plato	plate
la servilleta	napkin
la taza	cup
el tenedor	fork
el vaso	glass

La tienda de animales

el gatito, gatico	kitten
el gato	cat
el perrito	puppy
el perro	dog

Otros sustantivos

la escuela	school
la frutería	fruit stand
el/la novio/a	boyfriend/girlfriend
el premio	prize
la sorpresa	surprise

Verbos

aprender	to learn
ayudar	to help
caminar	to walk
comprender	to understand
conocer (zc)	to know, be acquainted with
escoger (j)	to choose
llevar	to take; to carry
oír (*irreg.*)	to hear
poner (*irreg.*)	to put, place; to set (*the table*)
saber (*irreg.*)	to know (*a fact, how to do something*)
salir (*irreg.*)	to leave; to go out
traer (*irreg.*)	to bring
ver (*irreg.*)	to see

Otras palabras y expresiones

además (de)	besides
antes (de)	before
casi	almost
después (de)	afterward; after
hace buen/mal tiempo	the weather is good/bad
hace calor/fresco/frío/ sol/viento	it is hot/cool/cold/ sunny/windy
hazme un favor	do (*fam.*) me a favor
ir a + *infinitive*	to be going to (*do something*)

llamar por teléfono	to call on the telephone	**tener _____ años**	to be _____ years old
lo siento (mucho)	I am (very) sorry	**tener calor/frío/**	to be hot/cold/hungry/
más	more	**hambre/sed/sueño**	thirsty/sleepy
mientras	while	**tener cuidado**	to be careful
nada	nothing, not anything	**tener ganas de +**	to feel like (*doing*
no importa	it doesn't matter, never	*infinitive*	*something*)
	mind	**tener miedo**	to be afraid
otra vez	again	**tener prisa**	to be in a hurry
para	for; in the direction of	**tener que +** *infinitive*	to have to (*do something*)
¿Qué tiempo hace?	How's the weather?	**tener razón / no tener**	to be right / to be wrong
¿Qué tienes?	What's wrong with you?	**razón**	
sacar buenas notas	to get good grades	**terminar de +** *infinitive*	to finish (*doing*
siempre	always		*something*)

Viaje por el mundo hispánico

REPÚBLICA DOMINICANA

CUBA

PUERTO RICO

CUBA, PUERTO RICO Y LA REPÚBLICA DOMINICANA*

DATOS IMPORTANTES

NOMBRE OFICIAL:
República de Cuba

CAPITAL: La Habana

POBLACIÓN: 10.999.000
habitantes

ÁREA: 110.860 km²
(42.804 millas²)

FIESTA NACIONAL: el
20 de mayo, Día de la
Independencia

NOMBRE OFICIAL:
Estado Libre Asociado de
Puerto Rico

CAPITAL: San Juan

POBLACIÓN: 3.802.000
habitantes (1994)

ÁREA: 8.871 km² (3.425
millas²)

FIESTA NACIONAL: el
24 de junio, Día de San
Juan Bautista

NOMBRE OFICIAL: La
República Dominicana

CAPITAL: Santo
Domingo

POBLACIÓN: 8.228.000
habitantes

ÁREA: 48.445 km² (18.700
millas²)

FIESTA NACIONAL: el
27 de febrero, Día de la
Independencia

El Castillo del Morro y la
Fortaleza en San Juan

*See additional information about these Caribbean countries after **Lección 12.**

POESÍA

J osé Martí (1853–1895), periodista[1] y escritor[2] cubano, luchó[3] por la independencia de Cuba. Los versos de su famoso poema «Yo soy un hombre sincero» se oyen[4] hoy en día[5] en la canción «Guantanamera». Igual que[6] ese poema, el siguiente viene de su libro de poesía *Versos sencillos*.

XXXVII

Aquí está el pecho,[7] mujer,
que ya sé que lo herirás[8]
¡más grande debiera ser,[9]
para que lo hirieses[10] más!

Porque noto, alma torcida,[11]
que en mi pecho milagroso,[12]
mientras más honda[13] la herida,[14]
es mi canto más hermoso.[15]

[1]journalist   [2]writer   [3]fought   [4]se... are heard   [5]hoy... today
[6]Igual... Just like   [7]chest (breast)   [8]lo... you will hurt it   [9]debiera... it
should be   [10]para... so that you could hurt it   [11]alma... twisted soul
[12]miraculous   [13]mientras... the deeper   [14]wound   [15]es... the more beautiful (is) my song

José Martí

MOSAICO HUMANO

U na manera fenomenal de aprender algo sobre la historia de Puerto Rico y conocer a su gente es hacer una visita al Viejo San Juan, el barrio colonial de la capital de Puerto Rico. Está situado en una península pequeña entre el Mar Caribe y la Bahía[16] de San Juan. Allí hay casas, iglesias y edificios coloniales —algunos del siglo[17] XVI— restaurados a su condición original.

Además de los elegantes edificios de arquitectura colonial (todos pintados de colores pastel: azul, amarillo, rosado, verde lima), en el Viejo San Juan hay varios museos interesantes. En el Centro Nacional de Artes Populares y Artesanía[18] se pueden admirar obras[19] de artistas puertorriqueños del siglo XVIII hasta el presente. El Museo Pablo Casals* es fascinante.

En la punta de la península está el edificio más famoso del Viejo San Juan —el Castillo[20] de San Felipe del Morro,[21] una fortaleza[22] construida[23] en el siglo XVI. Los puertorriqueños lo llaman simplemente «el Morro». En 1595 los españoles resistieron, desde el Morro, un ataque del famoso pirata inglés, Francis Drake.

[16]Bay   [17]century   [18]Handicrafts   [19]se... you can admire works   [20]Castle
[21]Craggy Point (of land)   [22]fortress   [23]built

*Pablo Casals (1876–1973), Spanish virtuoso cellist and conductor, left Spain for France in 1939 in protest against the Spanish government under Francisco Franco. In 1956, he moved to Puerto Rico, where he founded the famous annual music festival in San Juan.

LECCIÓN

LA COMIDA QUE ME GUSTA

M E T A S

Comunicación: In this lesson you will learn vocabulary and expressions involving food and meals. You will use them to talk about food-related activities, including shopping for, preparing, and eating meals, and ordering in a restaurant. You will also learn about mealtimes and regional dishes in Spanish-speaking countries and about the different kinds of **tortillas** eaten in the Spanish-speaking world.

Estructuras:
5.1 The Preterite Tense
5.2 Irregular Preterites:
hacer, venir, dar, ir, ser
5.3 Shortened Adjectives
5.4 **Por** and **para** Contrasted

En el vídeo de esta lección, Mónica y Dolores preparan una cena para unos amigos. El menú consiste en camarones al ajo (*in a garlic sauce*), una ensalada de atún con aguacate (*avocado*) y... ¿A Ud. le gusta el atún con aguacate? ¿Cuál es su plato favorito? ¿Prepara a veces una cena o un almuerzo para sus amigos?

 Visit the *Motivos de conversación* web site at www.spanish.mhhe.com.

GRÁFICOS

Frutas, legumbres, carnes y mariscos°

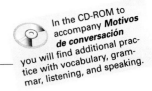

In the CD-ROM to accompany **Motivos de conversación** you will find additional practice with vocabulary, grammar, listening, and speaking.

Frutas... Fruits, Vegetables, Meats, and Seafood

Las frutas

1. la piña
2. la sandía
3. las uvas
4. la pera
5. la naranja
6. el melocotón
7. la fresa

Las legumbres (hortalizas, verduras)*

8. la lechuga
9. el maíz
10. la papa, la patata
11. la cebolla

Otras legumbres

los frijoles	*beans*
los guisantes	*peas*
el pepino	*cucumber*
el tomate	*tomato*
la zanahoria	*carrot*

Las carnes y los mariscos

el atún	*tuna*	la chuleta	*(pork) chop*
el bistec	*steak*	el pavo	*turkey*
los camarones	*shrimp*	el pescado	*fish*
la carne de cerdo	*pork*	el pollo	*chicken*
la carne de cordero	*lamb*	el salmón	*salmon*
la carne (de res)	*beef*		

Actividades

A **Recetas** (*Recipes*) **y recomendaciones.** Complete las oraciones.

1. Una ensalada típica contiene _____.
2. Para hacer un coctel de mariscos, uno necesita _____.
3. Los ingredientes principales de un sándwich son _____.
4. El ingrediente principal de la tortilla mexicana es _____.
5. Las hamburguesas se hacen de _____.
6. Una persona que está a dieta (no) debe (*should*) comer _____.
7. Los vegetarianos (no) comen _____.
8. Una persona que tiene el colesterol muy alto (*high*) (no) debe comer _____.

---

*While **las legumbres** may refer only to legumes (beans and so on) and **las verduras** to greens, both, along with **las hortalizas,** are often used generically to mean *vegetables*.

B *Definiciones.* Describa una de las cosas de la lista de **Gráficos.** Un compañero / Una compañera va a adivinar (*guess*) qué es.

MODELO: UD.: Es una legumbre. Es larga (*long*) y delgada.
SU COMPAÑERO/A: ¿El pepino?
UD.: No. Es anaranjada.
SU COMPAÑERO/A: ¡La zanahoria!
UD.: Sí, eso es.

VOCABULARIO ÚTIL

Es un(a) (fruta, legumbre, carne, marisco)
Es de color...
Es un ingrediente de...

C *Sondeo.* Los gustos. Pregúnteles a tres compañeros sobre sus preferencias en comidas, e indique sus respuestas en el cuadro (*chart*).

MODELO: UD.: ¿Te gustan los guisantes?
SU COMPAÑERO/A: No, no me gustan nada. ¡Son horribles!

	Compañero/a 1	Compañero/a 2	Compañero/a 3
¿Te gusta más la carne de res o el pollo?			
¿Te gusta el pescado?			
¿Cuál es tu sándwich favorito? (de atún, de jamón y queso, de pavo, etcétera)			
¿Te gustan las legumbres?			
¿Cuál es tu fruta favorita?			

Las compras de doña Rosa

1. la botella de aceite
2. el paquete de azúcar
3. la bolsa
4. la caja de cereal
5. el helado
6. la lata de sopa
7. el carrito (de las compras)
8. el paquete de harina

Sustantivos

una barbaridad	*a lot, an enormous amount*
los comestibles	*food items*
el glotón / la glotona	*glutton*
el pastel	*pie*
el postre	*dessert*

Adjetivos

demasiado/a	*too much; too many*
frito/a	*fried*
rico/a	*delicious (applied to foods)*

Expresiones

¡Cuántos/as + *noun*!	*How many + noun!*
por suerte	*luckily, fortunately*
¡Qué bueno!	*Great!*

Verbos

cocinar	*to cook*
subir	*to go up*

THE PRETERITE

▲▼▲▼▲▼▲▼▲▼▲▼▲▼▲▼▲▼▲▼▲▼▲▼▲▼▲▼▲

-ar: gastar
gasté	*I spent*
gastaste	*you spent*
gastó	*you (he/she) spent*

comprar
compré	*I bought*
compraste	*you bought*
compró	*you (he/she) bought*

tomar
tomé	*I drank, took*
tomaste	*you drank, took*
tomó	*you (he/she) drank, took*

-er: comer
comí	*I ate*
comiste	*you ate*
comió	*you (he/she) ate*

-ir: subir
subí	*I went up*
subiste	*you went up*
subió	*you (he/she) went up*

▲▼▲▼▲▼▲▼▲▼▲▼▲▼▲▼▲▼▲▼▲▼▲▼▲▼▲▼▲

LOLI: ¡Hola, mamá! ¡Cuántas bolsas traes en el carrito!

DOÑA ROSA: Sí, y gasté demasiado dinero en el supermercado. El precio de los comestibles subió mucho.

LOLI: ¡Ah! Veo que compraste varias latas de sopa de tomate, mi favorita. Y jugo de naranja. ¡Qué bueno! Pepito tomó todo el jugo ayer.

DOÑA ROSA: Compré una caja de Pitufo, el cereal que te gusta, y helado de fresa, porque Pepito también comió todo el cereal y todo el helado.

LOLI: ¡Es un glotón! Come una barbaridad. Mamá, aquí veo un paquete de harina y otro de azúcar. ¿Hago un pastel para el postre de esta noche?

DOÑA ROSA: No es mala idea. Haz un pastel de manzana, que es el que me gusta más. Voy a cocinar chuletas de cerdo con guisantes, que a ti te gustan mucho.

LOLI: ¿Por qué no haces plátanos fritos*? Son el plato favorito de papá y son muy ricos.

DOÑA ROSA: ¿Por qué no? Plátanos fritos también. Por suerte compré una botella grande de aceite.

---

*__Plátanos fritos__ is a favorite dish in the Caribbean countries. It is made with a kind of large banana called a *plantain,* which, when ripe, is cut lengthwise into thick slices and deep fried.

Actividades

A *¿Quién hace qué?* Explain what happens in the dialogue by matching the subjects with the appropriate endings. Some subjects have more than one possible ending.

1. Mamá...
2. Pepito...
3. Loli...

a. tomó todo el jugo de naranja ayer
b. va a hacer un pastel de manzana
c. compró sopa de tomate
d. trae muchas bolsas
e. comió todo el cereal y helado ayer
f. gastó mucho en el supermercado
g. va a cocinar chuletas de cerdo
h. compró aceite también

B *Los gustos de la familia.* Diga qué le gusta a cada persona, según el diálogo.

MODELO: A Pepito... →
A Pepito le gusta el jugo de naranja. También le gusta...

1. A Pepito...
2. Al padre...
3. A Loli...
4. A doña Rosa...

Now say what foods the following people like.

5. A mí...
6. A mi hermano/a...
7. A mi compañero/a de cuarto...
8. A mi mamá (papá)...

C *En el supermercado.* ¿Qué envase (*container*) corresponde a las siguientes cosas? **Las posibilidades:** bolsa, botella, caja, lata, paquete

1. _____ de cereal
2. _____ de vino
3. _____ de sopa
4. _____ de aceite
5. _____ de azúcar
6. _____ de plástico
7. _____ de harina
8. _____ de helado

¿Desayuno, almuerzo o cena?°

¿Desayuno... Breakfast, Lunch, or Dinner?

Adverbios

solamente	*only*
tarde	*late*
temprano	*early*

Verbos

almorzar (ue)	*to have lunch*
había	*there was, there were*

Expresiones

Bueno,...	*Well, . . .*
con razón	*no wonder, of course*
hacer las compras	*to do the shopping*
más bien	*rather*

1. el café con leche
2. los huevos
3. la mantequilla
4. los panecillos
5. la sal
6. la pimienta
7. las tostadas
8. la mermelada

MORE REGULAR PRETERITES

▲▽▲▽▲▽▲▽▲▽▲▽▲▽▲▽▲▽▲▽▲▽▲▽▲▽

desayunar

desayuné	*I ate breakfast*
desayunaste	*you ate breakfast*
desayunó	*you (he/she) ate breakfast*

salir

salí	*I went out*
saliste	*you went out*
salió	*you (he/she) went out*

▲▽▲▽▲▽▲▽▲▽▲▽▲▽▲▽▲▽▲▽▲▽▲▽▲▽

IRREGULAR PRETERITES

▲▽▲▽▲▽▲▽▲▽▲▽▲▽▲▽▲▽▲▽▲▽▲▽▲▽

hacer

hice	*I did; I made*
hiciste	*you did; you made*
hizo	*you (he/she) did; you (he/she) made*

ser; ir

fui	*I was; I went*
fuiste	*you were; you went*
fue	*you were, (he/she/it) was; you (he/she/it) went*

▲▽▲▽▲▽▲▽▲▽▲▽▲▽▲▽▲▽▲▽▲▽▲▽▲▽

RENATO: Es temprano para almorzar, pero tengo mucha hambre.

NICANOR: Sólo son las once. ¿No desayunaste?

RENATO: Sí, desayuné. Bueno, solamente tomé café con leche. Casi siempre como panecillos con mermelada por la mañana, pero mi madre no hizo las compras ayer y no había (*there was*) nada de comer en casa.

NICANOR: Pues, con razón tienes hambre. Yo voy a almorzar tarde hoy. Esta mañana, cuando salí de casa, fui a la Cafetería Sanborns y comí huevos rancheros* con frijoles refritos,[†] tostadas con mantequilla, jamón, queso… [‡]

RENATO: ¡Hombre! Eso no fue un desayuno. ¡Fue un gran almuerzo… o más bien una cena!

MOTIVO CULTURAL

▲▽▲▽▲▽▲▽▲▽▲▽▲▽▲▽▲▽▲▽▲

Meals in Hispanic countries can differ significantly from meals in the United States, both in what they consist of and when they are eaten. Breakfast, whether eaten at home or out, is usually simple: coffee with milk and a bun or some crackers, with or without butter or marmalade. Lunch (**el almuerzo** or **la comida**) is the most important meal of the day. It is usually served between 2:00 and 3:00 P.M. in Spain and around 1:00 P.M. in Hispanic America. Supper (**la cena**) is generally lighter and is served much later than it is in the United States. In Spain, dinnertime can be as late as 10:00 P.M., although in Hispanic America it is usually between 7:00 and 8:00 P.M., depending on the country and whether the locale is rural or urban.

Restaurant menus in Hispanic America feature many tasty national dishes, including **cazuela,** a kind of stew; **empanadas,** meat pies; and **ceviche,** raw fish marinated in lemon juice. As you probably know, Mexican food can be very spicy: when ordering at a restaurant in Mexico, ask if the food contains **ají** or **chile** (*hot chili peppers*).

▲▽▲▽▲▽▲▽▲▽▲▽▲▽▲▽▲▽▲▽▲

---

*Eggs with chili peppers and tomatoes.

[†]**Frijoles refritos,** a popular Mexican dish, is made by mashing and frying previously cooked red beans.

[‡]Although Nicanor ate a heavy breakfast, this is not customary in most Hispanic countries. See the **Motivo cultural.**

Actividades

A ***Renato tiene hambre.*** Conteste las preguntas según el diálogo.

1. ¿Qué desayunó Renato esta mañana?
2. ¿Qué come él casi siempre?
3. ¿Quién no hizo las compras?
4. ¿Adónde fue Nicanor esta mañana?
5. ¿Qué comió él para el desayuno?
6. En su opinión, ¿la comida de Nicanor fue un desayuno, un gran almuerzo o una cena?

B ***Entrevista.*** Pregúntele a un compañero / una compañera.

MODELO: UD.: ¿Desayunaste esta mañana?
      SU COMPAÑERO/A: Sí, desayuné.
                UD.: ¿Qué desayunaste?
      SU COMPAÑERO/A: Comí cereal y una banana.

1. ¿Desayunaste esta mañana? ¿Qué desayunaste?
2. ¿Qué comiste ayer para el almuerzo? ¿para la cena?
3. ¿A qué hora saliste de casa esta mañana?
4. ¿Tomaste café con leche, café solo (*black coffee*) o té ayer?
5. ¿Hiciste las compras para esta semana?
6. ¿Fuiste a un restaurante recientemente? ¿Adónde fuiste y qué comiste allí?

Actividades

SITUACIONES ▼▲▼▲▼▲▼▲▼

En un restaurante

EL CAMARERO / LA CAMARERA

¿Qué desean Uds. (de primer plato, de plato principal, de postre)?	*What would you like (as a first course, as a main course, for dessert)?*
¿Qué desean para beber?	*What would you like to drink?*
¿Algo más?	*Something else?*
La especialidad de la casa es...	*The house specialty is . . .*
El plato del día es...	*The daily special is . . .*

LOS CLIENTES

¿Me (Nos) trae un(a) _____?	*Can you bring me (us) a _____?*
Otro/a _____, por favor.	*Another _____, please.*
¿Qué recomienda Ud.?	*What do you recommend?*
La cuenta, por favor.	*The check, please.*

A *¿Qué dice Ud.?* Dé una expresión apropiada para cada situación.

1. You're at a new restaurant and want to know what's good.
2. You'd like another beer.
3. You're a waiter and want to tell your customers that the house specialty is **pollo en mole.**
4. You want to order shrimp as a main course and ice cream for dessert.
5. You'd like the bill.

B *En un restaurante. Using the menu, prepare and act out a dialogue with a partner according to the following cues.*

WAITER

1. Ask your customer what he/she would like as a first course and as a main dish.
2. Answer his/her questions about the house specialty and the daily special.
3. Ask what he/she would like to drink.
4. Ask the customer if there is anything else.
5. Ask what he/she would like for dessert.

CLIENT

1. Ask the waiter about the house specialty and the daily special.
2. Order a first and main course for yourself and your companion.
3. Ask him/her to bring wine for you and water for your companion.
4. Ask for another fork and napkin.
5. Order dessert and black coffee.
6. Ask for the bill.

MENÚ

Ensaladas

Mixta

Lechuga y tomate

Sopas

de pollo

de maíz

de pescado

Gazpacho

Carnes y aves[a]

Bistec con cebolla

Chuletas de cerdo

Chuletas de cordero

Arroz con pollo

Pollo frito

Legumbres

Papas fritas

Guisantes

Plátanos fritos

Frijoles negros

Espárragos

Pescados y mariscos

Camarones fritos

Atún con tomate

Salmón al horno[b]

Paella de mariscos

Postres

Flan

Pastel de manzana

Helado (de fresa, de vainilla, de chocolate)

Fruta del tiempo

[a] *fowl*
[b] Salmón... *Baked salmon*
[c] *Custard*

GRAMÁTICA ESENCIAL

5.1 The Preterite Tense

In the CD-ROM to accompany *Motivos de conversación* you will find additional practice with vocabulary, grammar, listening, and speaking.

Sí, y gasté demasiado dinero
en el supermercado. El precio
de los comestibles subió mucho.

There are two simple past tenses in Spanish: the preterite and the imperfect (presented in **Lección 7**). The preterite expresses a past action that had a definite beginning and end. The duration of the action is unimportant; the essential thing is that the action is viewed by the speaker as being over and done with. Compare the preterite and the present tenses as shown below.

PRESENT		PRETERITE	
(yo) compro	*I buy,* *do buy,* *am buying*	(yo) compré	*I bought,* *did buy*
(él) escribe	*he writes,* *does write,* *is writing*	(él) escribió	*he wrote,* *did write*

ESTUDIO DE PALABRAS

Knowing all the words related to one basic form will greatly increase your vocabulary. Look at the following word families and try to guess what all the words mean. Can you conjugate all of them? Hint: Think of the English suffixes *-pose* and *-tain.*

poner		**tener**	
componer	oponer	contener	obtener
deponer	proponer	detener	retener
disponer	suponer	mantener	sostener

In the **Gráficos** section of this lesson, you used the **yo, tú,** and **Ud. (él/ella)** preterite forms of some verbs. Here are the complete conjugations of **-ar, -er,** and **-ir** verbs in the preterite. Note that the preterite endings are added to the stem of the infinitive.

gastar (to spend)	correr (to run)	subir (to go up)
gasté	corrí	subí
gastaste	corriste	subiste
gastó	corrió	subió
gastamos	corrimos	subimos
gastasteis	corristeis	subisteis
gastaron	corrieron	subieron

As you can see, the preterite endings of **-er** and **-ir** verbs are the same. Note that the first person plural of **-ar** and **-ir** verbs (**gastamos, subimos**) has the same ending in both the preterite and the present; context generally reveals which tense is intended.

To preserve the original sound of the stem consonant, the first person singular (**yo**) preterite ending of certain verbs contains spelling changes.

practicar	c → **qu**	practico → practi**qu**é
pagar	g → **gu**	pago → pa**gu**é
almorzar	z → **c**	almuerzo → almor**c**é

Yet another kind of spelling change occurs in the preterite: The **i** of the third person (**Ud., él/ella** and **Uds., ellos/as**) preterite ending changes to **y** when it appears between two vowels.

corrió *and* corrieron   BUT   le**y**ó *and* le**y**eron

Actividades

A **Un cuento** (*story*). Complete en el pretérito según el modelo.

MODELO: yo / comer / en el hotel   →
                Yo comí en el hotel.

1. yo / decidir / salir / ayer por la tarde
2. yo / entrar / en un restaurante nuevo para cenar (*have dinner*)
3. yo / comer / bistec, patatas y muchas otras cosas
4. yo / beber / una copa de vino
5. yo / no salir / hasta (*until*) muy tarde

Now retell the "story" using these subjects: **mi madre y yo, ellas, Ud., tú.**

B **Contradicciones.** Ud. y un amigo / una amiga hablan de los preparativos (*plans*) para el almuerzo. Ud. hace preguntas con las palabras de la primera (*first*) columna; él o ella contesta en negativo con las palabras de la segunda (*second*) columna.

MODELO: ver, jugo   → ¿Viste jugo en el supermercado?
                sólo vino y cerveza   → No, sólo vi* vino y cerveza.

1. buscar, pollo	pescado
2. ver, tortillas	sólo huevos
3. comprar, arroz (*rice*) y frijoles	guisantes y lechuga
4. preparar, pan	pasteles
5. cocinar, chuletas	bistecs

---

*The first and third person singular forms of **ver** (**vi, vio**) do not have a written accent mark in the preterite.

C *¿Qué hicieron ayer?* Use los siguientes verbos para explicar qué hicieron las personas en cada dibujo.

1. leer, estudiar, escuchar (*to listen to*), escribir

2. buscar, comprar, pagar, vender

3. comer, tomar, conversar, escribir

5.2 Irregular Preterites: *hacer, venir, dar, ir, ser*

Casi siempre como panecillos con mermelada por la mañana, pero mi madre no hizo las compras ayer y no había nada de comer en casa.

Several common verbs do not follow the regular pattern for forming the preterite tense. However, these irregular preterites have certain features in common: none bears an accent on the final syllable, and all of them form the preterite on an irregular stem.

hacer:	hice, hiciste, hizo, hicimos, hicisteis, hicieron
venir:	vine, viniste, vino, vinimos, vinisteis, vinieron
dar:	di, diste, dio, dimos, disteis, dieron
ir/ser:	fui, fuiste, fue, fuimos, fuisteis, fueron

NOTE 1: The verb **dar,** a first-conjugation (**-ar**) verb, takes the preterite endings of **-er/-ir** verbs.

NOTE 2: The preterite of **ir** is exactly like the preterite of **ser.** In Spanish, *I went* and *I was* are both (**yo**) **fui.** The context will clarify which meaning is intended.

Actividades

A *¿Qué pasó* (*What happened*) *en la fiesta?* Conteste con el verbo en el pretérito según las indicaciones.

1. Alicia *dio* una fiesta el viernes pasado (*last*). (yo, tú, ellos)
2. Ana y Marcos *vinieron* a las 9:00. (Esteban, tú, nosotros)
3. Lucho *vino* más tarde. (yo, tú, Juana y María)
4. La abuela de Alicia *hizo* unas galletitas (*cookies*) deliciosas para la fiesta. (ellos, nosotras, yo)
5. Laura *hizo* una torta (*cake*) de limón. (Miguel y Pablo, Ud., tú)
6. Los otros *compraron* bombones de chocolate y helado. (el novio de Alicia, yo, mis abuelos)
7. Después de la fiesta, Miguel y yo *fuimos* a una discoteca. (la abuela de Alicia, mis amigos, Ud.)

B *Anoche* (*Last night*) *en casa.* Usando el pretérito, hágale las preguntas de la columna izquierda a su compañero/a. Él o ella contesta según las palabras de la columna derecha.

1. ¿qué / hacer / tú / anoche?
2. ¿qué / leer?
3. ¿qué / preparar / tú?
4. ¿quién / venir / a la cena?
5. ¿a qué hora / venir?
6. ¿quién / comer / todo el pollo?
7. ¿quién / preparar / el café?
8. ¿adónde / ir / Uds. / después de cenar?

yo / leer
un libro de cocina
yo / preparar / arroz con pollo
yo / invitar / a _____
venir / a las _____
_____ / comer / todo el pollo
_____ / preparar / el café
nosotros / ir a / _____

C *Entrevista.* Pregúntele a un compañero / una compañera.

1. ¿Adónde fuiste el fin de semana pasado?
2. ¿Hablaste con tus amigos ayer? ¿Con quién hablaste?
3. ¿Hiciste la cena anoche o fuiste a un restaurante?
4. ¿Dónde y con quién almorzaste ayer?
5. ¿Practicaste el español con alguien (*someone*) ayer?
6. ¿A qué hora hiciste la tarea?
7. ¿Trabajaste ayer? ¿A qué hora saliste del trabajo?
8. ¿Viste televisión anoche? ¿Qué programas viste?

5.3 Shortened Adjectives

¡Hombre! Eso no fue un desayuno. ¡Fue un gran almuerzo... o más bien una cena!

The adjectives **bueno** and **malo** may precede or follow the noun. If they precede a masculine singular noun, they drop the final **-o**. This shortening does not take place with the feminine form.

un hombre malo (bueno)	*an evil (good) man*
una(s) amiga(s) buena(s)	*a (several) good friend(s)*
un mal (buen) hombre	*a bad (fine) man*
una(s) buena(s) amiga(s)	*a (several) close friend(s)*

Grande, which means *large* when it follows a noun, is shortened to **gran** when it precedes a noun; it then means *great* or *famous.*

Madrid es una ciudad grande.	*Madrid is a big city.*
Madrid es una gran ciudad.	*Madrid is a great city.*

Ordinal numbers generally precede the nouns they modify and agree with them in gender and number. The first three ordinal numbers are **primero/a** (*first*), **segundo/a** (*second*), and **tercero/a** (*third*). **Primero** and **tercero** are shortened before a masculine singular noun: **el primer autobús, el tercer día.** Otherwise, these adjectives are not shortened: **la primera casa de la calle, los primeros números.**

Actividades

A *Una cena inolvidable* (*unforgettable*). Complete con una forma apropiada de **bueno, malo, grande, primero, segundo** o **tercero.**

La semana pasada (*last*) invité a unos _____[1] amigos a cenar en mi casa. Sólo vinieron tres, porque los otros saben que soy un cocinero muy _____.[2] Pero la verdad es que preparé una _____[3] cena. El _____[4] plato fue una sopa de frijoles, el _____[5] fue patatas fritas y pescado; y el _____[6] plato fue bistec. También compré un _____[7] vino blanco para el pescado y un vino tinto (*red wine*) muy _____[8] para la carne.

B *Categorías.* Diga qué cosas o personas corresponden a las siguientes categorías. Dé varios ejemplos (*examples*) de cada categoría si es posible.

MODELO: el primer presidente de los Estados Unidos →
El primer presidente fue Jorge Washington.

1. una ciudad grande
2. una gran ciudad
3. el tercer planeta de nuestro sistema solar
4. un mal/buen actor
5. una buena/mala actriz
6. un buen hombre / una buena mujer
7. un buen amigo / una buena amiga
8. un buen profesor / una buena profesora
9. una gran novela

MEMOPRÁCTICA ▼▲▼▲▼▲▼▲▼

Study Spanish with a classmate whenever you can. Regular teamwork keeps you on a schedule and makes studying more of a social event. You and your study partner can drill one another on new vocabulary and verb forms. Studying with someone else also helps with oral comprehension, since you and your partner can take turns reading sentences and questions aloud.

5.4 *Por* and *para* Contrasted

Aquí veo un paquete de harina
y otro de azúcar. ¿Hago un
pastel para el postre de esta noche?

Por and **para** are both equivalents of the English *for,* but they are not inter-
changeable. They also express several other English prepositions.

A. Movement (**por**) versus destination (**para**)

por	type of movement
along, down, by, around, through	Camino **por** la calle. *I walk along (down) the street.* Siempre paseamos **por** el parque. *We always stroll around (in) the park.* Amalia entró **por** la puerta principal. *Amalia entered through the main door.*
para	goal of movement
for	Él sale **para** Lima mañana. *He leaves for Lima tomorrow.*

This diagram illustrates the
difference between **por** and **para** in the
following paragraph.

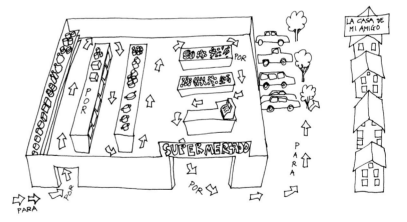

Cuando iba **para** la casa de mi
amigo, pasé **por** el supermercado
y decidí entrar. Fui **por**
los pasillos buscando diferentes
cosas. Compré algunas y
salí a la calle **por** la puerta
principal. Iba de nuevo **para** la
casa de mi amigo.

*When I was going **to** my friend's
house, I passed **by** the supermarket and decided to go in. I
went **along** the aisles looking for
different things. I bought some
and went back outside **through**
the main door. I was **on the way**
to my friend's house again.*

B. Duration of time (**por**) versus specific moment (**para**)

por	period of time
for, during	Va a estar en la ciudad **por** varios días. *He is going to be in the city for several days.*
para	*point in time, deadline*
for, by	Tengo que hacer el trabajo **para** el lunes. *I have to do the work by Monday.*

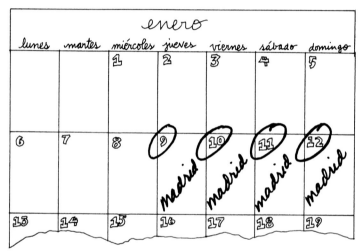

Va a estar en la ciudad por varios días.

Tengo que hacer el trabajo para el lunes.

C. Other uses of **para**

1. *For* (meant for someone; to be used for)

Las uvas son **para** Silvia.	*The grapes are for Silvia.*
Necesitamos copas **para** vino.	*We need wine glasses for the wine.*

2. *In order to* + infinitive*

Es necesario cocinar mucho **para** ser un buen cocinero.	*It is necessary to cook a lot (in order) to be a good cook.*
Para ir al restaurante Los Porches tengo que subir por la Calle Seis.	*(In order)† To go to the restaurant Los Porches, I have to go up Sixth Street.*

3. *For* (considering / contrary to expectations)

Este café está demasiado frío **para** mi gusto.	*This coffee is too cold for my taste.*
Tú eres muy alto **para** un niño de 10 años.	*You are very tall for a 10-year-old boy.*

4. *For* (in the employment of)

Trabaja **para** la compañía telefónica.	*She works for the telephone company.*

D. Other uses of **por**

1. *For* (to indicate price or exchange)

Pagué 20.000 pesos **por** esa cena.	*I paid 20,000 pesos for that dinner.*
Compramos tres plátanos **por** un dólar.	*We bought three plantains for one dollar.*

2. *For* (to imply replacement)

Hoy enseño **por** la profesora Jiménez. Ella está enferma.	*Today I'm teaching for (instead of, in place of) Professor Jiménez. She's sick.*

3. *Because of, out of, for the sake of, on account of, on behalf of* (to explain the motivation behind an action)

No dije nada **por** respeto a mi abuelo.	*I said nothing out of respect for my grandfather.*
A veces los padres hacen sacrificios **por** sus hijos.	*Sometimes parents make sacrifices for their children.*
Ellos están muy contentos **por** la invitación a comer.	*They are very happy on account of the invitation to dine.*

---

*As with any preposition, the infinitive is the only verb form that can follow **para**.
†Note that although *in order* is sometimes omitted in English, **para** is never omitted in Spanish.

4. In expressions such as

¡Por Dios!	*For heaven's sake!*
por ejemplo	*for example*
por eso	*for that reason*
por favor	*please*
por fin	*finally*
por la mañana (la tarde, la noche)	*in the morning (the afternoon, the evening)*
por suerte	*luckily, fortunately*
por supuesto	*of course*
por teléfono	*by (on the) telephone*

Actividades

A **¿Por o para?** *Tell whether the italicized word(s) would be* **por, para,** *or an expression with* **por.** *Do not translate the sentences.*

1. *At night,* the cook always leaves the restaurant *by* the back door.
2. She is working *for* the cook since he's on vacation *for* a week.
3. I left early *in order to* get the shopping done.
4. *Please* fix something good *for* lunch today.
5. She was walking *through* the market square.
6. *For* a beginner, you're a pretty good cook.
7. *Finally,* the waiter brought our meal.
8. I paid $40.00 *for* groceries this week.
9. I spoke with Miguel *on the phone* today.
10. Are fruits and vegetables good *for* your health? —*Of course!*

B *Lo que* (*What*) **mis padres hacen por mí.** ¿**Por** o **para**?

Mis padres siempre hacen mucho _____[1] mí. _____[2] ejemplo, mañana ellos salen _____[3] la Ciudad de México donde van a estar _____[4] dos semanas, y hoy _____[5] la tarde mi madre va a ir al supermercado _____[6] comprar comestibles. Ellos saben que cuando yo estoy solo, no como muy bien, y _____[7] eso, mi madre va a comprar muchas legumbres. Ella dice que las legumbres son esenciales _____[8] comer bien. _____[9] supuesto, yo prefiero comer hamburguesas y papas fritas, pero voy a comer legumbres _____[10] ella.

C *Preguntas y respuestas.* Conteste con una oración completa.

1. ¿Qué planes tiene Ud. para las vacaciones?
2. ¿Qué hace Ud. por la mañana, generalmente? ¿Y por la noche?
3. ¿Qué hace Ud. para sacar buenas notas?
4. ¿Cuánto pagó Ud. por su libro de español?
5. ¿Con quién habla Ud. por teléfono?
6. ¿Tiene Ud. un trabajo? ¿Para quién trabaja Ud.?
7. ¿Por qué estudia Ud. español?
8. ¿Compra Ud. regalos a veces? ¿Para quién compra regalos?

Para resumir y repasar

A *La lista de compras.* You live in a co-op, and this week it's your turn to do the food shopping. Make a list of ten to twelve items, keeping in mind that your house-mates include one vegetarian, one big meat-eater, one person on a diet, and some-one with a sweet tooth. After you make the list, describe two or three dishes you will serve using those ingredients.

MODELO: Necesito comprar lechuga, tomates, cebollas y zanahorias. Voy a hacer una ensalada.

B *Modismos* (*Expressions*) **con hacer y tener.** Invente oraciones originales según las indicaciones.

MODELO: abril, Acapulco
En abril en Acapulco, hace buen tiempo. Hace sol y calor.

1. enero, Alaska   **2.** agosto, San Antonio   **3.** octubre, Chicago

MODELO: Mi sobrina Raquel es una niña. Ella sólo...
Ella sólo tiene 4 años.

4. ¿Cuándo vamos a cenar?   **5.** Mañana hay un examen.   **6.** ¿Dónde está mi suéter?

C *Una cena para su madre.* Hoy viene su madre a comer y Ud. necesita la ayuda de su esposo/a. Use mandatos familiares afirmativos.

1. salir de casa a las 5:00 de la tarde
2. ir a la tienda de don Ramiro
3. comprar azúcar y plátanos
4. decirle a don Ramiro que necesitas plátanos y no piñas
5. traer todas las compras a casa rápidamente
6. abrir una lata de leche condensada
7. leer las instrucciones de la receta (*recipe*)
8. hacer el postre

PARA VER DE VERAS

Vuelva a mirar la foto de la página 122 para contestar las siguientes preguntas.

1. ¿Dónde está la muchacha? ¿Qué tiene en las manos?   **2.** ¿Por qué mira el postre así (*in this way*)? ¿Qué le va a ocurrir a la joven si come tanto (*so much*) postre?   **3.** Para Ud., ¿cuál es la mejor parte de la cena?   **4.** ¿Cuál es su postre favorito? En su opinión, ¿siempre debemos comer postre? ¿Por qué (no)?

Mamá, ella es Paty.

LA HAMBURGUESA ARGENTINA.

La traje[a] para almorzar.
Cuando la conocí, me quedé con la boca abierta.[b] Estoy seguro que te va a gustar.
Cuando el papá la vea,[c] se le hará agua la boca.[d]
Paty conquista siempre el cariño[e] y las preferencias de toda la gente
porque es 100% carne novillo[f] de exportación.

Recíbala en su casa.

100% carne de novillo de exportación.

[a]La... *I brought her*
[b]me... *I was very impressed*
[c]la... *sees her*
[d]se... *his mouth will water*
[e]*affection*
[f]*steer*

QF QUICKFOOD CHILE S.A.

paty

Paty ya llegó a: Unimarc, Jumbo, Multiahorro, Supermercados Agas, Marmentini Letelier, Montserrat, Cosmos, Fullmarket.
Para mayor información llame al 209 95 84 - 204 07 22 .

A *Oraciones falsas.* Corrija las oraciones falsas, según el anuncio (*ad*). *Scan to find the correct answers.*

1. Paty es una muchacha argentina.
2. La persona que habla en este anuncio es una señora casada con hijos.
3. La hamburguesa del anuncio se hace de carne de cerdo.
4. La hamburguesa es chilena.
5. Esta marca (*brand*) de hamburguesa no es muy popular en Argentina.
6. Es imposible comprar hamburguesas Paty en los supermercados.
7. Argentina tiene que importar carne de res de otros países.

B *Las hamburguesas.* Conteste las preguntas.

1. ¿A Ud. le gustan las hamburguesas?
2. ¿Cuáles son los ingredientes para una hamburguesa perfecta? (lechuga, cebolla, etcétera)
3. ¿Adónde va Ud. para comer una hamburguesa?
4. ¿Qué come y bebe Ud. con una hamburguesa?
5. ¿Le gusta la comida rápida en general? ¿Hay muchos restaurantes de comida rápida en su ciudad?
6. ¿Por qué cree Ud. (*do you believe*) que las hamburguesas son muy populares? (Creo que...)

Videotemas

Mire el vídeo de esta lección y después haga las actividades que siguen.

A *Comprensión.* Conteste las siguientes preguntas sobre el episodio del vídeo.

1. Cuando Mónica desayunó en un restaurante con su padre, ¿qué comió? ¿Qué jugo tomó?
2. ¿Qué postre prepararon Dolores y Mónica? ¿Por qué lo probaron al final del vídeo?

B *En parejas.* Comente lo siguiente con un compañero / una compañera.

1. Si Ud. prepara una cena para sus amigos, ¿a quiénes invita? ¿Qué sirve (*do you serve*)? ¿Cuál es el plato principal (*main course*)? ¿Y el postre?
2. ¿Preparó un plato especial el mes pasado? ¿Qué ingredientes compró para prepararlo?

MOTIVO CULTURAL

La palabra **tortilla** tiene diferentes significados en distintos países del mundo hispánico. En España, por ejemplo, la tortilla típica es de huevos y patatas. Generalmente los españoles comen la tortilla como (*as*) parte del almuerzo o de la cena, o sola, como merienda (*snack*). En México, la tortilla es un tipo de *pancake* hecho de (*made from*) harina de maíz. A veces se come* con las comidas, como el pan, pero también se dobla* y se ponen* varios ingredientes en el centro.

En **Ampliaciones 2** Ud. va a leer sobre la enorme importancia del maíz en la cocina de Hispanoamérica.

Estas mujeres hacen tortillas en Chetumal, México.

VOCABULARIO ACTIVO

Adjetivos

demasiado/a	too much; too many
frito/a	fried
glotón/glotona	glutton
pasado/a	past; last
rico/a	delicious
primero/a	first
segundo/a	second
tercero/a	third

Sustantivos

Las frutas

la fresa	strawberry
el melocotón	peach
la naranja	orange
la pera	pear
la piña	pineapple
la sandía	watermelon
la uva	grape

---

*Note that the word **se** before the verb changes the verb's meaning slightly.

    come (*he/she/it*) *eats* ▸ **se come** (*one thing*) *is eaten*
    dobla (*he/she/it*) *folds* ▸ **se dobla** (*one thing*) *is folded over*
    ponen (*you/they*) *put* ▸ **se ponen** (*two or more things*) *are put*

You will see this construction throughout this text. Learn to recognize it, for it is used frequently in Spanish.

Las legumbres (hortalizas, verduras)

la cebolla	onion
los frijoles	beans
el guisante	pea
la lechuga	lettuce
el maíz	corn
la papa, la patata	potato
el pepino	cucumber
el tomate	tomato
la zanahoria	carrot

Las carnes y los mariscos

el atún	tuna
el bistec	steak
el camarón	shrimp
la carne de cerdo	pork
la carne de cordero	lamb
la carne (de res)	beef
la chuleta	(pork) chop
el pavo	turkey
el pescado	fish
el pollo	chicken
el salmón	salmon

Los envases

la bolsa	shopping bag
la botella	bottle
la caja	box
la lata	can
el paquete	package

Otros sustantivos

el aceite	(olive) oil
el almuerzo	lunch
el arroz	rice
el azúcar	sugar
una barbaridad	a lot
el café solo	black coffee
el carrito (de las compras)	shopping cart
la cena	dinner, supper
el cereal	cereal
los comestibles	food items, provisions
el desayuno	breakfast
la ensalada	salad

la harina	flour
el helado	ice cream
el huevo	egg
la mantequilla	butter
la mermelada	jam; marmalade
el panecillo	(bread) roll
el pastel	pie
la pimienta	pepper
el postre	dessert
la sal	salt
la sopa	soup
el supermercado	supermarket
la tostada	toast

Verbos

almorzar (ue)	to have lunch
cenar	to have dinner
cocinar	to cook
correr	to run
desayunar	to eat breakfast
había	there was, there were
subir	to go up

Otras palabras y expresiones

anoche	last night
Bueno,…	Well, . . .
con razón	no wonder, of course
¡Cuántos/as + *noun*!	How many + *noun*!
hacer las compras	to do the shopping
más bien	rather
por	along; around; through; during
¡Por Dios!	For heaven's sake!
por ejemplo	for example
por eso	for that reason
por favor	please
por fin	finally
por suerte	luckily, fortunately
por supuesto	of course
¡Qué bueno!	Great!
solamente	only
tarde	late
temprano	early

COLOMBIA Y VENEZUELA

Los tepuys en el Parque Nacional de Canaima, Venezuela

DATOS IMPORTANTES

NOMBRE OFICIAL:
República de Colombia

CAPITAL: Santa Fe de Bogotá

POBLACIÓN: 37.418.000 habitantes

ÁREA: 1.138.914 km² (439.735 millas²)

FIESTA NACIONAL: el 20 de julio, Día de la Independencia

NOMBRE OFICIAL:
República de Venezuela

CAPITAL: Caracas

POBLACIÓN: 22.396.000 habitantes

ÁREA: 912.050 km² (352.143 millas²)

FIESTA NACIONAL: el 5 de julio, Día de la Independencia

POESÍA

El colombiano José Asunción Silva (1865–1896) es uno de los más grandes poetas de Hispanoamérica. Este trozo de su poema «Una noche» lo confirma como maestro del ritmo y de la melodía. Asunción Silva sufría[1] de una gran tristeza[2] existencial y murió[3] trágicamente.

[1]suffered   [2]sadness   [3]died

Una noche (fragmento)

Una noche
una noche toda llena[4] de perfumes, de murmullos[5] y de música de alas,[6]
Una noche,
En que ardían[7] en la sombra[8] nupcial y húmeda, las luciérnagas[9] fantásticas,
A mi lado,[10] lentamente,[11] contra mí ceñida,[12] toda,
muda[13] y pálida[14]...
Por la senda[15] que atraviesa[16] la llanura florecida[17]
Caminabas[18]...

[4]*full* [5]*murmurs* [6]*wings* [7]*burned* [8]*shadow* [9]*fireflies*
[10]*A... Next to me* [11]*slowly* [12]contra... *clinging to me* [13]*silent*
[14]*pale* [15]*path* [16]*crosses* [17]llanura... *blossoming flatland*
[18]*You were walking*

José Asunción Silva

EL MUNDO NATURAL

En el Parque Nacional de Canaima, en Venezuela, hay unas montañas exóticas y muy bonitas, que se llaman los tepuys. Los tepuys son un fenómeno bastante raro.[19] Algunos tienen una altura[20] de 1.524 metros (5.000 pies) y sus flancos[21] son casi perpendiculares. Por eso son muy difíciles de subir.

Los tepuys están en una región ecuatorial y los rodea la selva tropical,[22] pero en sus alturas, el clima[23] es relativamente frío y húmedo. En las alturas de cada tepuy viven plantas e insectos que son el resultado de una evolución independiente de millones de años. Ellos no tienen la adaptabilidad necesaria para cruzar[24] la selva, donde hace mucho calor, y subir a otro tepuy. Por eso, son únicos: no existen en otra parte del mundo[25] ni[26] en otro tepuy.

En el flanco de uno de los tepuys está el Salto Ángel, la catarata[27] más alta del mundo. Tiene una altura de 979 metros (3.212 pies), 17,6 veces más alta que las cataratas del Niágara.

Esta catarata fue descubierta[28] en 1937 por el piloto J. C. Ángel.

[19]bastante... *quite unusual* [20]*height* [21]*sides* [22]los... *tropical rainforest surrounds them* [23]*climate* [24]*cross* [25]*world* [26]*nor* [27]*waterfall* [28]fue... *was discovered*

MI CASA

METAS

Comunicación: In this lesson you will learn vocabulary and expressions related to your furniture and your house. You will talk about the different activities you do there, including getting along with your roommate and cleaning house. You'll give some orders—and will even take a few! You will also learn about Hispanic attitudes toward city and suburban living, and about the traditional architecture of houses in the Spanish-speaking world.

Estructuras:
6.1 Irregular Preterites: **decir, traer, poner, saber, estar, tener**
6.2 Polite Commands; Negative Familiar Commands
6.3 Demonstrative Adjectives and Pronouns

 En el vídeo de esta lección, Ud. va a ver a Pablo y a su esposa. Ellos quieren alquilar (*to rent*) un apartamento amueblado (*furnished*). Como (*Since*) este apartamento está en la Ciudad de México y las personas son mexicanas, Ud. va a oír algunas palabras que no se usan en todos los países del mundo hispánico: estufa (*stove*), alacena (*kitchen cabinet*) y recámara (*bedroom*). Y Ud., ¿vive en un apartamento, una casa o una residencia (*dormitory*) estudiantil? ¿Cuántos cuartos tiene? ¿Cuáles son?

 Visit the *Motivos de conversación* web site at www.spanish.mhhe.com.

GRÁFICOS

Las habitaciones

In the CD-ROM to accompany *Motivos de conversación* you will find additional practice with vocabulary, grammar, listening, and speaking.

Las habitaciones*

A. la sala
B. el comedor
C. la cocina
D. el dormitorio
E. el cuarto de baño

Componentes y aparatos

1. la cocina (eléctrica / de gas)
2. el horno
3. el fregadero
4. el lavaplatos
5. el refrigerador
6. el ropero
7. el televisor
8. la bañera
9. el lavabo
10. el inodoro

Actividades de la casa

apagar	*to turn off*
cocinar	*to cook*
descansar	*to rest*
hacer la cama	*to make the bed*
limpiar	*to clean*
llamar por teléfono	*to call, telephone*
mirar la televisión	*to watch TV*
prender	*to turn on*
sacar la basura	*to take out the trash*

---

*La habitación and el cuarto can mean either *room* or *bedroom*. Other words for bedroom are **el dormitorio, la recámara**—used in Mexico—and **la alcoba**.

Actividades

A *¿Cierto o falso?* Corrija las oraciones falsas.

1. Cocinamos en el lavabo.
2. Hay cocinas eléctricas y cocinas de gas.
3. Generalmente la leche está en el ropero.
4. Apagamos el refrigerador por la noche.
5. Freímos (*We fry*) huevos en el horno.
6. Lavamos los platos en el inodoro.
7. Prendemos el televisor para mirar la televisión.
8. Nos bañamos (*We bathe*) en la bañera.
9. Cocinamos en el dormitorio.
10. Descansamos en el cuarto de baño.

B *Definiciones.* Escoja cinco de las habitaciones, cosas o actividades de la lista de la página 147 y descríbalas. Su compañero/a va a adivinar qué son.

MODELO: (el lavaplatos) →
> UD.: Es un aparato que usamos para lavar los platos. Está en la cocina.
> SU COMPAÑERO/A: ¿El lavaplatos?
> UD.: Sí, eso es.

VOCABULARIO ÚTIL

Es un(a)...	Es la parte de la casa donde...
Está en...	Es algo que usamos para...

C *Su casa.* Conteste las preguntas.

1. ¿Cuántas habitaciones hay en su casa (apartamento)? ¿Cuáles son?
2. ¿Cuál es su parte favorita de la casa? ¿Por qué?
3. ¿Qué muebles tiene Ud. en el dormitorio? ¿en la sala?
4. ¿Qué aparatos hay en su casa? ¿Necesita o desea Ud. comprar otros aparatos o muebles?
5. Generalmente, ¿qué hace Ud. en la sala? ¿Y en el comedor? ¿Y en la cocina?
6. ¿A Ud. le gusta su casa (apartamento)? ¿Por qué?

MEMOPRÁCTICA ▼▲▼▲▼▲▼▲▼

Try to use as many methods as possible to learn vocabulary. Say the words aloud, write them down, copy them onto flash cards for rapid recognition, have a friend say them to you, listen to them on tape, and record them yourself. In addition, try to pantomime and visualize actions that involve them. By expanding your study techniques you'll find it easier to remember new vocabulary.

El sueño de María°

El... *María's Dream*

1. la alfombra
2. la aspiradora
3. el sillón
4. el sofá
5. el teléfono
6. la escoba
7. la mesa de centro
8. el cuadro

Otros verbos

creer	*to believe*
escuchar	*to listen (to)*
funcionar	*to work, function (machine)*
gritar	*to yell*
(no) estar en casa	*(not) to be home*
pasar la aspiradora	*to vacuum*
quitar el polvo	*to dust*

POLITE COMMANDS

▲▽▲▽▲▽▲▽▲▽▲▽▲▽▲▽▲▽▲▽▲▽▲▽▲▽

-ar: lavar	¡(no) lave(n)!	*(don't) wash!*
limpiar	¡(no) limpie(n)!	*(don't) clean!*
pasar	¡(no) pase(n)!	*(don't) pass!*
quitar	¡(no) quite(n)!	*(don't) remove!*
-er: barrer	¡(no) barra(n)!	*(don't) sweep!*
leer	¡(no) lea(n)!	*(don't) read!*
-ir: abrir	¡(no) abra(n)!	*(don't) open!*
decir	¡(no) diga(n)!	*(don't) say!*

▽▲▽▲▽▲▽▲▽▲▽▲▽▲▽▲▽▲▽▲▽▲▽▲▽

IRREGULAR PRETERITES

▲▽▲▽▲▽▲▽▲▽▲▽▲▽▲▽▲▽▲▽▲▽▲▽▲

estar:

estuve	*I was*
estuviste	*you were*
estuvo	*you were (he/she was)*

poner:

puse	*I put*
pusiste	*you put*
puso	*you (he/she) put*

▲▽▲▽▲▽▲▽▲▽▲▽▲▽▲▽▲▽▲▽▲▽▲▽▲▽

Adjetivos

limpio/a; sucio/a	*clean; dirty*
ordenado/a; desordenado/a	*neat, in order; messy, disorganized*
trabajador(a); perezoso/a	*hard-working; lazy*

Otras palabras y expresiones

¡A despertar!	*Wake up!*
ahí	*there*
¿Algo más?	*Anything else?*
alguien	*someone*
así que	*so, therefore*
el cristal	*glass*
la dama	*lady*
el mueble	*piece of furniture*
los muebles	*furniture*
todavía	*still*

PEPA: Lo siento, señorita. No vine ayer porque estuve enferma.

MARÍA: Comprendo, Pepa, pero la casa está hoy muy sucia y desordenada. Ahora, mientras yo leo, por favor, abra las ventanas, pase la aspiradora por la alfombra y limpie el cristal de la mesa de centro y los otros muebles. ¡Ah! También quite el polvo de los cuadros.

PEPA: Muy bien, señorita. ¿Algo más?

MARÍA: Sí. Ahí está la escoba. Barra la cocina, por favor. Y si alguien llama por teléfono, diga que no estoy en casa.

LA MADRE: ¡María! ¡María! ¡A despertar, perezosa! Escucha, ¿crees que eres una gran dama? Pues bien, «señorita», no lea más. El lavaplatos no funciona, así que lave Ud. los platos sucios que puse en el fregadero esta mañana y (*gritando*) que todavía están allí.

Actividades

A ***Instrucciones para la criada*** (*maid*). *Give your "dream servant" instructions about cleaning your house using these expressions and polite commands.*

MODELO: lavar la ropa →
Por favor, lave la ropa.

1. limpiar el cuarto de baño
2. pasar la aspiradora en el comedor
3. quitar el polvo del televisor
4. barrer la cocina
5. abrir la puerta
6. lavar los platos

B ***Sondeo.*** Pregúnteles a tres compañeros con qué frecuencia (*how often*) hacen los siguientes quehaceres domésticos (*chores*). Indique sus respuestas en el cuadro, usando la siguiente escala de valores.

1—todos los días   **2**—una vez (*once*) por semana   **3**—una vez al mes
4—nunca (*never*) o casi nunca

MODELO: lavar la ropa →

UD.:   ¿Con qué frecuencia lavas la ropa?

SU COMPAÑERO/A: Normalmente, lavo la ropa una vez por semana. (*You write "2" in the appropriate square.*)

	Compañero/a 1	Compañero/a 2	Compañero/a 3
lavar la ropa			
hacer la cama			
limpiar el baño			
pasar la aspiradora			
sacar la basura			
quitar el polvo			
cocinar la cena			

C *El día de la mudanza* (*Moving day*). *You've just moved into a new house.*
Explain where the following people put your possessions.

MODELO: Sara / teléfono / sala
Sara puso el teléfono en la sala.

1. yo / mesa / cocina
2. mi compañero / cama / dormitorio
3. tú / sofá / sala

4. Elena / cuadros / comedor
5. yo / sillón / sala
6. ¿tú / aspiradora / ropero?
7. Miguel / alfombra / dormitorio

Compañeros de cuarto

1. la cama
2. la mesa de noche
3. la cómoda
4. la lámpara
5. la máquina de escribir
6. el estante
7. el escritorio
8. la computadora†

DEMONSTRATIVE ADJECTIVES

	Masculine	Feminine
this	este	esta
these	estos	estas
that	ese	esa
those	esos	esas
that	aquel	aquella
those	aquellos	aquellas

MORE IRREGULAR PRETERITES

saber:

supe	*I knew; I found out**
supiste	*you knew; you found out*
supo	*you (he/she) knew; you (he/she) found out*

tener:

tuve (que)	*I had (to)*
tuviste (que)	*you had (to)*
tuvo (que)	*you (he/she) had (to)*

traer:

traje	*I brought*
trajiste	*you brought*
trajo	*you (he/she) brought*

decir:

dije	*I said*
dijiste	*you said*
dijo	*you (he/she) said*

---

*Although the infinitive **saber** means *to know*, in the preterite it conveys the idea of finding (some-thing) out.
†In Spain, the preferred term for *computer* is **el ordenador.**

Verbos

escribir en la computadora	*to type on the computer*
llegar	*to arrive*
terminar	*to end, finish*

Otras palabras y expresiones

acostado/a	*lying down*
la bombilla	*lightbulb*
como un loco	*like crazy*
¡Dios mío!	*For heaven's sake!*
hasta	*until*
el informe	*report, term paper*
la mala suerte	*bad luck*
las malas noticias	*bad news*
¡Qué desorden!	*What a mess!*
tan exigente	*so demanding*

Andrés llega a su cuarto y habla con Pepe.

ANDRÉS: ¡Qué desorden! ¡Todos esos libros en mi cama! ¿Qué haces?

PEPE: Lo siento. Estuve trabajando como un loco en mi informe. Es para aquel profesor tan exigente. Dijo que no va a aceptar trabajos después de mañana. Pero yo no supe esto hasta ayer. Tuve que trabajar toda la noche.

ANDRÉS: Pues, yo también lo siento, pero voy a leer acostado. Además, la lámpara de la mesa de noche tiene una bombilla potente, con luz muy buena para leer.

PEPE: Bueno, ahora pongo estos libros en el estante. Ya terminé con ellos y voy a escribir en la computadora.

ANDRÉS: Tengo malas noticias. La computadora tiene un virus. Por eso traje esta máquina de escribir del cuarto de Jorge.

PEPE: ¡Dios mío!* ¡Éste es un día de mala suerte!

Actividades

A ***¿Quién hizo qué?*** Explique qué pasó en el diálogo, combinando los sujetos con las terminaciones apropiadas. Hay más de una terminación correcta para algunos sujetos.

1. Pepe...
2. El profesor de Pepe...
3. Andrés...

   a. ya terminó con los libros.
   b. trajo la máquina de escribir de Jorge.
   c. dijo que no va a aceptar trabajos después de mañana.
   d. puso muchos libros en la cama de Andrés.
   e. dijo que la computadora tiene un virus.
   f. no supo la fecha para el informe hasta ayer.
   g. tuvo que trabajar toda la noche.
   h. llegó a su cuarto y habló con su compañero.

---

*¡**Dios mío!**, literally *My God!*, is a very common expression in Spanish and it is not considered irreverent. For native speakers of Spanish, it is no stronger than saying *Good heavens!* in English.

B *Comparaciones.* Haga comparaciones entre su cuarto y el cuarto de Pepe y Andrés. Mencione seis semejanzas o diferencias, siguiendo el modelo.

MODELO: En su cuarto, hay una máquina de escribir. En mi cuarto, no hay.

C *Entrevista.* Los compañeros de cuarto. Pregúntele a un compañero / una compañera. *If you or your partner don't have roommates, discuss your house-mates, former roommates, family members, or close friends.*

1. ¿Cómo se llama tu compañero/a de cuarto?
2. ¿Cuáles son sus cualidades positivas? (simpático, estudioso, etcétera)
3. ¿Tiene defectos? (desordenado, irresponsable, etcétera)
4. ¿Ayuda tu compañero/a a limpiar la casa? ¿Qué hace él/ella?
5. ¿Tiene tu compañero/a algunas costumbres malas? ¿Qué hace él/ella?
6. ¿Usa él/ella a veces tus cosas, como tu computadora o tus libros? ¿Usa a veces tu ropa?
7. ¿Te gusta tener un compañero / una compañera de cuarto o prefieres vivir solo/a?

MOTIVO CULTURAL

▲▼▲▼▲▼▲▼▲▼▲▼▲▼▲▼▲▼▲▼▲

In the United States, many middle-class families, especially those with small children, prefer to live in houses in the suburbs, with the working members of the family commuting to work. In contrast, in Hispanic countries, most middle-class families live in apartments in the city; only the very poor live on the outskirts of the city. The wealthy often have second homes—called **chalets**—farther out in the suburbs or in the country. This pattern is gradually changing, however, and many middle-class developments—called **colonias, urbanizaciones,** or **repartos,** depending on the country—are being built in the outlying areas of modern cities. Nevertheless, the majority of people still prefer to live in cities, close to the bustle of the urban area and to where they work.

▼▲▼▲▼▲▼▲▼▲▼▲▼▲▼▲▼▲▼▲▼

SITUACIONES ▲▼▲▼▲▼▲▼▲▼▲▼

Invitaciones y excusas

PARA INVITAR A UN AMIGO / UNA AMIGA

¿Qué tal si... (vamos al cine, tomamos un café, salimos el sábado)

¿Te gustaría ir a _____ conmigo?

How about if . . . (we go to the movies, have a cup of coffee, go out on Saturday)?

Would you like to go to _____ with me?

PARA ACEPTAR UNA INVITACIÓN

Gracias, me gustaría mucho.

Sí, perfecto. ¿A qué hora?

Thanks, I'd love to.

Yes, great. When?

PARA DAR UNA EXCUSA

Lo siento, pero estoy muy ocupado/a.

Tengo que... (limpiar la casa, escribir un informe).

Me gustaría mucho, pero ya tengo planes. Otro día, ¿eh?

I'm sorry, but I'm really busy.

I have to . . . (clean the house, write a report).

I'd really like to, but I already have plans. Another time, okay?

Actividades

A *Reacciones.* ¿Qué dice Ud. en las siguientes situaciones?

1. A friend asks you to have dinner, but you have a paper due the next day.
2. The gorgeous person in your Spanish class asks you to study with him/her.
3. Your housemate's creepy friend asks you to the movies.
4. You want to invite a friend to your party this Saturday night.
5. A friend asks you to go swimming, but you have a lot of chores to do at home.
6. A friend asks you to the movies. You really want to see this film, but you can't go that day.

B *Minidiálogos.* Preparen y presenten diálogos con un compañero / una compañera, según las siguientes indicaciones.

Minidiálogo 1

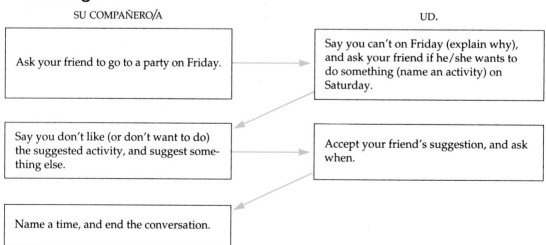

SU COMPAÑERO/A

UD.

Ask your friend to go to a party on Friday.

Say you can't on Friday (explain why), and ask your friend if he/she wants to do something (name an activity) on Saturday.

Say you don't like (or don't want to do) the suggested activity, and suggest something else.

Accept your friend's suggestion, and ask when.

Name a time, and end the conversation.

Minidiálogo 2

UD.	SU COMPAÑERO/A
Ask your friend to go to the lake (**al lago**) with you on Sunday.	Say you'd really like to, but you're busy. You have to do a lot of things at (**en**) home.
Ask your friend what he/she has to do.	Say you have to clean the house, wash clothes, do the shopping, and wash the car.
Ask your friend why he/she doesn't do all that (**todo eso**) on Saturday, and ask if he/she needs help.	Say fine, and ask your friend to come over around 10:00 A.M. on Saturday to help.
Agree, and end the conversation.	

In the CD-ROM to accompany *Motivos de conversación* you will find additional practice with vocabulary, grammar, listening, and speaking.

GRAMÁTICA ESENCIAL

6.1 Irregular Preterites: *decir, traer, poner, saber, estar, tener*

Estuve trabajando como un loco en mi informe. Es para aquel profesor tan exigente. Dijo que no va a aceptar trabajos después de mañana. Pero yo no supe esto hasta ayer. Tuve que trabajar toda la noche.

You have already learned the irregular preterite forms of **hacer, venir, dar, ir,** and **ser.** The following verbs are also irregular in the preterite: they bear no accent on the final syllable, and form the preterite on an irregular stem. They have been grouped according to the dominant letter in their preterite forms, to facilitate your memorization of them.

-j- { **decir:**   dije, dijiste, dijo, dijimos, dijisteis, dijeron
{ **traer:**   traje, trajiste, trajo, trajimos, trajisteis, trajeron

-u- { **poner:**   puse, pusiste, puso, pusimos, pusisteis, pusieron
{ **saber:**   supe, supiste, supo, supimos, supisteis, supieron
{ **estar:**   estuve, estuviste, estuvo, estuvimos, estuvisteis, estuvieron
{ **tener:**   tuve, tuviste, tuvo, tuvimos, tuvisteis, tuvieron

NOTE: There is no **i** in the endings of **dijeron** and **trajeron.**

Actividades

A *Viajes* (*Trips*) *y visitas.* Complete según los modelos.

MODELO: Cuando yo estuve en Colombia, hice muchas excursiones.

1. Cuando nosotros _____ en Perú, _____.
2. Cuando Uds. _____ en Argentina, _____.
3. Cuando ella _____ en Brasil, _____.

MODELO: Ellos vinieron por la tarde y pusieron el coche en el garaje.

4. Nosotros _____ anoche y _____.
5. Vosotros _____ ayer y _____.
6. Tú _____ por la tarde y _____.

MODELO: Él dijo eso, y yo tuve que contestar.

7. Ellas _____ eso, y tú _____.
8. Yo _____ eso, y Uds. _____.
9. Nosotras _____ eso, y vosotras _____.

MODELO: Ellas no trajeron la aspiradora y yo tuve que comprar una.

10. Él no _____ la lámpara y nosotros _____.
11. Tú no _____ la escoba y él _____.
12. Nosotros no _____ el teléfono y ellas _____.

MODELO: Supe ayer que estuviste enfermo.

13. Luisa _____ el domingo que vosotros _____ enfermos.
14. ¿Tú _____ el martes que yo _____ enfermo/a?
15. ¿Vosotros _____ ayer que nosotros _____ enfermos?

B *La fiesta del sábado pasado.* Sara habla por teléfono con su amiga
Mari sobre una fiesta. Complete su conversación con la forma correcta del
pretérito de los verbos entre paréntesis.

MARI: ¿Y cómo (*ser*) _____[1] la fiesta?
SARA: Muy divertida (*fun*). (*Estar*) _____[2] Andrés y también Pepe, su com-
pañero de cuarto. También (*venir*) _____[3] Nuria y Héctor.
MARI: ¿(*Tú: Ir*) _____[4] con Jaime?
SARA: No, Jaime (*tener*) _____[5] que trabajar. Entonces (*ir*) _____[6] Isa y yo.
(*Yo: Llegar*) _____[7] un poco tarde, porque antes tuve que pasar por la
casa de Isa.

MARI: ¿Qué (*Uds.: hacer*) _____[8] en la fiesta?

SARA: Lo de siempre... bailamos, hablamos. (*Ellos: Poner*) _____[9] la mesa con la comida y el estéreo en el patio. Como hizo muy buen tiempo, pasamos toda la fiesta allí. Todos nosotros (*traer*) _____[10] algo (*something*) de comer o de beber. Yo (*hacer*) _____[11] una tortilla española e Isa (*traer*) _____[12] un pastel de chocolate.

MARI: ¿Hablaste con Rafael?

SARA: Sí, y me (*él: decir*) _____[13] que va a dar otra fiesta la próxima (*next*) semana. ¿Y qué más? Ah, claro… unas noticias muy interesantes. (*Yo: Saber*) _____[14] que Nuria y Esteban (*tener*) _____[15] un problema grande. Ya no son novios. Qué sorpresa, ¿no?

6.2 Polite Commands; Negative Familiar Commands

Ahora, mientras yo leo, por favor, abra las ventanas, pase la aspiradora por la alfombra, y limpie...

A. Polite (formal) singular commands are formed by dropping the **-o** of the first person singular of the present tense and adding the "opposite" vowel (**e** for **-ar** verbs and **a** for **-er** and **-ir** verbs). Polite plural commands are formed by adding the opposite vowel plus **-n.** The pronouns **Ud.** and **Uds.** are frequently used with the commands.

-ar (**a** ▸ **e**): hablar ▸ habl∅ ▸ ¡habl**e** Ud.!, ¡habl**en** Uds.!   *speak!*
-er (**e** ▸ **a**): comer ▸ com∅ ▸ ¡com**a** Ud.!, ¡com**an** Uds.!   *eat!*
-ir (**e** ▸ **a**): abrir ▸ abr∅ ▸ ¡abr**a** Ud.!, ¡abr**an** Uds.!   *open!*

The polite commands of most irregular verbs are also formed from the first person singular of the present tense.

decir	▸ dig∅	▸ ¡dig**a(n)**!	*say!; tell!*
hacer	▸ hag∅	▸ ¡hag**a(n)**!	*do!; make!*
oír	▸ oig∅	▸ ¡oig**a(n)**!	*hear!*
poner	▸ pong∅	▸ ¡pong**a(n)**!	*put!*
salir	▸ salg∅	▸ ¡salg**a(n)**!	*leave!*
tener	▸ teng∅	▸ ¡teng**a(n)**!	*have!*
traer	▸ traig∅	▸ ¡traig**a(n)**!	*bring!*
venir	▸ veng∅	▸ ¡veng**a(n)**!	*come!*
ver	▸ ve∅	▸ ¡ve**a(n)**!	*see!*

Three verbs do not follow the same rule; their command forms must be memorized.*

dar ▸ ¡dé (den)! *give!*   ir ▸ ¡vaya(n)! *go!*   ser ▸ ¡sea(n)! *be!*

The spelling changes you learned with preterites in **Lección 5** also occur in some commands.

c ▸ qu: buscar   ▸ ¡bus**que**(n)!   *look for!*
g ▸ gu: pagar   ▸ ¡pa**gue**(n)!   *pay!*
z ▸ c: almorzar ▸ ¡almuer**ce**(n)!   *eat lunch!*

To express a negative polite command, put **no** before the verb.

¡No hable Ud.!   ¡No vengan Uds.!

B. Negative familiar commands use the same form as **usted** plus a final **-s**. Compare these negative **Ud.** and **tú** commands.

	With *Ud.*	With *tú*
Regular Verbs	¡no trabaje Ud.! ¡no coma Ud.! ¡no escriba Ud.!	¡no trabajes tú! ¡no comas tú! ¡no escribas tú!
Irregular Verbs	¡no diga Ud.! ¡no salga Ud.! ¡no venga Ud.!	¡no digas tú! ¡no salgas tú! ¡no vengas tú!

Actividades

A *Una fiesta.* *You're planning a twenty-fifth wedding anniversary party for your parents. What would you like to ask these guests to do or not do? Use polite commands to express your wishes.*

1. La señora García bebe mucho vino generalmente.
2. La señora Rivera siempre compra regalos muy caros.
3. Alonso Martínez, un buen amigo de su padre, cree que va a traer su trompeta.
4. El señor Ramírez dice malas palabras con frecuencia.
5. El jefe (*boss*) de su padre siempre grita.

B *Para el profesor / la profesora.* *Using the command form of the following verbs, tell your instructor to do five things. Be frank.*

MODELO: Profesor, no sea Ud. tan exigente, por favor.

---

*The command forms of **conocer** and **saber** are **conozca** and **sepa.** Their use will not be stressed in this text, as commands with these verbs are rare.

POSSIBLE VERBS

(no) enseñar
(no) hablar
(no) decir
(no) ser tan exigente

(no) venir
(no) escribir
(no) ir
(no) hacer

Now tell your annoying roommate what not to do, using negative familiar commands.

MODELO: ¡No comas toda la comida!

POSSIBLE VERBS

no usar
no comer
no llevar
no poner

no hablar
no escuchar
no ser

C *Una excursión. Imagine that you are a tour guide. Tell the tour participants what to do or not do, using polite plural commands.*

1. no llegar tarde porque el autobús sale temprano
2. traer sólo dos maletas (*suitcases*)
3. ser responsables en el Museo del Prado y no tomar fotos allí
4. ver todos los cuadros más importantes del museo
5. descansar un poco en el hotel en las horas libres
6. no hacer las maletas (*to pack*) muy tarde
7. pagar la habitación del hotel un día antes de salir
8. poner el pasaporte en su bolsillo (*pocket*)
9. tener todos los papeles en orden
10. apagar el televisor antes de salir de la habitación
11. no salir tarde del hotel
12. buscar a sus amigos en el aeropuerto

While you were explaining all of this to the group, Mrs. Jones was in the bus trying to find her camera. Now you will have to repeat all of the instructions above just for her.

D *¿Lo va a hacer o no? A classmate states what he/she is going to do at your party. Tell him/her to do or not do those things.*

MODELO: beber mucho
            SU COMPAÑERO/A: Voy a beber mucho.
                UD.: Por favor, no bebas mucho.

1. invitar al profesor / a la profesora
2. tocar la guitarra
3. traer vino y cerveza
4. ayudar a limpiar la casa
5. hacer la comida
6. llegar temprano
7. comer toda la comida
8. llevar ropa muy elegante
9. traer a varios amigos
10. salir de la fiesta a las 9:00

6.3 Demonstrative Adjectives and Pronouns

La computadora tiene un virus. Por eso traje esta máquina de escribir del cuarto de Jorge.

A. There are three sets of demonstrative adjectives in Spanish.

		Masculine	Feminine	
this *these*		este estos	esta estas	refers to persons or things near the speaker
that *those*		ese esos	esa esas	refers to persons or things at some distance from the speaker or near the person spoken to
that *those*		aquel aquellos	aquella aquellas	refers to persons or things even farther away from the speaker and the person spoken to

Esta sala es muy bonita. *This living room (near the speaker) is very pretty.*

Ese muchacho cocina muy bien. *That boy (near the person spoken to) cooks very well.*

Voy a comprar aquella casa. *I am going to buy that house (distant from both persons).*

Both the **ese** and **aquel** forms are also used to refer to things removed from the speaker in time. **Aquel** indicates a more distant time. Note that the verbs in the following examples are in the past tense.

Ese señor no dio su nombre. *That man did not give his name.*
Aquellos momentos fueron muy felices. *Those moments (long past) were very happy.*

B. Demonstrative pronouns take the place of nouns. They are spelled just like the adjective forms, except that they have a written accent. Compare the following.

DEMONSTRATIVE ADJECTIVE
Este refrigerador es caro.
This refrigerator is expensive.

DEMONSTRATIVE PRONOUN
Éste es caro.
This one is expensive.

The demonstrative pronoun must agree with the noun it replaces in both number and gender.

> ese teléfono → ése (*m. sing.*)
> aquellas lámparas → aquéllas (*f. pl.*)

C. The neuter demonstrative pronouns **esto, eso,** and **aquello** refer to an idea or a concept, not to a specific noun. They have no written accent.

> No me gusta esto (eso, aquello).   *I don't like this (that, that).*

Actividades

A ***Identificaciones.*** *Identify the following items in the classroom, using the demonstrative adjectives* ***este, ese,*** *or* ***aquel*** *as appropriate, and describe each briefly.*

MODELO: pizarra → Esa pizarra es negra.

1. sillas
2. mesa
3. lápices
4. ventana
5. puerta
6. abrigo
7. libro
8. papeles

B ***Cosas inútiles*** (*useless*). *You're cleaning out the house; tell the Goodwill agents what items they should take. Use these words to justify each decision:* ***viejo/a, incómodo/a, sucio/a, demasiado, pequeño/a, grande, feo/a, antiguo/a.***

MODELO: (ese) sillones →
Lleven Uds. esos sillones porque son muy viejos.

este	1. sillón	2. lámparas	3. máquina de escribir
ese	4. alfombras	5. escritorio	6. estantes
aquel	7. cómoda	8. platos	9. cama

C ***Regalos para la casa.*** *You've just received several duplicate gifts for your new house. Use demonstrative adjectives and pronouns to tell which gift is from whom.*

MODELO: platos / Margarita, Tomás →
Estos platos son de Margarita y ésos (aquéllos) son de Tomás.

1. lavaplatos / Raúl, Margo
2. alfombra / Violeta, Ileana, el señor Garza
3. teléfono / mi padre, Angelina
4. televisor / mi jefe, un amigo muy bueno

D ***Desacuerdo.*** Exprese en español.
1. What is that?
2. I don't like this.
3. This is not easy.
4. Don't say that. That's not true.

Para resumir y repasar

A **Un apartamento nuevo.** *Today you're moving into a new apartment, and some friends are helping you. Give your friends instructions about what to do or not do, using familiar or formal commands based on the infinitives listed.*

MODELO: (*A tu amigo Jorge*) no entrar en la cocina   ›
Jorge, no entres en la cocina, por favor.

A TU AMIGO JORGE
1. no llegar tarde
2. limpiar la cocina
3. no abrir las ventanas
4. no poner el sofá en el dormitorio
5. traer tu camión (*truck*)
6. no prender el estéreo
7. venir a las 9:00 de la mañana

A TUS AMIGOS DIEGO Y PATRICIA
8. no poner los platos en la sala
9. buscar las bombillas
10. ir a la tienda para comprar bebidas
11. tener cuidado con la computadora
12. pasar la aspiradora

B **Un sábado típico.** Ponga en el pretérito los verbos en letra cursiva.

El sábado *hago*[1] muchas cosas en casa. Mi esposo *ayuda*[2] a limpiar la casa. Él *hace*[3] las camas y yo *pongo*[4] los platos en el lavaplatos. Después, él *pasa*[5] la aspiradora y yo *barro*[6] la cocina. Después de limpiar, *vamos*[7] a desayunar a un restaurante del barrio. El desayuno *es*[8] enorme. A veces mi hermana Rebeca viene con nosotros, pero el sábado no *viene*[9] porque *tiene*[10] que trabajar. Mi esposo *paga*[11] el desayuno y después *regresamos*[12] a casa.

C **¿Ser o estar?**

A mí me gusta hacer las compras en la tienda de don Ramiro porque él _____[1] muy simpático. Yo sé que él _____[2] muy ocupado, pero siempre tiene tiempo para decir «Buenos días» a todos. Además, en la tienda de don Ramiro siempre hay frutas y legumbres buenas que _____[3] rebajadas; _____[4] muy buenas y muy baratas. Mi madre dice que sus precios _____[5] muy altos, pero ella no _____[6] contenta con los precios en ninguna (*any*) tienda.

PARA VER DE VERAS ▽▲▽▲▽▲▽▲▽▲▽▲▽▲▽ ▲

Vuelva a mirar la foto de la página 146 para contestar las siguientes preguntas.

1. ¿Quiénes son las personas que están en la foto? ¿Dónde están?   2. ¿Por qué cree Ud. que están ahí? ¿Cree Ud. que ellos viven ahí o que quieren vivir ahí?   3. ¿Qué están haciendo?   4. ¿Cómo es la habitación? ¿Qué muebles hay en la habitación?   5. ¿Qué piensan las dos personas de la habitación? ¿Qué dicen de ella?   6. ¿Le gusta a Ud.? ¿Por qué (no)?   7. Diga algo sobre la casa de Ud. ¿Qué habitaciones tiene? ¿Qué muebles hay en la casa? ¿Va a vivir Ud. ahí por mucho tiempo o tiene planes de ir a vivir a otra casa?

COMUNICACIÓN

In the CD-ROM to accompany **Motivos de conversación** you will find additional practice with vocabulary, grammar, listening, and speaking.

De la vida real

Actividades

A **Edificios Amazonas Park.** *A useful strategy when reading Spanish is using background knowledge to help make sense of the text. Using background knowledge means recalling what you already know about a particular topic, and making predictions about what you might find in the reading, based on that prior knowledge. In this case, you've probably seen ads for houses and apartments before. What type of information do such ads usually contain? Can you find that sort of information in this ad?*

To read in Spanish most effectively, try to apply a variety of strategies simultaneously (using cognates and context, looking at pictures, scanning, and using background knowledge). Can you use these different strategies to figure out the meaning of these underlined words and phrases from the ad?

[a] *stage, level*
[b] *elevators*
[c] *Planta... electrical generator*
[d] *Generous*
[e] *We process*

1. frente a las <u>canchas</u> de tennis
2. confortables <u>departamentos</u>
3. <u>desde</u> S/. 2'590.000
4. 2 baños <u>completos</u>
5. cuarto y baño <u>de servicio</u>
6. control remoto para <u>ingreso</u> a parqueaderos
7. portero eléctrico con <u>intercomunicador</u>
8. Tramitamos sus <u>préstamos</u> a través de Bancos...

B **Su casa ideal.** ¿Le gustaría (*Would you like*) vivir en el edificio de apartamentos Amazonas Park, o tiene Ud. otra idea de la casa ideal? Usando las siguientes preguntas como base, describa su casa ideal a un compañero / una compañera. Luego, escuche su descripción.

PREGUNTAS POSIBLES
¿Dónde está?
¿Cómo es?
¿Cuántos dormitorios y baños tiene?

¿Qué otras habitaciones tiene?
¿Cómo son los muebles?
¿Quién vive allí con Ud.?

MODELO: Mi casa ideal está en una ciudad grande. Es un apartamento muy grande y elegante...

Videotemas

Mire el episodio del vídeo de esta lección y después haga las actividades que siguen.

A *Comprensión.* Conteste las siguientes preguntas sobre el episodio del vídeo.

1. ¿Tiene el apartamento de Pablo y su esposa un horno de microondas? ¿un super-mercado cerca (*near*)? ¿un baño grande? ¿muebles? ¿una recámara pequeña?
2. ¿Qué dice la señora Alvarado del apartamento? ¿Qué dice de la estufa? Según ella, ¿es caro el supermercado?
3. ¿Qué comenta Pablo sobre el baño? ¿Qué dice él de las ala-cenas?
4. ¿Les gusta a Pablo y a su esposa el apartamento?

B *En parejas.* Comente lo siguiente con un compañero / una compañera.

1. ¿Son suyos (*yours*) los muebles de su apartamento/casa o lo/la (*it*) alquiló amueblado/a?
2. ¿Es más importante para Ud. tener un baño grande o una cocina grande? ¿Por qué?
3. ¿Son grandes o pequeñas las alacenas de su cocina?
4. ¿Prefiere usar un horno de microondas o un horno común? ¿Por qué?

VOCABULARIO ACTIVO

Adjetivos

acostado/a	lying down
desordenado/a	messy, disorganized
exigente	demanding
limpio/a	clean
ordenado/a	neat, in order
perezoso/a	lazy
sucio/a	dirty
trabajador(a)	hard-working

Sustantivos

Las habitaciones

la cocina	kitchen
el comedor	dining room

el cuarto de baño	bathroom
el dormitorio	bedroom
la sala	living room

Componentes y aparatos

la aspiradora	vacuum cleaner
la cocina (eléctrica / de gas)	(electric/gas) range
la computadora	computer
la escoba	broom
el fregadero	(kitchen) sink
el horno	oven
la lámpara	lamp
el lavaplatos	dishwasher
la máquina de escribir	typewriter
el refrigerador	refrigerator
el teléfono	telephone
el televisor	television set

Muebles y otros objetos

la alfombra	rug
la bañera	bathtub
la bombilla	lightbulb
la cama	bed
la cómoda	dresser, chest of drawers
el cuadro	picture, painting
el escritorio	desk, writing table
el estante	bookcase
el inodoro	toilet
el lavabo	washbasin
la mesa de centro	coffee table
la mesa de noche	nightstand
el mueble	piece of furniture
los muebles	furniture
el ropero	clothes closet
el sillón	easy chair
el sofá	couch, sofa

Otros sustantivos

el cristal	glass
la dama	lady
el informe	report, term paper
la mala suerte	bad luck
las malas noticias	bad news
el sueño	dream

Verbos

Trabajando en casa

barrer	to sweep
hacer la cama	to make the bed
lavar	to wash
limpiar	to clean
pasar la aspiradora	to vacuum
quitar el polvo	to dust
sacar (qu) la basura	to take out the trash

Otros verbos

apagar (gu)	to turn off
creer (y)	to think, believe
descansar	to rest
escuchar	to listen (to)
(no) estar en casa	(not) to be at home
funcionar	to work (*machine or apparatus*)
gritar	to shout, yell
llegar (gu)	to arrive
prender	to turn on
terminar	to end, finish

Otras palabras y expresiones

¡A despertar!	Wake up!
ahí	there
algo	something
¿Algo más?	Anything else?
alguien	someone
así que	so, therefore
como un loco	like crazy
demasiado	too; too much
¡Dios mío!	For heaven's sake!
hasta	until
nunca	never
¡Qué desorden!	What a mess!
tan	so
todavía	still
ya	already

Demostrativos

este, esta, estos, estas; ese, esa, esos, esas; aquel, aquella, aquellos, aquellas

éste, ésta, éstos, éstas; ése, ésa, ésos, ésas; aquél, aquélla, aquéllos, aquéllas

esto, eso, aquello

CHILE

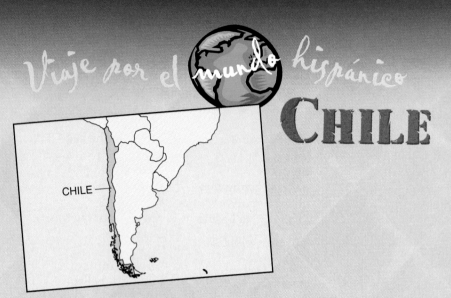

CHILE

DATOS IMPORTANTES

NOMBRE OFICIAL:
República de Chile

CAPITAL: Santiago

POBLACIÓN: 14.508.000
habitantes

ÁREA: 756.945 km²
(292.256 millas²)

FIESTA NACIONAL: el
18 de septiembre, el Día de
la Independencia

Este joven trabaja en unos
viñedos (*vineyards*) de Chile.

POESÍA

El poeta chileno Pablo Neruda (1904–1973) recibió el Premio Nobel de Literatura en 1971. Su fértil imaginación, su amor por la exuberante naturaleza[1] americana y su deseo de justicia social son cualidades que le ganaron la simpatía del público. Eu su libro de poesía *Odas elementales*[2] (1954), toma como tema las cosas comunes de la vida. Por ejemplo, escribe odas a varias legumbres, como la alcachofa,[3] la cebolla y el tomate.

Pablo Neruda

Oda a la alcachofa (fragmento)

La alcachofa
de tierno[4] corazón
se vistió de[5] guerrero,[6]
erecta, construyó
una pequeña cúpula,[7]
se mantuvo
impermeable[8]
bajo
sus escamas,[9]
a su lado
los vegetales locos
se encresparon[10]...

la col[11]
se dedicó
a probarse[12] faldas,
el orégano
a perfumar el mundo,
y la dulce[13]
alcachofa
allí en el huerto,[14]
vestida de guerrero...
a realizar su sueño,
la milicia...

[1]nature, flora, and fauna   [2]Odas... Elemental Odes   [3]artichoke
[4]tender   [5]se... dressed as   [6]a warrior   [7]dome   [8]inaccessible   [9]scales   [10]se... stood up (ruffled)   [11]cabbage
[12]se... spent its time trying on   [13]sweet   [14]garden

MOSAICO HUMANO

No es sorpresa que Chile sea[15] un país exportador de vinos finos. Los primeros españoles que llegaron en el siglo[16] XVI con el conquistador Pedro de Valdivia trajeron vides[17] para plantar allí. En la zona central de Chile encontraron[18] una región perfecta para el cultivo de la uva. El clima es ideal. Durante el día hay sol y hace calor. Las noches, al contrario, son frescas. Además, el desierto de Atacama, el océano Pacífico y los Andes son barreras naturales que sirven de[19] protección contra los insectos que destruyen las vides.

En el siglo XIX, Silvestre Ochagavía trajo de Francia a Chile algunas variedades de uvas. En las décadas subsecuentes, los insectos destruyeron casi todas las vides de Francia, Alemania e Italia. Muchos viñadores[20] franceses llegaron a Chile en busca de[21] trabajo. Estos viñadores enseñaron a los chilenos sus secretos sobre el cultivo de las uvas y la producción de vinos. Con razón los chilenos producen vinos que se comparan con los de Francia, Italia y California.

Chile produce demasiado vino para el consumo doméstico y, por eso, exporta sus vinos a los otros países de Latinoamérica, los Estados Unidos y Europa. Compre una botella de vino chileno. ¡Le va a gustar!

[15]is   [16]century   [17]grapevines   [18]they found   [19]sirven... serve as   [20]grape growers   [21]en... in search of

AMPLIACIONES 2

Lectura

Antes de leer

You have learned that a reading's title can provide clues to the content of the story. However, sometimes titles are meant to grab the reader's attention, rather than to describe the contents of a reading. "Corn Men," for instance, is more puzzling than descriptive. To get more information about this reading, you need to use another strategy: skimming. To skim, read through sections of a reading quickly, trying to get a general idea of the topic discussed without stopping at unfamiliar words. Once you have made a good guess of the section's contents, go back and read more slowly, this time using context, cognates, and other strategies to help you understand. Be prepared to read each section several times, and use the clues in the margins and the glossed words to keep you on track.

Practice skimming now with the second, third, and fourth paragraphs of the reading. Can you match the summaries below with their corresponding paragraphs, based only on skimming?

a. Uses of corn in industry and medicine
b. Different foods prepared with corn in Spanish America
c. The religious and cultural importance of corn in pre-Columbian cultures

Another strategy to help you read in Spanish is using your background knowledge, or what you already know about a particular topic. In this case, you may think that you know nothing about corn and its importance. But think for a moment about the impact of corn on your diet. Do you ever eat corn flakes, muffins, or corn on the cob? Do you use corn oil when cooking? Have you ever eaten tamales or corn tortillas? Consider these questions, and you may realize that this topic is not so unfamiliar after all!

LOS HOMBRES DE MAÍZ

El maíz tiene una enorme importancia cultural y una larga tradición en Hispanoamérica. Sabemos por las excavaciones arqueológicas que una **variedad** primitiva de esta planta **comenzó** a cultivarse en México **hace más de** 10.000 años.

5   Miguel Ángel Asturias, un famoso novelista de Guatemala, escribió una novela que se llama *Hombres de maíz*. Este **título** tiene su base en el *Popol Vuh*, llamado la Biblia de los **mayas**. El *Popol Vuh* presenta el maíz como un dios[1] que formó a los humanos de su **masa** y después los alimentó[2] con ella. Por eso en la cultura huasteca, una de las culturas **pre-**
10 **colombinas** de México, esta planta se llamó To-Nocayo, que significa

The English cognate ends in -ty. / This cognate has a double *m* and *c* instead of *z* in English. / Can you guess the meaning of **hace más de** when followed by **10.000 años**?

A synonym of *name* when referring to a novel. / The name of a pre-Columbian civilization in Central America. A close cognate. / One makes bread from this. / A close cognate.

[1]*god*   [2]*fed*

168 ▲

«nuestra carne». La **leyenda** de los hombres de maíz explica las **razas** como un resultado de los colores de las diferentes variedades de este **grano:** blanco, amarillo, rojo y negro.

El maíz es el ingrediente principal del cincuenta por ciento de los platos típicos de Hispanoamérica. México, por ejemplo, consume más de 10.000.000 de **toneladas** de maíz al año. Algunas comidas a base de[3] maíz son: las tortillas de México y Centroamérica, las arepas de Colombia, las ayacas de Venezuela, el comal de Costa Rica, los tamales de Cuba y otros países. Y, por supuesto, los hispanoamericanos también comen mucho maíz en mazorca.[4] Hay bebidas a base de maíz, como el chingue de Nicaragua y el atole mexicano.

Pero, ademas de su valor[5] **nutritivo,** el maíz tiene aplicaciones industriales y medicinales importantes. Entre[6] sus derivados de aplicación industrial están los aceites, los alcoholes, los adhesivos, las resinas, los jabones[7] y el etanol, que se utiliza como sustituto del petróleo para producir gasolina.

La próxima vez[8] que Ud. coma **rositas de maíz** en el cine, o cereales o molletes[9] en el desayuno, o cualquiera[10] de los productos norteamericanos que tienen el maíz como ingrediente principal, piense en la leyenda maya del dios del maíz. Esta leyenda va a parecerle[11] entonces muy lógica. ▲

The English equivalent is written a bit differently. / Spelled with a *c* in English. Can you guess?
The English word begins with *gra-* also, and ends in *-n*.

The English cognate is much shorter, but it begins with the same three letters.

Think of the English word *nutrition*.

This list of the industrial uses of corn contains many cognates.

What corn product do you eat at the movies?

---

[3]*a... based on*   [4]*cob*   [5]*value*   [6]*Among*   [7]*soaps*   [8]*La... The next time*
[9]*muffins*   [10]*any*   [11]*seem to you*

Después de leer

A Buscando información. *Scan the reading to find the following pieces of information.*

1. el nombre de la Biblia maya
2. la palabra huasteca para **maíz**
3. la cantidad de maíz que México consume al año
4. tres comidas hispanoamericanas que tienen el maíz como ingrediente principal
5. una bebida a base de maíz

B Comprensión de lectura. Conteste las preguntas.

1. ¿Quién fue Miguel Ángel Asturias? ¿De dónde viene el título de su novela?
2. Según la religión de los mayas, ¿qué es el maíz? ¿Qué hizo el maíz?
3. ¿Por qué tiene el maíz el nombre de «nuestra carne» en la cultura huasteca? Explique Ud. la leyenda.

4. ¿Qué comidas a base de maíz menciona el artículo? ¿Conoce Ud. más ejemplos de tales (such) comidas?
5. ¿Qué es el etanol, y por qué tiene importancia?
6. ¿Qué productos a base de maíz come o usa Ud.?

Repaso visual

Invente oraciones completas sobre los dibujos. Considere las siguientes preguntas.

¿Qué hay en el dibujo? ¿De qué hablan?
¿Cómo son las personas? ¿Qué pasa en cada escena?
¿Dónde están las personas? ¿Qué hicieron antes?

VERBOS ÚTILES

ayudar	descansar	llegar
barrer	gritar	poner
cenar	hacer	saber
cocinar	ir	traer
comprar	limpiar	ver

Examen de repaso 2

A Complete con el demostrativo apropiado.

¿Este, esta, estos _o_ estas?
—¿Qué frutas desea, señorita?
—Pues, me gustan _____¹ manzanas, _____² piña y _____³ melocotones.
También quiero _____⁴ tomate.

¿Ese, esa, esos _o_ esas?
Pablito, pon _____⁵ flores y _____⁶ teléfono en _____⁷ mesa. _____⁸ cuadros,
los pones en _____⁹ pared.

¿Ése, ésa, ésos _o_ ésas?
—Estos niños no son mis hermanos; mis hermanos son _____.¹⁰
—Y ¿quién es tu tía?
—Es _____¹¹ que está en el sofá. Y _____¹² que conversan con ella son sus
dos hijas.

B _El cumpleaños_ (_birthday_) _de Laura._ Complete con la forma correcta de
los verbos entre paréntesis.

Hoy es el cumpleaños de mi amiga Laura. Yo (_tener_) _____¹ flores para ella,
pero no está en su residencia. No (_saber_) _____² dónde está. Entonces
(_poner_) _____³ las flores en su cuarto. (_Yo: Oír_) _____⁴ que dos personas
hablan en la sala, y (_yo: salir_) _____⁵ del cuarto. En la sala, hay dos estudiantes que yo no (_conocer_) _____.⁶ (_Ellos: decir_) _____⁷ que Laura fue a un
restaurante a cenar con unos amigos. Entonces (_yo: ir_) _____⁸ directamente
al restaurante. (_Llevar_) _____⁹ las flores conmigo (_with me_). En el restaurante, (_yo: ver_) _____¹⁰ a Laura con un grupo de personas. Le (_yo: decir_)
_____¹¹ «¡Feliz (_Happy_) cumpleaños!» y le (_dar_) _____¹² las flores.

C _Un misterio._ Llene los espacios en blanco según la versión en inglés.

Anoche _____¹ _____² casa a las
3:00. _____³ a mi _____⁴ y _____⁵
la puerta. _____⁶ _____⁷ una persona extraña cerca de mi _____.⁸
No _____⁹ nada, pero di la
vuelta y _____¹⁰ rápido. _____¹¹
en la _____¹² y _____¹³ a la
policía. Desgraciadamente, el
individuo _____¹⁴ antes de su
llegada. ¿Qué _____¹⁵ yo
entonces? _____¹⁶ _____¹⁷ mi
amiga. Ella _____¹⁸ _____¹⁹ mi
casa para estar conmigo. ¡Qué
noche más horrible!

_Last night I arrived home at 3:00. I
went up to my bedroom and
opened the door. I saw a strange
person near my bed. I didn't say
anything, but turned and left
quickly. I went into the living room
and called the police. Unfortunately, the individual left before their
arrival. What did I do then? I
called my friend. She came to my
house to be with me. What an
awful night!_

D *Modismos con* **tener** *y* **hacer.** Haga un comentario para cada situación usando una expresión lógica con **tener** o **hacer.**

MODELO: Yolanda tiene clase a las 3:00. Ahora son las 2:55. →
Yolanda tiene prisa.

1. Mañana vamos a la playa (*beach*).
2. Felipe no va a clase hoy.
3. Voy a comer dos enchiladas, dos tacos, un tamal y frijoles con arroz.
4. Blanca dice que la capital de Guatemala es Antigua.
5. No podemos (*We can't*) jugar al fútbol en el parque hoy. ¡Qué mala suerte!
6. Ernesto tuvo otro accidente de coche... ¡su tercer accidente!
7. La gente lleva abrigos y suéteres.
8. Mi sobrino no quiere ir a ver la nueva película de horror.
9. ¡Ufff! El viernes tengo tres exámenes.
10. Hoy llevo pantalones cortos y una camiseta.

E *¿Saber o conocer?* Simón y Nando están hablando de una chica que le gusta mucho a Nando. Complete su conversación con la forma correcta de **saber** o **conocer,** según el contexto.

NANDO: ¿_____¹ a Marta, la amiga de Isa?

SIMÓN: No, pero _____² muy bien a Isa. ¿Por qué?

NANDO: Pues... es que me gusta mucho Marta. ¿_____³ si ella tiene novio?

SIMÓN: No, no lo _____.⁴

NANDO: Y _____⁵ el teléfono de Isa?

SIMÓN: No, pero _____⁶ dónde vive. Pero, ¿por qué deseas _____⁷ el teléfono de Isa?

NANDO: Porque voy a hablar con ella. Ella seguramente (*surely*) _____⁸ si Marta tiene novio.

SIMÓN: Buena idea. _____⁹ que Isa tiene clase ahora, pero va a estar en casa más tarde.

F *Vocabulario.* Dé la palabra que corresponde a cada definición.

LA FAMILIA

1. El hijo de mi hermana
2. La hija de mis tíos
3. La madre de mi padre
4. Los hijos de mis hijos

LA COMIDA

5. Una fruta con mucha vitamina C
6. Un plato que se come en los Estados Unidos para el Día de Acción de Gracias (*Thanksgiving*)
7. Una legumbre larga, delgada y verde
8. Los ingredientes principales del helado

LA MESA

9. Se usa para servir el vino
10. Se usa para limpiar la boca (*mouth*) y las manos (*hands*)

11. Se sirve el café en _____.
12. Va debajo de (*underneath*) los platos y los cubiertos.

LA CASA

13. Dormimos (*We sleep*) en _____ y preparamos la comida en _____.
14. Lavamos los platos en _____.
15. Pongo mis libros en _____.
16. Pongo la ropa en _____.

G *Una empleada nueva.* *The new maid needs to know what to do around the house. First, correctly match the verbs given with the expressions; then create formal commands for the maid. Each verb will be used at least once.*

VERBOS POSIBLES

abrir	limpiar	preparar
barrer	pasar	quitar el polvo
hacer	poner	sacar
lavar		

MODELO: la bañera y el lavabo (*Here* **limpiar** *is the most logical choice.*) →
Por favor, limpie la bañera y el lavabo.

1. _____ el almuerzo
2. _____ la mesa
3. _____ las ventanas
4. _____ los muebles
5. _____ la ropa
6. _____ la cocina
7. _____ la basura
8. _____ las camas
9. _____ la aspiradora
10. _____ el cuarto de baño

H Dé los mandatos familiares correspondientes a los infinitivos.

La madre dice: «Niño, (*salir*) _____[1] de la sala; no (*mirar*) _____[2] la televisión ahora. (*Ir*) _____[3] a la cocina y (*lavar*) _____[4] los platos que están en el fregadero. Después (*poner*) _____[5] la mesa. ¡Ah! Y si alguien llama, no (*decir*) _____[6] que estoy en casa».

I *El regalo de Elena.* Complete el párrafo con **por** o **para,** según el contexto.

Elena va a comprar un regalo _____[1] su sobrina Carmina. _____[2] eso, hoy está en el centro mirando las tiendas. Ella pasa _____[3] una tienda de animales y decide entrar. Va _____[4] la tienda mirando los animales... perritos, gatitos, pájaros (*birds*), peces (*fish*)... ¿Cuál es el animal perfecto _____[5] Carmina? Elena _____[6] fin decide comprar una perrita. _____[7] su edad, Carmina es una niña muy responsable, y sabe cuidar a una perrita. Elena paga 2.000 pesos _____[8] una perrita blanca muy mona.

LAS AMÉRICAS: PASADO Y FUTURO

M E T A S

Comunicación: In this lesson you will learn the names of Hispanic countries, their capitals, and their location. You will talk about the past and future of the Spanish-speaking world. You'll also learn about ancient Native American cultures in Spanish America and possibilities for the future.

Estructuras:
7.1 Basic Meanings of the Imperfect Tense
7.2 Regular Forms of the Imperfect Tense
7.3 Irregular Imperfects: **ir, ser, ver**
7.4 Preterite and Imperfect Tenses Contrasted

En este episodio del vídeo, Ud. va a ver a José Miguel y a Elisa, su madre. Ellos viven en Ecuador y están haciendo una excursión al campo. Aquí se habla del medio ambiente (*environment*), de la contaminación (*pollution*) y del desperdicio (*waste*) en las ciudades. ¿Es la contaminación un problema serio donde Ud. vive? ¿Qué se hace para resolver el problema?

Visit the *Motivos de conversación* web site at www.spanish.mhhe.com.

GRÁFICOS

Países, capitales y habitantes del mundo hispánico°

Países... *Countries, Capitals, and Inhabitants of the Hispanic World*

MEMOPRÁCTICA ▼▼▼

It is much easier to learn the names of the countries and their capitals if you visualize their location. When you look at a map, try to relate countries to each other and make a point of observing shapes and special details. Note, for instance, that Cuba, Puerto Rico, and the Dominican Republic are islands in the Caribbean; Cuba is the largest one and is shaped like a crocodile, while Puerto Rico is the smallest of the three. In South America, Bolivia and Paraguay are the only countries with no access to the ocean. After studying this map, draw your own blank map and test yourself by filling in the countries and their capitals.

País	Capital	Habitante
1. México	(Ciudad de) México	mexicano/a
2. Cuba	La Habana	cubano/a
3. la República Dominicana	Santo Domingo	dominicano/a
4. Puerto Rico	San Juan	puertorriqueño/a
5. Guatemala	(Ciudad de) Guatemala	guatemalteco/a
6. Honduras	Tegucigalpa	hondureño/a
7. El Salvador	San Salvador	salvadoreño/a
8. Nicaragua	Managua	nicaragüense
9. Costa Rica	San José	costarricense
10. Panamá	(Ciudad de) Panamá	panameño/a
11. Venezuela	Caracas	venezolano/a
12. Colombia	Bogotá	colombiano/a
13. Ecuador	Quito	ecuatoriano/a
14. Perú	Lima	peruano/a
15. Bolivia	La Paz	boliviano/a
16. Chile	Santiago	chileno/a
17. Argentina	Buenos Aires	argentino/a
18. Paraguay	Asunción	paraguayo/a
19. Uruguay	Montevideo	uruguayo/a
20. España	Madrid	español(a)

Actividades

A *Examen de geografía.* Estudie la lista de países hispanohablantes y sus capitales en la página anterior. Después, cubra (*cover*) la lista de capitales y pregúntele a un compañero / una compañera cuáles son las capitales de los siguientes países.

MODELO: Argentina →

UD.:   ¿Cuál es la capital de Argentina?
SU COMPAÑERO/A: Buenos Aires. ¿Cuál es la capital de... ?

1. Argentina	**7.** Venezuela	**14.** Perú
2. Honduras	**8.** México	**15.** España
3. Paraguay	**9.** Uruguay	**16.** Panamá
4. la República Dominicana	**10.** Costa Rica	**17.** Bolivia
5. El Salvador	**11.** Cuba	**18.** Ecuador
6. Chile	**12.** Puerto Rico	**19.** Nicaragua
	13. Guatemala	**20.** Colombia

B *Una fiesta internacional.* Muchas personas fueron a la fiesta del Club Internacional. Su amigo desea saber de dónde son todos los invitados. Conteste sus preguntas según la información entre paréntesis.

MODELOS: AMIGO/A: ¿Gloria es de La Paz? (Sí)
UD.:   Sí, ella es boliviana.
or   AMIGO/A: Isa es de Asunción, ¿verdad? (No/Santiago)
UD.:   No, no es paraguaya. Es chilena.

1. ¿Norberto es de La Habana? (Sí)
2. Rafa y Teresa son de Lima, ¿no? (No/Bogotá)
3. ¿El profesor Mejía es de Santo Domingo? (No/San Juan)
4. ¿La novia de Juan es de Managua? (Sí)
5. Esa señora que está allí es de Quito, ¿verdad? (No/Lima)
6. Las chicas que están bailando son de Caracas, ¿no? (Sí)
7. Tu amigo Luis es de San José, ¿verdad? (Sí)
8. ¿Aquellos muchachos que están en la sala son de Buenos Aires? (No/Montevideo)
9. Marta es de Guatemala, ¿no? (No/San Salvador)

C *¿Qué sabe Ud.?* Conteste las siguientes preguntas.

1. ¿Cúal es el país hispánico más grande de Sudamérica? ¿Y el más pequeño?
2. ¿De qué nacionalidad es Violeta Chamorro? ¿Quién es ella?
3. ¿En qué países están, respectivamente, las ciudades de Montevideo, Tegucigalpa y La Paz? ¿Cómo se llaman los habitantes de estos países?
4. ¿Qué países hispánicos están en el mar Caribe?
5. ¿De dónde es Óscar Arias? ¿Qué sabe de él?
6. ¿En qué país está la península de Yucatán?
7. ¿Cuántos países hispánicos hay al sur del ecuador? ¿Cuáles son?
8. ¿Puede Ud. (*Can you*) nombrar todos los países de Centroamérica? ¿Cómo se llaman sus habitantes?

9. ¿De qué nacionalidad es Gabriel García Márquez?
10. ¿Cuáles son los dos países hispánicos que no tienen costa (*coast*)?
11. ¿Quién es Fidel Castro?
12. ¿Qué capital hispánica está más cerca de (*closest to*) los Estados Unidos? ¿Cómo se llaman los habitantes de este país?
13. ¿Qué países tienen costas en el mar Caribe y en el Océano Pacífico?
14. ¿De qué nacionalidad es el rey (*king*) Juan Carlos I?

Las Américas: el pasado°

Past

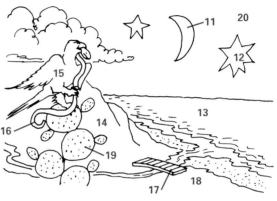

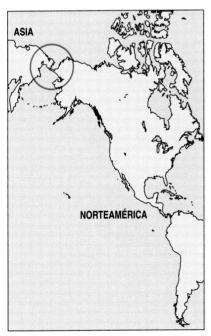

1. el sol
2. la nube
3. la montaña (el volcán)
4. el bosque
5. el valle
6. el lago
7. el río
8. el árbol
9. el camino
10. la piedra
11. la luna
12. la estrella
13. el mar / océano
14. la colina / loma
15. el águila
16. la serpiente
17. el puente
18. la tierra
19. el nopal
20. el cielo

REGULAR IMPERFECTS

▲▽▲▽▲▽▲▽▲▽▲▽▽▲▽▲▽▲▽▲▽▲▽▲▽

-ar:	viajar	
	viajaba	*I (he/she/you) traveled*
	viajaban	*you (pl.) (they) traveled*

-er:	deber	
	debía	*I (he/she/you) should*
	debían	*you (pl.) (they) should*

-ir:	decir	
	decía	*I (he/she/you) said*
	decían	*you (pl.) (they) said*
	unir	
	unía	*I (he/she/you) joined*
	unían	*you (pl.) (they) joined*

▲▽▲▽▲▽▲▽▲▽▲▽▲▽▲▽▲▽▲▽▲▽▲▽▽

Preposiciones

encima de	*on top of*
entre	*between; among*
hacia	*toward*

Los puntos cardinales

el norte	el este
el sur	el oeste

Examen de cultura

PROFESORA: ¿Cómo llegaron, originalmente, los primeros habitantes de
América?

ESTUDIANTE: Por un puente de tierra entre Asia y Alaska que unía los dos
lugares.

PROFESORA: ¿Todos llegaron del norte?

ESTUDIANTE: Sí, según una leyenda,° los aztecas viajaron hacia el sur por
muchos años.

legend

PROFESORA: ¿Cuándo dejaron de viajar°?

dejaron… did they stop traveling

ESTUDIANTE: Cuando vieron un águila que devoraba° una serpiente encima de
un nopal. Esto les indicó° el lugar° de su nuevo imperio.°

was devouring
indicated / place / empire

PROFESORA: ¿Cómo se llamaba ese lugar?

ESTUDIANTE: Tenochtitlán.

Actividades

A *El pasado.* Conteste las preguntas del diálogo.

1. ¿Cómo llegaron los primeros habitantes de América?
2. ¿Todos llegaron del norte?
3. ¿Qué les indicó el lugar del nuevo imperio?
4. ¿Cómo se llamaba ese lugar?

Ahora, repase los dibujos y coméntelos con un compañero / una compañera, sin (*without*) mirar las preguntas.

B *Descripción.* Primero, escriba seis preguntas para hacerle a un compañero / una compañera sobre el siguiente dibujo. Use las palabras interrogativas y el nuevo vocabulario. Después, haga y conteste las preguntas con un compañero / una compañera.

PALABRAS INTERROGATIVAS

¿Dónde?	¿Por qué?	¿Quién(es)?
¿Cuánto/a/os/as?	¿Cómo?	¿Qué?

MODELO:

UD.: ¿Cuántas pirámides hay?

SU COMPAÑERO/A: Hay dos pirámides. ¿Qué hay hacia el horizonte?

UD.: Hay unos volcanes.

Las Américas: el futuro

1. fábricas industriales sin humo
2. la agricultura y la alta tecnología
3. camiones modernos y eficientes
4. una frontera sin muros
5. un alto nivel de vida para todos

Adverbios

bastante   *quite, rather*
hasta   *even, up to*

OTHER IMPERFECTS

▲▼▲▼▲▼▲▼▲▼▲▼▲▼▲▼▲▼▲▼▲▼▲▼▲▼▲▼▲

era	*I (he/she) was (you were)*
éramos	*we were*
iba	*I (he/she/you) went*
íbamos	*we went*
veía	*I (he/she/you) saw*
veíamos	*we saw*
había	*there was, there were*

▲▼▲▼▲▼▲▼▲▼▲▼▲▼▲▼▲▼▲▼▲▼▲▼▲▼▲▼▲

SR. PEÑAS: Por favor, ¿sabe Ud. qué es el Tratado de Libre Comercio°?

SR. SALAZAR: ¡Claro que sí! Es un tratado que liberaliza° el comercio entre los Estados Unidos, Canadá y México.

SR. PEÑAS: ¿No era considerable el comercio entre ellos antes?

SR. SALAZAR: Por supuesto. Cuando mis padres y yo vivíamos en Texas, siempre veíamos docenas° de camiones que iban y venían de México. Había mucha actividad. Pero, ahora hay cientos y hasta miles.

SR. PEÑAS: ¿Cuáles van a ser los efectos de ese aumento° de comercio?

SR. SALAZAR: Más empleo° o desempleo,° naturalmente, en ciertos° sectores (la agricultura, la fabricación° de productos industriales, la alta tecnología, etcétera). Pero, a largo plazo° el nivel de vida° de todos debe subir bastante. Eso, por supuesto, va a resolver, por fin, el problema de la frontera.

SR. PEÑAS: ¿Ud. cree?

Tratado... North American Free Trade Agreement (NAFTA)
opens up

dozens

increase

employment / unemployment / certain / manufacturing

a... in the long run / nivel... standard of living

Actividades

A *¿Tiene Ud. buena memoria?* Lea el diálogo de nuevo. Después, conteste estas preguntas.

1. ¿Qué es el Tratado de Libre Comercio?
2. ¿Cómo era el comercio entre México y los Estados Unidos antes?
3. ¿Cuántos camiones cruzaban la frontera en el pasado?
4. ¿Cómo es el comercio ahora?
5. ¿Cuáles van a ser los efectos del aumento de comercio?
6. ¿Cree que el Tratado va a resolver el problema de la frontera?

B *Fronteras y más fronteras.* Ud. y un compañero / una compañera deben pensar en tantos (*as many*) ejemplos como puedan de las siguientes fronteras. Después, compartan (*share*) sus ideas y compárenlas con las de la clase.

MODELO: fronteras geográficas →
UD.: Las montañas son fronteras geográficas...
SU COMPAÑERO/A: Y también los ríos y los mares...

1. fronteras geográficas
2. fronteras nacionales
3. fronteras religiosas
4. fronteras étnicas
5. fronteras sexuales
6. fronteras sociales

C *Sondeo.* Pregúnteles a tres compañeros si a ellos les preocupan (*worry*) los problemas del mundo de hoy, e indique sus respuestas usando la siguiente escala de valores. Después, pregúnteles por qué creen eso.

1—No me preocupa nada.
2—Me preocupa bastante.
3—Me preocupa muchísimo.

MODELO: la contaminación (*pollution*) →
UD.: ¿Te preocupa la contaminación?
SU COMPAÑERO/A: No, no me preocupa nada.
UD.: ¿Por qué?
SU COMPAÑERO/A: Porque creo que el problema tiene solución.

	Compañero/a 1	Compañero/a 2	Compañero/a 3
la población mundial (*of the world*)			
el desempleo			
la discriminación racial			
la contaminación			
la destrucción de los bosques tropicales			
la inmigración ilegal			
el crimen			
el sexismo			

SITUACIONES

Expresiones de acuerdo, afirmación y desacuerdo

¡Claro que sí! ¡Cómo no! ¡Desde luego! ¡Naturalmente! ¡Por supuesto! ¡Ya lo creo!	*Of course! / Indeed! Naturally! / I should say so!*

¡De ninguna manera!	
¡No, en absoluto!	*Absolutely not! / Not at all!*
¡Para nada!	*No way!*
¡Qué va!	

Actividad

▶ **Entrevista.** Pregúntele a un compañero / una compañera sus opiniones sobre el futuro, siguiendo los modelos. Conteste sus preguntas usando una de las expresiones anteriores.

MODELOS: el Tratado de Libre Comercio / ser →

UD.: ¿Sabes qué es el Tratado de Libre Comercio?

SU COMPAÑERO/A: ¡Claro que sí!

el tratado / aumentar el desempleo →

SU COMPAÑERO/A: ¿Crees que el Tratado va a aumentar el desempleo?

UD.: No, en absoluto.

1. el Tratado de Libre Comercio / ser buena idea
2. el nivel de la educación / subir
3. el problema de la frontera / resolverse
4. la alta tecnología / ser más importante cada día
5. el costo de la vida / aumentar
6. la contaminación / desaparecer

MOTIVO CULTURAL

▲▼▲▼▲▼▲▼▲▼▲▼▲▼▲▼▲▼▲▼▲▼

En todo el mundo ahora hay más de 400 millones de personas que hablan español. Los países con más hispanohablantes son, naturalmente, México, España, Argentina y Colombia. Pero el dato más sorprendente (*most surprising*) es el siguiente: el quinto (*fifth*) país del mundo, con respecto al número de habitantes cuya (*whose*) lengua principal es el español, son los Estados Unidos. Actualmente hay aquí entre 25 y 30 millones de hispanohablantes. Los expertos dicen que para el año 2020 ese número va a ser de 50 millones y para el año 2050, de 90 millones. Otros datos poco conocidos: la ciudad de Los Ángeles tiene más mexicanos que cualquier (*any*) otra ciudad, a excepción de la capital de México. Además, en Los Ángeles trabajan y viven aproximadamente 350.000 ciudadanos (*citizens*) del estado mexicano de Oaxaca, cuya población total es sólo de 3.229.000 habitantes.

▲▼▲▼▲▼▲▼▲▼▲▼▲▼▲▼▲▼

7.1 Basic Meanings of the Imperfect Tense

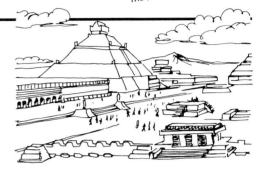

In the CD-ROM to accompany *Motivos de conversación* you will find additional practice with vocabulary, grammar, listening, and speaking.

—¿Cómo se llamaba la capital
de los aztecas?
—Tenochtitlán.

You learned the first of the two simple past tenses used in Spanish, the preterite, in **Lección 5.** The second, the imperfect, is used to express the following actions and states.

A. Actions in progress, without any indication of their beginning or end, often expressed in English by the past progressive (*was working, were singing,* and so on)

¿Qué hacían Uds. cuando llamé?	*What were you doing when I*
—Yo miraba una telenovela y	*called? —I was watching a soap*
René escribía una composición.	*opera and René was writing a*
	composition.

B. Customary actions in the past, often expressed in English by *used to* + verb, by *usually,* or by *would* when it means *used to*

Ya no viajo, pero antes viajaba	*I no longer travel, but I used to*
mucho.	*travel a lot before.*
Elena caminaba cinco millas	*Elena would (used to) walk five*
todos los sábados.	*miles every Saturday.*

C. Descriptions of physical or emotional conditions as well as states of mind and feeling (*I thought, he wished, she loved, I feared,* and so on)

La casa era grande y estaba en	*The house was large and it was on*
una montaña.	*a mountain.*
Ella pensaba que tú y yo éramos	*She thought (She imagined) that*
hermanos.	*you and I were brothers.*
A René le gustaba mucho esquiar.	*René liked skiing a lot.*

Note, however, that the preterite is used when a reaction or a particular instant is expressed or implied.

Cuando nos vio juntos, ella pensó	*When she saw us together, she*
que tú y yo éramos hermanos.	*thought (at that moment) that*
	you and I were brothers.
A René no le gustó lo que Ud. dijo.	*René didn't like what you said.*

▲ **183**

D. Time of day and other divisions of time (including age) in the past

Eran sólo las 6:00, pero como era invierno ya era de noche.

It was only 6:00, but as it was winter it was already dark (night).

Sólo tenía 8 años cuando murió.

He was only 8 (years old) when he died.

7.2 Regular Forms of the Imperfect Tense

...vieron un águila que devoraba una serpiente encima de un nopal.

In the **Gráficos** section of this lesson, you used several forms of the imperfect of various verbs. Here are all of the imperfect tense forms of regular verbs.

viajar (*to travel*)	creer (*to believe*)	salir (*to leave*)
viaj**aba**	cre**ía**	sal**ía**
viaj**abas**	cre**ías**	sal**ías**
viaj**aba**	cre**ía**	sal**ía**
viaj**ábamos**	cre**íamos**	sal**íamos**
viaj**abais**	cre**íais**	sal**íais**
viaj**aban**	cre**ían**	sal**ían**

The imperfect endings of **-er** and **-ir** verbs are the same. Stem-changing verbs do *not* change their stem vowels in the imperfect (**pensaba, volvía, servían**).

NOTE: The accent is used on the first person plural endings of **-ar** verbs (**-ábamos**) and on the **-i-** in all **-er/-ir** endings.

Actividades

A *La vida de Santo Domingo.* Repita esta narración varias veces, cambiando el sujeto (**nuestro amigo Raúl**) por cada uno de los sujetos indicados.

Todas las noches **nuestro amigo Raúl** *contaba*[a] (*told*) cosas interesantes sobre Santo Domingo. *Hablaba*[b] mucho del castillo que hay allí y, también, *describía*[c] la gran catedral de la ciudad. *Mostraba*[d] (*He showed*) fotografías o *ponía*[e] películas (*films*) de la sección colonial de la capital. Entonces *vivía*[f] en Chicago, pero siempre *repetía*[g] que *sentía*[h] (*he felt*) nostalgia por Santo Domingo.

1. Uds.　**2.** nosotras　**3.** yo　**4.** ellos　**5.** tú

B *Más narraciones.* En estas narraciones se usa el tiempo pretérito. Cámbialas por narraciones similares en el imperfecto, usando las expresiones indicadas.

1. **Ayer** *almorcé* en la cafetería de la universidad. *Pedí* tacos y enchiladas. *Pasé* allí media hora hablando con mis amigos y también le *escribí* una carta a mi novia. Cuando *salí, vi* a Margarita y la *saludé* en español. (**Todos los días...**)

2. **Cuando** mi abuelo *regresó* a California de su viaje (*trip*) anual a Chile, *trajo* muchos regalos para todos nosotros. Le *preguntamos* muchas cosas sobre la ciudad de Santiago y él *contestó* todas nuestras preguntas. También *visitó* mi clase de español, *habló* con mi profesora chilena y le *dijo* que su país le *gustó* mucho. (**Cada vez que mi abuelo...**)

C *Entrevista.* Pregúntele a un compañero / una compañera sobre su niñez (*childhood*). Use el imperfecto. Empiece (*Start*) sus preguntas con **Cuando eras niño/a...**

MODELO: vivir en otro lugar →
  UD.: Cuando eras niño/a, ¿vivías en otro lugar?
  SU COMPAÑERO/A: Sí. Mi familia y yo vivíamos en Minnesota.

Cuando eras niño/a...

1. creer en vampiros
2. ver mucha televisión
3. gustarte la escuela
4. practicar un deporte
5. hablar otra lengua
6. comer muchos dulces (*sweets*)
7. desear ser famoso/a
8. tener un perro o un gato

7.3 Irregular Imperfects: *ir, ser, ver*

Cuando mis padres y yo vivíamos en Texas, siempre veíamos docenas de camiones que iban y venían de México.

ir	ser	ver
iba	era	veía
ibas	eras	veías
iba	era	veía
íbamos	éramos	veíamos
ibais	erais	veíais
iban	eran	veían

NOTE: The irregular form **hay** has a regular imperfect: **había.** Just as **hay** means *there is* or *there are*, **había** means *there was* or *there were.*

Había muchos turistas en el museo.

There were many tourists at the museum.

Actividades

A *Transformaciones.* Estas narraciones están en el presente. Cámbielas al pasado usando el tiempo imperfecto de los verbos.

Los Castillo *son*[1] muy ricos y *viajan*[2] mucho. Muchas veces *van*[3] a Suiza (*Switzerland*), porque les *gusta*[4] esquiar, y en la ciudad donde ellos y yo *vivimos*[5] casi nunca *hay*[6] nieve. Mis hermanos y yo no *vamos*[7] a Suiza porque *somos*[8] pobres, pero cuando *vemos*[9] que muchos de nuestros amigos no *pueden*[10] ir tampoco (*either*), no *decimos*[11] nada.

B *Los aztecas y los españoles.* El siguiente párrafo describe el encuentro entre los conquistadores españoles y Moctezuma, según la perspectiva de un soldado español. Complete la descripción con la forma correcta del imperfecto de los verbos entre paréntesis.

(*Nosotros: Estar*) _____[1] muy cerca de Tenochtitlán e (*nosotros: ir*) _____[2] por el camino cuando vimos unos caciques (*chiefs*), que (*llevar*) _____[3] plumas (*feathers*) y mantas (*blankets*) muy ricas. Dijeron que el gran Moctezuma los (*seguir* [*to follow*]) _____,[4] y que él (*llegar*) _____[5] pronto a recibirnos. Un rato después, llegó el gran Moctezuma. Lo (*acompañar*) _____[6] otros grandes señores y caciques que (*venir*) _____[7] delante de él. Moctezuma (*ir*) _____[8] en una silla elegante que (*llevar*) _____[9] cuatro caciques. En la cabeza (*tener*) _____[10] un adorno de plumas verdes que (*ser*) _____[11] muy exótico. El gran Moctezuma (*llevar*) _____[12] ropas muy finas y ricas. (*Haber*) _____[13] una multitud de hombres y mujeres y muchachos en las calles que nos (*mirar*) _____.[14]

C *Entrevista.* Pregúntele a un compañero / una compañera sobre cómo eran las cosas cuando era niño/a.

MODELO: ser la casa (¿cómo?) →
      UD.: ¿Cómo era tu casa cuando eras más joven?
      SU COMPAÑERO/A: Era una casa pequeña y bonita. Creo que era amarilla.

1. ir a la escuela (¿dónde?)
2. ser tu comida favorita (¿cuál?)
3. desear ser (¿qué?)
4. ir a jugar (*play*) (¿adónde?)
5. programas de televisión / ver (¿qué?)
6. música / gustarte (¿qué?)

7.4 Preterite and Imperfect Tenses Contrasted

¿Cómo llegaron... ? Por un puente de tierra entre Asia y Alaska que unía los dos lugares.

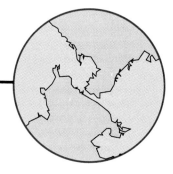

A. The preterite narrates past actions, while the imperfect depicts or characterizes qualities or states. In other words, the preterite narrates and the imperfect describes.

El general vino, vio y conquistó.

The general came, saw, and conquered.

Había mucha nieve, y yo tenía frío.

There was a lot of snow, and I was cold.

B. The preterite is used when the duration of the action is limited in some way, such as when its beginning or end is expressed or implied, or when the sentence indicates how long the action lasted or how many times it happened.

La semana pasada trabajé sólo dos días, pero trabajé diez horas diarias.

Last week I worked only two days, but I worked ten hours each day.

Mi familia vivía en Buenos Aires cuando yo era joven; vivimos allí tres años.

My family lived in Buenos Aires when I was young; we lived there for three years.

Note that when there is more than one past action in the same sentence, as in the last example, it is possible to express some of them in the imperfect and others in the preterite. This is also possible when an ongoing action (expressed in the imperfect) is interrupted by an action that is completed or limited in some way (expressed in the preterite).

Dormía una siesta cuando Pedro abrió la puerta y me despertó.

I was taking a nap when Pedro opened the door and woke me up.

Actividades

A *El diario de un profesor.* ¿Pretérito o imperfecto? *Read the following passage in English and tell whether you would use the imperfect or the preterite for the verbs indicated. Explain your choices. Do not translate the passage.*

I arrived[1] late at my office this morning. Four students were[2] already waiting to see me. One was[3] Paul Johnson. I grumbled[4] to myself because he came[5] to see me before class nearly every day. There was[6] nothing wrong with his ability to learn. He just didn't study[7] enough. Anyway, I talked[8] to him one more time, and to my great surprise, he showed[9] me a very interesting paper he wrote[10] for another class just the week before.

B *El secreto de Jorge.* ¿Pretérito o imperfecto?

Mi hermana y yo (*caminar*) _____[1] por la calle hablando y mirando a la gente cuando (*salir*) _____[2] de su casa nuestro amigo Jorge. Lo (*invitar*) _____[3] a caminar con nosotros. (*Él: Estar*) _____[4] triste y mi hermana le (*preguntar*) _____[5] por qué. No (*él: contestar*) _____.[6] En ese momento (*él: ver*) _____[7] a un policía que (*entrar*) _____[8] en el pequeño café La Cantina Alegre. Entonces nos (*él: decir*) _____[9] adiós y (*tomar*) _____[10] un autobús. ¡Qué misterio!

C **¿Y qué pasó?** Complete las oraciones según sus propias experiencias.

MODELO: Anoche, yo preparaba la cena cuando _____. →
Anoche, yo preparaba la cena cuando mi esposo/a regresó del trabajo.

1. Anoche yo estudiaba cuando _____.
2. El otro día, mientras mis amigos y yo hablábamos, _____.
3. La semana pasada, cuando yo estaba en la biblioteca, _____.
4. Ayer, yo estaba en casa cuando _____.
5. El otro día, yo veía televisión cuando _____.
6. Ayer, cuando iba a la universidad, _____.
7. La semana pasada, hacía mi tarea cuando _____.

D **¿Recuerda Ud. qué hacía?** Explique qué hacía Ud. o dónde estaba cuando ocurrieron los siguientes eventos.

MODELO: cuando aprobaron el Tratado de Libre Comercio (1993) →
Cuando aprobaron el Tratado de Libre Comercio, yo estaba en el segundo año de la secundaria. Vivía en Akron...

1. cuando John Hinkley intentó (*tried*) asesinar al presidente Reagan (1981)
2. cuando explotó el transbordador *Challenger* (1986)
3. cuando empezó (*began*) la guerra en el Golfo Pérsico (1991)
4. cuando se anunció el veredicto en el juicio (*trial*) de O.J. Simpson (1995)
5. cuando ganó Clinton las elecciones presidenciales (1996)
6. cuando destruyeron el muro (*wall*) de Berlín (1990)
7. cuando los terroristas destruyeron el edificio Murrah en Oklahoma City (1995)

Para resumir y repasar

A **Viviendo con otra persona.** La **Lección 6** presentó algunos problemas de los compañeros de cuarto. Complete el siguiente diálogo entre Sylvia y Teresa, dos compañeras de casa, usando el imperfecto o el pretérito de los verbos entre paréntesis.

SYLVIA: Tere, necesito hablar contigo. Anoche yo (*tener*) _____[1] que estudiar, pero tú (*desear*) _____[2] escuchar música. No (*yo: estudiar*) _____[3] nada para el examen de hoy.

TERESA: Pues, lo siento. ¿Por qué no me (*tú: decir*) _____[4] que (*tener*) _____[5] un examen? Y ya que estamos hablando de esto, acuérdate de (*remember*) que el miércoles pasado, yo (*necesitar*) _____[6] terminar una composición, pero (*tú: usar*) _____[7] la computadora toda la noche.

SYLVIA: Sí, es verdad, pero yo la (*estar*) _____[8] usando para hacer una tarea.

TERESA: ¡Qué va! Cuando yo (*entrar*) _____[9] al cuarto, la (*tú: usar*) _____[10] para jugar a «solitario»...

SYLVIA: Ah, ¿así? Pues, el otro día tú dijiste que (*ir*) _____[11] a lavar los platos, pero yo los (*lavar*) _____.[12]

TERESA: ¿Y qué? También tú ibas a preparar la cena, pero no lo (*tú: hacer*) _____.[13] Tampoco (*tú: poner*) _____[14] la mesa...

SYLVIA: Bueno. Ya no discutamos más. Hagamos una lista de los quehaceres (*chores*).

TERESA: De acuerdo. ¡Y también un horario (*schedule*) para usar la computadora!

B *Diálogo.* Ahora, complete el siguiente diálogo entre Ricardo y Luis, dos compañeros de cuarto. Necesitaban limpiar la casa porque esta noche van a dar una fiesta, pero no lo hicieron.

RICARDO: Luis, oye. ¿Por qué no lavaste los platos ni sacaste la basura?

LUIS:

RICARDO: Sí, ya sé que tenía que pasar la aspiradora, pero no pude. Y tú, ¿compraste la comida?

LUIS:

RICARDO: Pero yo pensaba que tú ibas a comprar las bebidas.

LUIS:

RICARDO: No, no. No fue así. Dijiste claramente que ibas a limpiar el baño. Lo recuerdo perfectamente.

LUIS:

RICARDO: Sí, es verdad que no lavé la ropa. Pero la voy a lavar ahora, mientras limpiamos.

C *Contrastando.* Describa los siguientes dibujos usando los adjetivos y pronombres demostrativos (**este/éste, esa/ésa, aquellos/aquéllos**).

MODELOS: Aquella águila no come una serpiente, pero ésta, sí.
Este nopal es grande, pero aquél es más pequeño.

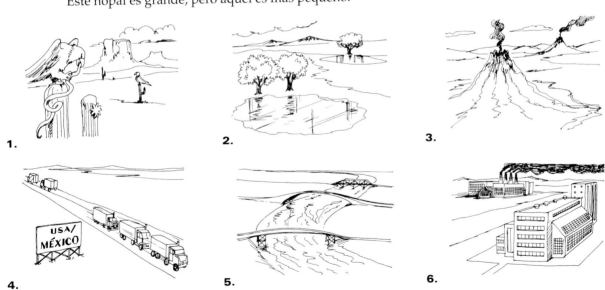

1. 2. 3.

4. 5. 6.

PARA VER DE VERAS ▲▼▲▼▲▼▲▼▲▼▲▼

Vuelva a mirar la foto de la página 174 para contestar las siguientes preguntas.

1. ¿Quiénes son las personas que se ven en esta foto? ¿Dónde están? ¿Qué van a hacer? **2.** ¿Qué ven? ¿Cómo es ese sitio? **3.** En su opinión, ¿era igual (*the same*) ese sitio en el pasado? **4.** ¿Dónde estaban las dos personas antes de llegar ahí? ¿Cómo era ese otro sitio? **5.** Diga algo sobre su lugar favorito. ¿Es un lugar que visita ahora o es un lugar que conoció en el pasado? Si un amigo / una amiga quiere saber si es un buen lugar, ¿qué le dice Ud.?

COMUNICACIÓN

In the CD-ROM to accompany *Motivos de conversación* you will find additional practice with vocabulary, grammar, listening, and speaking.

De la vida real

Ahora puede invertir sus ahorros en las monedas más fuertes.

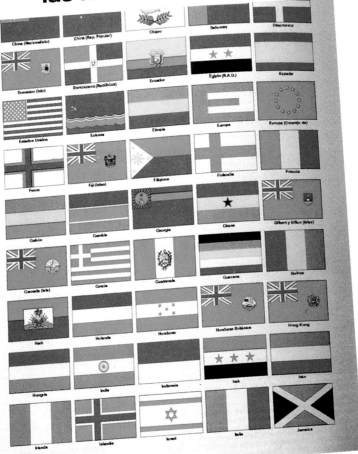

▶ **Banderas mundiales.** Asocie los habitantes de la siguiente lista con sus respectivos países, capitales y banderas.

MODELO: los ecuatorianos ›
        Los ecuatorianos son de Ecuador. Su capital es Quito. Su bandera es/tiene...

1. los españoles
2. los irlandeses
3. los guatemaltecos
4. los italianos
5. los griegos
6. los hondureños
7. los egipcios
8. los dominicanos
9. los estadounidenses

Videotemas

Mire el episodio del vídeo de esta lección y después haga las actividades que siguen.

A *Comprensión.* Conteste las siguientes preguntas sobre el episodio del vídeo.

1. Cuando José Miguel y su madre llegan al campo, Elisa dice: «¡Qué vista más bella!» (*What a beautiful view!*) ¿Qué ve ella?
2. ¿Adónde va José Miguel?
3. ¿Qué va a hacer Elisa? ¿Qué usa ella para escribir?
4. ¿Cuáles de las siguientes afirmaciones contiene el artículo de Elisa?
   a. A la gente de Ecuador no le preocupa la contaminación.
   b. La población mundial ha crecido (*has grown*) mucho.
   c. Un grupo de profesores está haciendo mucho para proteger el medio ambiente.
   d. Es difícil destruir la belleza (*beauty*) natural.
5. ¿Qué pregunta la mujer que llega? ¿Qué problema tiene ella? ¿Qué necesita?
6. ¿A qué distancia está el pueblo más cercano (*closest*)? ¿Cómo es este pueblo, según Elisa?
7. ¿Qué ofrece José Miguel?
8. ¿Qué necesitan José Miguel y Elisa?

B *En parejas.* Comente lo siguiente con un compañero / una compañera .

1. ¿Usa Ud. una computadora para escribir sus composiciones, como Elisa, o las escribe a mano?
2. ¿Ha hecho (*Have you made*) una excursión al campo recientemente? ¿Adónde fue? ¿Qué vio allí?
3. El vídeo menciona tres maneras de combatir la contaminación: reciclar, plantar árboles y no usar pesticidas. ¿Cuáles de estas cosas hace Ud.? ¿Cuáles se hacen en su ciudad en general? ¿Qué otras cosas se puede hacer para combatir la contaminación?

MOTIVO CULTURAL

▲▼▲▼▲▼▲▼▲▼▲▼▲▼▲▼▲▼▲▼▲▼▲▼▲▼▲▼▲▼

La unidad monetaria de Argentina, Bolivia, Colombia, Cuba, Chile, México, la República Dominicana y Uruguay es el peso, aunque su valor en relación con el dólar es diferente de un país a otro. Aquí tiene Ud. una lista de las unidades monetarias de los otros países hispánicos.

Costa Rica	el colón	Nicaragua	el córdoba
Ecuador	el sucre	Panamá	el balboa
El Salvador	el colón	Paraguay	el guaraní
España	la peseta	Perú	el sol
Guatemala	el quetzal	Puerto Rico	el dólar
Honduras	el lempira	Venezuela	el bolívar

En muchos casos, el nombre del dinero de un país tiene su origen en la tradición o en la historia. Cinco de estas unidades monetarias llevan el nombre de una figura histórica: Colón (Cristóbal Colón), Sucre y Bolívar (dos patriotas sudamericanos), Lempira (cacique indígena que luchó contra los conquistadores) y Balboa (Vasco de Núñez de Balboa, el conquistador español que descubrió la costa del sur de Panamá).

El origen de algunos otros nombres es también muy interesante. El quetzal es un hermoso pájaro (*beautiful bird*) centroamericano adorado por los mayas; el guaraní es el nombre de una tribu indígena paraguaya y también la segunda lengua oficial del país.

▲▼▲▼▲▼▲▼▲▼▲▼▲▼▲▼▲▼▲▼▲▼▲▼▲▼▲▼▲▼

VOCABULARIO ACTIVO

Adjetivos

cierto/a	(a) certain
hispanohablante	Spanish-speaking
libre	free; unrestricted

Sustantivos

Los puntos cardinales

el este	east
el norte	north
el oeste	west
el sur	south

La tierra y el cielo

el águila	eagle
el bosque	forest
el camino	road
la colina	hill
la costa	coast
la estrella	star
el lago	lake
la loma	hill
la luna	moon
el mar	sea
la montaña	mountain
el mundo	world
el nopal	prickly pear cactus
la nube	cloud
el océano	ocean
el país	country, nation
la piedra	rock, stone
el puente	bridge
el río	river
la serpiente	serpent
el sol	sun
el valle	valley
el volcán	volcano

El comercio

el aumento	increase
el camión	truck
el desempleo	unemployment
la docena	dozen
el empleo	employment
la fábrica	factory
la fabricación	manufacturing
el humo	smoke
el muro	wall
el nivel de vida	standard of living
el plazo	time period
el tratado	treaty

Otros sustantivos

la frontera	border
el futuro	future
el/la habitante	inhabitant
el imperio	empire
la leyenda	legend
el lugar	place
el pasado	past
la respuesta	answer, reply
el viaje	trip, journey

Adverbios

bastante	quite, rather
hasta	even, up to

Preposiciones

durante	during
encima de	on top of
entre	between; among
hacia	toward
sin	without

Verbos

deber	should, ought to; must
dejar de + *infinitive*	to stop (*doing something*)
había	there was, there were
indicar (qu)	to indicate
liberalizar (c)	to open up, remove restrictions (from)
resolver (ue)	to solve, resolve
unir	to join, unite
viajar	to travel

ARGENTINA, PARAGUAY Y URUGUAY

DATOS IMPORTANTES

NOMBRE OFICIAL:
República Argentina

CAPITAL: Buenos Aires

POBLACIÓN: 35.798.000
habitantes

ÁREA: 2.776.889 km²
(1.072.158 millas²)

FIESTAS NACIONALES:
el 25 de mayo, aniversario
de la Revolución de 1810;
el 9 de julio, Día de la
Independencia

NOMBRE OFICIAL:
República del Paraguay

CAPITAL: Asunción

POBLACIÓN: 5.652.000
habitantes

ÁREA: 406.752 km²
(151.047 millas²)

FIESTAS NACIONALES:
el 1º de marzo, Día de los
Héroes; el 14 de mayo, Día
de la Independencia

NOMBRE OFICIAL:
República Oriental del
Uruguay

CAPITAL: Montevideo

POBLACIÓN: 3.262.000
habitantes

ÁREA: 177.508 km²
(68.536 millas²)

FIESTA NACIONAL:
el 25 de agosto, Día de la
Independencia

MOSAICO HUMANO

Entre 1608 y 1767, la orden religiosa de los jesuitas creó[1] una utopía cristiana experimental en la vieja Provincia del Paraguay. Reunieron[2] a los habitantes indígenas, los guaraníes, y los repartieron en treinta comunidades llamadas «reducciones». Establecieron un sistema comunitario: los jesuitas se encargaban[3] del gobierno, la organización del trabajo y la educación de los guaraníes. También los organizaron en un ejército[4]

[1]created   [2]They gathered up   [3]se... took charge   [4]army

para resistir a los colonizadores portugueses y españoles que querían esclavizarlos.[5] Los guaraníes cultivaban la tierra y fabricaban diversos productos. Una de las industrias era la imprenta.[6] Se imprimieron[7] miles de libros, extendiendo así los conocimientos científicos y geográficos de Sudamérica.

La vida de los guaraníes dentro de las reducciones era difícil, pero menos cruel que la que encontrarían[8] en manos de los colonizadores. Por supuesto, a los colonizadores no les gustaba el éxito de estas comunidades, y en 1767 convencieron a los gobiernos portugués y español de que expulsaran[9] a los jesuitas. Después de siglo y medio[10] de existencia, las reducciones fueron destruidas y hoy día sólo quedan[11] las ruinas de este gran experimento social.

Las ruinas de la reducción San Ignacio Miní en Argentina

[5]querían... *wanted to enslave them*   [6]*printing*   [7]*Se... Were published*   [8]*la... that (the life) they would find*   [9]*banish*   [10]*siglo... a century and a half*   [11]*remain*

POESÍA

C ristina Peri Rossi nació en Montevideo en 1941 y ahora reside en Barcelona. Peri Rossi es autora de unos veinte libros desde 1963. El siguiente poema subraya[12] su interés en la historia humana.

Cifras[13]
En los monasterios medievales
algunos animales que adornan los frisos[14]
o decoran las columnas, en apariencia,
constituyen, en verdad,
las notas de un código[15] musical
olvidado[16] por la fugaz[17] memoria de los hombres.

Quienes[18] contemplaban al águila[19] o al perro
escuchaban, al mismo tiempo,[20]
las notas de una melodía.

Igual que[21] esas piedras[22]
somos la cifra
de una larga historia
que algún investigador futuro
descifrará,[23]
entre la admiración y el horror.

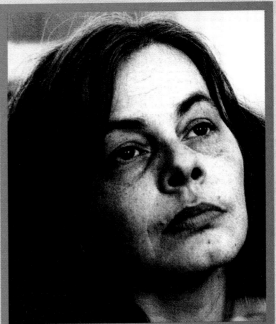

Cristina Peri Rossi

[12]*underscores*   [13]*Figures (Numbers)*   [14]*friezes (wall paintings)*   [15]*code*   [16]*forgotten*   [17]*fleeting*   [18]*Those who*   [19]*eagle*   [20]*al... at the same time*   [21]*Igual... Just like*   [22]*stones*   [23]*will decipher*

LECCIÓN

MIS DIVERSIONES

METAS

Comunicación: In this lesson you will talk about music, television, movies, and other types of entertainment and pastimes. You'll practice expressions you need for activities such as going to a store to get a videotape. You'll also learn about Hispanic artists and Spanish-language media in the United States.

Estructuras:
8.1 Stem-Changing Verbs
8.2 Polite Command Forms of Stem-Changing Verbs
8.3 Present Participle of Stem-Changing Verbs
8.4 Stem Changes in the Preterite
8.5 Direct Object Pronouns
8.6 Position of Direct Object Pronouns

 En este episodio del vídeo, varios jóvenes mexicanos hablan de fiestas y diversiones, del amor (*love*) y de la vida estudiantil en general. Lupe visita el apartamento que Diego comparte (*shares*) con Antonio y Juan, y se ve que hay síntomas de romance entre Lupe y Diego. Cuando Ud. está con sus amigos, ¿hablan siempre de fiestas y otras diversiones o hablan de otras cosas? ¿De qué otras cosas hablan? ¿Hablan Uds. de amor?

 Visit the *Motivos de conversación* web site at www.spanish.mhhe.com.

GRÁFICOS

In the CD-ROM to accompany **Motivos de conversación** you will find additional practice with vocabulary, grammar, listening, and speaking.

El concierto de rock

1. el bajo
2. la batería
3. el/la cantante
4. el/la fanático/a
5. la guitarra principal
6. el escenario

Verbos

aplaudir	*to applaud*
asistir (a)	*to attend*
gozar (de)	*to enjoy*
tocar	*to play (a musical instrument)*

Otros sustantivos

el billete / el boleto*	*ticket*
la canción	*song*
el conjunto / el grupo	*group*

Expresiones de lugar

al lado de	*beside, next to*
debajo de	*underneath*
delante de	*in front of*
detrás de	*behind*
encima de	*on top of*
cerca de	*near*
lejos de	*far from*

---

*El boleto** is the word for *ticket* in most of Spanish America; **el billete** is preferred in Spain. **La entrada** is also heard in some countries.

Actividades

A *¿Dónde está Loli?* Use **delante de, detrás de,** etcétera, para indicar dónde está Loli en relación con las otras personas y los objetos de los dibujos.

1.   2.   3.

4.   5.   6.

B *Entrevista.* Pregúntele a un compañero / una compañera sobre su conjunto favorito.

1. ¿Cómo se llama tu conjunto favorito?
2. ¿Cuántos miembros tiene?
3. ¿Quién es el/la cantante principal?
4. ¿Quién toca la guitarra? ¿el bajo? ¿la batería?
5. ¿Qué tipo de música tocan?
6. ¿Por qué es tu conjunto favorito? ¿Cuál es tu canción favorita?
7. ¿Cuáles son sus discos compactos más populares? ¿Cuál es su disco compacto más reciente?
8. ¿Asististe alguna vez a un concierto de este grupo? ¿Estuviste cerca o lejos del escenario? ¿Cuánto pagaste por el boleto? ¿Asistieron muchos fanáticos? ¿Gozaron y aplaudieron Uds. mucho?

C *Las reacciones de un fanático.* ¿Qué hace y dice Ud. cuando oye una canción de...

MODELO: los Fugee? →
Cuando oigo una canción de los Fugee, canto y bailo.

VOCABULARIO ÚTIL

apagar (*to turn off*)
aplaudir
bailar (*to dance*)
cambiar de estación (*to change the station*)

cantar (*to sing*)
gozar (de)
subir/bajar el volumen (*to turn the volume up/down*)

¿Qué hace y dice Ud. cuando oye una canción de...

1. Madonna?
2. Coolio?
3. Bonnie Raitt?
4. Seal?

5. los Beatles?
6. Gloria Estefan?
7. Alanis Morissette?
8. Fugee?

D **Sondeo.** Pregúnteles a tres compañeros sobre sus gustos musicales y escriba sus respuestas en el siguiente cuadro.

MODELO: UD.: ¿Te gusta asistir a conciertos?
    SU COMPAÑERO/A: Sí, me gusta mucho, pero no me gustan los precios de los boletos.

	Compañero/a 1	Compañero/a 2	Compañero/a 3
¿Te gusta asistir a conciertos?			
¿Asistes a muchos conciertos?			
¿Qué tipo de música te gusta más?			
¿Tocas un instrumento musical?			
¿Te gusta cantar?			
¿Tienes muchos casetes / discos compactos?			
Por lo general, ¿cuándo escuchas música?			

Cada loco con su tema°

Cada... *To Each His Own*

STEM-CHANGING VERBS

puedo	*I can*
puede	*you (he/she) can*
quiero	*I want*
quiere	*you (he/she) want(s)*
prefiero	*I prefer*
prefiere	*you (he/she) prefer(s)*
juego	*I play*
juegan	*you (pl.) (they) play*
enciendo	*I turn on*
enciende	*you (he/she) turn(s) on*
duermo	*I sleep*
duerme	*you (he/she) sleep(s)*

algunos/as	*some*	1. los audífonos	A. bailar
grabar	*to record*	2. el disco	B. dormir una siesta
mal	*badly*	3. la casetera	C. mirar una telenovela (*soap opera*)
peor	*worse*	4. el tocadiscos	D. jugar a las cartas
el salón de recreo	*recreation room*	5. el disco compacto	E. oír casetes*
sin ruido	*without noise*		
todo el mundo	*everybody*		

En el salón de recreo todo el mundo puede hacer cosas diferentes. Algunos bailan con la música de los discos viejos que Pablo pone en el tocadiscos. Teresa, que es un poco tímida, no quiere bailar; prefiere oír el casete que grabó del nuevo disco compacto de Loli y los Pulpitos. Oye el casete en su casetera con los audífonos. Otros estudiantes juegan a las cartas, y Víctor enciende el televisor para mirar una telenovela. ¿Y yo? Bailo mal y canto peor. Por eso, busco un lugar tranquilo sin ruido para descansar y duermo una siesta. ¡Cada loco con su tema!

Actividades

A En el salón de recreo. ¿Qué hacen las personas del dibujo?

1. Pablo
2. Teresa
3. Víctor
4. Ana y Alberto
5. Celia y Juan
6. el narrador

---

*Some native speakers don't pronounce the second **e** in **casete,** but most do.

B **¿Qué actividades prefiere Ud.?** Ahora imagine que Ud. hace las mismas actividades que las personas del dibujo de la página 200. Escriba lo que (*what*) Ud. hace y luego ordene las actividades según sus preferencias personales.

MODELO: Pablo pone discos compactos en el estereo. →
Pongo discos compactos en el estereo.

C **Entrevista.** Pregúntele a un compañero / una compañera sobre sus diversiones, usando las siguientes indicaciones.

MODELO: si mira las telenovelas y cuál(es) prefiere →
UD.: ¿Miras las telenovelas?
SU COMPAÑERO/A: Sí, a veces.
UD.: ¿Y cuáles prefieres?
SU COMPAÑERO/A: Pues... mi favorita es «One Life to Live». A mi compañera de casa, le gusta «General Hospital».

1. si le gusta bailar y qué bailes prefiere (el tango, el vals, el merengue, la música disco, la cumbia, la salsa, el rock, la lambada*)
2. si baila bien o mal y en qué lugar le gusta bailar
3. si prefiere oír música en la radio,† en su casetera con audífonos o en un disco compacto
4. qué casetes o discos compactos quiere comprar, y cuánto dinero puede gastar en ellos
5. si graba los casetes o discos compactos de sus amigos
6. qué quiere mirar en la televisión hoy

D **Música en vivo** (*live*). Lea este anuncio de Puerto Rico y conteste las preguntas.

1. ¿Cómo se llama este conjunto? ¿Cómo es su música?
2. ¿Cuánto cuesta contratar a este conjunto? ¿Es caro, según el anuncio?
3. ¿En qué lugares puede ser la fiesta?
4. ¿Qué significa «llama con tiempo para tu cita»?

CONJUNTO LOS SOCIOS

BUENA MUSICA EN VIVO

Precio especial nunca antes visto.[a]

Combatiendo la Inflación y de acuerdo a tu presupuesto.[b]

Ideal para tu fiesta privada, en tu oficina y hasta en la marquesina[c] de tu hogar.

Precios desde: $180.00 en adelante

Llama con tiempo para tu cita.[d]

TELEFONO: 768-6882

MOTIVO CULTURAL

▲▼▲▼▲▼▲▼▲▼▲▼▲▼▲▼▲▼▲▼▲

Aunque (*Although*) la música rock de Inglaterra y los Estados Unidos se conoce y se admira en todos los países de habla española, también los ritmos y estilos de música nacionales son muy importantes en Hispanoamérica, como la salsa, la cumbia o el merengue.

▲▼▲▼▲▼▲▼▲▼▲▼▲▼▲▼▲▼▲

---

*El tango originated in Argentina, whereas el merengue and la cumbia are from the Dominican Republic and Colombia, respectively. La salsa is partly Cuban and partly Puerto Rican. La lambada is Brazilian.

†El radio is used in most of Hispanic America, la radio in Spain.

[a]nunca... *never before seen*
[b]de... *according to your budget*
[c]*porch in a private home*
[d]*appointment*

En la tienda de vídeos

1. el vídeo*

STEM-CHANGING PRETERITES

durmió   *you (he/she) slept*
sintió   *you (he/she) felt*

STEM-CHANGING POLITE COMMANDS

ie: ¡piense Ud.!   *think! (sing.)*
          ¡piensen Uds.!   *think! (pl.)*

ue: ¡vuelva Ud.!   *return!, come back! (sing.)*
          ¡vuelvan Uds.!   *return!, come back! (pl.)*

DIRECT OBJECT PRONOUNS

lo   *him, it (m.)*   los   *them (m.)*
la   *her, it (f.)*   las   *them (f.)*

Otros sustantivos

el amor   *love*
el/la espía   *spy*
la ganga   *bargain*
la película   *film*

Otros verbos

alquilar   *to rent*
deber   *to owe*
devolver (ue)   *to return*

Otras expresiones

a mitad de precio   *at half price*
mejor   *better; best*
pronto   *soon*
¿Qué le parece... ?   *How about . . . ?*
tal vez   *perhaps*
tanto   *so much*

DEPENDIENTA: Buenos días, señor, ¿quiere comprar este vídeo?
PEPE: No, quiero devolverlo y alquilar otro para mi novia. Le gustan tanto las películas, que cuando no puede ir al cine, las ve en casa.
DEPENDIENTA: Esta semana los alquilamos a mitad de precio. ¿Qué le parece *El espía que durmió aquí*? ¿O tal vez *El planeta X,* de ciencia ficción?
PEPE: Mejor llevo *Cuando Julieta sintió el amor.* Mi novia prefiere las películas románticas y las musicales.
DEPENDIENTA: ¿Por qué no alquila dos? Son una ganga. Piénselo.
PEPE: No, gracias, sólo quiero uno. ¿Cuánto le debo?
DEPENDIENTA: Tres mil cuatrocientos pesos. (*Pepe paga.*) Muy bien, señor. Muchas gracias y vuelva pronto.

Actividades

A *¿Cierto o falso?* Corrija las oraciones falsas.

1. Pepe quiere comprar un vídeo.
2. La novia de Pepe no ve películas en casa.

---

*El vídeo can also mean *VCR*.

3. La tienda alquila los vídeos a mitad de precio esta semana.
4. La novia de Pepe prefiere las películas de ciencia ficción.
5. Pepe decide alquilar sólo un vídeo.
6. Una película se llama *Cuando Julieta durmió aquí.*

B **Sus gustos.** *Answer the following questions about your tastes and habits in music, television, and film, using the direct object pronouns in place of the nouns. After answering the questions, ask a classmate these questions, and compare his/her answers to yours.*

MODELO: Los vídeos, ¿los alquila Ud. o los compra? ¿Por qué?
Los compro, porque tengo una colección de vídeos.

1. La música, ¿la escucha Ud. mientras estudia? ¿Por qué?
2. Las películas extranjeras (*foreign*), ¿las ve Ud. o no las ve? ¿Por qué?
3. Los bailes latinos, ¿los sabe bailar o no los sabe bailar?
4. Las películas románticas, ¿las prefiere Ud. a las películas de espías? ¿Por qué?
5. Las películas de ciencia ficción, ¿las prefiere a las comedias? ¿Por qué?
6. Los discos compactos, ¿los compra Ud. o los copia de sus amigos?
8. La televisión, ¿Ud. la ve mucho o poco? ¿Por qué?
9. Las telenovelas, ¿las ve todos los días? ¿Por qué?
10. Los vídeos, ¿los alquila Ud. o los compra? ¿Por qué?

OTIVO CULTURAL

¡Triunfan los artistas hispanos en el mundo del espectáculo! Por ejemplo, la cantante Gloria Estefan recibe aplausos ya en todo el mundo, de Londres a Tokio, del Parque Central de Nueva York a las capitales de Sudamérica. Ahora ella y otros artistas hispanos unen (*unite*) en su música la nostalgia de una patria distante con las tradiciones y la lengua de los Estados Unidos. Su álbum *Mi tierra* tuvo mucho éxito entre anglohablantes e hispanohablantes.

La famosa cantante Gloria Estefan

SITUACIONES

Expresiones de opinión

¡Bárbaro!	
¡Estupendo!	
¡Fabuloso!	*Great!*
¡Fantástico!	
¡Fenomenal!	
¡Genial!	

¡Fatal!	
¡Horrible!	*Awful!*
¡Pésimo(a)!	*The worst!*

¡Qué bien toca/canta/baila!	*How well he/she plays/sings/dances!*
Toca/Canta/Baila de maravilla.	*He/She plays/sings/dances marvelously.*
¡Qué mal toca/canta/baila!	*How badly he/she plays/sings/dances!*
¡Toca/Canta/Baila fatal!	*He/She plays/sings/dances horribly!*
¡Qué bueno/malo/horrible!	*How good/bad/horrible!*

Actividades

A *Opiniones.* Pregúntele a un compañero / una compañera sobre su opinión de los siguientes artistas, y dígale la suya (*yours*). ¿Están Uds. de acuerdo?

MODELO: Winona Ryder →

UD.: ¿Qué piensas (opinas) de Winona Ryder?

SU COMPAÑERO/A: Es una actriz fabulosa. Me gusta mucho. ¿Qué piensas tú de ella?

UD.: A mí me encanta.

1. Jon Secada
2. Jodie Foster
3. Boyz 'n the Hood
4. Julio Iglesias
5. Sharon Stone
6. Naomi Judd
7. Plácido Domingo
8. Bruce Springsteen
9. Arnold Schwarzenegger
10. Annie Lenox

B *Diálogo.* Anoche un amigo asistió a un concierto al aire libre (*open-air*) de Everclear. Complete la conversación sobre lo que pasó, usando las expresiones anteriores.

AMIGO: ¿Sabes qué? Anoche asistí al concierto de Everclear.
UD.:

AMIGO: Sí, pero escucha. Cuando llegué allí, no tenía mi boleto.
UD.:

AMIGO: Ahora escucha lo que pasó (*happened*) después. Conocí a una chica estupenda, que tenía un boleto extra.
UD.:

AMIGO: Sí. Y ella me dio el boleto.
UD.:

AMIGO: Pero hubo (*there was*) otro problema. Comenzó a llover, y dejaron de tocar.
UD.:

AMIGO: Bueno, por suerte, no llovió mucho, y comenzaron a tocar otra vez.
UD.:

AMIGO: Y después del concierto, fuimos ella y yo a comer algo. Se llama Patricia, y es muy simpática. Vamos a salir juntos esta noche.
UD.:

GRAMÁTICA ESENCIAL

8.1 Stem-Changing Verbs

In the CD-ROM to accompany *Motivos de conversación* you will find additional practice with vocabulary, grammar, listening, and speaking.

Teresa no quiere bailar; prefiere oír el casete que grabó.

Some verbs in Spanish change the stressed stem vowel of the infinitive in four of the six conjugated forms of the present tense. You used two of these forms in the first part of this lesson. As you learn the complete conjugation, it may be helpful to visualize the overall pattern of change as a capital *L*.

Verbs of all three conjugations (**-ar, -er,** and **-ir**) show these stem changes.

e → ie querer (*to want*)		o → ue poder (*to be able to*)	
quiero	queremos	puedo	podemos
quieres	queréis	puedes	podéis
quiere	quieren	puede	pueden

Other verbs with these changes include the following.

e → **ie**		**o** → **ue**	
comenzar	*to begin*	almorzar	*to eat lunch*
encender	*to turn on*	costar	*to cost*
entender	*to understand*	devolver	*to return (something)*
pensar	*to think*	dormir	*to sleep*
perder	*to lose*	encontrar	*to find*
preferir	*to prefer*	morir	*to die*
sentir	*to feel; to be sorry about*	volver	*to return (to a place)*

NOTE: The verb **jugar** (*to play a game*) changes **u** to **ue**: j**ue**go, j**ue**gas, j**ue**ga, ju-gamos, jugáis, j**ue**gan. **Llover** (*To rain*) and **nevar** (*to snow*) are used only in the third person singular.

Llueve mucho en Miami, pero nunca nieva.

It rains a lot in Miami, but it never snows.

A few **-ir** verbs change the stressed stem vowel of the infinitive to a single vowel: **e** → **i**.

pedir (*to ask for, request*)	
pido	pedimos
pides	pedís
pide	piden

Other verbs with this change include **repetir** (*to repeat*) and **servir** (*to serve*).

In future lessons, infinitives whose stressed stem vowel undergoes a change will be presented in lists as follows: **pensar (ie), volver (ue), servir (i).**

MEMOPRÁCTICA ▽△▽△▽△▽

Sometimes an artificial pattern will help you remember a particular conjugation or construction. For example, an L-shaped pattern clearly illustrates where the vowel changes occur in stem-changing verbs. This group of verbs is also referred to as "shoe verbs" (**la conjugación del zapato**) because the shape also resembles a shoe or boot. Try to create learning aids like these whenever possible.

Actividades

A *Situaciones.* Complete con el presente de los verbos indicados.

UN ANUNCIO

¿Todavía lleva Ud. ese viejo abrigo cuando (*llover*) _____[1] o cuando (*nevar*) _____[2]? ¿(*Querer*) _____[3] comprar un abrigo nuevo, pero no (*encontrar*) _____[4] abrigos buenos y baratos? ¿(*Pensar*) _____[5] que la ropa elegante siempre (*costar*) _____[6] mucho? ¿(*Perder*) _____[7] mucho tiempo buscando gangas? Pues, visite «California». Tenemos abrigos excelentes a mitad de precio.

PEPE Y SU NOVIA

Pepe (*preferir*) _____[8] oír música, pero su novia (*querer*) _____[9] mirar la televisión. Ella (*encender*) _____[10] el televisor porque la telenovela (*comenzar*) _____[11] a las 8:00. Pepe no (*entender*) _____[12] por qué le gustan tanto las telenovelas. (*Pensar*) _____[13] que son estúpidas porque todos (*morir*) _____[14] de amor.

EN UN BAR

Entro en un bar y (*pedir*) _____[15] una cerveza. El camarero dice que lo (*sentir*) _____,[16] pero que no (*poder*) _____[17] servirme porque los bares no (*servir*) _____[18] alcohol a los menores. Yo (*pensar*) _____[19] que esto no es justo y (*volver*) _____[20] a casa muy triste.

B *Entrevista.* Un compañero / Una compañera llegó recientemente a la ciudad donde Ud. vive. Conteste sus preguntas, siguiendo las siguientes indicaciones.

MODELO: SU COMPAÑERO/A: ¿Adónde puedo ir si quiero comprar mis libros de texto a buen precio?
UD.: Si quieres comprar tus libros de texto a buen precio, puedes ir a _____.

¿Adónde puedo ir si quiero...

1. alquilar un vídeo?
2. tomar un café con mis amigos?
3. estudiar para la clase de español?
4. escuchar música en vivo (*live*)?
5. jugar al tenis?
6. ver películas en español?

7. comprar discos compactos de segunda mano (*used*)?

8. almorzar bien pero barato?

8.2 Polite Command Forms of Stem-Changing Verbs

Muchas gracias y vuelva pronto.

As you learned in **Lección 6,** the polite command forms are formed by dropping the **-o** of the first person singular of the present tense and adding the "opposite" vowel. Since the stressed vowels in stem-changing verbs change in the first person singular (**e** to **ie, o** to **ue,** and **e** to **i**), this change also appears in the polite command forms.

e → ie	o → ue	e → i
¡Piense Ud.!	¡Vuelva Ud.!	¡Pida Ud.!
¡Piensen Uds.!	¡Vuelvan Uds.!	¡Pidan Uds.!

Two of the spelling changes you learned with the preterite tense in **Gramática esencial 5.1** are also found in the stem-changing verbs whose infinitives end in **-zar** and **-gar.** These verbs, therefore, undergo two changes: (1) the change in the stem and (2) the spelling change in the verb ending in order to preserve the sound of the stem consonant.

comenzar	e → ie, z → c	¡Comience Ud.!
jugar	u → ue, g → gu	¡Juegue Ud.!

Actividad

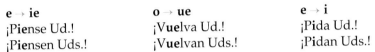

¡No haga eso! *Although Don Guillermo always wants to know what you are doing, he is usually rather disapproving. Tell him (a classmate) some of the things you do and listen while he tells you not to do them and recommends something else instead.*

MODELO: (alquilar) películas de horror →
UD.: Alquilo películas de horror.
DON GUILLERMO: No alquile Ud. películas de horror; alquile películas cómicas.

1. (pedir) dinero a los amigos
2. (jugar) a las cartas por la mañana
3. (pensar) constantemente en mis problemas
4. (almorzar) en la cafetería
5. (repetir) los mismos chistes (*jokes*) muchas veces
6. (volver) a casa a las 5:00 de la tarde
7. (dormir) una siesta antes de comer
8. (servir) café antes de la cena
9. (encender) todas las lámparas de la casa
10. (comenzar) a cocinar a las 6:00

8.3 Present Participle of Stem-Changing Verbs

The following verbs change **e** to **i** or **o** to **u** in the stem of the present participle.

e → i		
pedir → **pi**diendo	*asking for*	
repetir → re**pi**tiendo	*repeating*	
servir → **si**rviendo	*serving*	

o → u		
dormir → **du**rmiendo	*sleeping*	
morir → **mu**riendo	*dying*	

Actividades

A ***Aprenda los diálogos de memoria.*** *Pay particular attention to the words in italics.*

1. —Teresa, ¿*quieres* bailar?
   —No, *prefiero* oír este casete. ¿No ves que Armando está *durmiendo*?

2. —*Pida* un bistec. ¿No le gusta la carne?
   —Sí, me gusta, pero si como mucho, *duermo* mal.

3. —¿Qué *piensa* Ud. de las fiestas de doña Clarines?
   —Mire Ud., cuando *vuelvo* a casa... tomo una aspirina.

4. —¿Por qué *comienza* Ud. a trabajar tan temprano?
   —Porque *almuerzo* en casa a la una. Mi familia y yo siempre *almorzamos* juntos.

Now, covering the words and looking only at the drawings, recreate the dialogues.

B ***Los niños tienen hambre.*** Cambie los verbos indicados al presente progresivo (**estar** + *present participle*). Después, conteste las preguntas usando también el presente progresivo.

El niño y su hermanita *duermen*[1] una siesta en el sofá. Se despiertan (*They wake up*) y el niño dice que quiere comer. La hermanita *repite*[2] que tiene hambre también. En ese momento, su madre *llama:*[3] «¡A comer, niños, ya *sirvo*[4] la cena!»

1. ¿Qué hacen el niño y su hermanita?

2. ¿Qué repite la hermanita?

3. ¿Qué hace la madre?

C *Entrevista. Imagine that you are in the places listed below or that it is one of the times listed below. Ask a classmate what he/she is doing in that place or at that time, following the model. Try to use all the verbs in* **Vocabulario útil** *in your answers, but you may include other verbs as well.*

MODELO: las 8:00 de la noche →

UD.: Son las 8:00 de la noche. ¿Qué estás haciendo?

SU COMPAÑERO/A: Estoy comenzando mi tarea de español.

VOCABULARIO ÚTIL

almorzar	jugar	repetir
comenzar	pedir	volver
dormir		

1. las 8:00 de la noche

2. el parque

3. las 12:30 de la tarde

4. el restaurante favorito

5. la clase de español

6. las 2:00 de la mañana

7. las 5:30 de la tarde

8.4 Stem Changes in the Preterite

—¿Qué le parece *El espía que durmió aquí*?
—Mejor llevo *Cuando Julieta sintió el amor.*

Many stem changes in the present tense do not occur in the preterite: **pienso** → **pensé; enciendes** → **encendiste; vuelven** → **volvieron.** Some **-ir** verbs, however, change the **e** to **i** or the **o** to **u** in the third person singular and plural of the preterite.

servir (to serve)	dormir (to sleep)
serví	dormí
serviste	dormiste
sirvió	durmió
servimos	dormimos
servisteis	dormisteis
sirvieron	durmieron

The following verbs undergo similar changes.

morir (m**u**rió, m**u**rieron) repetir (rep**i**tió, rep**i**tieron)
pedir (p**i**dió, p**i**dieron) sentir (s**i**ntió, s**i**ntieron)
preferir (pref**i**rió, pref**i**rieron)

The preterite forms of **querer** and **poder** are similar to those of the irregular preterites you learned in **Lección 6 (Gramática esencial 6.1.).** They attach the preterite ending to an irregular stem (**quis-** and **pud-**) and are not accented on the final syllable.

querer: quise, quisiste, quiso, quisimos, quisisteis, quisieron
poder: pude, pudiste, pudo, pudimos, pudisteis, pudieron

Like **saber, querer** and **poder** have English equivalents in the preterite that are different from that of the infinitive.

querer:	Quiero leer el libro.	*I want to read the book.*
	Quise leer el libro.	*I tried to read the book.*
	No quise leer el libro.	*I refused to read the book.*
poder:	Puedo cantar.	*I can (am able to) sing.*
	Pude cantar.	*I could (and did) sing.*
	No pude cantar.	*I couldn't (and didn't) sing.*

Actividades

A Situaciones. Cambie los verbos al pretérito.

UN CLIENTE DESCONTENTO
¿Sabe Ud. por qué no *vuelvo*[1] a ese café? Porque *pido*[2] chocolate y *repito*[3] tres veces: «¡Muy caliente (*hot*)!», pero el camarero lo *sirve*[4] frío.

LAS NOTICIAS
Víctor *enciende*[5] el televisor y *ve*[6] en las noticias un accidente de automóviles. ¡Víctor *siente*[7] mucho este accidente! *Piensa*[8] que *es*[9] horrible, porque en él *mueren*[10] muchas personas.

EL CONCIERTO DE LOLI Y LOS PULPITOS
Muchos fanáticos *duermen*[11] en la calle el martes para comprar los boletos temprano el miércoles. ¡Otros *vuelven*[12] a casa porque *prefieren*[13] dormir en la cama!

B El Taco Verde. Presente este diálogo en clase con un compañero / una compañera, cambiando los infinitivos al pretérito.

—¿Qué (*tú: comer*[1]) en El Taco Verde?
—(*Yo: Pedir*[2]) tacos, pero Emilio y Carmen (*preferir*[3]) las enchiladas. También (*ellos: pedir*[4]) chile con carne. Todo estaba (*was*) tan delicioso que (*ellos: repetir*[5]) (*to have seconds*) varias veces. ¡No sé cómo (*ellos: poder*[6]) comer tanto!
—¡Estupendo!
—No, no (*ser*[7]) estupendo. Cuando (*nosotros: volver*[8]) a casa, mis amigos (*sentir*[9]) unas terribles náuseas. (*Ellos: Ir*[10]) en ambulancia al hospital.

—¿Y (*morir*[11]) los dos?

—Claro que no, pero no (*querer*[12]) volver nunca a El Taco Verde.

C *Entrevista.* Pregúntele a un compañero / una compañera sobre lo que hizo ayer, siguiendo el modelo.

MODELO: comenzar la tarea de español anoche (¿a qué hora?) →

UD.: ¿A qué hora comenzaste la tarea de español anoche?

SU COMPAÑERO/A: La comencé a las 9:00 de la noche.

1. dormir anoche (¿cuántas horas?)
2. pedir en tu restaurante favorito (¿qué?)
3. volver a casa ayer (¿a qué hora?)
4. almorzar ayer (¿qué? ¿dónde?)
5. escuchar la radio / el disco compacto que te di ayer (¿cuándo?)
6. comenzar la tarea de español anoche (¿a qué hora?)

8.5 Direct Object Pronouns

—¿Quiere comprar este vídeo?

—No, quiero devolverlo y alquilar otro para mi novia.

In the **Gráficos** section you have already used some of the direct object pronouns. A direct object answers the question *whom?* or *what?* For example: *He buys foreign products.* Question: *He buys what?* Answer: *foreign products* (the direct object). *María called Juan.* Question: *María called whom?* Answer: *Juan* (the direct object). Direct object pronouns take the place of nouns that function as direct objects, and may refer to people or things. Here are all the direct object pronouns.

Singular		Plural	
me	*me*	nos	*us*
te	*you (fam.)*	os	*you (fam.)*
lo* la	*you (formal)/him/it* *you (formal)/her/it*	los las	*you (formal)/them* *you (formal)/them*

---

*In Spain, **le** is frequently used in place of **lo** and **la** to express *him* and *you* (*formal*). You will learn more about these pronouns in **Gramática 9.3.**

El profesor **me** llamó anoche.	*The professor called me last night.*
Ellos no **nos** consultan.	*They don't consult us.*
¿Quién **te** invitó?	*Who invited you (fam. sing.)?*
Ya no **os** necesita.	*He no longer needs you (fam. pl.).*
¿Dónde está tu disco? No **lo** veo.	*Where is your record? I don't see it.*
¿Los vídeos? ¿No **los** tienes tú?	*The videocassettes? Don't you have them?*
¿Sus guitarras? ¡No **las** veo!	*Their guitars? I don't see them!*

Actividades

A **Un mal amigo.** *You and some of Fernando's other friends have had bad experiences with Fernando. Retell your stories by changing **me** in the story below to correspond to the friends mentioned.*

Fernando es un mal amigo. No *me* invitó a su fiesta. Por eso, cuando Diana y Orlando llegaron a la fiesta, *me* buscaron por todas partes (*everywhere*), pero no *me* vieron. Entonces, *me* llamaron por teléfono y *me* invitaron a ir con ellos al cine.

1. tú
2. María (Fernando es un mal amigo de María. No...)
3. nosotros
4. vosotras
5. Ramón y Silvia (Fernando es un mal amigo de Ramón y Silvia. No...)

B **Una fiesta.** Pregúntele a un compañero / una compañera si trajo las siguientes cosas a la fiesta. Él/Ella debe contestar usando las indicaciones entre paréntesis.

MODELOS: la guitarra (sí) →

UD.: ¿Trajiste la guitarra?
SU COMPAÑERO/A: Sí, la traje.

los discos compactos (no/Paco) →

UD.: ¿Trajiste los discos compactos?
SU COMPAÑERO/A: No, no los traje. Los trajo Paco.

1. la casetera (sí)
2. las bebidas (no/Víctor y Teresa)
3. el estéreo (no/Luis)
4. la comida (sí)
5. los audífonos (no/Isa)
6. el disco compacto (sí)
7. la batería (sí)
8. los vídeos (no/Ana)

C **Entrevista.** Con un compañero / una compañera, diga Ud. cómo o cuándo utiliza lo siguiente. Use el complemento directo (*direct object pronoun*) apropiado.

MODELO: las telenovelas →

UD.: ¿Las telenovelas? No las veo nunca, porque no me gustan. ¡Son pésimas! Mi compañera sí las ve.
SU COMPAÑERO/A: Pues, yo las veo a veces. Las veo mientras limpio mi apartamento.

VOCABULARIO ÚTIL

alquilar	encender	grabar	tocar
comprar	escuchar	mirar	ver

1. los vídeos
2. la guitarra
3. la radio
4. la televisión

5. las películas de espías
6. los discos compactos
7. el estéreo
8. las películas románticas

8.6 Position of Direct Object Pronouns

Son una ganga. Piénselo.

Direct object pronouns precede conjugated verbs and negative commands.
They follow and are attached to affirmative commands.

Su guitarra es bonita. ¿Cuándo
la toca Ud.?
Esos discos son muy caros; no
los compre Ud.
No quiero esos audífonos, Paco.
¡Véndelos!

*Your guitar is beautiful. When do
you play it?*
*Those records are very expensive;
don't buy them.*
*I don't want those earphones, Paco.
Sell them!*

When a conjugated verb is combined with an infinitive or present participle,
the direct object pronoun may either precede the conjugated verb or be
attached to the infinitive or present participle.

Felipe no quiere ver**me**. ⎫
Felipe no **me** quiere ver. ⎭

Felipe does not want to see me.

Ella está llamándo**te**. ⎫
Ella **te** está llamando. ⎭

She is calling you.

NOTE: In the case of present participles and affirmative commands, an accent
mark must be added in order to preserve the stress pattern of the original verb form.

Actividades

A *¡Escuche Ud.!* Déle las siguientes instrucciones al nuevo empleado
(*employee*) de su cine.

MODELO: Venda los billetes a las 6:30.
Véndalos a las 6:30.

1. Abra las puertas a las 7:00.
2. Sirva la Coca-Cola a las 7:15.
3. Encienda el proyector a las 7:25.

4. Comience la película a las 7:30.

5. Repita estas instrucciones para la película de las 9:00.

MODELO: No venda cerveza aquí. → No la venda aquí.

6. No encienda el proyector hasta las 7:25.

7. No use la casetera durante la película.

8. No lea el periódico durante la película.

9. No encienda las luces hasta las 11:00.

10. No barra los salones hasta las 11:15.

B *¡De acuerdo!* Ahora imagine que Ud. es el empleado / la empleada y que está repitiendo las instrucciones y los comentarios de su jefe (*boss*).

MODELO: Voy a vender los billetes. → Voy a venderlos.
    or   Los voy a vender.

1. No voy a vender los billetes hasta las 7:00.

2. Voy a comenzar la película a las 7:30.

3. No voy a limpiar el salón inmediatamente.

4. No voy a encender las luces ahora.

5. Voy a repetir las instrucciones.

C *¿Cuándo lo va a hacer?* Ask a partner when he or she will do the activities listed below to get ready for a party. Your partner will answer that he or she will do them tomorrow. Respond by telling your partner not to do the activity tomorrow, but to do it today instead. Use direct object pronouns.

MODELO: devolver los libros a la biblioteca →
             UD.: ¿Cuándo vas a devolver los libros a la biblioteca?
   SU COMPAÑERO/A: Los voy a devolver (Voy a devolverlos) mañana.
             UD.: No los devuelvas mañana; devuélvelos hoy, por favor.

1. alquilar los vídeos

2. grabar las canciones

3. comprar las bebidas

4. limpiar el cuarto de baño

5. arreglar (*to fix*) la casetera

6. llamar a los amigos

7. pedir la comida

8. invitar a los vecinos (*neighbors*)

Para resumir y repasar

A *Una carta.* Ramón está en su primer año en la universidad y les escribe cartas a sus padres con frecuencia, explicándoles cómo va todo. Complete su carta con la forma correcta de los verbos entre paréntesis. Use el presente o el pretérito según el contexto.

Queridos mamá y papá:

    ¿Cómo están? Yo, muy bien. (*Yo: Querer*) _____[1] contarles qué pasa aquí. En este momento, estoy en la cafetería de la residencia (*dorm*). Aquí (*ellos: servir*) _____[2] de todo —ensaladas, hamburguesas, sopas— y la verdad es que la comida no es tan mala. Además, es barata: una comida típica sólo (*costar*) _____[3] unos pocos dólares. No como aquí siempre. Ayer, por ejemplo, (*yo: almorzar*) _____[4] con unos amigos en un restaurante mexicano cerca de la universidad. (*Yo: Pedir*) _____[5] enchiladas verdes, y mi compañero de cuarto, Martín, (*pedir*) _____[6] sopa de pollo. La comida allí es buena, ¡pero no tan buena como (*as good as*) la de mamá!

Me gustan mucho casi todas mis clases. (*Yo: Pensar*) _____[7] que la clase de química es mi favorita. ¡(*Yo: Entender*) _____[8] todo lo que dice la profesora! Pero no me gusta nada la clase de francés. ¡El profesor es horrible! (*Yo: Preferir*) _____[9] el inglés al francés. Después de clases, generalmente (*yo: volver*) _____[10] a la residencia o a veces Martín y yo (*jugar*) _____[11] al tenis o al básquetbol con unos compañeros. Pero la semana pasada (*comenzar*) _____[12] los exámenes y por eso ayer no (*nosotros: poder*) _____[13] hacer eso, ni alquilar vídeos ni ver la televisión. ¡Hay que estudiar!

La vida en la residencia está bien, pero Martín y yo (*preferir*) _____[14] buscar un apartamento dónde vivir el próximo (*next*) semestre. En la residencia, no (*yo: dormir*) _____[15] bien porque hay mucho ruido. Por ejemplo, anoche Jaime, el muchacho que vive en el cuarto de al lado, (*volver*) _____[16] muy tarde y (*empezar*) _____[17] a escuchar música. ¡(*Él: Oír*) _____[18] salsa por una hora! (*Yo: Querer*) _____[19] dormirme, pero no (*poder*) _____[20].

Bueno, necesito ir a la biblioteca, así que... ¡adiós! Les escribo más la próxima semana.

Un abrazo (*hug*) de,

Ramón

B *De vacaciones.* Ud. se va de vacaciones por una semana, y un vecino (*neighbor*) va a cuidar su casa o apartamento. Escriba instrucciones para el vecino, diciéndole lo que debe hacer en su casa, con la correspondencia, los animales, las plantas, etcétera. Incluya cinco mandatos (*commands*) afirmativos y cinco mandatos negativos.

MODELOS: Venga todos los días para cuidar a mi perro.
No venga muy temprano por la mañana.

PARA VER DE VERAS

Vuelva a mirar la foto de la página 196 para contestar las siguientes preguntas.

1. En su opinión, ¿sobre qué tema hablan estos jóvenes? **2.** Los dos jóvenes sentados en el sofá, ¿son novios o sólo amigos? ¿Por qué cree Ud. eso? **3.** ¿Qué piensa el joven sentado en la silla acerca de ellos? ¿Por qué cree Ud. que este joven está sentado solo? **4.** Entre sus amigos, ¿es común reunirse en grupos de tres personas o más? ¿De qué hablan? ¿Qué otras actividades hacen juntos? **5.** Ud. y sus amigos, ¿se visten igual que estos jóvenes? **6.** ¿Prefiere Ud. salir solo/a, con otra persona o en un grupo? ¿Por qué?

In the CD-ROM to accompany *Motivos de conversación* you will find additional practice with vocabulary, grammar, listening, and speaking.

Los interactivos de Zeta Multimedia cambiarán[a] el concepto de los libros.

**PALABRAS
+
IMÁGENES
+
SONIDO
+
ANIMACIÓN
+
VÍDEO
+
TÚ
=
MULTIMEDIA**

Imprescindible[b] para saber **Cómo Funcionan las Cosas.** Más de 200 inventos, desde el teléfono hasta el telescopio, pasando por la bombilla o el laser. Dirigido a todos los públicos a partir de los 7 años.

Disponible[c] en inglés y castellano.

Mi Primer Diccionario es el mejor instrumento para aprender el cómo y el porqué de las cosas, de la manera más clara y amena. Dirigido a niños de 3 a 7 años.

Disponible en inglés, próximamente en castellano.

Polizón es un juego fascinante y la forma más divertida[d] de revivir batallas y aventuras navegando a bordo de un navío de guerra del siglo XVIII.

Disponible en inglés y castellano.

Un apasionante[e] viaje por **El Cuerpo Humano** para descubrir dónde se encuentra cada una de sus partes, qué aspecto tienen y para qué sirven.

Disponible en inglés y castellano.

Con la **Enciclopedia de la Ciencia** descubra la manera más amena y visual de entrar en el mundo de las matemáticas, la física y química, las ciencias naturales y el universo. Dirigido a todos los públicos a partir de los 10 años.

Disponible en inglés, próximamente en castellano.

Zeta MultiMedia
GRUPO ZETA

EN LAS MEJORES LIBRERÍAS

A LA VENTA A PARTIR DE MAYO

El envío de este cupón, tiene carácter voluntario y autoriza a Zeta Multimedia, S.A., a la inclusión en sus ficheros automatizados de la información conteni mismo para promoción, pudiendo ejercitarse los derechos de acceso, rectificación y cancelación en la dirección indicada.

Rellena este cupón y envíalo a **Zeta Multimedia, S.A., Bailén, 84 08009 Barcelona.**

Deseo recibir amplia información sobre los títulos en CD-ROM de Zeta Multimedia.

DOMICILIO .... TELF. ....

D .... C.P. .... PROVINCIA .... MODELO ....

POBLACIÓN ....

ORDENADOR SÍ ☐ NO ☐ MARCA ....

[a] *will change*
[b] *Indispensable*
[c] *Available*
[d] *enjoyable*
[e] *exciting*

A *¿Le gustan los libros interactivos?* Lea el anuncio y conteste las siguientes preguntas.

1. ¿Qué contienen estos libros? ¿Son diferentes de los libros comunes? ¿De qué forma?

2. ¿Hay libros interactivos dirigidos a niños? ¿Cuál(es)?
3. ¿En qué idioma están los libros?
4. Imagine que Ud. busca unos regalos. Explique qué libro interactivo es el mejor regalo para...
   a. un tío que tiene mucho interés en la historia militar
   b. una hermana que estudia medicina en la universidad
   c. un compañero de la universidad que tiene muchas dificultades en las clases de química y biología
   d. una sobrinita que quiere ser escritora algún día
   e. un amigo que quiere ser inventor

B *Diálogo.* Imagine que Ud. trabaja en una tienda de computadoras. Alguien le pregunta sobre los libros interactivos del anuncio anterior. Complete el diálogo usando la información del anuncio.

CLIENTE: Por favor, quisiera más información sobre estos libros interactivos.

UD.: Cómo no. ¿Qué quiere saber?

CLIENTE: Pues... por ejemplo, ¿están disponibles en inglés y en español todos estos libros?

UD.:

CLIENTE: ¿Y todos los libros son apropiados para niños?

UD.:

CLIENTE: ¿Me puede explicar cuáles son las diferencias entre *El cuerpo humano* y *Enciclopedia de ciencias*?

UD.:

CLIENTE: Ah, ya veo. ¿Y alguno de estos libros tiene juegos también?

UD.:

CLIENTE: Muy bien. En su opinión, ¿cuál es el más interesante?

UD.:

CLIENTE: Perfecto. Me lo llevo, entonces. ¿Cuánto cuesta?

UD.:

Videotemas

Mire el episodio del vídeo de esta lección y después haga las actividades que siguen.

A *Comprensión.* Conteste las siguientes preguntas sobre el episodio del vídeo.

1. ¿Adónde va Juan con Rocío? ¿Qué van a ver ellos?
2. ¿Para quién va a dar una fiesta Lupe? ¿Por qué? ¿Qué día va a ser la fiesta?
3. ¿Quiénes van a ir a la fiesta y quién no puede ir? ¿Por qué no puede ir?
4. Diego y Lupe tienen mucho en común. ¿Qué les gusta hacer? ¿Qué tenían los dos cuando eran niños? ¿Dónde vivían? ¿Cómo son sus familias?
5. ¿Cómo sabemos que Lupe siente gran atracción por Diego?
6. ¿A qué va a invitar Diego a Lupe? ¿Quién le cuenta (*tells*) a Lupe que Diego quiere invitarla?

B *En parejas.* Comente lo siguiente con un compañero / una compañera.

1. Sus amigos, ¿a veces dan fiestas de sorpresa para Ud.? Hable de una de esas fiestas.
2. ¿Tiene Ud. muchas cosas en común con su novio/a (esposo/a, mejor amigo/a)? ¿Qué cosas son?
2. ¿Le gustan a su novio/a (esposo/a, mejor amigo/a) los animales? ¿Es importante esto? ¿Por qué (no)?

MOTIVO CULTURAL

▲▼▲▼▲▼▲▼▲▼▲▼▲▼▲▼▲▼▲▼▲▼▲▼▲▼

La siguiente afirmación va a sorprender (*surprise*) a muchas personas: los Estados Unidos de América son, por lo menos en parte, un país hispánico, pues el español es la lengua principal para aproximadamente 30 millones de sus habitantes. Es la que hablan en casa, en las tiendas, en la iglesia, en las calles. Y es, cada vez más (*increasingly*), la lengua en que leen los periódicos y revistas y que escuchan en la radio y la televisión. Por ejemplo, durante el campeonato por la Copa Mundial de Fútbol, en el verano de 1998, unos 6 millones de familias miraron los partidos gracias a Univisión y Telemundo, las redes (*networks*) televisivas que ofrecen programas en español desde Miami y otras ciudades. Según las proyecciones oficiales, la población hispana de este país va a ser de 90 millones para el año 2050, es decir, una cuarta parte de la población total del país (360 millones).

[a] *shared*
[b] *broadcast*
[c] *medio... half a hundred*
[d] *present time*

LINEA AMERICA

Un programa de televisión para un proyecto común[a]

LINEA AMERICA es un programa de televisión que une veinte países de habla hispana, dos continentes -América y Europa-, una historia común y un proyecto de futuro compartido.

LINEA AMERICA es difundido[b] semana a semana, por medio centenar[c] de estaciones de televisión, desde San Francisco a Buenos Aires, desde Ciudad de México a Santiago de Chile. La actualidad[d] también nos une.

LINEA AMERICA EN SU TELEVISION			
Argentina	ATC		
Bolivia	ATB	San Antonio	TELEMUNDO
Costa Rica	CANAL 11	Houston	TELEMUNDO
Ecuador	TELEAMAZONAS (canal 4)	Boston	TELEMUNDO
El Salvador	TELEV. NCAL.	Honduras	VICA
Estados Unidos		México	IMEVISION
Nueva York	UNIVISION	Nicaragua	CANAL 2
Miami	TELEMUNDO	Panamá	CANAL 11
Washington D. C.	TELEMUNDO	Puerto Rico	WIPR
Los Angeles	TELEMUNDO	Rep. Dominicana	RAHINTEL (canales 7 y 11)
Chicago	TELEMUNDO	Uruguay	CANAL 5
		Venezuela	CANAL 8

*La cadena Telemundo cuenta con 37 estaciones

Antena 3
Televisión

EFE *agencia efe*

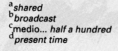

VOCABULARIO ACTIVO

Sustantivos

La música

los audífonos	earphones
el bajo	bass
la batería	drum set
la canción	song
el/la cantante	singer
el casete	cassette
la casetera	cassette player
el conjunto	(musical) group
el disco	record
el disco compacto	compact disc
el escenario	stage
el estéreo	stereo
el/la fanático/a	fan
la guitarra (principal)	(lead) guitar
el tocadiscos	record player

Otros sustantivos

el amor	love
el billete, el boleto	ticket
las cartas	(playing) cards
la ciencia ficción	science fiction
la cita	appointment
la ganga	bargain
la película	film, movie
el ruido	noise
el salón de recreo	recreation room
la telenovela	soap opera
el/la vecino/a	neighbor
la vez	time, occasion
el vídeo	videotape; VCR

Verbos

almorzar (ue) (c)	to eat lunch
alquilar	to rent
aplaudir	to applaud
asistir (a)	to attend
bailar	to dance
cantar	to sing
comenzar (ie) (c)	to begin
costar (ue)	to cost
deber	must; ought to
devolver (ue)	to return (*something*)
dormir (ue, u)	to sleep

empezar (ie) (c)	to begin
encender (ie)	to turn on
encontrar (ue)	to find
entender (ie)	to understand
gozar (c) (de)	to enjoy
grabar	to record
jugar (ue) (gu)	to play (*a game*)
llover (ue)	to rain
morir (ue, u)	to die
nevar (ie)	to snow
pasar	to happen
pedir (i, i)	to ask for; to order
pensar (ie)	to think
perder (ie)	to lose
poder (ue)	to be able, can
preferir (ie, i)	to prefer
querer (ie)	to want; to love
repetir (i, i)	to repeat
sentir (ie, i)	to feel; to be sorry
servir (i, i)	to serve
tocar (qu)	to play (*a musical instrument*)
volver (ue)	to return, come back

Expresiones de lugar

al lado de	beside, next to
cerca de	near
debajo de	underneath
delante de	in front of
detrás de	behind
lejos de	far from

Otras palabras y expresiones

a mitad de precio	at half price
algunos/as	some
dormir una (la) siesta	to take a nap
mal	badly, poorly
mejor	better; best
peor	worse; worst
pronto	soon, right away
¿Qué le parece... ?	How about . . . ?
sin	without
tal vez	perhaps
tanto	so much
todo el mundo	everybody

ESPAÑA*

La Alhambra

ARTE

Entre los años 711 y 732, los moros,[1] musulmanes[2] del norte de África, conquistaron la península ibérica.[3] Unos ocho siglos más tarde, en 1492, abandonaron su último reino ibérico,[4] Granada, cuando los Reyes Católicos, Fernando e Isabel, los expulsaron. La influencia de los moros en la lengua, la música, la literatura, la cocina y muchas costumbres españolas —especialmente en Andalucía— es profunda.

La construcción de la Mezquita[5] de Córdoba fue iniciada en 785; durante los dos siglos siguientes la ampliaron[6] varias veces. En ella se encuentran el famoso Patio de los Naranjos[7] y el Lucenario, salón que tiene aproximadamente 875 columnas y arcos con rayas rojas y blancas.

Es en Granada donde se encuentra el famoso palacio la Alhambra, nombre árabe que significa «castillo rojo». Su belleza extraordinaria ha encantado,[8] desde la Reconquista hasta hoy día, a todos los que lo visitan.

[1]*Moors, Arabs*   [2]*Muslims*   [3]península... *Iberian peninsula*
[4]reino... *Iberian kingdom*   [5]*Mosque*   [6]*they expanded*
[7]*Orange Trees*   [8]ha... *has enchanted*

EN LA TRADICIÓN POPULAR

La música llamada «flamenco» representa la fusión de las músicas bizantina, hebrea y árabe combinadas con melodías de los cristianos andaluces.[9] La transformación de estos diversos elementos tuvo lugar[10] en los campamentos de gitanos[11] entre el siglo XV, cuando este pueblo[12] nómada entró en España, y el XVIII, época en que músicos gitanos comenzaron a cantar y bailar ante el público. A fines[13] del siglo XIX y

[9]*Andalusian*   [10]tuvo... *took place*   [11]*gypsies*   [12]*people*   [13]A... *Around the end*

*See additional information about Spain after **Lecciones 2** and **11**.

Una presentación del flamenco en una escuela de baile en Sevilla, España

principios[14] del XX, se incorporaron en el flamenco ritmos y canciones de América, entre ellos el tango y la rumba.

El flamenco ha influido intensamente en la cultura andaluza. Muchos compositores españoles han incorporado melodías flamencas en sus obras. En composiciones como *El amor brujo* o *La vida breve*, en especial, Manuel de Falla las adapta con gran esmero.[15] El escritor granadino[16] Federico García Lorca también evoca las emociones expresivas del flamenco en su poesía y obras teatrales.

[14]beginning   [15]con... *very skillfully*   [16]from Granada

POESÍA

Federico García Lorca (1898–1936), poeta y dramaturgo[17] español, estudió música desde joven.[18] Aunque[19] abandonó sus estudios de guitarra, la musicalidad y el amor por «lo español» caracterizan su obra.[20] Fue asesinado[21] en Viznar, Granada, durante la guerra[22] civil española (1936–1939). La siguiente selección viene de su libro *Canciones*, publicado en 1927.

Canción de jinete[23] *(fragmento)*
Córdoba.
Lejana[24] y sola.

Jaca[25] negra, luna grande,
y aceitunas[26] en mi alforja.[27]
Aunque sepa[28] los caminos
yo nunca llegaré[29] a Córdoba.

Por el llano,[30] por el viento,
jaca negra, luna roja.
La muerte[31] me está mirando
desde las torres de Córdoba...

Federico García Lorca

[17]playwright   [18]desde... *from a young age*   [19]*Although*   [20]*(poetic)* work   [21]Fue... *He was murdered*   [22]war   [23]horse rider
[24]*Distant*   [25]*Pony*   [26]*olives*   [27]*saddlebag*   [28]*I may know*
[29]nunca... *will never arrive*   [30]*plain*   [31]*death*

LECCIÓN

LA PERSONA

M E T A S

Comunicación: In this lesson you will learn vocabulary and expressions related to the parts of the body and to different emotional and physical states. You will practice talking about daily activities. You'll also learn some Spanish proverbs.

Estructuras:
9.1 Reflexive Constructions
9.2 The Perfect Tenses
9.3 Indirect Object Pronouns

El vídeo de esta lección presenta la rutina diaria de Diego y de su amigo Antonio. El horario de clases afecta la vida de estos jóvenes. ¿Afecta el horario de clases de Ud. su rutina diaria? ¿Es diferente su horario cuando está de vacaciones? ¿De qué manera?

 Visit the *Motivos de conversación* web site at www.spanish.mhhe.com.

GRÁFICOS

El cuerpo°

El...*The body*

In the CD-ROM to accompany **Motivos de conversación** you will find additional practice with vocabulary, grammar, listening, and speaking.

Lázaro · Alfredo · Lucía · Juan · Claudia · Don Tomás · Leticia · Enrique

1. el pelo
2. la espalda
3. la pierna
4. la nariz
5. el ojo
6. la boca
7. la cabeza
8. la cara
9. el brazo
10. la cintura
11. el pie
12. el dedo del pie
13. la oreja
14. el dedo
15. la mano
16. el pecho

Descripciones

alto/a	*tall*	gordo/a	*fat*
bajo/a	*short*	largo/a	*long*
calvo/a	*bald*	liso/a	*straight*
castaño/a	*brown*	negro/a	*black*
corto/a	*short*	rizado/a	*curly*
delgado/a	*thin*	rubio/a	*blond(e)*

Verbos

dar la mano	*to shake hands*
saludar	*to greet*

Actividades

A **Accesorios especiales.** ¿Qué parte del cuerpo asocia Ud. con los siguientes objetos?

1.

2.

3.

4.

5.

6.

7.

8.

▲ 223

B ***¿Para qué se usa?*** Explíquele Ud. a un compañero / una compañera para qué y cómo se usan las partes del cuerpo de la lista, sin mencionar el nombre de la parte misma. ¿Puede adivinar su compañero/a de qué parte del cuerpo habla Ud.?

MODELO:
UD.: Uso esta parte del cuerpo para tocar el piano.
SU COMPAÑERO/A: ¿Los dedos?
UD.: ¡Sí!

C ***Un examen.*** Complete las siguientes oraciones con la palabra correcta.

1. El cíclope tenía sólo un _____.
2. Rapunzel tenía _____ larguísimo.
3. Dumbo, el elefante, tiene dos grandes _____.
4. Según las leyendas, los dragones echaban fuego (*threw flames*) por la _____.
5. Cuando Pinocho decía mentiras (*lies*), le crecía la _____.
6. El monstruo Bigfoot tiene dos _____ enormes.

D ***¿Cómo es?*** Escoja una de las personas del dibujo en **Gráficos,** pero no le diga a su compañero/a a quién ha escogido. Descríbale a esa persona, sin mencionar su nombre.

MODELO:
UD.: Pues, esta persona es bastante delgada. Tiene pelo rubio, muy corto.
SU COMPAÑERO/A: ¿Es Lázaro?
UD.: ¡Sí!

MOTIVO CULTURAL

▲▼▲▼▲▼▲▼▲▼▲▼▲▼▲▼▲▼▲▼

En español, existen muchos dichos (*sayings*) y expresiones relacionados con el cuerpo. Algunos de ellos tienen equivalentes en inglés; otros no tienen traducción exacta. Lea Ud. los dichos de la siguiente lista. ¿Entiende Ud. su significado? ¿Puede encontrar una expresión equivalente en inglés?

En boca cerrada no entran moscas.
Cuesta un ojo de la cara.
Le dan un dedo y coge la mano.
Los ojos son el espejo del alma.
Entrar con el pie derecho.
Darle a alguien con la puerta en las narices.
Tomarle el pelo a alguien.
Estar hasta las narices.
Tomar las cosas muy a pecho.
Coger a alguien con las manos en la masa.

To pull someone's leg.
It costs an arm and a leg.
The eyes are the window to the soul.
Silence is golden.
Give him an inch and he takes a mile.
To catch someone red-handed.
To get off on the right foot.
To be fed up.
To take things to heart.
To slam the door in someone's face.

▲▼▲▼▲▼▲▼▲▼▲▼▲▼▲▼▲▼▲

¡Date prisa,° hombre!

¡Date... *Hurry Up*

1. la ducha
2. el espejo
3. el jabón
4. el lavabo
5. la toalla
6. mojado/a (*wet*)
7. el intercomunicador

REFLEXIVE VERBS

Infinitive	Present
secarse *to dry oneself*	me seco / te secas / se seca
peinarse *to comb (one's hair)*	me peino / te peinas / se peina
ponerse *to put on (clothing)*	me pongo / te pones / se pone
afeitarse *to shave oneself*	me afeito / te afeitas / se afeita

PRESENT PERFECT FORMS

me he llevado mal/bien	*I have gotten along well/badly*
te has enojado	*you have gotten angry*
hemos podido	*we have been able to*
han sido	*they/you(pl.) have been*

Otros sustantivos

el cepillo (de dientes)	*(tooth)brush*
el champú	*shampoo*
la colonia	*cologne*
el desodorante	*deodorant*
la pasta de dientes	*toothpaste*
el peine	*comb*
el secador (de pelo)	*blow-dryer*

Otras palabras

aburrido/a (*with* **ser**)	*boring*
acabar de + *infinitive*	*to have just (done something)*
ahora mismo	*right now*
bañarse	*to bathe (oneself), take a bath*
listo/a (*with* **estar**)	*ready; prepared*

Antonio habla con su hermano Raúl por el intercomunicador.

ANTONIO: ¿Qué dices... ? ¿Acabas de bañarte? Raúl, la fiesta es a las nueve y tú no estás listo.

RAÚL: Ay, no tengo ganas de ir. Nunca me he llevado bien con los primos. Son muy aburridos.

ANTONIO: No seas tonto, Raúl. Tú sabes muy bien que nunca hemos faltado a° esta celebración. ¿Por qué no te secas, te peinas y te pones algo rápido? ¡Es hora de irnos*!

nunca... *we have never missed*

RAÚL: Tranquilo,° hombre... ahora mismo me afeito. Pero, ¿por qué te has enojado conmigo?

Calm down

ANTONIO: ¡Porque ya son las nueve menos veinte!

---

*The use of **ir** in the reflexive gives the verb a slightly different meaning. **Ir** = *to go*; **irse** = *to go away* (*to get going* or *to get on the road*).

Actividades

A **Dos hermanos.** Complete el siguiente párrafo con las palabras y expresiones de la lista, según el diálogo. Haga los cambios necesarios en los verbos.

acaba de
el intercomunicador
la ducha
mojado
ponerse algo

se afeita
se enoja
se ha llevado
secarse

Raúl acaba de salir de _____.[1] En este momento, está _____.[2] Todavía necesita _____[3] y _____.[4] Mientras tanto (*Meanwhile*), su hermano Antonio _____[5] llegar. Habla con Raúl por _____.[6] Le pregunta a Raúl si está listo, y _____[7] cuando éste dice que no quiere ir. Raúl le explica que nunca _____[8] bien con los primos, pero Antonio no lo escucha. Entonces Raúl le dice que ahora mismo _____.[9] ¡Antonio tiene mucha prisa por llegar!

B **Entrevista.** Pregúntele a un compañero / una compañera.

MODELO: UD.:   ¿A qué hora te bañas, generalmente?
SU COMPAÑERO/A: Me baño (Me ducho) a las 7:30. ¿Y tú?
              UD.:   Me baño a las...

1. ¿A qué hora te bañas, generalmente?
2. ¿Cuánto tiempo necesitas para bañarte/ducharte?
3. (Para los hombres) ¿Te afeitas? ¿Te gusta afeitarte?
4. (Para las mujeres) ¿Te pintas (*Do you use makeup*)? ¿Por qué?
5. ¿Qué te pones para ir a una fiesta? ¿para salir con alguien?
6. ¿Te pones colonia o perfume todos los días o sólo en las ocasiones especiales?

▲¿Perezosa o enferma?°

¿Perezosa... *Lazy or Ill?*

1. el despertador
2. la almohada
3. la sábana
4. la mecedora

STEM-CHANGING REFLEXIVE VERBS
▲▽▲▽▲▽▲▽▲▽▲▽▲▽▲▽▲▽▲▽▲▽▲▽▲▽▲▽▲▽▲▽

Present	Preterite
acostarse (ue) *to go to bed*	
me acuesto	me acosté
te acuestas	te acostaste
dormirse (ue, u) *to fall asleep*	
me duermo	me dormí
te duermes	te dormiste
despertarse (ie) *to wake up*	
me despierto	me desperté
te despiertas	te despertaste
sentirse (ie, i) *to feel*	
me siento	me sentí
te sientes	te sentiste

▲▽▲▽▲▽▲▽▲▽▲▽▲▽▲▽▲▽▲▽▲▽▲▽▲▽▲▽▲▽▲▽

INDIRECT OBJECT PRONOUNS
▲▽▲▽▲▽▲▽▲▽▲▽▲▽▲▽▲▽▲▽▲▽▲▽▲▽▲▽▲▽▲▽

me	*(to, for) me*	nos	*(to, for) us*
te	*(to, for) you*	os	*(to, for) you*
le	*(to, for) you, him, her*	les	*(to, for) you, them*

▲▽▲▽▲▽▲▽▲▽▲▽▲▽▲▽▲▽▲▽▲▽▲▽▲▽▲▽▲▽▲▽

Adjetivos

débil	*weak*
fuerte	*strong*
perezoso/a	*lazy*
tarde	*late*

Otras palabras

al + *infinitive*	*upon (doing something)*
en cuanto	*as soon as*
levantarse	*to get up*
quitarse	*to take off, remove (clothing)*
sentarse (ie)	*to sit down*

La abuela le pide explicaciones a Silvia y ésta se las da.°   *se... gives them to her*

ABUELA: Pero, ¿por qué te levantaste tan tarde?

SILVIA: Al sentarme a la mesa para merendar° por la tarde me sentí muy   *eat a snack*
débil... y la cabeza para explotar (indicándoselo° con las manos muy   *indicating it to her*
separadas). Por eso me acosté a las ocho, desconecté el despertador y
no me desperté hasta las diez.

ABUELA: ¿Catorce horas entre las sábanas?

SILVIA: Me dormí en cuanto puse la cabeza en la almohada... y sin quitarme
la ropa.

ABUELA: ¡No me digas!° ¿Cómo te sientes ahora?   *¡No... You're kidding!*

SILVIA: Bastante fuerte.

ABUELA: ¡Espero que sí!°   *¡Espero... I should hope so!*

Actividades

A *Repaso.* Imagine que Ud. es Silvia. ¿Qué hizo Ud. ayer y hoy por la
mañana?

MODELO: sentarse a la mesa / sentirse muy débil →
Cuando me senté a la mesa, me sentí muy débil.

1. acostarse / anoche / 8:00   **4.** despertarse / muy tarde
2. dormirse / pronto   **5.** no levantarse / hasta / 10:00
3. quitarse / la ropa   **6.** sentirse / mejor

B *Entrevista.* Pregúntele a un compañero / una compañera sobre sus actividades la noche del sábado pasado (o la última vez que salió). ¿Hicieron
Uds. las mismas cosas?

MODELO: salir / el sábado pasado →

UD.: ¿Saliste el sábado pasado?

SU COMPAÑERO/A: Sí, salí con unos amigos. ¿Y tú?

1. salir / el sábado pasado
2. ir / ¿adónde?
3. hacer / ¿qué?
4. volver a tu casa / residencia / ¿a qué hora?
5. acostarte / ¿a qué hora?
6. despertarte / ¿cuándo?
7. poner / el despertador
8. sentirte al día siguiente / ¿cómo?

SITUACIONES ▲▽▲▽▲▽▲▽▲▽

Expresiones de la vida cotidiana

¿Acabas de + *infinitive*?	You've just . . . (done something)?
¿Qué te pasa?	What's wrong with you?
No seas pesado/a (tonto/a).	Don't be a pain (silly).
Deja de + *infinitive*.	Stop (doing something).
¡Date prisa!	Hurry up!
¡Anímate!	Cheer up!
Ya es hora de + *infinitive*.	It's already time to (do something).
¡No me digas!	You're kidding! You don't say!
¡No lo creo!	I don't believe it.
¡Espero que sí!	I (should) hope so!

Actividad

▶ *Preparándose* (*Getting ready*) *para una fiesta.* Ud. y unos amigos van a
una fiesta esta noche en casa de su amigo Martín. Mientras se preparan,
hablan de sus planes, los invitados, etcétera. Dé Ud. una respuesta lógica a
cada pregunta o comentario de sus amigos, usando las expresiones anteriores. Trate de (*Try to*) dar varias respuestas a cada pregunta o comentario.

MODELO: SU AMIGO/A: No tengo ganas de ir a esta fiesta. Estoy bastante
cansado. →

UD.: No seas pesado. ¡Ven con nosotros!
(¿Qué te pasa? ¿No te sientes bien?)

1. ¿A qué hora nos vamos? Todavía tengo que bañarme y afeitarme.
2. ¿Sabes si tu amiga Elena va a ir a la fiesta?
3. No sé qué llevar. ¿Qué me pongo?
4. ¿Sabes qué? Parece (*It seems*) que Marisa y Roberto ya no (*no longer*)
   salen juntos. Ella va a ir esta noche con otro, un tipo que se llama Jaime.
5. ¡Uf! ¡Mi pelo! ¡Estoy horrible! ¿Cómo puedo salir así?
6. Acabo de hablar con Martín por teléfono. Dice que lo siente mucho,
   pero tiene que cancelar la fiesta.

GRAMÁTICA ESENCIAL

9.1 Reflexive Constructions

In the CD-ROM to accompany *Motivos de conversación* you will find additional practice with vocabulary, grammar, listening, and speaking.

¿Por qué no te secas, te peinas y te pones algo rápido?

A. A reflexive construction in Spanish consists of a verb and one of the following pronouns: **me, te, se, nos, os, se.**

bañarse (*to bathe*)			
(yo)	**me** baño	(nosotros)	**nos** bañamos
(tú)	**te** bañas	(vosotros)	**os** bañáis
(Ud.)		(Uds.)	
(él)	**se** baña	(ellos)	**se** bañan
(ella)		(ellas)	

In a reflexive construction the action of the verb refers back to the subject of the sentence or clause rather than to its object. Compare the following.

NONREFLEXIVE CONSTRUCTION

(verb—object)
Levanto la silla.
I'm lifting the chair.
¿Lavas el coche ahora?
Are you washing the car now?

REFLEXIVE CONSTRUCTION

(subject—verb)
Me levanto.
I get (myself) up.
¿Te lavas las* manos?
Are you washing your hands?

B. Some Spanish verbs, like **lavarse,** are expressed reflexively in English with the word *-self* (*-selves*): **Se lava.** (*He/She is washing himself/herself.*) Other verbs must simply be memorized as having reflexive meaning in Spanish, since they are not usually expressed reflexively in English.

acostarse (ue)	*to go to bed*	despertarse (ie)	*to wake up*
bañarse	*to bathe*	levantarse	*to get up*

---

*The definite article (not a possessive adjective, as in English) is generally used with parts of the body and articles of clothing to indicate possession in Spanish.
    Me pongo **la** chaqueta.   *I'm putting on my jacket.*

You can identify verbs used reflexively in Spanish by the **-se** attached to the end of the infinitive. Other verbs used reflexively in this lesson include the following.

afeitarse	*to shave oneself*
alegrarse	*to be glad*
animarse	*to cheer up*
divertirse (ie, i)	*to have a good time*
dormirse (ue, u)	*to fall asleep*
ducharse	*to shower*
lavarse los dientes	*to brush one's teeth*
llamarse	*to be named, be called*
llevarse bien/mal	*to get along well/badly*
maquillarse (pintarse)	*to put on makeup*
peinarse	*to comb (one's hair)*
ponerse	*to put on (clothing)*
prepararse	*to prepare oneself*
quitarse	*to take off (clothing)*
secarse (qu) (el pelo)	*to dry oneself (one's hair)*
sentarse (ie)	*to sit down*
sentirse (ie, i)	*to feel*
vestirse (i, i)	*to get dressed*

Some verbs, used reflexively, indicate a process or a change often expressed in English with *to get* or *to become,* or *to fall (asleep, in love, down,* etc.).

Me enfermé.	*I got sick.*
Se cansaron.	*They got tired.*
Se enoja.	*He gets mad.*
Nos perdimos.	*We got lost.*

Note, however, that almost any Spanish transitive verb can be used with a reflexive meaning.

admirar (*to admire*) → admirarse (*to admire oneself*)
mirar (*to look at*) → mirarse (*to look at oneself*)
preguntar (*to ask*) → preguntarse (*to ask oneself*)

C. Reflexive pronouns, like direct object pronouns, precede conjugated verbs and negative commands. They follow and are attached to affirmative commands, and may follow and be attached to infinitives and present participles as well.

PRECEDING
Tú siempre **te** despiertas temprano. *You always wake up early.*
¿No **se** sienten bien? *Don't they feel well?*
No **se** levante. *Don't get up.*

FOLLOWING AND ATTACHED
Siénte**se** Ud. aquí, por favor. *Sit here, please.*

PRECEDING OR FOLLOWING
Juanita no { **se** quiere acostar. / quiere acostar**se.** } *Juanita doesn't want to go to bed.*

$$\text{Los niños} \begin{cases} \textbf{se} \text{ están vistiendo} \\ \text{en este momento.} \\ \text{están vistiéndo} \textbf{se} \text{ en} \\ \text{este momento.} \end{cases}$$

The boys are getting dressed at this instant.

NOTE: As with direct object pronouns, remember to add an accent when a reflexive pronoun is attached to an affirmative command or a present participle.

Actividades

A *Un día típico.* Diga qué hace Raúl generalmente, siguiendo las siguientes indicaciones. Después, compare la rutina de Raúl con la suya (*yours*) y con lo que Ud. hizo ayer.

MODELO: Raúl / despertarse / 5:30 de la mañana →
Raúl se despierta a las 5:30 de la mañana. Generalmente, yo me despierto más tarde, a las 8:00. Ayer, me desperté a las 7:30.

1. Raúl / bañarse / 6:00 de la mañana
2. Raúl / vestirse / 6:15 de la mañana
3. Raúl / desayunar / 6:30 de la mañana
4. Raúl / irse a trabajar / 7:30 de la mañana
5. Raúl / volver a casa / 4:30 de la tarde
6. Raúl / sentarse a ver el noticiero (*news*) / 5:00 de la tarde
7. Raúl / cenar / 6:30 de la noche
8. Raúl / lavarse los dientes y la cara / 11:00 de la noche
9. Raúl / acostarse / 11:15 de la noche
10. Raúl / dormirse / 11:30 de la noche

B *La vida diaria.* Complete Ud. la descripción de una mañana típica en casa de los Dávila con los verbos entre paréntesis. Estudie el contexto bien y decida si cada acción es reflexiva o no.

1. Mamá _____ primero. Toma un café, y después _____ a los niños. (despertar/despertarse)
2. Yo _____ a las ocho. Siempre _____ las cortinas de la ventana de mi dormitorio para ver qué tiempo hace. (levantar/levantarse)
3. ¡Qué sueño tengo! Sólo _____ unas pocas horas anoche. Creo que _____ a las 2:00 ó 2:30. (dormir/dormirse)
4. El desayuno ya está listo. Mamá _____ la comida en la mesa. Después, _____ una falda y una blusa. Tiene prisa por llegar al trabajo. (poner/ponerse)
5. Papá _____ a Tomasito, el bebé, a su lado. Yo _____ al lado de Maribel, mi hermana menor (*younger*). (sentar/sentarse)
6. Después de desayunar, mientras papá _____ la cara y los dientes, Maribel y yo _____ los platos. (lavar/lavarse)
7. Los niños _____ los dibujos animados (*cartoons*) en la tele y mamá _____ al espejo mientras se maquilla. (mirar/mirarse)
8. Ya casi son las 9:00. Me ducho y _____. Después, ayudo a mamá a _____ a los niños. (vestir/vestirse)

C *Un niño travieso* (*mischievous*). Este fin de semana, Ud. está cuidando a (*taking care of*) Benjamín, el hijito de unos vecinos. El problema es que Benjamín es un niño travieso. Dígale qué debe hacer y no hacer, usando mandatos (*commands*) informales. Siga las indicaciones.

MODELO: levantarte a las 7:30 / no levantarte más temprano →
Benjamín, levántate mañana a las 7:30. Por favor, no te levantes más temprano.

1. ponerte los pantalones / no ponerte el traje de baño
2. no quitarte la ropa / quitarte mis zapatos
3. acostarte en el sofá / no acostarte en el piso (*floor*)
4. no sentarte en la mecedora / sentarte en la silla
5. lavarte las manos / no lavarte el pelo
6. no bañarte ahora / bañarte más tarde

D *Una reunión.* *The advisor in your dormitory is trying to get everyone together for a meeting. Explain what people are doing at the moment, following the model and using the cues.*

MODELO: yo / bañarme →
No puedo ir. Me estoy bañando. (Estoy bañándome.)

1. Sergio / acostarse para una siesta
2. Lupe / levantarse de una siesta
3. Leonor / secarse el pelo
4. Enrique / afeitarse
5. Pati y Nuria / vestirse para salir
6. Óscar / ducharse

E *Entrevista.* Pregúntele a un compañero / una compañera.

1. ¿Cómo te sientes hoy?
2. ¿Dónde/Cómo te diviertes los fines de semana?
3. ¿Con quién te llevas bien? ¿mal?
4. ¿Te enojas fácilmente? ¿Cuándo te enojas?
5. ¿A veces te duermes en clase?
6. ¿Cómo te animas cuando estás triste?

9.2 The Perfect Tenses

Nunca me he llevado
bien con los primos.

A. The present perfect tenses in Spanish are made up of a conjugated form of the verb **haber** and a past participle (**participio pasado**). The present tense of the auxiliary verb **haber** (*to have*) is conjugated as shown.

Regular past participles are formed by dropping the infinitive ending and adding **-ado** for **-ar** verbs and **-ido** for **-er** and **-ir** verbs.

haber	
he	hemos
has	habéis
ha	han

-ar: examinar → examin**ado** *examined*
-er: entender → entend**ido** *understood*
-ir: salir → sal**ido** *gone out*

Here is the present perfect tense in all three conjugations.

-ar: dar		-er: ser		-ir:* recibir	
he dado	*I have given*	he sido	*I have been*	he recibido	*I have received*
has dado	*you have given*	has sido	*you have been*	has recibido	*you have received*
ha dado	*you have (he/she/ it has) given*	ha sido	*you have (he/she/ it has) been*	ha recibido	*you have (he/she/ it has) received*
hemos dado	*we have given*	hemos sido	*we have been*	hemos recibido	*we have received*
habéis dado	*you have given*	habéis sido	*you have been*	habéis recibido	*you have received*
han dado	*you/they have given*	han sido	*you/they have been*	han recibido	*you/they have received*

To make a present perfect verb negative, place **no** or another negative before the form of **haber.**

> Raúl **nunca** se ha llevado bien con los primos.

> *Raúl has never gotten along well with his cousins.*

Place all object pronouns before the helping verb. If the sentence is negative, **no** precedes the object pronoun(s).

> Él (**no**) **me lo** ha dado.

> *He has (not) given it to me.*

To form a question in the present perfect, put the subject after the past participle.

> ¿Han venido las señoras?
> ¿Ha llegado Antonio ya?
> ¿Se ha afeitado Raúl?

> *Have the ladies come?*
> *Has Antonio already arrived?*
> *Has Raúl shaved?*

A few past participles are irregular in Spanish; most of them are given below. You can now form the past participle for every verb studied in this text.

abrir:	**abierto**	*opened*	morir:	**muerto**	*died*
decir:	**dicho**	*said; told*	poner:	**puesto**	*put, placed*
escribir:	**escrito**	*written*	romper:	**roto**	*broken*
freír:	**frito**	*fried*	ver:	**visto**	*seen*
hacer:	**hecho**	*done; made*	volver:	**vuelto**	*returned*

B. Once you have learned the present perfect, you can easily form the pluperfect (*I had given, you had given,* and so on). Just combine the imperfect of **haber** (**había, habías, había, habíamos, habíais, habían**) with the past participle of another verb.

había preparado	*I had prepared*	habíamos charlado	*we had chatted*
habías vuelto	*you had returned*	habíais bebido	*you had drunk*
no había comido	*you/he/she/it had not eaten*	no habían escrito	*you/they had not written*

---

*-**Er** and -**ir** verbs whose stems end with a strong vowel (**a, e,** or **o**) require a written accent on the **i** of the past participle ending: **leer** ⟶ **leído, traer** ⟶ **traído, oír** ⟶ **oído.**

Actividades

A *Vacaciones y pasatiempos* (*pastimes*). Dé el participio pasado de los infinitivos entre paréntesis.

Todos hemos (*viajar*) _____¹ este año. Tomás ha (*ir*) _____² a Acapulco y Juliana y sus padres han (*visitar*) _____³ Costa Rica. Yo no he (*estar*) _____⁴ en otros países; mis viajes han (*ser*) _____⁵ cortos, pero agradables.

Esta semana Marta y yo hemos (*jugar*) _____⁶ al tenis cinco veces y ella ha (*ganar*) _____⁷ cinco veces. Eso quiere decir que yo he (*perder*) _____⁸ cinco veces. Juan y Pedro me han (*invitar*) _____⁹ a jugar con ellos, pero he (*tener*) _____¹⁰ que decirles que no me interesa jugar más.

B *Causas y consecuencias.* Explain a logical cause or consequence for each of the situations below, using the present perfect and the cues in parentheses. Follow the model.

MODELO: Felipe va a llegar tarde a clase hoy. ¿Por qué? (despertarse tarde) →
Porque se ha despertado tarde.

1. Lourdes va a tener mucho sueño mañana. ¿Por qué? (acostarse a la 1:00)
2. Teresa está muy bonita esta noche. ¿Por qué? (ponerse un vestido elegante, maquillarse)
3. Jaime no va a asistir a la clase de francés. ¿Por qué? (levantarse tarde)
4. Gil y yo vamos a sacar notas bajas en el examen. ¿Por qué? (no prepararse bien)

MODELO: Beatriz se siente mal. Por eso... (quitarse la ropa, acostarse) →
Por eso, se ha quitado la ropa y se ha acostado a descansar.

5. Íñigo tiene una entrevista esta tarde. Por eso... (afeitarse, ponerse una corbata)
6. Marta va a correr en un maratón mañana. Por eso... (entrenarse [*to train*] todos los días)
7. Había mucha gente interesante y mucha comida rica en la fiesta. Por eso... (divertirse todos)
8. Virginia está resfriada (*has a cold*). Por eso... (tomarse unas aspirinas, ponerse otro suéter)

C *¡Porque ya lo había hecho!* Su amigo/a quiere saber por qué Ud. no quería hacer ciertas cosas. Explíquele que ya había hecho todas esas cosas, usando el pluscuamperfecto (*past perfect*).

MODELO: ¿Por qué no querías bailar la lambada con nosotros? →
Porque ya la había bailado.

1. ¿Por qué no querías limpiar el lavabo?
2. ¿Por qué no querías lavar las sábanas?
3. ¿Por qué no querías secar las toallas?
4. ¿Por qué no querías hablar por el intercomunicador?
5. ¿Por qué no querías saludar a Ramón?
6. ¿Por qué no querías afeitarte?
7. ¿Por qué no querías maquillarte?

9.3 Indirect Object Pronouns

La abuela le pide
explicaciones a Silvia, y
ésta se las da.

A. An indirect object (noun or pronoun) expresses *to whom* or *for whom* something is done. For example, in the sentence *He gave the boy a dollar* (*He gave a dollar to the boy*), *the boy* is an indirect object. Here are the Spanish indirect object pronouns.

Singular		Plural	
me	(*to, for*) *me*	nos	(*to, for*) *us*
te	(*to, for*) *you* (*fam.*)	os	(*to, for*) *you* (*fam.*)
le	(*to, for*) *you* (*formal*), *him, her, it*	les	(*to, for*) *you* (*formal*), *them*

Le presté mi despertador.	*I lent her* (*you* [*formal*], *him*) *my alarm clock.*
Me va a traer una almohada más tarde.	*He's going to bring me a pillow later.*
Está explicándoles el problema ahora.	*She's explaining the problem to them* (*you* [*formal pl.*]) *now.*

The indirect object pronoun is also used in Spanish to refer to the person from whom something is taken, removed, purchased, and so on.

¡Manolito! ¡No le quites los juguetes a tu hermanita!*	*Manolito! Don't take the toys away from your little sister!*
Siempre le compramos la fruta a don Luis.* Tiene los mejores precios.	*We always buy fruit from don Luis. He has the best prices.*
¡Pobre Roberto! Le robaron el auto.*	*Poor Robert! They stole his car* (*from him*).

NOTE: In Spanish the indirect object pronoun is generally used even when the indirect object noun to which it refers is expressed.

Silvia le habla a la abuela.	*Silvia speaks* (*to her*) *to her grandmother.*
A Jaime le mandaron una carta ayer.	*They sent Jaime* (*to him*) *a letter yesterday.*

The same principles governing the position of direct object pronouns apply to indirect object pronouns. They precede conjugated verbs and negative commands and follow and are attached to affirmative commands. When used in conjunction with infinitives and present participles, indirect object pronouns may either be attached to the infinitive or present participle or precede the conjugated verb.

---

*In these examples *from* is not expressed with **para;** the meaning of the English preposition *from* is expressed by the Spanish indirect object pronoun.

Le di a la joven diez dólares para ir al mercado.	*I gave the girl ten dollars to go to the market.*
No le dé la mano a él.	*Don't shake his hand.*
¿Va Ud. a decirle a ella dónde está Juan? ⎫ ¿Le va Ud. a decir a ella dónde está Juan? ⎬	*Will you tell her where Juan is?*
Está enseñándole italiano. ⎫ Le está enseñando italiano. ⎬	*She is teaching him Italian.*
¡Háblame, Juan!	*Speak to me, Juan!*

Indirect object pronouns can be emphasized or clarified by adding the following prepositional phrases: **a mí... , a ti... , a Ud./él/ella... , a nosotros... , a vosotros... , a Uds./ellos/ellas... .**

Ellos me hablan a mí, no a ti.	*They are talking to me, not to you.*
Le di el jabón a él, no a Ud.	*I gave the soap to him, not to you.*

NOTE: The prepositional phrase may precede or follow the verb.

Le mandaron a él una carta. ⎫ A él le mandaron una carta. ⎬	*They sent him a letter.*

B. When an indirect and a direct object pronoun appear together, the indirect always precedes the direct. They are never separated by other words in the sentence.

Él **me lo** dio.	*He gave it to me.*
Ella no quiere explicár**telo.**	*She does not want to explain it to you.*
No **nos lo** lea.	*Don't read it to us.*

NOTE: Double object pronouns follow the same placement rules that apply to single object pronouns.

C. If both object pronouns are in the third person, whether singular or plural, the indirect object pronoun changes from **le (les)** to **se.** Study the following examples.

Le dimos **el despertador a Silvia.**

Se lo dimos.   *We gave it to her.*

Les presté **la casetera a Raúl y Antonio.**

Se la presté.   *I loaned it to them.*

Le prestamos **el coche a Julio.**

Se lo prestamos.   *We loaned it to him.*

Le di **las toallas a la muchacha.**

Se   **las** di.   *I gave them to her.*

This pattern also applies, of course, to any other combinations of third persons, singular or plural: *them to you (formal sing.*), *it to you (formal pl.*), *you to them (masc.*), *her to them (fem.*), and so on.

NOTE: If the meaning of **se** is unclear, clarify it with a prepositional phrase (**a Ud., a él, a ella,** and so on).

Se lo dimos **a ellas.**   *We gave it to them.*

Actividades

A **¿Quién hace estas cosas?** Conteste las siguientes preguntas. Después, compare sus respuestas con las de un compañero / una compañera. Use los complementos indirectos.

MODELO: ¿A quién *le* escribe Ud. cartas? ¿Y quién *le* escribe cartas a Ud.? →
              UD.: A veces, *les* escribo cartas a mis padres. Mis amigos *me* escriben cartas en la computadora.
SU COMPAÑERO/A: Pues, *le* escribo cartas a mi hermano. Y mi novia *me* escribe una carta todas las semanas.

1. ¿A quién *le* escribe Ud. cartas? ¿Y quién *le* escribe cartas a Ud.?
2. ¿A quién *le* hace Ud. favores? ¿Y quién *le* hace favores a Ud.?
3. ¿A quién *le* presta Ud. dinero? ¿Y quién *le* presta dinero a Ud.?
4. ¿A quién *le* dice Ud. sus problemas? ¿Y quién *le* dice sus problemas a Ud.?
5. ¿A quién *le* compra Ud. regalos? ¿Y quién *le* compra regalos a Ud.?
6. ¿A quién *le* presta Ud. la ropa? ¿Y quién *le* presta la ropa a Ud.?

B **¡Qué desorden!** *Sara is cleaning her room. While looking for some things, she finds others and asks her roommate, Luisa, where still other things are. Complete Sara's description with the correct indirect object pronouns.*

¡Este cuarto es un desastre! ¡No encuentro nada! Vamos a ver... A Silvia _____[1] presté mi despertador la semana pasada. Luisa, a ti _____[2] presté mi minifalda, ¿verdad? Sí, sí, es cierto. Y a ti y a Gregorio _____[3] presté mi diccionario, ¿no es así (*so*)? Bien. Pues, ¿_____[4] pueden devolver el diccionario (*a mí*)? Lo voy a necesitar esta tarde. ¿Qué más? Hummm... Héctor _____[5] prestó (*a nosotras*) esta casetera, y Yolanda _____[6] prestó (*a mí*) esta blusa azul. ¡Qué bien! Ahora mismo _____[7] digo a Yolanda que he encontrado su blusa. ¿Y qué es esto? Ah, claro... son las rosas que Fernando _____[8] regaló (*gave*) (*a mí*) la semana pasada. ¡Y mira esto! Aquí están los discos compactos que Elena _____[9] prestó (*a ti*) el mes pasado.

C *¡Ahora le toca a Ud.!* (*It's your turn now!*) Imagine que Ud. está limpiando su cuarto. Explique qué pasó con los siguientes objetos, usando los dos complementos y las indicaciones entre paréntesis.

MODELO: ¿El dinero? (yo / prestar / a Javier) →
                  ¿El dinero? Ah, claro. Se lo presté a Javier.

1. ¿Las sábanas? (Mamá / traer / a mí)
2. ¿La composición? (Yo / dar / a la profesora)
3. ¿El suéter? (Miguel / prestar / Guille)
4. ¿Los vídeos? (Sonia / devolver / a mí)
5. ¿La almohada? (Isa / prestar / a nosotros)
6. ¿La planta? (la tía Ana / regalar / a mí)
7. ¿El champú? (Yo / prestar / Iván)

Para resumir y repasar

A *Una gran cena.* Ud. y un amigo / una amiga van a dar una cena en casa esta noche. Pregúntele a su compañero/a si ha hecho las siguientes cosas. Él/Ella le va a contestar según las indicaciones.

MODELO: encontrar la receta (*recipe*) (sí, por fin) →
              UD.: ¿Has encontrado la receta?
      SU COMPAÑERO/A: Sí, la he encontrado por fin.

1. comprar el vino (todavía no)
2. limpiar la sala (sí, esta mañana)
3. lavar los platos (todavía no)
4. llamar a los invitados (sí, ayer)
5. hacer la ensalada (sí, esta tarde)
6. poner la mesa (todavía no)

B *¿Pretérito o imperfecto?* Lea Ud. otra vez el diálogo entre Antonio y Raúl en la página 225. Después, complete el siguiente párrafo con el pretérito o el imperfecto de los verbos entre paréntesis, según el contexto.

Mientras (*yo: afeitarse*) _____,[1] mi hermano (*llamar*) _____[2] por el intercomunicador. Me (*decir*) _____[3] que ya (*ser*) _____[4] las 8:40 y que la fiesta (*comenzar*) _____[5] pronto. (*Yo: Enojarse*) _____[6] porque (*necesitar*) _____[7] más tiempo para bañarme y vestirme. (*Él: Insistir*) _____[8] en que no (*haber*) _____[9] más tiempo. Entonces (*yo: decidir*) _____[10] no ir a la fiesta.

PARA VER DE VERAS ▲▼▲▼▲▼▲▼▲▼▲▼

Vuelva a mirar la foto de la página 222 para contestar las siguientes preguntas.

1. ¿Qué hace este joven? ¿Adónde cree Ud. que él se prepara a ir?   2. ¿Le parece a Ud. que este joven es soltero? ¿Por qué (no)?   3. ¿Cuál cree Ud. que es la rutina diaria de este joven? Y la rutina de Ud., ¿cuál es?   4. ¿Cree Ud. que los amigos de este joven piensan que él es atractivo? ¿Cómo lo describen sus amigos? Por ejemplo, ¿dicen ellos que tiene los ojos muy bonitos?   5. Y a Ud., ¿cómo lo/la describen sus amigos? ¿Está Ud. de acuerdo con esa descripción?   6. ¿Piensa Ud. que el atractivo físico es importante? ¿Por qué (no)?

COMUNICACIÓN

De la vida real

In the CD-ROM to accompany **Motivos de conversación** you will find additional practice with vocabulary, grammar, listening, and speaking.

[a] *are in excess*
[b] *package*

MENOS MINUSCAL **CALORÍAS**

PROGRAMA COMPLETO 90 COMPRIMIDOS

La forma de perder esos kilos que le sobran.[a]

MAÑANA   TARDE   NOCHE

Las plantas medicinales le ayudan.

Sólo en Farmacias

Consulta a tu médico o farmacéutico y lee la composición e instrucciones del envase.[b]

PLANTAS MEDICINALES DE LABORATORIOS LEO, S.A.   LEO

Las plantas medicinales te ayudan.

[a] *suntan*
[b] *Enjoy*
[c] *range, variety*
[d] *after*

NUEVO

SOLARES WATERPROOF
PROTECCION SOLAR CON VITAMINA F

DESCUBRE EL BRONCEADO[a] MAS COMPLETO BAJO EL SOL

Disfruta[b] del agua al mismo tiempo que disfrutas del sol con los nuevos Solares Waterproof de los Laboratorios Vichy. Una gama[c] de leches y cremas solares que, por ser resistentes al agua, te permiten bañar varias veces conservando toda su protección.

Su fórmula enriquecida con Vitamina F, la vitamina de la belleza de la piel, facilita el proceso de hidratación de la epidermis tras[d] la exposición al sol, manteniendo toda su flexibilidad, suavidad y esplendor.

Con un índice adaptado a tu tipo de piel, bronséate mejor y más segura bajo la protección solar de los Laboratorios Vichy.

VICHY
LABORATOIRES
EN FARMACIAS

▲ 239

▶ **¿Qué opina Ud.?** Los dos anuncios reflejan la preocupación de muchas personas por la apariencia física. ¿Tiene Ud. esa preocupación? Lea y conteste las siguientes preguntas y después, hágaselas a un compañero / una compañera. ¿Están Uds. de acuerdo sobre este tema?

1. ¿Cree Ud. que es importante estar delgado/a? ¿Por qué?
2. En su opinión, ¿cuál es la mejor manera de perder peso? (¿el ejercicio? ¿las píldoras? ¿la dieta?)
3. ¿Qué hace Ud. para estar en forma (*in shape*)?
4. Para Ud., ¿es importante tener un buen bronceado? ¿Ud. toma el sol con frecuencia?
5. ¿Qué productos usa Ud. para protegerse del sol?
6. ¿Ud. cree que hay algún peligro (*danger*) en tomar píldoras dietéticas o en broncearse? ¿Cuáles son esos peligros?
7. ¿Por qué cree Ud. que existe una gran preocupación por la apariencia física?

Videotemas

Mire el episodio del vídeo de esta lección y después haga las actividades que siguen.

A **Comprensión.** Conteste las siguientes preguntas sobre el episodio del vídeo.

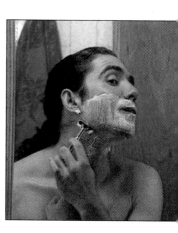

1. ¿A qué hora se baña la tía Matilde? ¿Qué hace mientras se baña?
2. ¿A qué hora se acuesta la tía Matilde? ¿Por qué Diego no puede hacer nada después de las 9:00?
3. ¿Qué muebles tiene Diego en su nueva habitación?
4. ¿A qué hora se levantan Antonio y Juan? ¿Quién se va a bañar primero? ¿Y por último (*last*)?
5. Al final del episodio, ¿quién llama por teléfono? ¿Adónde va? ¿Qué quiere preguntarle a Diego?

B **En parejas.** Comente lo siguiente con un compañero / una compañera.

1. ¿Ud. se baña o se ducha todos los días? ¿Cuándo? ¿Por la mañana o por la noche? ¿Canta mientras se baña / se ducha? ¿Qué le gusta cantar?
2. ¿Se afeita / Se maquilla todos los días o sólo cuando hay una ocasión especial?
3. ¿Hay en su familia una persona como la tía Matilde? Describa a esa persona.

VOCABULARIO ACTIVO

Adjetivos

aburrido/a	boring	**débil**	weak
calvo/a	bald	**fuerte**	strong
castaño/a	brown	**lacio/a**	straight
corto/a	short (*in length*)	**largo/a**	long

listo/a	ready
mojado/a	wet
perezoso/a	lazy
rizado/a	curly
rubio/a	blond(e)

Sustantivos

El cuerpo

la boca	mouth
el brazo	arm
la cabeza	head
la cara	face
la cintura	waist
el dedo	finger
el dedo del pie	toe
la espalda	back
la mano	hand
la nariz	nose
el ojo	eye
la oreja	ear
el pecho	chest
el pelo	hair
el pie	foot
la pierna	leg

Otros sustantivos

la almohada	pillow
el cepillo (de dientes)	(tooth)brush
el champú	shampoo
la colonia	cologne
el desodorante	deodorant
el despertador	alarm clock
la ducha	shower
el espejo	mirror
el intercomunicador	intercom
el jabón	soap
la mecedora	rocking chair
la pasta de dientes	toothpaste
el peine	comb
la sábana	sheet
el secador (de pelo)	blow-dryer
la toalla	towel

Verbos

Verbos reflexivos

acostarse (ue)	to go to bed
afeitarse	to shave oneself
alegrarse	to be(come) happy
animarse	to cheer up
bañarse	to bathe oneself
cansarse	to get tired
despertarse (ie)	to wake up
divertirse (ie, i)	to have a good time
dormirse (ue, u)	to fall asleep
ducharse	to shower
enojarse	to get angry
lavarse	to wash oneself
lavarse los dientes	to brush one's teeth
levantarse	to get up
llamarse	to be called, call oneself
llevarse bien/mal	to get along well/badly
maquillarse (pintarse)	to put on makeup
peinarse	to comb (one's hair)
perderse (ie)	to get lost
ponerse (*irreg.*)	to put on (*clothing*)
prepararse	to prepare oneself, get ready
quitarse	to take off (*clothing*)
secarse (qu) (el pelo)	to dry oneself (one's hair)
sentarse (ie)	to sit down
sentirse (ie, i)	to feel
vestirse (i, i)	to get dressed

Otros verbos

explicar (qu)	to explain
mandar	to send
merendar (ie)	to snack
regalar	to give (*a gift*)
saludar	to greet

Otras palabras y expresiones

acabar de + *infinitive*	to have just (*done something*)
ahora mismo	right now
al + *infinitive*	upon (*doing something*)
¡Anímate!	Cheer up!
así	so, like this
dar(se) la mano	to shake hands
¡Date prisa!	Hurry up!
en cuanto	as soon as
es hora de + *infinitive*	it's time to (*do something*)
¡No lo creo!	I don't believe it!
No seas...	Don't be . . .
¿Qué te pasa/pasó?	What is happening/ happened to you?
tarde	late
ya no	(not) any longer, no longer

BOLIVIA, ECUADOR, Y PERÚ

DATOS IMPORTANTES

NOMBRE OFICIAL: República de Bolivia

CAPITALS: La Paz (administrativa), Sucre (constitucional)

POBLACIÓN: 7.670.000 habitantes

ÁREA: 1.098.581 km² (424.162 millas²)

FIESTA NACIONAL: el 6 de agosto, Día de la Independencia

NOMBRE OFICIAL: República del Ecuador

CAPITAL: Quito

POBLACIÓN: 11.691.000 habitantes

ÁREA: 283.561 km² (109.483 millas²)

FIESTA NACIONAL: el 10 de agosto, Primer Grito de la Independencia de Quito

NOMBRE OFICIAL: República del Perú

CAPITAL: Lima

POBLACIÓN: 24.950.000

ÁREA: 1.285.210 km² (496.220 millas²)

FIESTA NACIONAL: el 28 de julio, Día de la Independencia

Una «asamblea» de loros (*parrots*) en el Parque Nacional del Manú de Perú

POESÍA

José Santos Chocano (1875–1934) fue un poeta peruano del movimiento llamado «modernismo». Chocano fue declarado «Poeta de América» y usó frecuentemente temas de la historia hispanoamericana en su poesía. El siguiente fragmento es de un poema largo de tono épico.

Los caballos[1] de los conquistadores (fragmento)

¡Los caballos eran fuertes!
¡Los caballos eran ágiles!
Sus pescuezos[2] eran finos y sus ancas[3]
relucientes[4] y sus cascos[5] musicales...
¡No! No han sido los guerreros[6] solamente
de corazas[7] y penachos[8] y tizonas[9] y estandartes,
los que hicieron la conquista
de las selvas[10] de los Andes:
los caballos andaluces,[11]
...estamparon sus gloriosas herraduras[12]
en los secos pedregales,[13]
...en las pampas, en las sierras, en los bosques y en los valles.

José Santos Chocano

[1]*horses*   [2]*necks*   [3]*rumps*   [4]*shining*   [5]*hooves*   [6]*warriors*   [7]*breastplates*
[8]*plumes*   [9]*swords*   [10]*jungles*   [11]de Andalucía   [12]*horseshoes*   [13]*rocky terrain*

EL MUNDO NATURAL

Más de la mitad[14] de los territorios de Bolivia, Ecuador y Perú quedan dentro de la Amazonia, pero sólo el cinco por ciento de su población vive allí. La región es tan remota que, antes de la época de transportes aéreos, era muy peligroso[15] entrar o salir de allí, y a los que lo hacían les costaba varios meses hacerlo.

Consciente del desarrollo[16] económico inevitable y con el propósito de conservar el bosque tropical, el gobierno de Perú estableció en el suroeste del país el Parque Nacional del Manú. Cocha Cashu y Machiguenga Ccollpa son dos estaciones biológicas en este parque donde los científicos estudian el ecosistema tropical. Los tipos de explotación económica que se realizan[17] allí son compatibles con la conservación del bosque.

Una atracción especial del Parque del Manú son las guacamayas[18] que viven allí. El gobierno de Perú reconoce el valor de las guacamayas y se propone crear otro parque nacional para preservarles otra parcela del bosque. De esta manera[19] el gobierno busca vías de desarrollo compatibles con la conservación del ecosistema amazónico.

[14]*half*   [15]*dangerous*   [16]*development*   [17]*se... they engage in*   [18]*macaws*
[19]*De... In this way*

AMPLIACIONES 3

Lectura

Antes de leer

The reading in **Ampliaciones 3, "El tiempo borra,"** is a short story by Javier de Viana, an Uruguayan writer.

A useful strategy when reading a longer text is to divide it into sections and approach it one section at a time. This will help you to avoid feeling "lost" in the text. This story can be divided into three sections.

> Section 1 (lines 1–11): Return of Indalecio
> Section 2 (lines 12–28): Conversation between Indalecio and his wife
> Section 3 (lines 29–44): Indalecio's reaction to the conversation and resolution of story

As you read each section, apply these three additional strategies. First, make mental notes, or take notes on paper, about what is taking place in the story. Second, ask yourself questions about what you are reading: Who is the character? What is he or she doing? What just happened, and why is it important? Third, use your notes and answers to these sorts of questions to summarize each section or subsection. Remember that you will need to read texts in Spanish several times before understanding them. If you are unable to summarize a section well, reread it before going on to the next section.

To get started, here are some questions to ask yourself as you read the first section, which deals with Indalecio's return: Where was Indalecio, and where is he going now? How long was he gone, and why? What does he think and feel as he returns, and when he arrives? Use these questions, as well as the glossed words and hints in the margins, as guides to keep you on track.

EL TIEMPO BORRA[1] (JAVIER DE VIANA, URUGUAY)

▲▽

¡Qué triste era el **retorno** de Indalecio! Quince años y dos meses de **ausencia.** Revivía en su memoria la tarde gris, la **disputa** con Benites, la **lucha,** la muerte[2] de aquél, la detención suya por la policía, la triste despedida[3] a su campito,[4] a su
5 ganado,[5] al rancho **recién** construido, a la esposa de un año... Tenía veinticinco entonces y ahora regresaba viejo, destruido por los quince años de prisión. Regresaba... ¿para qué? ¿Existían aún su mujer y su hijo? ¿Lo recordaban, lo **amaban** aún?

The words **retorno, ausencia,** and **disputa** are all cognates.
Can you figure out the meaning of **lucha** from context?

This adverb is related to the English *recent.*

Relate this verb to the noun **amor.**

---

[1]*erases* [2]*death* [3]*farewell* [4]*small field* [5]*herd*

¿Era realmente su rancho aquél donde había detenido su caballo[6]? Por un momento dudó. Sin embargo, a pesar del techo[7] de zinc que **reemplazaba** el de paja,[8] era su mismo rancho.

—Bájese[9]— le gritó desde la puerta de la cocina una mujer de **apariencia** vieja, que en seguida, arreglándose el pelo, fue hacia él, seguida de media **docena** de **chiquillos** curiosos.

—¿Cómo está?

—Bien, gracias, pase para adentro.

Ella no lo había **reconocido.** Él creía ver a su linda esposa en aquel rostro[10] cansado y aquel pelo gris que aparecía bajo el pañuelo[11] grande.

Entraron en el rancho, se sentaron, y entonces él dijo: —¿No me conoces?

Ella lo miró, se puso **pálida** y exclamó con espanto:[12] —¡Indalecio!

Empezó a llorar y los chicos la rodearon.[13] Después se calmó un poco y habló, creyendo **justificarse:**

—Yo estaba sola; no podía cuidar mis intereses. Hoy me **robaban** una **vaca,** mañana me carneaban[14] una **oveja;** después... habían pasado cinco años. Todos me decían que tú no volverías más,[15] que te habían condenado por la vida.[16] Entonces... Manuel Silva **propuso casarse**[17] conmigo. Yo resistí mucho tiempo... pero después...

Y la infeliz seguía hablando, hablando, repitiendo, defendiéndose, defendiendo a sus hijos. Pero hacía rato que Indalecio no la escuchaba. Sentado frente a la puerta, tenía delante el **extenso panorama,** la **enorme** llanura[18] verde, en cuyo fin se veía el bosque **occidental** del Uruguay.

—Comprendes —continuaba ella,— si yo hubiera creído[19] que ibas a volver...

Él la **interrumpió:** —¿Todavía pelean[20] en la Banda Oriental?

Ella se quedó atónita[21] y respondió: —Sí; el otro día un grupo de soldados pasó por aquí, **yendo** hacia la laguna Negra y...

—Adiosito —interrumpió el **gaucho.**

Y sin hablar una palabra más se levantó, fue en busca de su caballo, montó y salió al trote, **rumbo al** Uruguay.

Ella se quedó de pie,[22] en el patio, y cuando lo perdió de vista,[23] dejó escapar un **suspiro** de satisfacción y volvió a la cocina, oyendo chillar[24] la **grasa** en la sartén.[25] ▲

The verb **reemplazar** is a cognate.
Apariencia is a cognate.

Docena is a cognate. / If **chico** is a child, then what are **chiquillos**?

Use the meaning of **conocer** to figure out **reconocer.**

If the woman became **pálida,** what color was her face?

The verb **justificarse** is a cognate.
Robar is a cognate. / Can you use context to guess the probable meanings of **vaca** and **oveja,** two ranch animals?

Use the context of the verb **casarse** to figure out the meaning of **propuso.**

Extenso, panorama, enorme, and **occidental** are all cognates.

Interrumpir is a cognate.

Yendo is the present participle of **ir.**

The **gaucho,** a herdsman from the plains of Argentina and Uruguay, is an important figure in the regional folklore and literature. / Indalecio left **rumbo al Uruguay.** Where was he going? / Can you figure out **suspiro** from **escapar** and **satisfacción?** / Use context and cognates to guess the meaning of **grasa,** something you heat in a skillet.

---

[6]horse   [7]roof   [8]straw   [9]Get down   [10]cara   [11]kerchief   [12]miedo
[13]surrounded   [14]they slaughtered   [15]tú... you would never return again   [16]te... they had sentenced you for life   [17]marrying   [18]plain   [19]si... if I had thought   [20]are they at war
[21]shocked   [22]Ella... She remained standing   [23]lo... she lost sight of him   [24]sizzle
[25]skillet

Después de leer

A *Comprensión de lectura.* Conteste las preguntas sobre el cuento (*story*).

SECCIÓN 1 (LÍNEAS 1–11)

1. ¿Cuánto tiempo estuvo ausente Indalecio? ¿Dónde estuvo?
2. ¿En qué pensaba él mientras volvía?
3. ¿Qué pasó entre Benites e Indalecio?
4. ¿Tenía Indalecio familia? ¿Cuántos hijos tenía cuando salió?

SECCIÓN 2 (LÍNEAS 12–28)

5. ¿Cómo era la mujer? ¿Cuántos niños había en el rancho?
6. ¿Sabía la mujer quién era Indalecio al principio (*at first*)?
7. ¿Qué le pasó a la mujer durante los años de ausencia de Indalecio? ¿Qué problemas tuvo?
8. ¿Por qué se casó con Manuel Silva?

SECCIÓN 3 (LÍNEAS 29–44)

9. ¿Cómo reaccionó Indalecio a la justificación de su esposa?
10. ¿Creía la mujer que Indalecio iba a regresar?
11. ¿Por qué cree Ud. que Indalecio pregunta sobre la guerra (*war*) en la Banda Oriental?
12. ¿Por qué se va Indalecio del rancho? ¿Adónde va ahora?
13. ¿Cómo reaccionó la mujer cuando Indalecio se fue?
14. ¿Qué relación hay entre el cuento y su título? ¿Cree Ud. que es un buen título? Explique.

B *Hacer un resumen.* Each of the actions below describes an event from the story. First indicate if the action applies to Indalecio (I) or his wife (E), then put the actions in order. Afterward, use these expressions to create a short summary of the story.

MODELO: __I__ tener una disputa con Benites __1__
Primero, Indalecio tuvo una disputa con Benites. Por eso...

_____ hablar de los quince años de ausencia _____
_____ entrar en el rancho y sentarse _____
_____ volver a la cocina _____
_____ ir a la prisión _____
_____ preguntar sobre la guerra _____
_____ no escuchar las historias de su mujer _____
_____ regresar a su rancho _____
_____ gritar «Bájese» desde la puerta _____
_____ no reconocer a Indalecio _____
_____ levantarse e irse al Uruguay _____
_____ tener muchos problemas en el rancho _____
_____ casarse con otro hombre _____

C *Para escribir.* Imagine que Ud. es Javier de Viana, el autor del cuento. Escriba un párrafo para completar la historia. **Posibilidades:** ¿Qué hizo la mujer al volver a la cocina? ¿Qué le pasó a Indalecio después?

Repaso visual

Invente Ud. oraciones completas sobre los dibujos. Considere las siguientes preguntas.

¿Qué hay en el dibujo?	¿Dónde están las personas?	¿Qué pasa en cada escena?
¿Cómo son las personas?	¿De qué hablan?	¿Qué hicieron antes?

VERBOS ÚTILES

afeitarse	dormir(se)	preferir
bailar	encender	saludar
bañarse	escuchar	secarse
dar la mano	jugar	tocar
divertirse	ponerse	

Examen de repaso 3

A *Los complementos directos e indirectos.* Traduzca al español. Use el complemento o los complementos apropiados.

MODELO: She called you (*fam.*) yesterday. → Te llamó ayer.

1. I called her.
2. They'll call you (*fam.*) tomorrow.
3. I'm calling them now.
4. Don't call (*fam.*) me!
5. Please call (*formal*) them now.

MODELO: I'm going to buy it for her. (**el libro**) →
Se lo voy a comprar. (Voy a comprárselo.)

6. Will you (*fam.*) buy it for me? (**el perro**)
7. She's buying it for him. (**el estéreo**)
8. They bought them for us. (**los boletos**)
9. Buy (*fam.*) it for her! (**el regalo**)
10. Please buy (*formal*) it for him. **la cámara**)

B *¿Pretérito o imperfecto?* Traduzca los verbos al español, usando el pretérito o imperfecto, según el contexto.

(*It was*[1]) las 8:00 de la noche cuando (*I left*[2]) de casa. (*I was going*[3]) a un café para ver a unos amigos. (*It was*—**Hacer**[4]) fresco, así que (*I put on*[5]) una chaqueta. Mientras (*I was walking*[6]) al café, (*I saw*[7]) algo muy raro. Un hombre con una pistola grande (*went in*[8]) en un restaurante. (*He was*[9]) alto y feo, con pelo largo y rubio, y (*he was wearing*[10]) una camisa azul. (*I didn't know*[11]) qué hacer. (*I didn't want*[12]) entrar allí, porque (*I was*—**tener**[13]) miedo. Entonces, (*I got*—**tener**[14]) una idea. (*I went*[15]) a un bar al lado y (*I called*[16]) el restaurante. Le (*I explained*[17]) al dueño que (*there was*[18]) un hombre con pistola en su restaurante.

C *Un anuncio.* Dé la forma apropiada de los infinitivos.

¿(Querer[1]) Ud. bailar con su novia pero (preferir[2]) invitarla al cine porque (pensar[3]) que ir a un club nocturno (costar[4]) mucho? Pues, ¡(visitar[5]) Ud. Tropical! (Pedir[6]) nuestro precio especial para estudiantes y (comenzar[7]) inmediatamente a divertirse con nuestra estupenda música.

D *La rutina de mi familia.* Complete con la forma apropiada de los verbos y los pronombres reflexivos entre paréntesis.

Yo (acostarse[1]) muy tarde; por eso no me gusta (levantarse[2]) temprano. A veces no oigo el despertador y mi madre me dice: «¡(Despertarse[3]), José!» Mi padre siempre (bañarse[4]) primero y luego (afeitarse[5]). A veces mi hermanito no quiere (lavarse[6]) antes de ir al colegio y mi madre le dice: «¡Juanito, (lavarse[7]) la cara y las manos ahora mismo!» Todos nosotros (sentarse[8]) a desayunar a las 7:30.

E *Vocabulario.* Complete las oraciones con las palabras o las expresiones apropiadas.

LA GEOGRAFÍA

1. El lugar entre dos montañas es _____.
2. El lugar donde hay muchos árboles se llama _____.
3. De noche, salen _____ y _____.
4. Krakatoa y Mt. St. Helens son _____.

LAS DIVERSIONES

5. Dos instrumentos musicales son _____.
6. Para ir a un concierto, hay que comprar _____ y _____.
7. Los casetes son menos caros que _____.
8. Hay que _____ los vídeos a la tienda mañana.

LA PERSONA

9. Se come con _____, se escribe con _____, se camina con _____ y se ve con _____.
10. Se usa una _____ para secarse.
11. Por la noche, la gente _____ para dormir y por la mañana _____ para ir al trabajo.
12. Esta noche voy a poner el _____ porque mañana tengo que salir muy temprano.
13. Elena _____ muy bien; siempre usa ropa elegantísima.

F *Adela, mi amiga la novelista.* Exprese en español.

1. ¿Es verdad que tu amiga Adela _____ dos novelas? (*has written*)
2. Sí, pero (yo) no las _____. (*have read*)
3. ¿Te _____ cuál de las novelas es mejor? (*has she told*)
4. No. Las compré, pero no las _____ todavía. (*have opened*)
5. ¿Por qué no? —Porque (yo) no _____ tiempo. (*have had*)
6. ¿_____ otras novelas antes? (*Had she written*)
7. No, pero creo que _____ unos cursos de composición en la universidad. (*she had taken*)
8. ¿Y qué _____ con el dinero? (*has she done*) —_____ de vacaciones al Caribe. (*She has gone*)

G *Un coche nuevo.* Cambie los objetos directos e indirectos por pronombres.

MODELO: Don José *le* dio *el dinero a Marta.* → Don José *se lo* dio.

1. Don José *le* ha comprado *un automóvil a su hija Marta.*
2. Marta *le* dio *las gracias a su padre.*
3. Ella *me* explicó *esto* en una carta.
4. Yo *les* di *la noticia a todos mis amigos.*
5. Mi hermano y yo *le* pedimos *un coche nuevo a mi padre.*
6. Mi padre *nos* dijo *a nosotros* que no tenía el dinero.

LA PRESENCIA HISPÁNICA EN LOS ESTADOS UNIDOS

METAS

Comunicación: In this lesson you will learn about the major Hispanic groups in the United States and some of their cultural traditions. You'll witness a parade, visit a Cuban neighborhood in Miami, and talk with classmates about Hispanic soap operas. You will learn to express in Spanish a wish or request that someone do something, as well as your feelings about another person's actions. You will also learn more ways to express your own and others' opinions and interests.

Estructuras:

10.1 Subjunctive Mood: General Statement
10.2 Forms of the Present Subjunctive
10.3 Stem and Spelling Changes in the Present Subjunctive
10.4 Subjunctive with Verbs of Volition (Will)
10.5 Subjunctive with Verbs of Emotion
10.6 **Gustar** and Verbs Like **gustar**

En el vídeo de esta lección, tres jóvenes hablan de su pasado: de sus abuelos, sus padres y su propia (*own*) niñez (*childhood*). Los padres de Lupe fueron a los Estados Unidos, pero regresaron a México después de un año. En cambio (*On the other hand*), la familia de Diego se quedó (*remained*) en California para trabajar y vivir. ¿De dónde es la familia de Ud.? ¿Cuándo llegaron sus padres (abuelos, etcétera) a la ciudad donde viven ahora?

Visit the *Motivos de conversación* web site at www.spanish.mhhe.com.

GRÁFICOS

El desfile°

Parade

In the CD-ROM to accompany **Motivos de conversación** you will find additional practice with vocabulary, grammar, listening, and speaking.

1. la muchedumbre
2. la bandera
3. la carroza
4. la reina
5. el caballo (montar a caballo)
6. el traje regional, el traje de charro (México)
7. los mariachis
8. el/la cónsul
9. el embajador / la embajadora
10. el alcalde / la alcaldesa (de la ciudad)
11. el gobernador / la gobernadora (del estado) (*state*)
12. el locutor / la locutora

MOTIVO CULTURAL

Hay diferentes oportunidades durante el año para conmemorar la historia y las tradiciones hispánicas. En algunas ciudades norteamericanas donde hay grandes comunidades hispánicas se celebra el 12 de octubre, Día de la Hispanidad. Muchos mexicoamericanos celebran el 5 de mayo y el 16 de septiembre. Los puertorriqueños observan, de manera especial, el 24 de junio, el día de San Juan, santo patrón de la capital de Puerto Rico. Todos celebran estas fiestas con desfiles, bailes y canciones tradicionales y muchos llevan trajes regionales también.

Actividades

A ¿Qué ocurre? Imagine que Ud. es locutor(a) de radio y que está narrando el desfile. ¿Qué le dice Ud. al público que escucha el programa? ¿Cómo describe Ud. la escena en la página anterior? Dé una descripción de por lo menos (*at least*) seis oraciones.

MODELO: Acaba de pasar la carroza con la reina. Ella lleva...

B Diálogo. Vicente, un amigo latinoamericano, quiere saber cómo se celebra el Día de la Independencia en los Estados Unidos. Conteste sus preguntas, y después, dramatice la conversación con un compañero / una compañera.

VICENTE: ¿Cuándo celebran Uds. el Día de la Independencia?
UD.:
VICENTE: ¿Hay desfiles ese día? ¿Quiénes participan?
UD.:
VICENTE: ¿Hay alguna ceremonia oficial?
UD.:
VICENTE: ¿Y adónde va la gente a celebrar ese día?
UD.:
VICENTE: ¿Qué haces tú el 4 de julio, generalmente?
UD.:

En la Sagüesera°*

En... *In Southwest Miami*

PRESENT SUBJUNCTIVE

▲▽▲▽▲▽▲▽▲▽▲▽▲▽▲▽▲▽▲▽▲▽▲▽▲▽▲▽▲▽▲▽▲▽

desean que aprendas	*they want you (fam.) to learn*
desean que aprendan	*they want them/you (pl.) to learn*
desean que aprendamos	*they want us to learn*

quiero que entres	*I want you (fam.) to enter*
quiero que entren	*I want them/you (pl.) to enter*
quiero que entremos	*I want us to enter*

▲▽▲▽▲▽▲▽▲▽▲▽▲▽▲▽▲▽▲▽▲▽▲▽▲▽▲▽▲▽▲▽▲▽

1. el cartel
2. la carnicería
3. la heladería

Otras palabras

anunciar	*to advertise*
aunque	*although*
bilingüe	*bilingual*
el/la comerciante	*merchant*
el idioma	*language*
la mayoría	*majority*

---

*__Sagüesera__ is a corruption of the English *southwest* and refers to the part of the city in which Cubans first concentrated.

ANITA: ¿Viste el cartel de esa carnicería? ¿Es que aquí los comerciantes tienen que anunciar que hablan inglés?

PEPE: Sí, porque la mayoría de la gente que vive en este barrio es cubana. Muchos, que ya no eran jóvenes cuando llegaron a Miami, sólo saben español. Aunque, por supuesto, todos desean que sus hijos y nietos aprendan bien los dos idiomas. Yo, por ejemplo, soy bilingüe. Pero es lo mismo° en California donde vives, ¿no?

lo... *the same*

ANITA: Sí. Aunque después de varias generaciones, algunos mexicoamericanos ya no hablan español.

PEPE: Ay, Anita, no conversemos más.° Quiero que entremos en la heladería. Tienen el mejor mantecado* de toda la Sagüesera.

no... *let's not talk any longer*

Actividades

A **En la Sagüesera.** Conteste las siguientes preguntas.

1. ¿Cómo se llama la carnicería? ¿Qué dice el cartel?
2. ¿Por qué anuncian los comerciantes que hablan inglés?
3. ¿Cómo eran muchos cubanos cuando llegaron a Miami?
4. ¿Qué dice Pepe que desean todos los cubanos?
5. ¿Dónde hay también muchas personas bilingües?
6. ¿Qué les pasa a algunos mexicoamericanos después de varias generaciones?
7. ¿Dónde quiere Pepe que entren él y Anita?
8. ¿Qué van a tomar Pepe y Anita?

B **Entrevista.** Pregúntele a un compañero / una compañera su opinión sobre las tiendas de su barrio o ciudad. ¿Opina él/ella lo mismo que Ud.?

MODELO: la mejor cafetería →

UD.: ¿Cuál es (Dónde está) la mejor cafetería de _____ (*su ciudad*)?

SU COMPAÑERO/A: Para mí, la mejor cafetería se llama _____.

1. la mejor cafetería
2. la librería con los mejores precios
3. su tienda de música favorita
4. una peluquería (*barber/beautyshop*) buena
5. su pizzería favorita
6. una tintorería (*dry cleaning shop*) buena y barata
7. la mejor heladería

ESTUDIO DE PALABRAS ▲▽▲▽▲▽

The suffix **-ería** is often combined with the name of an item to form the word for a shop in which that item is sold or repaired. Similarly, many names of tradespersons are formed by adding the suffix **-ero/a** after dropping the final vowel.

---

*A **mantecado** is a type of ice cream very popular in many Hispanic countries. It is made with milk, egg yolks, and sugar.

OBJETO	TIENDA	VENDEDOR(A)
helado	heladería	heladero/a
pastel (*cake*)	pastelería	pastelero/a
fruta	frutería	frutero/a

¿Qué venden en estas tiendas?

1. una camisería*
2. una carnicería*
3. una floristería*
4. una cafetería*
5. una papelería
6. una lechería*
7. una panadería*
8. una cristalería

MOTIVO CULTURAL

▲▼▲▼▲▼▲▼▲▼▲▼▲ ▲▲▲▼▲▼▲▲▼▲▲▲

Desde 1960 la migración de los cubanos a Miami y a otras partes de la Florida ha sido muy grande. En años recientes, además, han venido otros grupos hispánicos. Por ejemplo, la comunidad nicaragüense es ahora numerosa. Esta variedad étnica se nota especialmente en el menú de los restaurantes. En Miami, uno de los postres favoritos ahora es originario de Nicaragua y se llama **tres leches**. Tiene este nombre porque entre sus ingredientes están la leche común, la leche evaporada y la leche condensada. ¡Es un dulce delicioso! Ahora el español es el idioma principal en muchos barrios y está muy presente en los grandes sectores comerciales de la ciudad. Por esto, Miami está considerada por muchos hispanoamericanos como otra ciudad hispánica donde fácilmente pueden pasar sus vacaciones y hacer sus compras, sabiendo con seguridad (*certainty*) que pueden hablar siempre en español.

▲▼▲▼▲▲▼▲▼▲▲▼▲▲▲▲▼▲▼▲▲▼▲▲▲

El santo de doña Guadalupe[†]

1. el control remoto
2. el actor (el protagonista)
3. la actriz (la protagonista)

Sustantivos

el argumento	*plot*
el canal	*(TV) channel*
el cumpleaños	*birthday*
el día del santo	*saint's day*
la historia	*story; history*

Verbos

apreciar	*to appreciate*
besar	*to kiss*
burlarse (de)	*to make fun (of)*
convertirse (ie) en	*to become*
disfrutar (de)	*to enjoy*
perder (ie)	*to miss (an event);*
	to lose
prestar	*to lend*
seguir (i, i) + present participle	*to keep on (doing something)*

---

*Note that, in some cases, the final vowel may be changed or dropped, and additional letters may be added.

[†]Each day of the Catholic calendar is dedicated to several saints. Hispanics celebrate their **día del santo** on the day dedicated to the saint whose name they bear. If you have a common name like **María, Carmen, Josefa, José,** or **Juan,** everybody will know that you should be congratulated on September 12, July 16, March 19, or June 24, respectively. **La Virgen de Guadalupe** is the patroness of Mexico, and the day dedicated to her is December 12.

Adjetivos

dominante	*domineering*	remoto/a	*remote*
honrado/a	*honest*	soberbio/a	*haughty*
realista	*realistic*	tonto/a	*silly*

OTHER PRESENT SUBJUNCTIVES
▲▽▲▽▲▽▲▽▲▽▲▽▲▽▲▽▲▽▲▽▲▽▲▽▲▽▲▽▲▽▲▽▲▽▲▽

me sorprende que (tú) sigas
I am surprised that you go on

quiere que (ella) conozca
he wants her to meet

le molesta que (él) llegue
it bothers her that he arrives

me alegro de que (tú) puedas
I am happy that you can

▲▽▲▽▲▽▲▽▲▽▲▽▲▽▲▽▲▽▲▽▲▽▲▽▲▽▲▽

JESÚS:* Mamá, me sorprende que sigas viendo esa telenovela tan tonta. Si me prestas el control remoto, puedo encontrarte un programa más interesante en otro canal.

MADRE: Tú no aprecias el argumento, que es muy interesante, hijo. Teresa, la protagonista, es pobre pero honrada, y un joven muy rico está enamorado de ella.

JESÚS: Ya lo sé. Y cuando él la besa, ella se convierte en princesa.

MADRE: No te burles, Jesús, esta historia es muy realista. El joven quiere que su madre, doña Guadalupe, conozca a Teresa. El día del santo de la señora, que es también el día de su cumpleaños, la lleva a la fiesta que hay en su casa. Pero a doña Guadalupe, que es dominante y soberbia, le molesta que su hijo llegue con una muchacha pobre y...

JESÚS: ¡Ay, mamá! Me alegro de que tú puedas disfrutar con eso, pero tengo que irme. No quiero perderme el concierto de rock.

Actividades

A *Una telenovela interesante.* ¿Comprendió Ud. el diálogo? Diga si estas oraciones son ciertas o falsas. Corrija las oraciones falsas.

1. Jesús se alegra de que su madre siga viendo la telenovela.
2. Él cree que la telenovela es muy realista.
3. La protagonista de la telenovela se llama Guadalupe.
4. Un joven muy rico está enamorado de la protagonista.
5. El novio de la muchacha es soberbio y dominante.
6. Teresa se convierte en princesa.
7. El joven quiere que su novia conozca a su madre.
8. Hay una fiesta en casa de doña Guadalupe el 12 de diciembre.
9. Doña Guadalupe se alegra de que su hijo llegue con una muchacha honrada.

---

*__Jesús__ (with its nicknames **Suso** or **Chucho**) is a common Spanish name. Hispanics don't consider it disrespectful for a person to be called Jesus.

B *Entrevista.* Pregúntele a un compañero / una compañera cómo celebra su cumpleaños (o su santo).

1. ¿Sabes cuál es el día de tu santo? ¿Celebras tu santo?
2. ¿Cuándo es tu cumpleaños? ¿Qué haces ese día?
3. ¿Te llaman muchos amigos el día de tu cumpleaños?
4. ¿Qué haces cuando un buen amigo olvida (*forgets*) tu cumpleaños?
5. ¿Das una fiesta para tu cumpleaños?
6. ¿Dónde y qué te gusta comer para celebrar ese día? ¿Qué tipo de regalos te gusta recibir?

MOTIVO CULTURAL

Las telenovelas son el tipo de programa más popular en el mundo hispánico. Los hispanos que viven en los Estados Unidos pueden ver tres o más canales con programas exclusivamente en español, y una gran parte de la programación diaria de estos canales se compone de (*is composed of*) telenovelas. Las telenovelas hispanas son menos largas que las *soap operas* estadounidenses. Después de varios meses, terminan con un final feliz.

La escena de este minidiálogo es muy típica de la vida hispánica en nuestro país. Si Ud. visita un hogar hispánico cualquier (*any*) noche, es muy probable que encuentre a la familia viendo una telenovela.

La mayoría de las telenovelas que se ven en los Estados Unidos se producen en México, pero algunas vienen de Argentina y muchas de Venezuela. Este país ha exportado muchos programas en los últimos años.

SITUACIONES

En el mercado*

¿Qué se le ofrece?	How can I help you?
¿A cuánto está el/la... ?	How much is the . . . ?
A Ud. se lo/la dejo por...	I'll let you have it for . . .
Me parece un poco caro/a.	It seems a little expensive to me.
¿Me lo/la puede dejar por... ?	Can you let me have it for . . . ?
Lo siento. Los precios son fijos.	I'm sorry. The prices are firm (*fixed*).

---

*The practice of bargaining varies widely in Spanish-speaking countries and depends on where you are and what you are buying. In general, vendors in open-air markets do not have fixed prices, and you can bargain for such things as crafts, clothing, and jewelry. In shops and department stores, prices are fixed.

Es de la mejor calidad.	*It's the best quality.*
Está rebajado / en oferta.	*It's discounted / on sale.*
Me lo/la llevo.	*I'll take it.*

Actividad

Diálogo. Imagine que Ud. está en un mercado de artesanías (*handicrafts*), buscando regalos para sus amigos y familia. Quiere comprar unas sandalias, una blusa y una hamaca. Complete el diálogo entre Ud. y la vendedora, usando las expresiones de **Situaciones.**

VENDEDORA: ¿Qué se le ofrece, joven?

UD.:

VENDEDORA: ¿Las sandalias? A Ud. se las dejo por N$ 270.

UD.:

VENDEDORA: Son de la mejor calidad, joven. Pero si me compra esta hamaca también, se lo dejo todo por N$ 500.

UD.:

VENDEDORA: No, lo siento. No puedo. Ya está rebajado todo.

UD.:

VENDEDORA: Las blusas pequeñas están a N$ 35 cada una, y las grandes, a N$ 40.

UD.:

VENDEDORA: Bueno, sólo porque es Ud., se la dejo por...

UD.:

In the CD-ROM to accompany *Motivos de conversación* you will find additional practice with vocabulary, grammar, listening, and speaking.

GRAMÁTICA ESENCIAL

10.1 Subjunctive Mood: General Statement

All verb forms that you have studied previously, with the exception of direct and indirect commands, belong to the *indicative* mood. In this and future lessons you will study some tenses of the *subjunctive* mood.

Unlike the indicative, which conveys direct statements or asserts factual certainties, the subjunctive is tinged with subjectivity. It expresses implied commands, the intellectual or emotional involvement of the speaker with an event, projections into an indefinite or uncertain future, anticipations or suppositions regardless of time, contrary-to-fact assumptions, and even statements of fact when they are considered the result of mere chance.

A typical sentence containing the subjunctive is a statement that includes a main clause (one that can stand alone) and a dependent clause whose full meaning is understood only in relation to the main clause. Study the following formula.

Subject 1 + main verb + **que** + subject 2 + dependent verb
(indicative)   (subjunctive)

MAIN CLAUSE	DEPENDENT CLAUSE
Yo deseo	que Ud. **hable.***
I want	*you to speak.*

This lesson and subsequent ones will examine the different uses of the subjunctive in the following categories: in noun clauses, in adjective clauses (**Lección 14**), and in adverb clauses (**Lección 15**). For the first category, the subjunctive in noun clauses, examine the following summary to get a general idea about what concepts in the main clause trigger the subjunctive in the dependent clause.

1. *Verbs of volition* (*will*): wanting, wishing, preferring, advising, requesting, commanding, permitting, and so on (**Lección 10**)
2. *Verbs of emotion:* feeling happiness, pleasure, or surprise; hoping; regretting; fearing; and so on (**Lección 10**)
3. *Verbs of doubt, disbelief, and denial* (**Lección 11**)
4. *Impersonal expressions* containing any of the above concepts (**Lección 11**)

10.2 Forms of the Present Subjunctive

Quiero que entremos en la heladería.

You have already used the third persons singular and plural of the present subjunctive in polite commands. To form the present subjunctive of all six persons of regular and irregular verbs in Spanish, drop the **-o** of the first person singular of the present indicative and add the subjunctive endings to the stem.

	Commands	Present Subjunctive of Regular Verbs	
hablø ↓ habl-	**-ar:** (no) hable, (no) hablen	hable hables hable	hablemos habléis hablen

---

*The dependent clause can also stand alone as an indirect command: **¡Que lo traiga Jorge!** (*Let Jorge bring it!*).

comø ↓ com-	-er: (no) coma, (no) coman →	coma comas coma	comamos comáis coman
vivø ↓ viv-	-ir: (no) viva, (no) vivan →	viva vivas viva	vivamos viváis vivan

Note that for **-ar** verbs the predominant vowel in the present subjunctive is **e;** for **-er** and **-ir** verbs, it's **a.** It may be helpful to think of these as the "opposite" vowels.

	Commands	Present Subjunctive of Irregular Verbs	
digø ↓ dig-	(no) diga, (no) digan	diga digas diga	digamos digáis digan

Like **decir,** the following irregular verbs preserve the irregularity of the first person singular of the present indicative throughout the six forms of the present subjunctive: **conocer** (**conozca, conozcas, conozca, conozcamos, conozcáis, conozcan**), **hacer** (**haga, hagas,** and so on), **oír, poner, salir, tener, traer, venir,** and **ver.**

Actividad

Los deseos de mi familia. Conteste las preguntas usando el presente de subjuntivo de los verbos indicados.

1. ¿Qué desea mi madre? Mi madre desea que yo... (salir con ella de compras, traer carne de la carnicería, hacer las camas, poner la mesa, tener mis tareas hechas antes de cenar)
2. ¿Qué no quiere mi padre? Mi padre no quiere que mis hermanos... (oír tanta música, ver tantas telenovelas, venir tarde a casa, fumar [*to smoke*])
3. ¿Qué desea mi hermana? Mi hermana desea que tú... (invitarla a tomar un helado, llevarla a ver el desfile, venir a casa esta noche, comprarle un mantecado)
4. ¿Qué quieren mis abuelos? Mis abuelos quieren que todos nosotros... (hablar español en casa, conocer las tradiciones hispánicas, aprender a bailar bailes cubanos, llevar trajes regionales)

10.3 Stem and Spelling Changes in the Present Subjunctive

A doña Guadalupe le molesta que su hijo llegue con una muchacha pobre.

The consonantal changes found in the first person singular of the preterite and in the **Ud.** commands appear throughout the present subjunctive.

c → qu: (buscar) bus**qu**e, bus**qu**es, bus**qu**e, bus**qu**emos, bus**qu**éis, bus**qu**en

g → gu: (llegar) lle**gu**e, lle**gu**es, lle**gu**e, etcétera

g → j: (escoger) esco**j**a, esco**j**as, esco**j**a, etcétera

z → c: (comenzar) comien**c**e, comien**c**es, comien**c**e, etcétera

The vowel changes of **-ar** and **-er** stem-changing verbs are found in all singular forms and in the third person plural of the present subjunctive.

e → ie: (pensar) p**ie**nse, p**ie**nses, p**ie**nse, pensemos, penséis, p**ie**nsen

o → ue: (volver) v**ue**lva, v**ue**lvas, v**ue**lva, volvamos, volváis, v**ue**lvan

Stem-changing **-ir** verbs that have **i** or **u** in third person preterite forms have the following changes in the first and second persons plural of the subjunctive in addition to the **ie** or **ue** change in the other persons.

e → ie / e → i: (sentir) s**ie**nta, s**ie**ntas, s**ie**nta, s**i**ntamos, s**i**ntáis, s**ie**ntan

o → ue / o → u: (dormir) d**ue**rma, d**ue**rmas, d**ue**rma, d**u**rmamos, d**u**rmáis, d**ue**rman

e → i / e → i: (pedir) p**i**da, p**i**das, p**i**da, p**i**damos, p**i**dáis, p**i**dan

Actividad

▶ **En la universidad.** Dé las formas del presente de subjuntivo correspondientes a los infinitivos.

EN LA CLASE DE ESPAÑOL

La profesora quiere que nosotros (*repetir*) _____[1] el vocabulario nuevo y que (*practicar*) _____[2] la gramática. Recomienda que yo (*comenzar*) _____[3] a hacer la tarea ahora mismo. Ella prefiere que los estudiantes (*hablar*) _____[4] sólo español en clase. Quiero que la profesora nos (*explicar*) _____[5] este capítulo.

EN LA CAFETERÍA

Queremos que Elena (*almorzar*) _____[6] con nosotros hoy. Le voy a pedir que (*llegar*) _____[7] a las 12:30 y que nos (*encontrar*) _____[8] allí. Espero (*I hope*) que tú (*venir*) _____[9] también. ¿Quieres que yo (*buscar*) _____[10] a Raúl? Tal vez él pueda comer con nosotros.

HABLANDO CON LOS PADRES

Mis padres quieren que yo (*pagar*) _____[11] mis cuentas (*bills*) inmediatamente. También prefieren que no (*salir*) _____[12] todas las noches. Mamá está preocupada (*worried*), y dice que quiere que yo (*comer*) _____[13] bien, que (*acostarme*) _____[14] temprano y que (*dormir*) _____[15] lo suficiente. Necesito que ellos me (*mandar*) _____[16] algún dinero.

10.4 Subjunctive with Verbs of Volition (Will)

—Te recomiendo que lleves paraguas.

—No queremos que Ud. fume.

—Mamá, ¿prefieres que no salga?

If the main clause of a sentence contains a verb of volition (will) expressing wanting, preferring, ordering, requesting, advising, and so on, and if there is a change in subject in the dependent clause, the verb in the dependent clause *must be in the subjunctive.* The dependent clause is introduced by **que.** Here are some frequently used verbs of volition; you have already seen many of them.

1. *Wanting:* **desear, querer**

   Yo quiero (deseo) **que** Ud. nos **escriba.**   *I want you to write to us.*

2. *Preferring:* **preferir**

   ¿Prefieres **que** te **hablemos** en español?   *Do you prefer that we speak to you in Spanish?*

3. *Ordering or commanding:* **mandar** (*to order*), (**no**) **permitir, dejar** (*to permit*), **decir** (*to tell someone to do something*), **insistir** (**en**) (*to insist*)

   Nos manda (Nos permite, Nos dice) **que salgamos.**   *He orders (permits, tells) us to leave.*

4. *Advising or requesting:* **aconsejar** (*to advise*), **pedir (i), recomendar (ie)**

   Yo le voy a aconsejar a ella **que** no **venga** más.   *I'm going to advise her not to come anymore.*

Note that the verbs in numbers 3 and 4 require the use in the main clause of an indirect object pronoun (**me, te, le, nos, os, les**) corresponding to the subject of the dependent clause.

Important: If there is no change of subject in the two clauses, Spanish requires the use of the infinitive. Compare the following.

Él quiere que **yo** lo **compre**.

He wants me to buy it. (*Who wants?* **He**. *Who buys?* **I do**.)

Él quiere **comprar**lo.

He wants to buy it. (*Who wants?* **He**. *Who buys?* **He does**.)

Actividades

A *El desfile.* Complete la descripción del desfile con la forma correcta del presente de subjuntivo.

Ramón prefiere que nosotros (*llevar*) _____¹ camisa blanca y pantalones negros, pero yo quiero que todos (*ponernos*) _____² traje de mariachi. Elena quiere que nosotros (*salir*) _____³ pronto, y mamá aconseja que (*llegar*) _____⁴ antes de las 3:00. En el desfile, los policías piden que la muchedumbre no (*bailar*) _____⁵ en la calle y que no (*hacer*) _____⁶ mucho ruido. Deseo que la banda (*seguir*) _____⁷ tocando después, porque me encanta la música. Más tarde, quiero que nosotros (*ver*) _____⁸ los fuegos artificiales (*fireworks*). Elena y papá quieren que (*cenar*) _____⁹ en su restaurante favorito, pero mamá prefiere que todos (*volver*) _____¹⁰ a casa.

B *Doña Guadalupe y su hijo.* *Doña Guadalupe, the domineering mother from the soap opera, is always telling her son Armando what to do. Supply her dialogue lines from today's episode by combining phrases in the first column with a verb in the second. Remember that the verb in the dependent clause will be in the subjunctive. Use what you know about the plot of this soap opera and your imagination to write six lines for Doña Guadalupe.*

MODELO: Armando, te pido que no salgas más con esa muchacha.

Te pido		(no) pensar...
Quiero		(no) buscar...
No permito	(que)	(no) salir...
Prefiero		(no) escuchar...
		(no) venir...

C *Ahora le toca a Ud.* Haga oraciones expresando lo que desean o recomiendan Ud., sus amigos y su familia, combinando los sujetos y verbos de las siguientes columnas.

MODELO: Yo / querer / mis padres / ¿ ? →
          Yo quiero que mis padres me compren un coche.

Mis padres	querer	los estudiantes
El profesor / La profesora de español	recomendar	mi compañero/a de casa
	desear	
	preferir (que)	yo
Yo	no permitir	mis padres
Mi compañero/a de casa	pedir	mi novio/a
Mis amigos		mis amigos

D *Entrevista.* Imagine que su compañero/a es un(a) estudiante que acaba de llegar a la universidad. Quiere hacerle muchas preguntas sobre la universidad y las clases. Conteste sus preguntas, según su propia opinión. Después, hágale las mismas preguntas.

MODELO: SU COMPAÑERO/A: ¿Dónde debo *buscar* un apartamento?
UD.: Te recomiendo (Te aconsejo) que *busques* uno cerca de la universidad.

1. ¿Dónde debo *buscar* un apartamento?
2. ¿Dónde debo *almorzar*?
3. ¿Dónde debo *comprar* la comida?
4. ¿Con quién puedo *practicar* español todos los días?
5. ¿Tengo que *hacer* tareas todos los días?
6. ¿A qué hora debo *llegar* a clase?
7. ¿Cuándo tengo que *pagar* la matrícula (*tuition*)?
8. ¿Qué libros debo *traer* a la clase de español?

10.5 Subjunctive with Verbs of Emotion

—Temo que llueva el día del desfile.

A Ana y a Pepe les molesta que este señor fume.

—Me alegro de que pongan (*they show*) el desfile por televisión.

These verbs express projections into the future, suppositions, or subjective attitudes (**Gramática esencial 10.4**). Regardless of the particular meaning conveyed, they regularly require the use of the subjunctive. The most common verbs of this type are **alegrarse de*** (*to be glad*), **esperar** (*to hope*), **sentir** (**ie, i**) (*to be sorry, regret*), and **temer** (*to be afraid*). **Gustar** also belongs in this group, as do two verbs using the **gustar** construction: **sorprender** (*to surprise*) and **molestar** (*to bother*).

Me alegro de que Ud. conozca al gobernador.	*I am glad that you know the governor.*
Espero que Ud. reciba buenas noticias en la carta.	*I hope (that) you get good news in the letter.*
Sentimos que ella esté enferma.	*We regret that she is ill.*

---

*Synonyms that require the subjunctive: **estar contento/a de, estar alegre de.**

Temen que gastemos demasiado.	*They are afraid (that) we may spend too much.*
A Pérez le gusta (sorprende, molesta) que Ud. haga ese trabajo.	*Pérez is pleased (surprised, bothered) that you are doing that work.*

Actividades

A ***Una visita a Miami.*** Marisa, una estudiante cubana, va a mostrarles (*show*) la ciudad de Miami a unos amigos. Complete Ud. su descripción con la forma correcta del presente de subjuntivo.

Me alegro de que mis amigos (*llegar*) _____[1] mañana. Siento que ellos no (*hablar*) _____[2] bien el español. Quiero que ellos (*conocer*) _____[3] a mi familia, pero temo que mis abuelos no los (*entender*) _____.[4] Quiero que nosotros (*visitar*) _____[5] la Sagüesera y que ellos (*tomar*) _____[6] un mantecado en mi heladería favorita. A mis amigos les sorprende que los carteles (*decir*) _____[7] que se habla inglés, pero les gusta que se (*poder*) _____[8] practicar el español en todas partes. Espero que les (*gustar*) _____[9] la comida cubana, porque mamá insiste en que todos (*venir*) _____[10] a casa a cenar.

B ***Los sentimientos*** (*feelings*) **de doña Guadalupe.** Un compañero / Una compañera hace el papel (*role*) de doña Guadalupe, quien expresa sus sentimientos. Ud. se los transmite a la clase. ¡Cuidado! Debe usar la construcción del verbo **gustar** en todos los casos.

MODELO: *Me* molesta que *mi* hijo no tenga amigos de su clase social. →
A doña Guadalupe le molesta que *su* hijo no tenga amigos de su clase social.

1. *Me* gusta que *mi* hijo visite lugares elegantes.
2. *Me* sorprende que *mi* hijo quiera a una muchacha pobre.
3. *Me* molesta que la familia de Teresa no tenga dinero.
4. No *me* gusta que *mi* hijo traiga a Teresa a *mi* casa.
5. No *me* sorprende que los invitados (*guests*) *nos* critiquen.
6. *Me* molesta que *mi* hijo no *me* escuche.

C ***¿Ha visto el periódico hoy?*** Imagine que los siguientes titulares (*headlines*) aparecen en el periódico de hoy. Exprese Ud. su reacción a cada uno, usando una expresión de emoción y el subjuntivo.

MODELO: Cerrado otra vez el Congreso de los Estados Unidos →
Me molesta que los políticos nunca se pongan de acuerdo en nada.

VOCABULARIO ÚTIL

Espero que...	Me sorprende que...	Siento que...
Me alegro de que...	(No) me gusta que...	Temo que...
Me molesta que...		

ATAQUE TERRORISTA EN EL METRO 10 PERSONAS MUERTAS POR LA EXPLOSIÓN DE UNA BOMBA

LA UNIVERSIDAD CANCELA LA SEMANA DE VACACIONES DE LA PRIMAVERA

EXTRATERRESTRES LLEGADOS DE OTRA GALAXIA SE VEN HOMBRECITOS BAJITOS Y VERDES

CHER Y MICHAEL JACKSON ESTÁN ENAMORADOS

10.6 *Gustar* and Verbs Like *gustar*

—A doña Guadalupe le molesta
que su hijo llegue con una
muchacha pobre y...

You have already used **me gusta(n)**, **te gusta(n)**, and **le gusta(n)** to express *I like, you* (*fam.*) *like,* and *you* (*formal*)/*he/she/it likes.* You will have no trouble using all of the forms of **gustar** correctly if you remember that although **gustar** expresses the idea of *liking,* it actually means that something *is pleasing* (*to me, him, you, us, . . .*). Since you must state to whom something is pleasing, the indirect object pronouns are always used with **gustar.** In addition, just as the verb changes in English when more than one thing is pleasing to someone (two things *are* pleasing), **gusta** changes to **gustan** when you are talking about two or more objects. Here is the complete conjugation of **gustar** in the present tense, with all of the indirect object pronouns.

One thing is pleasing (*to me, you, him, us, . . .*):

Me gusta
Te gusta
Le gusta
Nos gusta } el verano.
Os gusta
Les gusta

Several things are pleasing (*to me, you, him, us, . . .*):

Me gustan
Te gustan
Le gustan
Nos gustan } los deportes de invierno.
Os gustan
Les gustan

Note the following relationships:

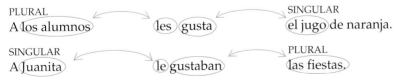

PLURAL ⟶ SINGULAR
A los alumnos · les gusta · el jugo de naranja.

SINGULAR ⟶ PLURAL
A Juanita · le gustaban · las fiestas.

NOTE: The indirect object pronoun must be used even when the indirect object noun is present in the sentence. It is also common to use the prepositional phrases given on page 236 to clarify which noun **le** and **les** refer to, as well as for emphasis with the other pronouns.

A mí me gusta la nieve.   *I like the snow.*
A Elena le gusta viajar.   *Elena likes to travel.*

In the **gustar** construction, the prepositional phrases are most often placed before the verb.

Other verbs and phrases in similar constructions include **encantar** (*to love* [*something*]), **hacer falta** (*to need*), **interesar** (*to interest*), **molestar** (*to annoy, bother*), and **parecer** (*to seem*).

Nos encanta viajar en auto.	*We love to travel by car.*
Le hace falta jabón.	*He needs soap.*
¿No te interesan los deportes?	*Aren't you interested in sports?**
Les molesta la música.	*The music annoys them.*
Me parece increíble.	*It seems incredible to me.*

Actividades

A ***¿Qué les gusta?*** Describa lo que les gusta a estas personas.

MODELO: el helado (a ellos) → Les gusta el helado.

1. las telenovelas (a nosotros)
2. el Carnaval (a él)
3. la música mariachi (a mí)
4. los bailes (a ti)
5. los restaurantes cubanos (a ella)
6. las celebraciones (a ellas)

Ahora, repita la actividad con el verbo **encantar.**

B ***Narraciones breves.*** Cambie las palabras indicadas, adaptando las narraciones a las personas indicadas.

1. *Me* encantaban las fiestas, pero también *me* gustaba mucho leer, especialmente libros de historia, porque la historia *me* interesaba mucho. (**A mis amigos...**)
2. *A Isabel le* hacía falta pollo para preparar el plato principal de la cena. *A toda la familia le* gustaba mucho el pollo, y *a Isabel le* parecía que si había arroz con pollo en el menú la cena iba a ser un éxito (*success*). (**A nosotras...**)
3. *A los estudiantes* no *les* interesaba la geografía, pero *les* gustaba conocer las costumbres (*customs*) hispánicas. *Les* hacía falta conocer estas costumbres para comprender mejor a los hispanos. (**A Gloria...**)

C ***Entrevista.*** Pregúntele a un compañero / una compañera sobre sus intereses y opiniones.

1. ¿Te interesa la idea de viajar a otro país? ¿Qué países te interesan en particular? ¿Por qué?
2. ¿Qué actividades realmente te encantan? ¿Qué tipo de comida? ¿Y qué clase de música?
3. ¿Qué te parecen tus clases este semestre? ¿Cuál te parece más interesante? ¿más difícil?
4. ¿Qué te hace falta hacer esta semana? ¿Qué te hace falta comprar para tu casa o apartamento?
5. A veces, ¿te molesta ser estudiante? ¿Qué aspectos de la vida estudiantil te molestan?

---

*Note the literal meaning of these sentences: *Traveling by car delights us; Soap is necessary to him; Don't sports interest you?*

Para resumir y repasar

A *Preparativos para una fiesta.* *You are getting ready for a party, and some friends are helping out. Answer their questions by telling your friends what you want them to do, using the subjunctive and double object pronouns.*

MODELO: AMIGO/A: ¿Les mando las invitaciones a Tere y Pablo?
               UD.: Sí, quiero (te pido) que se las mandes ahora.

1. ¿Te preparamos Julio y yo los bocadillos (*appetizers*) ahora?
2. ¿Te traigo las bebidas?
3. ¿Le pido la receta (*recipe*) de los tamales a mi abuela?
4. ¿Les doy tu dirección a Ernesto y Sergio?
5. ¿Te presto mis discos compactos de salsa y cumbia?
6. ¿Te explico cómo hacer una sangría?
7. ¿Les digo la fecha de la fiesta a todos?
8. ¿Te pongo el radio en la sala?

B *Recomendaciones y reacciones.* Haga Ud. una recomendación o exprese su reacción pensando en cada una de las siguientes situaciones, usando el subjuntivo. Piense en varias recomendaciones o reacciones para cada situación.

MODELO: Un amigo tiene muchos problemas con sus clases. →
             Le recomiendo que hable con sus profesores.
             Siento que tenga tantos problemas.
             Temo que saque malas notas este semestre.

1. Ud. cree que el novio / la novia de un amigo / una amiga está saliendo con otra persona.
2. Una amiga quiere comprarse un auto nuevo.
3. Un amigo tiene problemas con su compañero de casa.
4. Una amiga tiene problemas económicos.
5. Un amigo lo/la llama para decirle que está enfermo.
6. Los exámenes finales comienzan esta semana, y una amiga no ha estudiado nada.

PARA VER DE VERAS

Vuelva a mirar la foto de la página 250 para contestar las siguientes preguntas.

1. Los tres estudiantes de la foto, ¿le parecen a Ud. muy diferentes el uno del otro? ¿Cómo se visten? ¿Cómo llevan el pelo?   **2.** ¿Ve Ud. otras características que tienen en común? ¿Cuáles son?   **3.** ¿Cómo es la universidad donde estudian? ¿Cómo es el campus?   **4.** Mire bien a sus amigos en su propia universidad. ¿Cómo se visten? ¿De qué partes del mundo son? ¿Representan diversos grupos étnicos?   **5.** ¿Le parece importante tal diversidad? ¿Por qué (no)?

COMUNICACIÓN

In the CD-ROM to accompany *Motivos de conversación* you will find additional practice with vocabulary, grammar, listening, and speaking.

De la vida real

CUANDO LA PASION ENFRENTA[a] A UNA MADRE CON SU HIJA ARDE[b] CANDELA[c]

La telenovela que atrapó[d] a Colombia entera[e], en el fuego incontrolable de las pasiones y los amores imposibles.

CANDELA. Arde el amor.
No deje de verla.
Lunes a Viernes Cadena[f] uno.

LA TELENOVELA DE LAS 10:00 P.M. ES DE CARACOL.
LUNES A VIERNES, CADENA UNO. ENCIÉNDALA.*

CARACOL
TELEVISION ▪ COLOMBIA

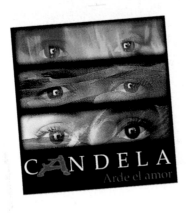
CANDELA
Arde el amor

[a] *confronts*
[b] *burns*
[c] *fire*
[d] *trapped, "hooked"*
[e] *entire*
[f] *Channel*

A *Candela.* Lea el anuncio y conteste las preguntas.

1. ¿Cómo se llama la telenovela?
2. ¿De qué país es?

---

*A double meaning is intended here, as **enciéndala** means both turning on the TV and igniting a fire.

3. ¿Cuál es el tema principal de esta telenovela?

4. ¿Quiénes son los protagonistas de esta telenovela?

5. ¿A qué hora se presenta la telenovela? ¿Qué días?

6. ¿Le gustaría (*Would you like*) o no le gustaría ver esta telenovela? ¿Por qué?

B **Candela.** *With a classmate, come up with a short (five to seven lines) synopsis of this soap opera, using the information in the ad and inventing other details. Here are some questions to consider as you create your synopsis.*

1. ¿Cómo se llaman la madre y la hija? ¿Cómo son ellas?

2. ¿Son buenas o malas las relaciones entre ellas? ¿Cuál es el problema entre ellas?

3. ¿Quién es el hombre de la foto? ¿Qué tipo de relación hay entre él y las dos mujeres?

4. ¿Por qué son «imposibles» los amores en esta telenovela?

Videotemas

Mire el episodio del vídeo de esta lección y después haga las actividades que siguen.

A **Comprensión.** Conteste las siguientes preguntas sobre el episodio del vídeo.

1. En el vídeo, Lupe, Diego y Antonio hablan de sus familias. ¿Dónde vive cada familia ahora? ¿Cuándo llegó allí cada una?

2. ¿Dónde encontró trabajo el padre de Lupe?

3. ¿Dónde trabajaron los abuelos de Diego en Los Ángeles? ¿Para quién trabajaron?

4. ¿Dónde vivía y trabajaba la familia de Antonio? ¿Qué cultivaban sus abuelos? ¿Quién tiene la finca ahora?

5. ¿Cómo se divertía Antonio en la finca cuando era niño? ¿Con quiénes se divertía? Y en su barrio de Los Ángeles, ¿a qué jugaba Diego?

6. ¿Qué tienen en común estos tres jóvenes (tradiciones familiares, lengua, cultura, etcétera)?

B **En parejas.** Comente lo siguiente con un compañero / una compañera.

1. ¿Dónde pasó Ud. la niñez, en el campo o en la ciudad? ¿Cómo fue su niñez? ¿A qué jugaba? ¿Con quién(es) jugaba?

2. ¿Le gusta mucho el lugar donde vive ahora? ¿Por qué (no)?

3. ¿Se muda (*move*) mucho la gente en los Estados Unidos? ¿Y en México? ¿En cuál de los dos países se ven con más frecuencia los parientes?

4. ¿Cuáles son los juegos de los niños de esos dos países? ¿Son diferentes los juegos en cada país?

MOTIVO CULTURAL

▲▼▲▼▲▼▲▼▲▼▲▼▲▼▲▼▲▼▲▼▲▼▲▼▲▼▲▼▲▼▲

Según algunos expertos, para el año 2000 va a haber (*there will be*) unos 30 millones de hispanos en los Estados Unidos.

Más del cincuenta por ciento de los hispanos que residen en los Estados Unidos son de origen mexicano. No todos los mexicoamericanos conservan la cultura de sus antepasados: muchos hablan bien el español y mantienen las tradiciones mexicanas, mientras que otros se han «americanizado» completamente. Muchos de ellos también han logrado éxito (*have had success*) en este país —Federico Peña, por ejemplo, ha sido alcalde de Denver y secretario del Departamento de Transportes.

Los puertorriqueños son ciudadanos (*citizens*) norteamericanos desde 1917. Aunque algunos desean la independencia total de los Estados Unidos, varias votaciones han indicado que la mayoría prefiere su condición actual (*present*): la de un estado libre asociado a los Estados Unidos.

Por ser Puerto Rico una isla muy pequeña con una población muy grande, muchos puertorriqueños han venido al continente en busca de mejores oportunidades. José Ferrer y Raúl Juliá fueron puertorriqueños famosos; también son famosos Rita Moreno, José Feliciano y la doctora Antonia Novello, que fue Cirujana General (*Surgeon General*) durante el gobierno del presidente Bush.

Aunque los cubanos constituyen un grupo relativamente pequeño aquí (aproximadamente 500.000), han tenido mucho impacto. La mayoría de los inmigrantes de los años 60 era de las clases alta y media, y ocupan o han ocupado puestos (*positions*) importantes en el sector industrial y público. Roberto Goizueta, por ejemplo, presidente de Coca-Cola, era cubano. También hay muchos cubanos en el mundo del espectáculo (*entertainment*) como Andy García y Cristina Saralegui, una presentadora de televisión muy popular.

▲▼▲▼▲▼▲▼▲▼▲▼▲▼▲▼▲▼▲▼▲▼▲▼▲▼▲▼▲

VOCABULARIO ACTIVO

Sustantivos

El estado

el alcalde / la alcaldesa	mayor
la bandera	flag
el/la cónsul	consul
el embajador / la embajadora	ambassador
el gobernador / la gobernadora	governor

Las celebraciones

el baile	dance
el caballo	horse
la carroza	float
el charro	Mexican cowboy
el cumpleaños	birthday
el desfile	parade
el día del santo	saint's day
el locutor / la locutora	TV or radio announcer
el mantecado	*type of ice cream*
los mariachis	mariachi band
la muchedumbre	crowd
la reina	queen
el traje regional	regional costume

Otros sustantivos

el actor / la actriz	actor/actress
el argumento	plot
el canal	(TV) channel
la carnicería	meat market
el cartel	sign
el/la comerciante	merchant

el control remoto	remote control
la heladería	ice cream parlor
la historia	story; history
el idioma	language
la mayoría	majority
el personaje	character
el/la protagonista	main character
la vídeo grabadora	VCR

Adjetivos

bilingüe	bilingual
dominante	domineering
étnico/a	ethnic
hispánico/a	Hispanic
honrado/a	honest
realista	realistic
soberbio/a	haughty

Verbos

aconsejar	to advise
anunciar	to advertise
apreciar	to appreciate
besar	to kiss
burlarse (de)	to make fun (of)
celebrar	to celebrate
convertirse (ie, i) en	to become

dejar	to allow, permit
disfrutar (de)	to enjoy
encantar	to love (*something*)
esperar	to hope
fumar	to smoke
gustar	to like
hacer falta	to need
insistir en	to insist
interesar	to interest
mandar	to order, command
molestar	to annoy, bother
montar (a caballo / en bicicleta)	to ride (a horse / a bike)
parecer (zc)	to seem
perderse (ie)	to miss (*an event*); to lose
permitir	to permit
prestar	to lend
recomendar (ie)	to recommend
seguir (i, i)	to follow; to continue
seguir (i, i) + *present participle*	to keep on (*doing something*)
sorprender	to surprise
temer	to fear, be afraid

Otras palabras

aunque	although
hasta	until

Viaje por el mundo hispánico

MÉXICO*

MOSAICO HUMANO

En el centro de México se encuentra la atractiva ciudad colonial de Guanajuato. En el pasado fue un importante centro productor de plata,[1] pero hoy día es una atracción turística. Guanajuato es famosa por los muchos callejones[2] que serpentean[3] por la ciudad. No hay ninguna gran avenida en Guanajuato. La verdad... ¡no hay ni una sola calle recta[4] en toda la ciudad! El callejón más estrecho[5] —mide sólo 68,5 centímetros (27 pulgadas[6])— tiene el nombre curioso de Callejón del Beso. Según una leyenda, dos novios lograban[7] besarse desde las ventanas de sus casas, en lados opuestos[8] del callejón.

La Basílica y los callejones de Guanajuato

[1]silver   [2]alleys   [3]wind   [4]straight   [5]más... narrowest   [6]inches   [7]managed   [8]en... on opposite sides

¡ES LO ÚLTIMO!

La tradición musical de México es larga y variada. Casi todo el mundo reconoce la música de los mariachis, la ranchera y la tejana. Pero el movimiento del «rock en español» fue un fenómeno subterráneo[9] y poco conocido hasta recientemente. Cuando el gobierno por fin permitió los conciertos de rock, surgieron[10] varios grupos ya listos para presentarse ante el público.

[9]underground   [10]emerged

*See additional information about Mexico after **Lecciones 1** and **14**.

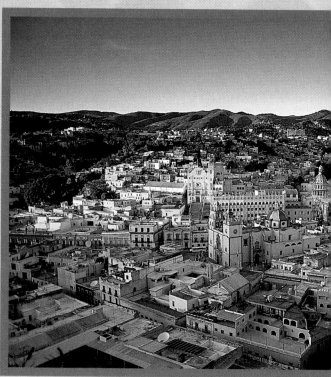

Dos de los grupos pioneros, Caifanes y Maldita Vecindad, van a la vanguardia[11] del rock proletario[12] y han alcanzado[13] gran popularidad.

No todos los roqueros mexicanos son del sexo masculino. Gloria Trevi y Alejandra Guzmán son dos de las cantantes contemporáneas más populares.

[11]*leading edge*   [12]*working-class*   [13]*achieved*

Alejandra Guzmán

POESIA

El mexicano Amado Nervo (1870–1919) es uno de los poetas más conocidos del mundo hispánico. Su poesía es a veces mística, a veces apasionada, otras veces filosófica, pero siempre muy musical.

En paz[14]
Muy cerca de mi ocaso,[15] yo te bendigo,[16]
   Vida,
porque nunca me diste ni esperanza fa-
   llida[17]
ni trabajos[18] injustos, ni pena inmere-
   cida;[19]
porque veo al final de mi rudo camino
que yo fui el arquitecto de mi propio
   destino;
que si extraje[20] las mieles[21] o la hiel[22] de
   las cosas,
fue porque en ellas puse hiel o mieles
   sabrosas:[23]
cuando planté rosales,[24] coseché[25] rosas...
Amé, fui amado,[26] el sol acarició mi faz.[27]
¡Vida, nada me debes! ¡Vida, estamos en paz!

Amado Nervo

[14]*En... At peace; Even*   [15]*sundown (old age)*   [16]*te... I bless you*   [17]*esperanza... disap- pointed hope*   [18]*toils, tasks*   [19]*pena... undeserved sorrow*   [20]*I extracted*   [21]*sweetness*   [22]*bitterness*   [23]*delicious*   [24]*rosebushes*   [25]*I harvested*   [26]*Amé... I loved, I was loved*   [27]*acarició... caressed my face*

LECCIÓN 11

¿CÓMO TE SIENTES?

M E T A S

Comunicación: In this lesson you will learn vocabulary and expressions related to doctors, medicines, and illnesses. You will visit a doctor's office, describe symptoms, and suggest remedies. You will learn about the use of traditional herbal remedies to treat ailments. You will also learn to express doubt and uncertainty about actions or states and to express comparisons and superlative statements.

Estructuras:
11.1 Irregular Present Subjunctives: **dar, estar, ir, saber, ser**
11.2 Forms of the Present Perfect Subjunctive
11.3 Subjunctive with Verbs of Disbelief, Doubt, and Denial
11.4 Subjunctive with Impersonal Expressions
11.5 Comparatives and Superlatives

En el vídeo de esta lección, Marta y su madre están en una consulta médica. Marta no se siente bien, pues (*because*) tiene tos y está congestionada. ¿Qué recetas le da la doctora para estos síntomas? ¿Es algo grave? ¿Qué hace Ud. cuando no se siente bien? ¿Tiene resfriado con frecuencia? ¿Qué toma para el resfriado?

 Visit the *Motivos de conversación* web site at www.spanish.mhhe.com.

GRÁFICOS

En la sala de emergencias°

In the CD-ROM to accompany *Motivos de conversación* you will find additional practice with vocabulary, grammar, listening, and speaking.

En... *In the Emergency Room*

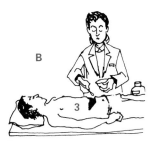

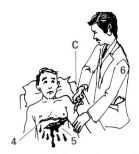

A. sacar(le) una radiografía

1. el brazo roto
2. el enfermero / la enfermera

B. curar

3. el herido / la herida
   (*wounded person*)

C. poner(le) una inyección

4. la herida
5. la sangre

6. el médico / la médica
   (el doctor / la doctora)

7. la venda
8. las pastillas

9. las gotas (para los ojos)

10. la quemadura
11. la pomada, el ungüento

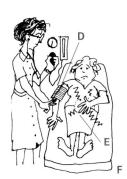

D. tomar(le) la presión
E. tener dolor de estómago
F. la presión arterial alta (baja)
   high (low) blood pressure

G. dar(le) oxígeno
H. dar(le) un ataque al corazón
I. tener dificultad para respirar
   to have difficulty in breathing

J. tener fiebre
K. poner(le) el termómetro
L. sentirse muy mal
   to feel very bad

Actividades

A ***¿Sabe Ud.?*** Estudie los dibujos y el vocabulario y luego dé la palabra o expresión correspondiente a cada número y a cada letra sin consultar la lista.

B ***En la sala de emergencias.*** *With a partner, imagine that you are a patient and a doctor in the emergency room. The patient should explain his or her ailment to the doctor, who will reply by saying what the treatment will be. Sometimes there are several possible treatments. Choose from the problems and treatments listed. Afterward, switch roles.*

MODELO: un brazo roto ›

UD.:   Doctor (Doctora), creo que tengo el brazo roto.
SU COMPAÑERO/A: Entonces, le voy a sacar una radiografía.

PROBLEMAS	TRATAMIENTOS
un brazo roto	dar una pastilla
un ojo irritado	poner pomada
una herida, mucha sangre	poner el termómetro
un ataque al corazón	sacar una radiografía
fiebre alta	poner una inyección
una quemadura	dar oxígeno
el dolor de estómago	poner una venda
la presión arterial alta (baja)	dar aspirinas
dificultad para respirar	tomar la presión
	curar
	poner gotas

C ***Entrevista.*** Pregúntele a un compañero / una compañera.

1. ¿Qué haces cuando tienes dolor de cabeza? ¿fiebre alta?
2. ¿Qué haces cuando tienes indigestión? ¿dolor de estómago?
3. ¿Alguna vez has ido a la sala de emergencias? ¿Por qué?
4. ¿Alguna vez te has roto un brazo? ¿una pierna? ¿Cómo pasó?
5. ¿Tienes alergias? ¿A qué eres alérgico/a?
6. ¿Has tenido alguna vez apendicitis?
7. ¿Con qué frecuencia vas al médico?

ESTUDIO DE PALABRAS ▲▼▲▼ ▼

Many Spanish scientific terms are similar to those in English. Pronounce the following words, being careful to avoid English sound patterns.

LAS ENFERMEDADES (*ILLNESSES*)

la alergia	la diabetes	la parálisis
la anemia	la epilepsia	la tuberculosis
la apendicitis	la hepatitis	el tumor
la artritis	la indigestión	la úlcera
el cáncer		

LOS REMEDIOS (*REMEDIES*) Y LOS
TRATAMIENTOS (*TREATMENTS*) MÉDICOS

		LA NUTRICIÓN
el análisis	el examen	las calorías
el antibiótico	la inyección	los carbohidratos
el antihistamínico	la medicina	los minerales
la aspirina	la operación	las proteínas
el diagnóstico	la transfusión	las vitaminas

En la farmacia de don Tomás

¡La Salud es **LO PRIMERO!**

1. la curita / la tirita
2. las pastillas para la tos

IRREGULAR VERBS

▲▽▲▽▲▽▲▽▲▽▲▽▲▽▲▽▲▽▲▽▲▽▲▽

Present Indicative	Present Subjunctive
ser:	
eres	...que seas
es	...que sea
son	...que sean
ir:	
vas	...que vayas
va	...que vaya
van	...que vayan
haber:	
hay	...que haya

▲▽▲▽▲▽▲▽▲▽▲▽▲▽▲▽▲▽▲▽▲▽▲▽

Verbos

cuidarse	*to take care of oneself*
doler (ue)	*to hurt, ache*
no quitársele	*not to go away (pain)*

Sustantivos

el catarro	*cold*
el dolor de garganta	*sore throat*
la gripe	*flu*
la salud	*health*
la tos	*cough*

DON TOMÁS: ¿Qué te pasa, Silvia?

SILVIA: ¡Ay, don Tomás, cómo me duele la cabeza! Ya tomé dos aspirinas y el dolor no se me quita.

DON TOMÁS: ¿Tienes también fiebre y dolor de garganta? Es posible que sea gripe.

SILVIA: No creo que tenga fiebre, pero sí me duele la garganta y tengo tos.

DON TOMÁS: Entonces es un simple catarro. Compra pastillas para la tos y este antihistamínico. Te aconsejo que te vayas ahora a casa, tomes el antihistamínico y te acuestes.

SILVIA: Pero don Tomás, esta noche voy con mis amigas a un baile. Es probable que no haya otro baile como éste en mucho tiempo. ¿Me dice Ud. que no vaya?

DON TOMÁS: No te digo que no vayas, pero sí te recomiendo que te cuides. La salud es lo primero.

Actividades

A **En la farmacia de don Tomás.** Conteste las preguntas.

1. ¿Qué le pasa a Silvia? ¿Qué tomó ella?
2. Según don Tomás, ¿qué es posible que sea la enfermedad de Silvia?
3. ¿Qué no cree Silvia?
4. ¿Qué otros síntomas tiene Silvia?
5. ¿Qué quiere don Tomás que Silvia compre?
6. ¿Qué le aconseja don Tomás a Silvia?
7. ¿Adónde va ella esta noche? ¿Por qué quiere ir?
8. ¿Qué le recomienda don Tomás? ¿Por qué?

B **Entrevista.** Hágale preguntas a un compañero / una compañera sobre sus ideas y opiniones sobre la salud. ¿Están Uds. de acuerdo?

1. Cuando tienes un simple catarro, ¿te quedas en casa o vas a clase y/o al trabajo? ¿Y cuando tienes gripe?
2. ¿Cuántas veces al año tienes catarro?
3. ¿Qué debes hacer para evitar (*avoid*) los catarros o la gripe?
4. ¿Cuáles son tus remedios preferidos para el catarro? ¿Conoces algún remedio casero (*homemade*) especial?
5. ¿Qué medicinas tienes en casa? ¿Cuáles compras con frecuencia?
6. ¿Crees que la salud es lo primero? ¿Qué otras cosas también son importantes en la vida?

En la consulta* del dentista°

En... *At the Dentist's Office*

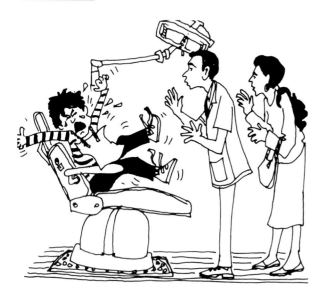

IRREGULAR VERBS

Present Indicative	Present Subjunctive	Present Indicative	Present Subjunctive
dar:		**saber:**	
das	...que des	sabes	...que sepas
da	...que dé	sabe	...que sepa
dan	...que den	saben	...que sepan
estar:		**sacar:**	
estás	...que estés	sacas	...que saques
está	...que esté	saca	...que saque
están	...que estén	sacan	...que saquen
poner:			
pones	...que pongas		
pone	...que ponga		
ponen	...que pongan		

---

*En algunos países se dice **el consultorio**.

Sustantivos

el calmante — *tranquilizer*
la caries — *cavity*
el/la dentista — *dentist*
el empaste — *filling*
la muela — *molar (tooth)*
la receta — *prescription*

Adjetivos

quieto/a — *still*
valiente — *courageous*

Verbos

empastar — *to fill (a tooth)*
llorar — *to cry*
patalear — *to kick, stamp*
sacar (qu) — *to pull out*
tratar de + *infinitive* — *to try to (do something)*

El niño grita, llora y patalea. La madre trata de calmarlo.

MADRE: No llores, Juanito. Es necesario que estés quieto y abras la boca.

DENTISTA: Juanito, quiero que sepas que tienes caries en una muela y tengo que empastarla. Si eres valiente te doy un premio después.

JUANITO: (*Gritando otra vez.*) ¡No quiero que me saque una muela! ¡No quiero que me ponga una inyección! ¡No quiero que me dé un premio!

DENTISTA: No voy a sacarte la muela, sólo voy a empastártela. Y no va a dolerte nada; la inyección es de anestesia.

Juanito grita, llora y patalea por más de diez minutos. Finalmente, el dentista escribe una receta y llama a la enfermera.

DENTISTA: Lucila, por favor, tráigame este calmante de la farmacia ahora mismo.

MADRE: Pero, doctor, ¿es necesario que le dé un calmante a Juanito?

DENTISTA: No, señora, el calmante es para mí.

MOTIVO CULTURAL

▲▽▲▽▲▽▲▽▲▽▲ ▽▲ ▽▲ ▽▲ ▽▲ ▽▲

En los países hispánicos existe una larga tradición en el uso de remedios caseros (hechos en casa). La mayor parte de estos remedios son cocimientos (*infusions*) de hierbas, como las de la foto. Son especialmente comunes en Hispanoamérica, primero porque mucha gente confía (*trust*) en ellos, pero también porque mucha gente no tiene acceso a tratamientos modernos por razones económicas. Claro que la curación con hierbas no es necesariamente una práctica supersticiosa de la gente pobre e ignorante. De hecho (*As a matter of fact*), muchas medicinas modernas, como la quinina, por ejemplo, se extraen de hierbas medicinales. En los países desarrollados (*developed*) son populares ahora las curaciones por medios naturales.

Variedad de medicinas naturales de venta en un mercado peruano

▲▽▲▽▲▽▲▽▲▽▲▽▲▽▲▽▲▽▲▽▲

Actividades

A ***En la consulta del dentista.*** Complete las oraciones con el subjuntivo de los verbos entre paréntesis.

1. Niño, quiero que no (*llorar*) y que (*estar*) quieto.
2. No dejes que el doctor (*sacarme*) una muela o (*ponerme*) una inyección.
3. Juanito, quiero que (*saber*) que tienes caries en una muela.
4. Doctor, ¿cree Ud. que (*ser*) necesario que (*darle*) un calmante a Juanito?
5. Juanito, te pido que no (*gritar*) si el dentista te pone una inyección.
6. Es necesario que Lucila (*buscar*) un calmante para el dentista.
7. El dentista no cree que la mamá de Juanito (*poder*) calmar a su hijo.
8. El dentista y Lucila esperan que Juanito no (*volver*) pronto.

B ***Su opinión personal.*** Conteste las preguntas. *Answer each question quickly, changing verb forms and object pronouns as appropriate.*

1. ¿Le gusta que...
   a. el dentista le ponga una inyección?
   b. el dentista le empaste una muela?
   c. la enfermera le saque una radiografía?
2. ¿Prefiere que...
   a. lo/la examine un dentista o una dentista?
   b. no le den calmantes?
   c. un amigo lo acompañe si van a sacarle una muela?
3. ¿Es posible que...
   a. a veces no sean necesarias las radiografías?
   b. algunas pastas de dientes eviten (*prevent*) las caries?
   c. algunas personas tomen demasiados calmantes?

SITUACIONES ▲▼▲▼▲▼▲▼▲▼▲▼

Hablando de la salud

Me duele aquí / mucho / un poco.	*It hurts here / a lot / a little.*
Tengo escalofríos/calambres.	*I have chills/cramps.*
No se me quita.	*It's not going away / I can't shake it.*
Estoy ronco/a.	*I'm hoarse.*
Estoy congestionado/a.	*I'm congested.*
Estoy fatal.	*I feel awful.*
Estoy bajo mucha presión / mucho estrés.	*I'm under a lot of pressure/stress.*
Debe Ud. guardar cama.	*You should stay in bed.*
Le voy a dar una receta para...	*I'm going to give you a prescription for . . .*
¿Se te ha pasado (el dolor de cabeza, el catarro, etcétera)?	*Have you gotten over (the headache, the cold, and so on)?*
Estás mucho mejor.	*You're much better.*
¡Que mejores pronto!	*Get well soon!*
Cuídate.	*Take care.*

Actividad

▶ *Reacciones.* ¿Qué dice o cómo reacciona Ud. en las siguientes situaciones? Dé una respuesta apropiada, usando las frases de **Situaciones** y otras expresiones.

MODELO: Ud. va al médico porque le duele la espalda. El dolor le empezó la semana pasada. →
Doctor, me duele la espalda, aquí. No se me quita. ¿Cree Ud. que necesito una radiografía?

1. Un amigo le pregunta a Ud. cómo está durante la semana de exámenes finales.
2. Ud. es médico, y su paciente tiene gripe.
3. Ud. va al hospital para visitar a una amiga que tuvo apendicitis.
4. Ud. tiene un catarro muy fuerte. Alguien le pregunta cómo está.
5. Su amiga insiste en ir a esquiar este fin de semana, aunque tiene gripe.
6. La semana pasada, su hermano tuvo gripe. Hoy Ud. lo ve, y quiere saber cómo se siente.

In the CD-ROM to accompany *Motivos de conversación* you will find additional practice with vocabulary, grammar, listening, and speaking.

GRAMÁTICA ESENCIAL

11.1 Irregular Present Subjunctives: *dar, estar, ir, saber, ser*

—No llores, Juanito. Es necesario que estés quieto y abras la boca.
—Juanito, quiero que sepas que tienes caries en una muela y...

You are already familiar with some of the following verb forms since, as explained in **Gramática esencial 10.2,** polite direct commands are subjunctive forms.

dar:	dé,* des, dé, demos, deis, den
estar:	esté, estés, esté, estemos, estéis, estén

*The accent is used on the first and third person singular forms of **dar** to distinguish them from the preposition **de.**

ir:	vaya, vayas, vaya, vayamos, vayáis, vayan
saber:	sepa, sepas, sepa, sepamos, sepáis, sepan
ser:	sea, seas, sea, seamos, seáis, sean

NOTE: The present subjunctive form for **hay** (*there is, there are*) is **haya**.

Quiero que haya medicinas para todos.   *I want (there to be) medicines for all.*

Actividades

A   Buenos deseos. Su amigo está en el hospital. Exprese sus deseos con la forma subjuntiva del verbo indicado.

Espero que...

1. tu enfermedad (*no ser*) seria
2. los médicos (*no darte*) demasiadas medicinas
3. tú (*estar*) en un buen hospital
4. tus amigos (*ir*) a verte
5. las enfermeras (*ser*) simpáticas
6. los médicos (*saber*) curarte pronto
7. no (*haber*) complicaciones durante la operación

B   Pobre Juanito. Invente oraciones según el modelo.

MODELO: sus padres / querer / él / ir al hospital →
Sus padres quieren que él vaya al hospital.

1. la señora Barrios / preferir / la enfermera / no darle calmantes / a Juanito
2. el doctor / desear / todos nosotros / ir / a verlo
3. ellos / alegrarse de / haber / una clínica cerca de su casa
4. yo / esperar / Juanito / estar bien / pronto
5. nosotros / temer / sus abuelos / no saber la verdad

C   Cuando yo estoy enfermo/a. ¿Qué pasa cuando Ud. está enfermo/a? Complete las siguientes frases a base de sus propias experiencias. Después, explique sus opiniones e ideas a un compañero / una compañera.

MODELO: Me gusta que... →
UD.:   Cuando estoy enferma, me gusta que mis amigos me llamen por teléfono.
SU COMPAÑERO/A: A mí me gusta que mi mamá me prepare una sopa de pollo.

1. Me gusta que...
2. No me gusta que...
3. Quiero que...
4. Me molesta que...
5. Me preocupa (*It worries me*) que...
6. A mis amigos (A mi familia) les pido que...

11.2 Forms of the Present Perfect Subjunctive

The present subjunctive forms of the auxiliary verb **haber** are irregular.

Present Indicative		Present Subjunctive	
he	hemos	haya	hayamos
has	habéis	hayas	hayáis
ha	han	haya	hayan

The present subjunctive forms of **haber** are combined with the past participle to form the present perfect subjunctive. The present perfect subjunctive is used in the same types of situations (with verbs of will and emotion) that you have already learned with the present subjunctive.

Espero que la enfermera **haya venido.**

I hope the nurse has come.

Nos alegramos de que lo **hayan visto.**

We are happy they have seen him.

Actividades

A *Un accidente en mi barrio.* Ud. oyó por la radio que hubo un accidente de tráfico en su barrio, pero no sabe todos los detalles (*details*). Usando los verbos indicados, exprese lo que siente sobre el accidente.

MODELO: (*temer*) la ambulancia / no llegar a tiempo →
Temo que la ambulancia no haya llegado a tiempo.

1. (*esperar*) uno de los vehículos / no ser el coche de mi padre
2. (*esperar*) los choferes / no morir
3. (*temer*) las víctimas / perder mucha sangre
4. (*esperar*) las heridas / no ser demasiado serias
5. (*temer*) uno de los choferes / estar borracho (*drunk*)
6. (*sentir*) el locutor / no dar más detalles

B *En el hospital.* Alicia y Carlos han ido al hospital, porque Alicia va a tener un hijo. Complete las oraciones sobre lo que ha pasado con las formas correctas del presente perfecto de subjuntivo.

1. Carlos siente que su esposa (*haber estar*) tan preocupada.
2. Alicia espera que sus padres, los Pérez, (*haber recibir*) el mensaje telefónico.
3. Los Pérez fueron directamente al hospital, pero Carlos teme que ellos no (*haber llegar*) a tiempo.
4. A la Sra. Pérez no le gusta que la enfermera no les (*haber permitir*) entrar al cuarto de Alicia.

5. Alicia se alegra de que la doctora por fin la (*haber examinar*).
6. A la enfermera le molesta que los Sres. Pérez no (*haber ir*) a tomar un café.
7. A Carlos no le gusta que la doctora no les (*haber explicar*) que puede haber una complicación.
8. ¡A todos les sorprende que Alicia (*haber tener*) gemelos (*twins*)!

11.3 Subjunctive with Verbs of Disbelief, Doubt, and Denial

No creo que tenga fiebre, pero sí me duele la garganta y tengo tos.

A. Verbs like **creer** and **estar seguro/a de** (*to be sure about*) express certainty when used affirmatively. They then call for the indicative in the dependent clause.

Creo que es médico.	*I believe (that) he is a doctor.*
Estoy seguro de (Me parece) que nuestra clínica es mejor.	*I am sure (It seems to me) that our clinic is better.*

When used negatively, however, these verbs and expressions generally connote uncertainty and require the subjunctive in the dependent clause.

No creemos que tenga cáncer.	*We don't believe he has cancer.*
No está seguro de que Juana tenga suficientes pastillas para la tos.	*He isn't sure that Juana has enough cough drops.*

In questions with **creer** the indicative or subjunctive may be used, depending on the certainty or uncertainty of the questioner.

¿Cree Ud. que ella se siente bien hoy?	*Do you believe that she is feeling well today? (Maybe she does.)*
¿Crees que tengamos suficientes pastillas?	*Do you think we have enough pills? (The questioner doesn't think so.)*

B. Dudar (*To doubt*) and **negar** (**ie**) (*to deny*), in direct contrast to the preceding verbs, express uncertainty or denial when used affirmatively. They then require the subjunctive in the dependent clause.

Niego que estén en ese hospital.	*I deny (that) they are in that hospital.*
Dudamos que tengan los mismos síntomas.	*We doubt (that) they have the same symptoms.*

Actividades

A ***¿Están enfermos Juanito y Silvia?*** Cambie los verbos al subjuntivo.

¿Juanito? El doctor niega que...   ¿Silvia? El doctor no cree que...

1. (*haber*) que llevarlo al hospital.
2. él (*tener*) una infección en el brazo.
3. él (*necesitar*) antibióticos.
4. la herida (*ser*) muy profunda.
5. él (*tener*) fiebre.

6. le (*doler*) la cabeza.
7. ella (*ser*) alérgica a la penicilina.
8. ella (*necesitar*) una transfusión de sangre.
9. ella (*ir*) al trabajo hoy.
10. ella (*poder*) tener un catarro.

B ***En el hospital.*** La abuela tiene que ir al hospital. Complete con la forma apropiada del verbo entre paréntesis.

—Carlos, siento mucho que mi abuela (*tener*) _____¹ que (*ir*) _____² al Hospital General, porque allí siempre (*haber*) _____³ mucho ruido. Sé que a veces los pacientes (*gritar*) _____⁴ en su habitación y temo que eso (*poder*) _____⁵ molestar a mi abuela.

—¿Crees que eso (*ocurrir*) _____⁶ en el Hospital General? No lo creo. (*Yo: Conocer*) _____⁷ personalmente al director del hospital y estoy seguro de que él nunca (*permitir*) _____⁸ eso. Además, me parece que allí las enfermeras (*ser*) _____⁹ muy responsables. Lo siento, Bárbara, pero dudo que tú (*tener*) _____¹⁰ razón esta vez.

C ***Un amigo hipocondríaco.*** Su amigo Pedro es hipocondríaco. Siempre dice que tiene problemas de salud, pero Ud. nunca se lo cree. Reaccione a sus dolores y enfermedades, usando **Dudo que...** o **No creo que...** y el subjuntivo.

MODELO: PEDRO: He ido a la sala de emergencias dos veces esta semana.
UD.: No creo que hayas ido a la sala de emergencia dos veces.

1. He estado bajo mucho estrés este mes.
2. El doctor me ha dicho que necesito una operación.
3. Las enfermeras me han puesto una venda en la pierna.
4. Se me ha roto el brazo en tres partes.
5. Me han recetado (*prescribed*) unos antibióticos muy fuertes.
6. He tenido una reacción alérgica a los antibióticos.

D ***Noticias de la clase.*** Invente oraciones originales para decirles algo a sus compañeros de clase, según las siguientes indicaciones.

MODELO: *You don't think anyone has done the homework.* →
No creo que nadie haya hecho la tarea.

1. You believe that the instructor isn't coming to class tomorrow.
2. You are sure that he or she has been ill.
3. You doubt that he or she has been in the hospital.
4. You don't believe there's a test tomorrow, but you don't doubt there'll be one soon.
5. You are not sure you are prepared for a test.

11.4 Subjunctive with Impersonal Expressions

Es probable que no haya otro baile como éste en mucho tiempo.

Because impersonal expressions in Spanish often convey the speaker's subjective opinion, most of them require the subjunctive in the dependent clause.

Es preciso (Es necesario) que vengas mañana.	*It is necessary that you come tomorrow.*
Es lástima (Es mejor) que no esté aquí.	*It's a pity (It's best) that he isn't (won't be) here.*
Es probable (Es posible) que ella no sepa eso.	*It's probable (It's possible) that she doesn't know that.*

When impersonal expressions express certainty, however, they require the indicative in the dependent clause.

Es verdad (Es cierto, Es obvio, Es seguro, Es evidente) que no tiene dinero.	*It's true (It's true, It's obvious, It's a sure thing, It's evident) that he has no money.*

If expressions of certainty are negative, they may call for the subjunctive since a measure of doubt is then cast on that certainty.

No es verdad que sea tan rico.	*It isn't true that he is so rich.*

When there is no expressed subject in the subordinate clause, impersonal expressions are followed by the infinitive. Compare the following.

Es importante que estudies.	*It is important that you study.*
Es importante estudiar.	*It is important to study.*

Actividades

A ***Una enfermedad grave.*** Complete la narración, decidiendo entre el indicativo y el subjuntivo de los verbos indicados.

Ayer don Guillermo entró en el hospital. Es posible que él no (*saber*) _____[1] qué tiene, pero es evidente que (*estar*) _____[2] muy enfermo. Su familia cree que su enfermedad (*ser*) _____[3] cáncer. Es preciso que el médico (*decirle*) _____[4] a don Guillermo la verdad, porque es probable que (*tener*) _____[5] que operarlo pronto. Es lástima que yo no (*poder*) _____[6] ir a verlo, porque es obvio que él (*necesitar*) _____[7] ahora a sus amigos.

B *Hablando con el dentista.* Hagan y contesten preguntas con un compañero / una compañera a base de las siguientes frases.

> MODELO: ¿importante / yo / visitar al dentista / con frecuencia? →
> COMPAÑERO/A: ¿Es importante que yo visite al dentista con frecuencia?
> UD.: Sí, es importante que Ud. visite al dentista cada seis meses.

1. ¿seguro / el azúcar / producir / caries?
2. ¿mejor / la gente / no comer / dulces?
3. ¿probable / yo / tener / caries?
4. ¿preciso / Ud. / hacerme / dos empastes?
5. ¿cierto / Ud. / querer / sacarme una muela?
6. ¿necesario / Ud. / ponerme / una inyección de anestesia?
7. ¿importante / yo / pagarle / hoy?

11.5 Comparatives and Superlatives

A. With adjectives and adverbs

To make a comparison of equality, use **tan** + *adjective* (*adverb*) + **como.**

Juan es **tan** bajo **como** Tomás.	*Juan is as short as Tomás (is).*
Ella canta **tan** bien **como** él.	*She sings as well as he (does).*

If the comparison is unequal, use **más** (**menos**) + *adjective* (*adverb*) + **que.**

Alberto es **más** (**menos**) saludable **que** su hermano.	*Alberto is healthier (less healthy) than his brother.*
Ella camina **más** rápidamente **que** yo.	*She walks faster than I do.*

Spanish adds the definite article to **más** (**menos**) and drops **que** to form the superlative (in comparing more than two items).

Carlos es **el** (estudiante) **más** guapo **del** grupo.	*Carlos is the best-looking (student) in the group.*
Su casa es **la más** antigua.	*Their house is the oldest.*

Note that after the superlative *in* is expressed by **de** in Spanish.

B. With nouns

To make an equal comparison, use **tanto/a/os/as** + *noun* + **como.**

El doctor Gil pone **tantas** inyecciones **como** su enfermera.	*Doctor Gil gives as many injections as his nurse (does).*

Note that **tanto** agrees in number and gender with the noun it modifies. If two nouns are compared unequally, use **más** (**menos**) + *noun* + **que.**

Ella tiene **más** (**menos**) problemas **que** yo.	*She has more (fewer) problems than I (do).*

C. Irregular forms

The following chart presents several unequal irregular comparisons and their superlative forms.

		Comparative		Superlative	
bueno/a	*good*	mejor	*better*	el/la mejor	*the best*
malo/a	*bad*	peor	*worse*	el/la peor	*the worst*
grande	*large*	{más (menos) grande	*larger (smaller)*	{el/la más (menos) grande	*the largest (the smallest)*
		mayor	*older*	el/la mayor	*the oldest*
pequeño/a	*small*	{más (menos) pequeño/a	*smaller (larger)*	{el/la más (menos) pequeño/a	*the smallest (the largest)*
		menor	*younger*	el/la menor	*the youngest*

Es el **peor** hospital de la ciudad.	*It is the worst hospital in the city.*
Elisa es mi hermana **mayor** y	*Elisa is my older sister and Tomás*
Tomás mi hermano **menor.**	*my younger brother.*

Más (**Menos**) **grande** and **más** (**menos**) **pequeño** refer to difference in size; **mayor** and **menor** refer to age or special status.

Usually **mejor** and **peor** precede the nouns they modify, while **mayor** and **menor** follow them.

Actividades

A *La familia Aguilar.* Diga con oraciones completas quién es (quiénes son)...

1. el/la más bajo/a de la familia
2. más grande que Marisa
3. tan alto/a como don Guillermo
4. menor que Alberto
5. el/la mayor de la familia
6. más fuerte que Pablito
7. el/la más pequeño/a de la familia
8. el/la más fuerte de la familia
9. tan bajo/a como la madre
10. el/la menor de la familia

Don Guillermo	Doña Dora	Alberto	Pablito	Marisa
Padre	Madre	20 años	13 años	8 años
46 años	40 años			

B *Dos amigas con gripe.* Exprese en español.

1. Mi amiga y yo tenemos gripe, pero yo estoy (*worse than her*) _____.
2. Tengo (*the best doctor in the city*) _____ y he tomado (*as many medicines as*) _____ mi amiga, pero me siento muy mal.
3. A ella le duele la cabeza, pero no le duele (*more than*) _____ la garganta.
4. Es obvio que mi amiga va a curarse (*faster than*) _____ yo aunque voy a tomar (*more medicines than*) _____ ella.

C *Entrevista.* ¿Quién tiene más? Pregúntele a un compañero / una compañera sobre las siguientes cosas y compare las respuestas de él/ella con lo que Ud. tiene.

MODELO: clases este semestre →
           UD.: ¿Cuántas clases tienes este semestre?
   SU COMPAÑERO: Tengo cinco. ¿Y tú?
           UD.: Tú tienes más clases que yo. Yo sólo tengo cuatro.

1. clases este semestre
2. dinero en la cartera / el bolso
3. hermanos/as
4. gatos/perros
5. exámenes finales
6. discos compactos
7. compañeros de casa

Para resumir y repasar

A *En casa con la gripe.* Ud. está guardando cama con la gripe. Afortunadamente, su compañero/a de cuarto está cuidándolo/la. Conteste las preguntas de su compañero/a usando el subjuntivo y los dos complementos.

MODELO: SU COMPAÑERO/A: ¿Te traigo la medicina?
           UD.: Sí, es necesario que me la traigas.

VOCABULARIO ÚTIL

Es importante que...	Te pido que...
Es necesario que...	Quiero que...

1. ¿Te preparo la sopa ahora?
2. ¿Te busco el termómetro?
3. ¿Te compro la medicina?
4. ¿Te traigo el periódico?
5. ¿Te doy las aspirinas?
6. ¿Te pongo el televisor en tu cuarto?

B *Situaciones.* Complete cada oración con la forma apropiada de los verbos indicados, usando el subjuntivo o el indicativo según el caso. Añada (*Add*) sus propios detalles.

MODELO: El instructor del semestre pasado *daba* muchos exámenes, y estoy seguro de que... →
    ¡ ...y estoy seguro de que esta instructora también da muchos!

EN LA CLASE DE ESPAÑOL

1. No *sé* la respuesta y dudo que Uds....

2. Roberto *va* al laboratorio de idiomas todos los días y recomienda que nosotros...

3. El último examen *fue* fácil, pero no creo que el examen final...

4. La instructora *está* con la gripe hoy, y es posible que mañana...

EN LA CLÍNICA

5. El doctor te va a *hacer* muchas preguntas. Es importante que tú...

6. Todos los pacientes *están* en sus cuartos. Es posible que Enrique...

7. El doctor me dijo que mi enfermedad no *es* grave. Estoy seguro de que tu enfermedad...

8. La doctora le *dio* un calmante a ese paciente. Espero que a mí me...

9. Ya *fui* al laboratorio para hacerme un análisis; ahora es necesario que tú...

C *En la sala de emergencias.* Complete el párrafo sobre lo que le pasó a Carlitos con la forma correcta de los verbos entre paréntesis. Use el pretérito o el imperfecto.

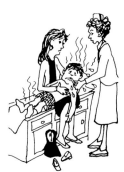

¡Pobre Carlitos! Ayer él y su mamá (*tener*) _____¹ un día horrible. Carlitos (*despertarse*) _____² temprano, a las 6:00 de la mañana. Le dijo a su mamá que (*sentirse*) _____³ muy mal y que (*dolerle*) _____⁴ la cabeza. Entonces la mamá de Carlitos le (*poner*) _____⁵ el termómetro. Efectivamente, Carlitos (*tener*) _____⁶ una fiebre muy alta. Entonces, ella (*llamar*) _____⁷ a la clínica y habló con una de las enfermeras. La enfermera le (*decir*) _____⁸ que probablemente lo que Carlitos (*tener*) _____⁹ era la gripe. Pero la mamá (*estar*) _____¹⁰ muy preocupada, y por eso, ella (*decidir*) _____¹¹ llevar a su hijo a la clínica para ver al doctor. En el carro, Carlos (*llorar*) _____,¹² (*gritar*) _____¹³ e insistió en que no (*querer*) _____¹⁴ ir a la clínica. Cuando por fin (*ellos: llegar*) _____,¹⁵ ¡la mamá de Carlitos también tenía dolor de cabeza!

PARA VER DE VERAS ▲▼▲▼▲▼▲▼▲▼▲

Vuelva a mirar la foto de la página 274 para contestar las siguientes preguntas.

1. ¿Quiénes son las personas que se ven en esta foto? ¿Dónde están? **2.** ¿Es muy amable la doctora? ¿Es importante esto? ¿Por qué (no)? **3.** ¿Por qué está la niña en la consulta? ¿Qué tiene? ¿Qué instrucciones especiales le debe dar la doctora? ¿guardar cama, tomar muchos líquidos, tomar pastillas,... ? **4.** Cuando Ud. hace una visita a la consulta médica, ¿qué actitud tiene su doctor(a)? ¿Es paciente? ¿amable? ¿Explica bien todas sus indicaciones? Compárelo/la con otro doctor / otra doctora que Ud. conoce.

COMUNICACIÓN

De la vida real

No hay profesional brillante sin memoria de elefante

^aestrés... *work-related stress*
^baportar... *to bring to the*
^c*brain*
^d*improve*
^e*performance*
^f*effectiveness*
^g*experienced*
^h*to develop the potential of*

REVOL® CÁPSULAS

El estrés laboral[a] conduce a la fatiga intelectual, falta de concentración y pérdida de memoria.
Es entonces necesario aportar[b] al cerebro[c] ciertos nutrientes tales como fósforo, algunos aminoácidos, ácidos grasos esenciales y determinadas vitaminas. REVOL CÁPSULAS para la Memoria aporta estos nutrientes (Lecitina, Taurina y Vitaminas A, E, B 9 y B 12), que mejoran[d] la memoria, la concentración y el rendimiento[e] intelectual.
La eficacia[f] de REVOL CÁPSULAS para la Memoria ha sido probada científicamente por el INRPVC* de Francia: el 93% de las personas que tomaron REVOL CÁPSULAS para la Memoria experimentaron[g] una clara mejoría en su memoria, agilidad mental y razonamiento lógico.
REVOL CÁPSULAS para la Memoria es una ayuda excelente para personas que necesiten potenciar[h] la memoria, la concentración y el rendimiento intelectual.

REVOL CÁPSULAS PARA LA MEMORIA: ALGO PARA RECORDAR.

*INRPVC: Instituto Nacional de Investigación para la Prevención del Envejecimiento Cerebral de Francia.

✠ DE VENTA EN FARMACIAS.

Para la Memoria

SANDOZ NUTRITION
Garantía y Salud

A **¿Entiende Ud. bien?** Conteste las preguntas según lo que leyó en el anuncio.

1. ¿Para qué son REVOL CÁPSULAS, para el cuerpo o para el cerebro?
2. Según el anuncio, ¿qué problemas son causados por el estrés laboral?
3. ¿Qué nutrientes aportan REVOL CÁPSULAS al cerebro?
4. Según el anuncio, ¿qué efecto tienen REVOL CÁPSULAS? ¿Qué mejoran?
5. Si alguien sufre de falta de concentración y de fatiga intelectual, ¿por qué debe tomar estas cápsulas?

▲ 291

B *Entrevista.* Los problemas del estrés, la memoria y la salud física y mental son muy comunes entre los estudiantes universitarios. Comente este tema con un compañero / una compañera, haciendo y contestando las siguientes preguntas.

1. ¿Cuáles son las causas del estrés en tu vida?
2. ¿A veces sufres de falta de concentración? ¿Qué haces en esa situación?
3. ¿Tomas vitaminas? ¿Cómo crees que las vitaminas afectan o ayudan el cuerpo?
4. ¿Crees que las vitaminas también pueden tener efecto en los procesos mentales?
5. ¿Tienes buena o mala memoria? ¿Qué puedes hacer para mejorar tu memoria?
6. ¿Por qué es importante que los estudiantes tengan buena memoria y poder (*power*) de concentración?
7. ¿Crees que un producto como REVOL CÁPSULAS será (*will be*) o no será bueno para ti? ¿Por qué?

Videotemas

Mire el episodio del vídeo de esta lección y después haga las actividades que siguen.

A *Comprensión.* Conteste las siguientes preguntas sobre el episodio del vídeo.

1. ¿Por qué sabe la doctora que Marta tiene un resfriado? Le da dos recetas, una para unas pastillas y otra para un jarabe (*cough syrup*). ¿Para qué sirven?
2. Además de tomar medicinas, ¿qué otras cosas debe hacer Marta?
3. ¿Cómo se siente estos días la madre de Marta? ¿Para qué le hace la doctora un análisis?
4. Los padres de Marta van caminando por la calle cuando la madre decide entrar en una tienda. ¿Qué tipo de tienda es? ¿Por qué entra la madre allí? ¿De qué se da cuenta por fin el padre?

B *En parejas.* Comente lo siguiente con un compañero / una compañera.

1. ¿Se siente Ud. bien? Si no, ¿qué síntomas tiene?
2. ¿Qué hace Ud. cuando está enfermo/a? ¿Qué no hace?
3. ¿Le dan miedo algunas enfermedades? ¿Cuáles? ¿Por qué?

VOCABULARIO ACTIVO

Adjetivos

quieto/a	still
ronco/a	hoarse
serio/a	serious
valiente	courageous

Comparativos y superlativos

el (la, los, las) más _____	the most _____
más (menos) _____ **que**	more (less) _____ than
tan _____ **como**	as _____ as
tanto/a/os/as _____ **como**	as much (many) _____ as

Sustantivos

La sala de emergencias

el brazo roto	broken arm
los calambres	cramps
el catarro	cold
la dificultad para respirar	difficulty in breathing
el dolor de estómago	stomachache
el dolor de garganta	sore throat
la enfermedad	illness
los escalofríos	chills
la fiebre	fever
la gripe	flu
la herida	wound
la presión arterial alta (baja)	high (low) blood pressure
la quemadura	burn
la sangre	blood
la tos	cough

Las personas

el/la doctor(a)	doctor
el/la enfermero/a	nurse
el/la herido/a	wounded person
el/la médico/a	medical doctor

La farmacia

el calmante	tranquilizer
la curita	Band-Aid
las gotas (para la nariz, para los ojos)	(nose, eye) drops
la pastilla	tablet, pill
la pomada	ointment
la receta	prescription
el remedio	remedy
la salud	health
el ungüento	ointment
la venda	bandage

La consulta del dentista

la caries	cavity
el/la dentista	dentist
el empaste	filling
la muela	molar (tooth)

Tratamientos médicos y dentales

curar	to cure
dar(le) oxígeno	to give (one) oxygen
empastar	to fill in (a tooth)
poner(le) el termómetro	to take (one's) temperature
poner(le) una inyección	to give (one) a shot
sacar(le) una muela	to extract a tooth (from one)
sacar(le) una radiografía	to take an X-ray (of one)
tomar(le) la presión	to take (one's) blood pressure

Verbos

cuidarse	to take care of oneself
doler (ue)	to hurt, ache
dudar	to doubt
evitar	to avoid; to prevent
llorar	to cry
mejorar	to improve, get better
negar (ie)(gu)	to deny
patalear	to kick, stamp
preocuparse (de)	to worry (about)

Expresiones impersonales

es cierto	it's true
es evidente	it's evident
es importante	it's important
es (una) lástima	it's a pity
es mejor	it's better
es necesario	it's necessary
es obvio	it's obvious
es posible	it's possible
es preciso	it's necessary
es probable	it's probable
es seguro	it's certain, a sure thing

Otras palabras y expresiones

dar(le) un ataque al corazón	to have a heart attack
el dolor no se me quita	the pain won't go away
estar bajo mucha presión / mucho estrés	to be under a lot of pressure/stress
estar seguro/a de	to be sure of
tener dificultad para respirar	to have difficulty in breathing
tratar de + *infinitive*	to try to (do something)

LITERATURA

Miguel de Cervantes Saavedra (1547–1616) es el escritor más famoso de España. Su gran obra, *El ingenioso hidalgo Don Quijote de la Mancha,* inició la novela moderna. Los dos personajes principales de esta novela son especialmente queridos, porque representan, según muchos, dos aspectos fundamentales —y contradictorios— del carácter nacional español.

El protagonista, Don Quijote, pierde el juicio[1] por leer demasiados libros de caballerías.[2] Decide convertirse en caballero andante[3] para defender a los débiles. Esto corresponde al aspecto del carácter nacional español idealista, soñador[4] y romántico. Su locura provoca numerosas aventuras cómicas, incluso la famosa batalla contra los molinos de viento.[5] Mientras Don Quijote es idealista y espiritual, su escudero,[6] Sancho Panza, sólo atiende a la realidad material. Esto representa otro aspecto del carácter nacional español.

Don Quijote y Sancho Panza en la Plaza de España, Madrid.

Las contradicciones entre las percepciones de los dos hombres producen un efecto muy cómico. Pero, detrás de lo cómico, se percibe un mensaje profundo sobre la tragedia de la humanidad. Al terminar la novela, hay cierta resolución del conflicto: Sancho Panza adquiere algo del idealismo de su amo, y Don Quijote es más realista. Ahora son hombres más equilibrados,[7] pero también más tristes.

[1]pierde... *goes crazy*　　[2]*chivalry*　　[3]caballero... *knight-errant*　　[4]*dreamer*　　[5]molinos... *windmills*　　[6]*squire*　　[7]*balanced*

ARTE

El pintor llamado «El Greco»[8] (Doménikos Theotokópoulos, 1541–1614) es conocido por sus cuadros religiosos, retratos y paisajes.[9] Nació en la isla griega de Creta, estudió el arte del renacimiento italiano en Venecia y luego se estableció en Toledo, España. Unos años antes, el rey tuvo su residencia allí, pero el Toledo donde vivió El Greco había perdido su grandeza. Cuando se trasladó la corte real,[10] muchos de los nobles castellanos de Toledo quedaron empobrecidos[11] y se vieron obligados[12] a mantenerse en órdenes religiosos.

Entre los retratos de El Greco se encuentran los rostros ascéticos[13] de aquellos nobles empobrecidos. De acuerdo con la espiritualidad de su propio temperamento, en sus cuadros de tema religioso el pintor usa su arte para expresar el misticismo religioso: líneas que sugieren llamas,[14] figuras alargadas y distorsionadas,

[8]El... *The Greek*　　[9]retratos... *portraits and landscapes*　　[10]se... *the royal court moved elsewhere*　　[11]quedaron... *lost their fortunes*　　[12]se... *found themselves obliged*　　[13]rostros... *austere faces*　　[14]*flames*

*See additional information about Spain after **Lecciones 2** and **8**.

El entierro del Conde de Orgaz, obra de El Greco

colores vibrantes que contrastan con colores sombríos.[15] En su obra maestra, *El entierro del Conde de Orgaz*,[16] se aprecian todas estas cualidades. En la parte inferior del cuadro se ven los nobles que asisten al entierro del Conde; en la parte superior, los ángeles y Jesucristo están listos para recibir su alma[17] en el cielo. La obra de El Greco se considera una expresión del aspecto místico y ascético del carácter nacional español.

[15]*somber*   [16]*El... The Burial of the Count of Orgaz*   [17]*soul*

POESÍA

La vida de Rosalía de Castro (1837–1885) fue extremadamente difícil. Su poesía, escrita tanto en gallego[18] —su lengua nativa— como en castellano,[19] recibió poca atención durante su vida. Ahora, sin embargo,[20] se considera entre los poetas más importantes de todo el siglo XIX. El siguiente poema, que no tiene título, es de *En las orillas del Sar*, uno de sus tres libros de poesía.

—Te amo[21]... ¿por qué me odias[22]?
—Te odio... ¿por qué me amas?
Secreto es éste más triste
y misterioso del alma.

Mas[23] ello es verdad... ¡Verdad
dura y atormentadora[24]!
—Me odias, porque te amo;
Te amo, porque me odias.

[18]*language of Galicia, in northwestern Spain*
[19]*Castilian ("standard") Spanish*   [20]*sin... however*
[21]*I love*   [22]*do you hate*   [23]*Pero*   [24]*tormenting*

Rosalía de Castro

12

DE VIAJE POR ESPAÑA

M E T A S

Comunicación: In this lesson you will learn vocabulary and expressions related to travel: packing a bag, staying in a hotel, participating in a variety of activities, and visiting different points of interest. You will talk about going to the beach, an amusement park, or just strolling down the street. You will learn about one of Barcelona's attractions, las Ramblas.

Estructuras:
12.1 Future and Conditional Tenses of Regular Verbs
12.2 Future and Conditional Tenses of Irregular Verbs
12.3 Affirmatives and Negatives
12.4 Uses of **pero, sino,** and **sino que**

 Este episodio del vídeo tiene lugar (*takes place*) en Sevilla, España. Allí encontramos a Manolo y a Lola, quienes celebran con su familia la primera comunión de su hija Marta. Ésta es una ocasión importante para muchas familias hispánicas. En este caso, la familia va al Parque de María Luisa, un parque muy grande y bonito en la ciudad de Sevilla. ¿Hay parques grandes y bonitos en la ciudad / el pueblo donde vive Ud.? ¿Qué atracciones tienen esos parques? ¿Se reúne Ud. a veces con su familia o sus amigos en el parque? ¿En qué ocasiones?

 Visit the *Motivos de conversación* web site at www.spanish.mhhe.com.

GRÁFICOS

Haciendo la maleta

In the CD-ROM to accompany *Motivos de conversación* you will find additional practice with vocabulary, grammar, listening, and speaking.

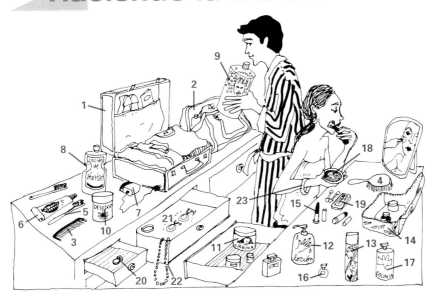

Para el viaje

1. la maleta
2. el maletín

Para la higiene personal

3. el peine
4. el cepillo para el pelo
5. el cepillo de dientes
6. la pasta de dientes
7. la afeitadora eléctrica   *electric razor*
   la maquinilla de afeitar   *razor*
8. la loción de afeitar   *aftershave lotion*
9. el champú   *shampoo*
10. el desodorante

Los cosméticos

11. la crema
12. la loción
13. la laca   *hair spray*
14. el estuche de maquillaje   *makeup kit*
15. la barra de labios / el lápiz labial / el creyón de labios
16. el perfume
17. el agua de colonia (la colonia)
18. el colorete   *rouge*
19. la sombra para los ojos   *eyeshadow*

Las joyas

20. el anillo (de brillantes)   *(diamond) ring*
21. los pendientes / los aretes (de plata)   *(silver) earrings*
22. el collar (de perlas)
23. la pulsera (de oro)   *(gold) bracelet*

Actividades

A Personas interesantes. Comente sobre cada uno de estos individuos. ¿Qué cosas necesitan usar? ¿Qué deben hacer? ¿Qué no pueden hacer o usar?

Raúl   Daniel   Ana   Paco   Victoria

B *Definiciones.* Escoja Ud. cinco de las palabras de la lista de **Gráficos.** Describa o defina estas cosas a un compañero / una compañera, sin decir el nombre de ellas. ¿Puede su compañero/a identificar el objeto que Ud. describe?

MODELO: UD.: Necesito esta cosa para lavarme el pelo. (Esta cosa sirve para... , Uso esto para...)

SU COMPAÑERO/A: ¿El champú?

UD.: Sí, eso es.

C *Asociaciones.* ¿Con qué partes del cuerpo asocia Ud. las siguientes cosas?

1. la crema
2. el peine
3. el anillo
4. la pulsera

5. el desodorante
6. «Giorgio»
7. la barra de labios
8. la pasta

9. la laca
10. la afeitadora eléctrica
11. los aretes

En Barcelona

1. las escaleras
2. el botones
3. la llave
4. el/la empleado/a
5. el ascensor / el elevador
6. la palmera
7. la sombrilla

8. la arena
9. la playa
10. el parque de atracciones
11. el tiovivo
12. la montaña rusa
13. el columpio

Palabras afirmativas

algo	*something*
algún / alguna	*some, any*
siempre	*always*
también	*too, also*

Palabras negativas

nada	*nothing*
ni... ni	*neither . . . nor*
ningún / ninguna	*no, none, not any*
nunca	*never*
tampoco	*neither, not either*

REGULAR FUTURES

▲▽▲▽▲▽▲▽▲▽▲▽▲▽▲▽▲▽▲▽▲▽▲▽

| **-ar:** | llevaré | *I will take* |
| | llevarás | *you will take* |

| | encontraré | *I will find* |
| | encontrarás | *you will find* |

| | estaremos | *we will be* |
| | estarán | *you/they will be* |

| **-er:** | comeremos | *we will eat* |
| | comerán | *you/they will eat* |

| **-ir:** | iré | *I will go* |
| | irás | *you will go* |

▲▽▲▽▲▽▲▽▲▽▲▽▲▽▲▽▲▽▲▽▲▽▲▽

IRREGULAR FUTURES

▲▽▲▽▲▽▲▽▲▽▲▽▲▽▲▽▲▽▲▽▲▽▲▽

poder		
podré	*I will be able*
podrás	*you will be able*

hacer		
haremos	*we will make*
harán	*you/they will make*

querer		
querremos	*we will want*
querrán	*you/they will want*

▲▽▲▽▲▽▲▽▲▽▲▽▲▽▲▽▲▽▲▽▲▽▲▽

EMPLEADO: Aquí tienen la llave. El botones les llevará las maletas. Su habitación está en el primer piso.° Encontrarán los ascensores a la derecha y las escaleras a la izquierda. ¿Algo más?

SR. REAL: No, gracias, no hay nada más...

SRA. REAL: Espere... Si Ud. puede aconsejarnos. Mañana nuestras dos hijas estarán en la playa, en Sitges,° y nosotros haremos una visita a las Ramblas° y al Barrio Gótico.° Pero nuestro hijo, Carlitos, no querrá ir ni con sus hermanas ni tampoco con nosotros.

EMPLEADO: ¡Ah! Entiendo. ¿Le gustan los parques de atracciones? ... Mi hijo Enrique irá mañana con algunos amigos a Tibidabo,° y ¡su hijo podrá acompañarlos!

CARLITOS: ¡Menos mal!°

DON ALBERTO: ¡Estupenda idea!

primer... second floor (U.S.)

resort city south of Barcelona

las... popular blvd. / Barrio... old part of Barcelona

amusement park in Barcelona

¡Menos... Great!

Actividades

A ***¿Tiene Ud. buena memoria?*** Complete las oraciones del empleado del hotel con las palabras apropiadas.

Señores, aquí tienen la _____.[1] El _____[2] les llevará las maletas. El _____[3] está a la derecha, y las _____[4] a la izquierda. Si su hijo quiere acompañarlo, mañana mi hijo Enrique irá a Tibidabo, un _____.[5] Allí tienen de todo: un tiovivo, muchos _____,[6] y una de las _____[7] más altas de Europa. Y si sus hijas quieren ir a la playa, aquí alquilamos _____.[8]

B ***¿Quién lo hará*** *(will do)****?*** Indique qué hará cada personaje del diálogo.

1. El botones...
2. Ileana y Alicia...
3. Los padres...
4. Enrique, el hijo del empleado...
5. Carlitos...

a. no querrá ir con sus padres ni con sus hermanas.
b. estarán en la playa.
c. irá con algunos amigos a Tibidabo.
d. harán una visita a las Ramblas.
e. llevará las maletas a la habitación.
f. darán un paseo por el Barrio Gótico.
g. podrá acompañar a Enrique y sus amigos.

En la playa

1. el bañador / el traje de baño
2. el bikini
3. la bolsa de playa
4. la loción bronceadora
5. las gafas de sol
6. el salvavidas
7. la piscina

Otras palabras

broncearse	*to (get a) tan*
coger, (j)	*to get (something)*
de ninguna manera	*absolutely not; no way*
pálido/a	*pale*
quedarse	*to stay*
sino	*but (rather)*

REGULAR CONDITIONALS

▲▽▲▽▲▽▲▽▲▽▲▽▲▽▲▽▲▽▲▽▲▽▲▽▲▽

-ar: me gustaría	*I would like*
te gustaría	*you would like*

me encantaría	*I would love*
nos encantaría	*we would love*

-er: debería	*I should*
deberíamos	*we should*

creeríamos	*we would believe*
creerían	*you/they would believe*

sería	*it would be*
serían	*you/they would be*

▲▽▲▽▲▽▲▽▲▽▲▽▲▽▲▽▲▽▲▽▲▽▲▽

IRREGULAR CONDITIONALS

▲▽▲▽▲▽▲▽▲▽▲▽▲▽▲▽▲▽▲▽▲▽▲▽▲▽

querer

querrías	*you would want*
querrían	*you/they would want*

decir

dirías	*you would say*
dirían	*you/they would say*

poder

podría	*I could*
podríamos	*we could*

▲▽▲▽▲▽▲▽▲▽▲▽▲▽▲▽▲▽▲▽▲▽

ALICIA: ¡Qué sol! Deberíamos alquilar una sombrilla.

ILEANA: ¡De ninguna manera! Compré un bikini para broncearme bien. ¿Querrías regresar pálida de tus vacaciones? ¿Qué dirían nuestros amigos? No creerían que estuvimos en Sitges, sino de vacaciones en Alaska.

ALICIA: Tienes razón. Préstame tu loción bronceadora.

ILEANA: Cógela tú misma.° Está en la bolsa de playa... ¿Qué te gustaría hacer esta noche?　　　　*tú... yourself*

ALICIA: Me encantaría quedarme aquí toda la tarde y después ir a comer en La Lonja.

ILEANA: Humm... ¡Eso sería estupendo! Tienen los mejores mariscos de toda Barcelona. Pero ¿no sería muy caro?

ALICIA: No sé. Podríamos preguntárselo a papá, más tarde.

ILEANA: De acuerdo. Y después de cenar, ¡podríamos ir a bailar!

Actividades

A *¿Cierto o falso?* Diga si estas oraciones son ciertas o falsas. Si son falsas, corríjalas.

1. Alicia quiere alquilar una sombrilla.
2. A Ileana le gusta estar pálida.
3. A Ileana le preocupa qué dirían sus padres.
4. La loción bronceadora de Ileana está en el hotel.
5. A Alicia le encantaría comer en el hotel esta noche.
6. A Ileana no le gustan los mariscos.

B *Artículos de playa.* ¿Para qué sirven estas cosas? Invente oraciones completas.

MODELO: la toalla →
La toalla sirve para secarse.

1. una bolsa de playa
2. la loción bronceadora
3. un traje de baño
4. las gafas de sol
5. un salvavidas
6. una sombrilla
7. un bikini

MOTIVO CULTURAL

Ésta es una foto de las Ramblas de Barcelona. Aquí hay cafés al aire libre, tiendas y también muchos puestos (*stands*) en donde se venden flores, pájaros (*birds*), revistas (*magazines*) y toda clase de mercancía. Las Ramblas es uno de los lugares más populares para el paseo, una vieja costumbre que se conserva en toda España. Por la tarde, cuando la gente sale de su trabajo, no se va a casa directamente, sino que se queda unas horas en la calle caminando, haciendo algunas compras, hablando con los amigos o tomando algo en un café.

Gente, flores y más gente en las famosas Ramblas de Barcelona, España

C *Sus actividades.* Invente oraciones explicando qué haría Ud. en los siguientes lugares. Después, comente esas acciones con un compañero / una compañera. Mencione dos o tres cosas que haría, usando los verbos incluidos y el condicional.

MODELO: en la playa →

UD.: Pues, en la playa, yo tomaría el sol...

SU COMPAÑERO/A: ¡Yo no! Yo alquilaría una sombrilla.

1. en la playa: alquilar, llevar, tomar el sol, broncearse, nadar (*to swim*)
2. en su restaurante favorito: invitar, pedir, comer, conversar, pagar
3. en Barcelona: visitar, ver, quedarse (*to stay*), comprar, pasear (por) (*to stroll [around]*)

SITUACIONES

Expresiones de acuerdo y desacuerdo

Bien. (Está bien.)	*Fine. (That's fine.)*
De acuerdo.	*OK.*
Vale. (**Spain**)	*OK.*
Regio. (**South America**)	*Fine. Great.*
Entonces, quedamos en...	*So, we agree(d) to . . .*
De ninguna manera.	
Ni loco/a.	*Absolutely not. / No way. /*
Ni mucho menos.	*Not at all.*
Ni se te ocurra.	*Don't even think about it.*

Actividad

¿Qué dice Ud.? Exprese su reacción a las siguientes situaciones, usando las expresiones del cuadro de **Situaciones** y/u otras expresiones.

MODELO: Una amiga le pide a Ud. que le preste su carro. →
Está bien, pero te pido que tengas mucho cuidado.
(¿Quieres que te preste mi carro? Ni loco.)

1. Una amiga quiere llevar su pulsera de brillantes a una fiesta.
2. Un amigo quiere saber a qué hora Uds. iban a encontrarse esta noche.
3. Un amigo lo/la invita a salir la noche antes de su examen de química orgánica.
4. Su hermanito menor quiere que Ud. lo acompañe al parque de atracciones.
5. Su compañero/a de cuarto necesita que Ud. lo/la ayude a estudiar para un examen de español.
6. Ud. le prestó dinero a un amigo la semana pasada. Él iba a pagarle hoy, pero le pide a Ud. más dinero.

GRAMÁTICA ESENCIAL

12.1 Future and Conditional Tenses of Regular Verbs

In the CD-ROM to accompany *Motivos de conversación* you will find additional practice with vocabulary, grammar, listening, and speaking.

A. The Future

Encontrarán los ascensores a la derecha y las escaleras a la izquierda...

All regular verbs in Spanish form the future and the conditional by adding the endings shown below to the complete infinitive.

		entrar	volver	abrir
-é	-emos	entraré	volveré	abriré
		entrarás	volverás	abrirás
-ás	-éis	entrará	volverá	abrirá
-á	-án	entraremos	volveremos	abriremos
		entraréis	volveréis	abriréis
		entrarán	volverán	abrirán

The future is the tense expressed with the auxiliaries *will* and *shall* in English.

Abriré la tienda mañana.	*I shall open the store tomorrow.*
Volveremos pronto.	*We will return soon.*

NOTE: In conversational Spanish the present tense is often used to refer to the immediate future, especially when an adverb of time (**mañana, esta tarde,** and so on) makes future meaning clear.

Te veo mañana.	*I'll see you tomorrow.*

The future tense is also used in Spanish to express probability or conjecture. This usage has no exact equivalent in English and is often translated as *I wonder, can, must,* and *probably.*

¿De quién será esta bolsa de playa?	*I wonder whose beach bag this is.*
No encuentro mi cámara; ¿dónde estará?	*I can't find my camera; where can it be?*

▲ 303

B. The Conditional

—Me encantaría quedarme aquí toda la tarde y después ir a comer en La Lonja.

—¡Sería estupendo!

The conditional expresses English *would + verb.**

		dejar	beber	preferir
-ía	-íamos	dejaría dejarías dejaría	bebería beberías bebería	preferiría preferirías preferiría
-ías	-íais			
-ía	-ían	dejaríamos dejaríais dejarían	beberíamos beberíais beberían	preferiríamos preferiríais preferirían

Yo no entraría en el mar sin salvavidas porque no sé nadar.	*I wouldn't go in the ocean without a life preserver because I can't swim.*
No sé qué perfume comprar. ¿Cuál comprarías tú?	*I don't know which perfume to buy. Which one would you buy?*

In reported speech, the present tense calls for the future and the past tense calls for the conditional.

Dice que **irá,** pero no lo creo.	*He says he will go but I don't believe him.*
Dijo que **iría,** pero no fue.	*He said he would go but he didn't.*

MEMOPRÁCTICA ▼▲▼▲▼▲▼

Learning future and conditional endings in Spanish will be easier if you relate them to the following forms.

FUTURE: These endings are similar to the present tense conjugations for the helping verb **haber:** -(h)e (comer**é**), -(h)as (hablar**ás**), -(h)a (vivir**á**), -(h)emos (ir**emos**), -(hab)éis (saldr**éis**), -(h)an (cantar**án**).

CONDITIONAL: These endings are exactly the same as the imperfect endings of regular **-er** and **-ir** verbs, but they are attached to the complete infinitive.

	IMPERFECT	CONDITIONAL
comer	**comía**	**comería**
escribir	**escribía**	**escribiría**

---

*Remember that when *would* means *used to,* the imperfect tense, not the conditional, is used.

| En esa época pescábamos en el lago todos los domingos. | *At that time we would fish (used to fish) at the lake every Sunday.* |

Actividades

A *Los planes para mañana.* Explique los planes de cada miembro de la familia Real, según los dibujos y los verbos indicados. Use el futuro.

MODELO: Mañana las chicas irán a la playa. Allí se broncearán...

ILEANA Y ALICIA

CARLITOS

LOS SRES. REAL

broncearse, llevar, descansar, conversar

ir a, subir, comer, ver

hacer, pasear, comprar, tomar

B *Entrevista.* Hágale preguntas a un compañero / una compañera sobre cosas futuras.

MODELO: qué cenará esta noche →
¿Qué cenarás esta noche?

SU COMPAÑERO/A: Hummm... no sé. Probablemente cenaré espaguetis. ¿Y tú?

UD.: Cenaré arroz con pollo en mi restaurante favorito.

1. qué cenará esta noche
2. cuándo celebrará su cumpleaños
3. si dará una fiesta pronto
4. a quiénes verá el fin de semana
5. cuánto dinero necesitará el próximo mes
6. qué nota sacará en el examen final de español
7. a dónde irá este verano
8. si tomará otra clase de español el próximo semestre

C *Las probabilidades. Based on the following statements, make logical guesses about the possible causes or reasons for each situation, using the future of conjecture.*

MODELO: El padre de Ileana y Alicia no quiere comer en La Lonja. →
Será un restaurante muy caro. (*It's probably a very expensive restaurant.*)
No le gustarán los mariscos. (*Maybe he doesn't like seafood.*)

1. A la familia le encanta el hotel.
2. En Barcelona, los padres prefieren pasear por el Barrio Gótico.
3. Carlitos no quiere ir con sus padres al Museo Picasso.
4. Mientras pasean por las Ramblas, don Alberto compra unas flores para su esposa.

5. Ileana está muy bronceada.

6. Alicia no quiere que su hermano menor vaya con ellas a la playa.

7. Esta noche, después de cenar, las dos chicas quieren salir.

D *Los planes de la familia Real.* *Answer the questions, expressing what different people said about what other people would do. Use the conditional of the indicated verbs.*

MODELO: ¿*Llevará* el Sr. Real las maletas a la habitación? →
No, el empleado dijo que el botones *llevaría* las maletas a la habitación.

1. ¿*Irá* Carlos con sus papás a pasear por las Ramblas?

2. ¿*Acompañarán* las hijas a sus padres?

3. ¿*Visitará* Carlitos Tibidabo hoy?

4. ¿*Irá* Carlitos al parque de atracciones con sus padres?

5. ¿*Alquilará* Alicia una sombrilla?

6. ¿*Volverán* las hermanas bronceadas de sus vacaciones?

7. ¿*Comerá* la familia en el hotel esta noche?

E *No estoy de acuerdo.* Ud. y sus amigos tienen diferentes ideas y opiniones sobre un posible viaje a España este verano. Indique su opinión usando el condicional e inventando detalles originales.

MODELO: Queremos ir a Barcelona este año. →
Yo no iría a Barcelona. Preferiría ir al sur de España.

1. Reservaremos habitaciones en hoteles muy elegantes.

2. Alquilaremos un coche.

3. Pasaremos dos semanas en Madrid.

4. Compraremos muchos regalos para todos nuestros amigos.

5. No visitaremos los museos.

6. Iremos a la playa en Sitges.

7. No comeremos mariscos.

12.2 Future and Conditional Tenses of Irregular Verbs

¿Querrías regresar pálida de tus vacaciones? ¿Qué dirían nuestros amigos?

There are relatively few irregular future and conditional verbs in Spanish. These irregular verbs use the same stem for both future and conditional, and the endings are the same as those for regular future and conditional verbs. It's easier to learn these irregular stem forms if you group them as follows:

1. Verbs whose future or conditional stem is the infinitive, minus the **e** of the ending

hab~~e~~r-, pod~~e~~r-, quer~~e~~r-, sab~~e~~r-

haber: habré, habrás, habrá, habremos, habréis, habrán
habría, habrías, habría, habríamos, habríais, habrían

poder: podré, podrás, podrá, podremos, podréis, podrán
podría, podrías, podría, podríamos, podríais, podrían

querer: querré, querrás, querrá, querremos, querréis, querrán
querría, querrías, querría, querríamos, querríais, querrían

saber: sabré, sabrás, sabrá, sabremos, sabréis, sabrán
sabría, sabrías, sabría, sabríamos, sabríais, sabrían

2. Verbs that substitute a **d** for the **e** or the **i** of the infinitive ending

poner → pon*d*r-, **salir** → sal*d*r-, **tener** → ten*d*r-, **venir** → ven*d*r-

poner: pondré, pondrás, pondrá, pondremos, pondréis, pondrán
pondría, pondrías, pondría, pondríamos, pondríais, pondrían

salir: saldré, saldrás, saldrá, saldremos, saldréis, saldrán
saldría, saldrías, saldría, saldríamos, saldríais, saldrían

tener: tendré, tendrás, tendrá, tendremos, tendréis, tendrán
tendría, tendrías, tendría, tendríamos, tendríais, tendrían

venir: vendré, vendrás, vendrá, vendremos, vendréis, vendrán
vendría, vendrías, vendría, vendríamos, vendríais, vendrían

3. Verbs whose stems are unique

decir: diré, dirás, dirá, diremos, diréis, dirán
diría, dirías, diría, diríamos, diríais, dirían

hacer: haré, harás, hará, haremos, haréis, harán
haría, harías, haría, haríamos, haríais, harían

Actividades

A **Una visita a la adivinadora** (*fortune teller*). Ileana y Alicia fueron a ver a una adivinadora para saber su futuro. Complete lo que la adivinadora les dijo con la forma correcta de los verbos entre paréntesis. Use el futuro.

A ILEANA
Pronto (*tú: tener*) _____[1] un nuevo novio. Uds. (*salir*) _____[2] siempre juntos y (*quererse*) _____[3] mucho. Este hombre te (*decir*) _____[4] palabras muy románticas y te comprará flores todos los días. Pero, ¡cuidado con él! (*Haber*) _____[5] un problema con otra mujer. Uds. no (*poder*) _____[6] casarse.

A ALICIA
En el futuro, (*tú: tener*) _____[7] un accidente de coche, pero no (*ser*) _____[8] serio. Pronto (*tú: hacer*) _____[9] un viaje a un país lejano... tal vez a la América del Sur. Veo que (*tú: tener*) _____[10] algunos problemas con tu jefa (*boss*) en tu trabajo, pero (*tú: saber*) _____[11] solucionarlos. Más tarde, (*tú: encontrar*) _____[12] otro trabajo. (*Tú: Poder*) _____[13] ganar muchísimo dinero.

B *Sondeo.* Hágales preguntas a tres compañeros sobre el futuro próximo y lejano (*near and distant future*), e indique sus respuestas en el siguiente esquema.

MODELO: salir este fin de semana (¿con quiénes?) →

	UD.:	¿Saldrás este fin de semana?
	SU COMPAÑERO/A:	Sí, creo que saldré el sábado.
	UD.:	¿Y con quiénes?
	SU COMPAÑERO/A:	Saldré con mi hermano y sus amigos. ¿Saldrás tú?

	Compañero/a 1	Compañero/a 2	Compañero/a 3
salir este fin de semana (¿con quiénes?)			
hacer un viaje este verano (¿adónde?)			
tener un trabajo (¿qué tipo?)			
querer vivir después de graduarse (¿dónde?)			
tener una familia grande (¿cuántos hijos?)			

C *Luis y Jaime no tienen habitación.* Complete con el condicional del verbo indicado. Después de completar el diálogo, léalo en voz alta con un compañero / una compañera.

1. Nuestra prima dijo que nos (*reservar*) una habitación en un hotel de Barcelona.
2. (A un señor) —Señor, ¿(*saber*) Ud. dónde hay un buen hotel?
3. (Al empleado del hotel) —No reservamos habitación aquí, pero ¿(*tener*) Ud. una habitación para nosotros?
4. —¿(*Querer*) Uds. una habitación con una cama matrimonial? Todas las habitaciones de dos camas están ocupadas.
5. —¿No (*poner*) Ud. una cama adicional en la habitación?
6. —Lo (*hacer*) con gusto, señor, pero en esa habitación no (*poder*) poner dos camas. No hay espacio.
7. (Luis a Jaime) —Bueno, en el parque hay buenos bancos. (*Nosotros: Poder*) dormir allí.

12.3 Affirmatives and Negatives

Pero nuestro hijo, Carlitos, no querrá ir
ni con sus hermanas ni tampoco
con nosotros.

	Affirmatives		Negatives	
Pronoun (Used instead of a noun)	algo alguien todo	something someone all	nada nadie	nothing nobody

Adjective
(Used with a noun)
	algún
	   (alguno/a/os/as)
	todo/a/os/as
		some; any
		
		all, every
			ningún
			   (ninguno/a)
				no, not any

Adverb (Used with a verb)	siempre alguna vez también ya	always ever also already	jamás } nunca } tampoco todavía no	never, not ever neither, not either not yet

¿Ha venido alguien?   *Has anyone come?*
No, no ha venido nadie.   *No, no one (nobody) has come.*

The personal **a** is required when **alguien** or **nadie** is a direct object.

¿Viste a alguien aquí?   *Did you see someone here?*
No, no vi a nadie.   *No, I didn't see anybody.*

The adjectives **alguno** and **ninguno** are shortened to **algún** and **ningún** before
a masculine singular noun. The plurals of **ningún** (**ninguno/a**) are rarely used.

¿Tienes algunas monedas?   *Do you have any coins (money)?*
No, no tengo ninguna (moneda).   *No, I don't have any (coins, money).*

All the negatives in the chart above can be placed either before or after the
verb. If they are placed after, **no** must precede the verb. The resulting double
or triple negative, while incorrect in English, is necessary in Spanish.

No lo veo nunca. (*or* Nunca lo veo.)   *I never see him.*
No me dice nunca nada.   *He never tells me anything.*
A mí no me gusta nada   *I don't like winter at all. —I*
   el invierno. —A mí tampoco.   *don't either (Me neither.)*

Actividades

A *Excursiones y visitas.* Cambie las oraciones según los modelos.

MODELO: Nunca he visto el mar. → No he visto nunca el mar.

1. Nunca vamos a la playa.
2. Tampoco hacemos excursiones a las montañas.
3. Jamás subiré a una montaña rusa.
4. Nada es como me gusta.

MODELO: No llueve nunca en esta región. → Nunca llueve en esta región.

5. ¿No me llamó nadie?
6. Ella no me ha visitado nunca.
7. No pasará nada si ella no viene.
8. No me ha llamado jamás.

B *Una entrevista con un viajero / una viajera.* *With a partner, role-play a conversation. First answer all the questions in the negative, then in the affirmative. Then switch roles.*

MODELO: UD.: ¿Siempre lleva un maletín cuando viaja?
        VIAJERO/A.: No, nunca llevo un maletín cuando viajo.
                    (No, no llevo nunca un maletín cuando viajo.)
                    (Sí, siempre llevo un maletín cuando viajo.)

1. ¿Le gustan mucho los perfumes franceses?
2. Cuando va a la playa, ¿lleva todas las cosas en la bolsa?
3. ¿Se peina siempre con un cepillo de pelo?
4. ¿Conoce a alguien que viva en la playa de Sitges?
5. ¿Ya ha terminado de hacer la maleta?

12.4 Uses of *pero, sino,* and *sino que*

No creerían que estuvimos en Sitges,
sino de vacaciones en Alaska.

A statement containing the word *but* usually consists of two parts, which can be represented graphically in this way:

FIRST PART		SECOND PART
He is rich,	*but*	*he doesn't spend much money.*
Él es rico,	pero	no gasta mucho dinero.

If the first part is affirmative, *but* is always expressed with **pero.**

> Gana $400, **pero** gasta $500.   *He earns $400, but he spends $500.*

If the first part is negative, the following applies.

1. *But* = **pero,** if it means *however.*

> Ileana y Alicia nunca viajan con sus   *Ileana and Alicia never travel with*
>   padres, pero esta vez van de   *their parents, but this time they*
>   vacaciones con ellos.   *are going on vacation with them.*

2. *But* = **sino** if the second part is an incomplete sentence—for example, just a noun or an infinitive.

No vio a Ileana **sino** a Alicia.

*He didn't see Ileana but (instead) Alicia. (second part is just a noun: **Alicia**)*

No nos prometió bailar **sino** cantar.

*She didn't promise us to dance but to sing. (second part is just an infinitive: **cantar**)*

3. *But* = **sino que** if it means *on the contrary* or *instead* and introduces a conjugated verb.

No fueron a la playa, **sino que** volvieron al pueblo.

They didn't go to the beach, but (on the contrary) they returned to the village.

Actividades

A **¿Pero, sino o sino que?** Complete las siguientes oraciones con la expresión apropiada.

EN LA PLAYA
1. Las chicas no alquilarán una sombrilla, _____ tomarán el sol.
2. A ellas les gustaría cenar en La Lonja, _____ no saben si su padre estará de acuerdo.
3. No quieren volver pálidas de las vacaciones, _____ bronceadas.

EN TIBIDABO
4. Carlitos no quiere subir al tiovivo, _____ a la montaña rusa.
5. Enrique, el nuevo amigo de Carlitos, quiere comer algo, _____ Carlitos no tiene hambre ahora.

DE PASEO POR LA CIUDAD
6. Los Sres. Real no fueron a las Ramblas, _____ visitaron la catedral primero.
7. Al Sr. Real no le gusta el arte moderno, _____ a la Sra. Real le encantó el Museo Picasso.
8. Cuando fueron a comer, el Sr. Real no pidió pescado, _____ carne.

B *Faltan palabras.* Complete las siguientes oraciones lógicamente, a base de su propia experiencia o su imaginación.

MODELO: En la playa, no me gusta tomar el sol, sino... →
En la playa, no me gusta tomar el sol, sino caminar y nadar.

1. No he ido a España, pero...
2. Para viajar por México, yo no alquilaría un coche, sino que...
3. Yo no llevaría muchas maletas, sino...
4. El verano pasado, no hice un viaje, sino que...

5. Me gustaría viajar a Europa, pero...

6. Si tuviera (*If I had*) dinero, no iría a España, sino...

Para resumir y repasar

A *Juanito está enfermo otra vez.* Dé el presente de subjuntivo correspondiente a cada infinitivo.

Es lástima que Juanito (*estar*) _____¹ enfermo hoy. Dudo que su enfermedad (*ser*) _____² seria, pero quiero que (*estar*) _____³ en la cama toda la mañana y que (*ir*) _____⁴ al médico por la tarde. Es muy posible que el médico (*saber*) _____⁵ inmediatamente cuál es el problema y que le (*dar*) _____⁶ una medicina sin esperar el resultado de los análisis.

B *Observaciones médicas.* ¿Subjuntivo o indicativo? Complete con la forma apropiada del infinitivo.

1. Es evidente que la Dra. Pendás (*ser*) una médica excelente y es una lástima que yo no (*poder*) ir a consultarla.

2. Dudo que tu abuelita (*tener*) cáncer y espero que (*curarse*) muy pronto.

3. Estoy seguro de que ésa (*ser*) la medicina que me recetó la médica.

4. Es necesario que todos (*tomar*) vitaminas para tener buena salud.

5. El profesor no cree que a Silvia le (*doler*) la cabeza; él está seguro de que ella lo (*decir*) como excusa para no tener que tomar el examen.

C *Con $1.000 en la mano.* ¿Qué haría Ud. con $1.000 para gastar? Piense en cinco o seis posibilidades, y coméntelas con un compañero / una compañera. ¿Harían Uds. las mismas cosas con el dinero? Use el condicional e incluya cinco o seis verbos diferentes.

MODELO: UD.:   Pues, yo cenaría en un restaurante romántico
                              y elegante con mi novia/o. También compraría
                              un traje nuevo.
        SU COMPAÑERO/A: ¡Yo no! Pondría el dinero en el banco, y este
                              verano, iría de viaje.
                    UD.:   También yo...

PARA VER DE VERAS

Vuelva a mirar la foto de la página 296 para contestar las siguientes preguntas.

1. ¿Dónde están estas personas? ¿Qué hacen en ese lugar? En su opinión, ¿viven ahí o sólo están de visita?   2. ¿Para qué se usa el edificio grande? Y el vehículo, ¿para qué se usa?   3. ¿Alguna vez ha visitado Ud. un lugar como éste? Diga algo sobre ese lugar. ¿Está lejos de su ciudad/pueblo? ¿Era Ud. turista? ¿Qué otros edificios vio?   4. ¿Qué planes tiene Ud. de viajar en el futuro? ¿A qué ciudades o países le gustaría ir? ¿Cómo sería su viaje ideal?   5. ¿Qué sabe Ud. de las fiestas que se celebran en los países que le gustaría visitar? ¿En qué se parecen a las de su país de origen?

COMUNICACIÓN

In the CD-ROM to accompany *Motivos de conversación* you will find additional practice with vocabulary, grammar, listening, and speaking.

De la vida real

A ***Consejos para los conductores.*** *As you can see, this ad contains advice for people traveling on the highways during vacation. Even though the advice contains some unfamiliar words, you can still figure it out using context and cognates. Can you match each recommendation from the ad with its English equivalent?*

Revise los puntos vitales de su vehículo.
Abróchese siempre el cinturón.
Respete los límites de velocidad.
Mantenga la distancia de seguridad.
No adelante sin visibilidad.
Al mínimo síntoma de cansancio, no conduzca.
Póngase el casco si viaja en moto o ciclomotor.

Maintain a safe distance between yourself and other drivers.
Check over your vehicle.
If you feel the slightest sign of fatigue, don't drive.
Wear a helmet if you are traveling by motorcycle or moped.
Always use your seatbelt.
Don't pass without good visibility.
Follow speed limits.

B ***En la oficina de turismo.*** Imagine que Ud. trabaja en una oficina de turismo. Ahora está preparando una lista de diez consejos para los hispanohablantes que viajan a su ciudad/región. Puede incluir consejos sobre qué hacer, adónde ir, cómo viajar, qué ropa traer, qué recuerdos comprar, etcétera. Use mandatos formales.

MODELO: En Texas, visite el famoso parque de atracciones «Seis Banderas sobre Texas». Suba a la enorme montaña rusa... Y no olvide...

ESTE PUENTE[a] TIENE QUE CRUZARLO DOS VECES

Disfrute cuanto pueda de estas cortas vacaciones. Pero piense que el puente que le ha traído hasta aquí, es tambien el camino de vuelta a casa.[b] Y al otro lado hay mucha gente que le espera. Cuando llegue la hora de partir, siga nuestro consejo.[c]

En los largos desplazamientos:
•Revise los puntos vitales de su vehículo.
•Abróchese siempre el cinturón.
•Respete los límites de velocidad.
•Mantenga la distancia de seguridad.
•No adelante sin visibilidad.
•Al mínimo síntoma de cansancio, no conduzca.
•Póngase el casco si viaja en moto o ciclomotor.
•**Siga estos consejos también en los trayectos cortos.**

LA VIDA ES EL VIAJE[d] MAS HERMOSO

Dirección Gral. de Tráfico

Ministerio del Interior

[a] *bridge*
[b] de... *back home*
[c] *advice*
[d] *trip*

Videotemas

Mire el episodio del vídeo de esta lección y después haga las actividades que siguen.

A   *Comprensión.* Conteste las siguientes preguntas sobre el episodio del vídeo.

1. ¿Qué celebra Marta? ¿Con qué debe tener cuidado?
2. ¿Cómo fue la ceremonia? ¿Quiénes se rieron durante la ceremonia? ¿Por qué se reían?
3. ¿Quién tenía una peluca (*wig*)? ¿Qué le pasó a la señora con su peluca?
4. ¿Adónde fue la familia la última Noche Vieja (*New Year's Eve*)? ¿Qué sirvieron allí?
5. ¿Qué compró el padre de Lola una Navidad (*Christmas*)? ¿Por qué tuvo la familia dos árboles de Navidad ese año?

B   *En parejas.* Comente lo siguiente con un compañero / una compañera.

1. ¿Se celebra la primera comunión de los niños en su familia? ¿Qué otra(s) fiesta(s) religiosa(s) celebran?
2. ¿Qué fiestas no religiosas celebran Uds. tradicionalmente? ¿Cómo las celebran?
3. ¿Qué hace Ud. generalmente para celebrar la Noche Vieja? ¿Cómo la celebrará este año?

VOCABULARIO ACTIVO

Adjetivos

personal pron. + **mismo/a**	myself, yourself, himself, herself, etc.
pálido/a	pale

Sustantivos

Haciendo la maleta

la maleta	suitcase
el maletín	carry-on bag (small suitcase)

la afeitadora eléctrica	electric razor
la maquinilla de afeitar	razor

En la playa

el bañador	swimming suit
el bikini	bikini
la bolsa de playa	beach bag
las gafas de sol	sunglasses
la loción bronceadora	suntan lotion

la palmera	palm tree
la piscina	swimming pool
el salvavidas	life preserver
la sombrilla	sun shade; beach umbrella
el traje de baño	swimming suit

Los cosméticos y las joyas

el agua de colonia	cologne
el anillo (de brillantes)	(diamond) ring
los aretes (de plata)	(silver) earrings
la barra de labios	lipstick
el collar (de perlas)	(pearl) necklace
el colorete	rouge
la crema (para la cara)	(face) cream
el creyón de labios	lipstick
el estuche de maquillaje	makeup kit
la laca	hair spray
el lápiz labial	lipstick
la loción (para las manos)	(hand) lotion
la loción de afeitar	aftershave lotion
los pendientes (de plata)	(silver) earrings
la pulsera (de oro)	(gold) bracelet
la sombra para los ojos	eyeshadow

Otros sustantivos

el ascensor	elevator
el botones	bellhop
el columpio	swing
el/la empleado/a	employee
la(s) escalera(s)	stairs; staircase
la montaña rusa	roller coaster
el parque de atracciones	amusement park
el piso	floor
la recepción	front desk (*of a hotel*)
el tiovivo	merry-go-round

Verbos

broncearse	to (get a) tan
coger (j)	to get (*something*); to take hold of
conseguir (i, i)	to obtain
intentar	to try
nadar	to swim
pasear (por)	to walk, stroll (around, by)
quedarse	to stay
tomar el sol	to sunbathe

Palabras afirmativas y negativas

algo	something
alguien	someone
algún (alguno/a/os/as)	some, any
alguna vez	ever
jamás	never
nada	nothing
nadie	nobody
ni... ni	neither . . . nor
ningún (ninguno/a)	no, none, not any
nunca	never
siempre	always
también	also, too
tampoco	neither, not either
(no) todavía	(not) yet
todo/a/os/as	all, every

Otras palabras

de ninguna manera	absolutely not; no way
quedamos en + *infinitive*	we agree(d) to (*do something*)
sino	but (rather, instead)
sino que	but (rather, instead), on the contrary
vale	OK

LAS NACIONES CARIBEÑAS*

POESÍA

Julia de Burgos (1916–1953) fue una gran poeta puertorriqueña. Tuvo problemas en Puerto Rico a causa de sus ideas independentistas y socialistas, y por eso se fue a vivir a Nueva York. El siguiente fragmento es de un poema largo en el que la poeta habla con su otro «yo».

A Julia de Burgos (fragmento)

Ya las gentes murmuran[1] que yo soy tu enemiga[2]
porque dicen que en verso doy al mundo tu yo.[3]

Mienten,[4] Julia de Burgos. Mienten, Julia de Burgos.
Lo que se alza[5] en tus versos no es tu voz:[6] es mi voz;
porque tú eres ropaje[7] y la esencia soy yo;
y el más profundo[8] abismo se tiende[9] entre las dos...

Tú en ti misma no mandas; a ti todos te mandan;
en ti mandan tu esposo, tu padre, tus parientes,
el cura,[10] la modista,[11] el teatro, el casino...

En mí no, que en mí manda mi solo corazón,
mi solo pensamiento;[12] quien manda en mí soy yo.

Julia de Burgos

[1]*gossip* [2]*enemy* [3]*inner self* [4]*They lie* [5]*se... rises* [6]*voice*
[7]*trappings* [8]*más... deepest* [9]*se... extends* [10]*priest* [11]*dressmaker*
[12]*(fig.) mind*

*See additional information about the Caribbean countries after **Lección 4**.

EN LA TRADICIÓN POPULAR

Los Muñequitos
de Matanzas

Tal vez la música expresa más abiertamente la fusión de lo africano y lo español en la cultura afrocubana. Los Muñequitos[13] de Matanzas* son un grupo folklórico cubano que se especializa en la rumba, que nació en Cuba. Más que sólo música y baile, la rumba es una celebración, un ambiente[14] y una parte del patrimonio[15] de las clases más humildes.[16]

Bailando el merengue en la República Dominicana

La base de la rumba es la percusión. La batería[17] fundamental de los Muñequitos se compone de tres tambores,[18] un instrumento de caña[19] (la guagua) que se toca con dos palos,[20] y claves o palmadas.[21] Dos cantantes se alternan o cantan a dos voces;[22] los músicos mismos forman el coro.[23]

Desde su fundación en 1952, los Muñequitos han conservado su estilo auténtico y su repertorio original, agregando[24] también temas contemporáneos. Sus shows son espectaculares e incluyen tanto bailes como canciones.

Juan Luis Guerra es un compositor y cantante de la República Dominicana que interpreta versiones populares de bailes dominicanos, además de formas pancaribeñas.[25] Su especialidad es el merengue, baile de ritmo muy rápido, que tiene su origen en el folklore dominicano. En las interpretaciones de músicos dominicanos, el merengue ha alcanzado[26] gran sofisticación. Guerra combina la simple música folklórica con complicados conceptos armónicos para producir una música sumamente[27] popular entre un público acostumbrado a la música «superproducida».[28] Además, la letra[29] de sus canciones frecuentemente abarca temas serios. Su «Visa para un sueño»[30] trata de la situación de los dominicanos que tienen que abandonar su isla para buscar empleo. En «El costo de la vida», canta sobre el desempleo y la corrupción oficial.[31] Juan Luis Guerra ya ha ganado un Grammy por su álbum *Ojalá que llueva café* y, apoyado[32] por su grupo 440 («4-40»), parece tener un futuro prometedor en el campo de la música bailable caribeña.

*Matanzas es una provincia en la zona occidental de Cuba.

A VER SI SABÍAS QUE...

▲ los taínos, un pueblo indígena del Caribe, llamaban «Borinquen» a la isla de Puerto Rico. Los puertorriqueños todavía se llaman «boricuas» o «borinqueños».

▲ el nombre del dios taíno de los vientos es... ¡Juracán!

▲ Santo Domingo fue fundado en 1496 por Bartolomé Colón, hermano de Cristóbal, y es la ciudad colonial más antigua del continente americano. Allí se encuentran la catedral, la universidad y el hospital más antiguos de América.

▲ el Faro[1] Colón de Santo Domingo es el faro más grande del mundo.

[1]Lighthouse

AMPLIACIONES 4

Lectura

Antes de leer

This short story by Puerto Rican author Wilfredo Braschi deals with the relationship between a teenage son, who sets out one day to meet his father for the first time, and the father, who owns and runs a circus. The plot is quite simple, but you may have difficulty with some of the vocabulary. Here are some hints to help you figure out the meaning of new words.

1. Think about what you already know about the circus. Remembering the setting of the story will help you guess the meaning of words such as **trapecio** and **león.**
2. Recognizing part of a compound word will often help you guess its meaning. For example, find the verb **recorrer** in the second sentence of the second pargraph. Knowing that **correr** means *to run*, can you guess the meaning of this new verb? Try this same technique with the following words from the story. Related root words are given in parentheses.

   línea 11: juventud (joven)　　　　línea 33: miradas (mirar)
   línea 30: vozarrón (voz)　　　　　línea 41: manitas (mano)

3. Examine clauses joined by **de.** Since **de** indicates possession, origin, or composition, the words of these phrases are probably related. Try to figure out the meaning of the following phrases from the first two paragraphs: **el hijo de Tanio Urbino, el grupo de artistas, el itinerario del circo Urbino, sin permiso de sus tutores del colegio.**
4. Finally, look for clauses separated by commas (also by parentheses, dashes, colons, or semicolons). These clauses often clarify the preceding word or clause. For example, what information do the following clauses give about the preceding underlined words?

   Muerta su <u>madre</u>, **quien estuvo siempre recordándole el circo...**
   ... la imagen de la <u>madre</u>, **quien en su juventud había sido trapecista.**

EL PADRE (WILFREDO BRASCHI, PUERTO RICO)

▲▽▲

Soy el hijo de Tanio Urbino—dijo al llegar ante el grupo de artistas.

　　A los quince años, las **ilusiones** de Tanio Urbino, hijo, consistían, sobre todo, en conocer a Tanio Urbino, padre. Muerta su

Ilusiones is a cognate.

5　madre, quien estuvo siempre recordándole[1] el circo, describiéndoselo,

---

[1]*reminding him of*

Tanio Urbino, hijo, se propuso, con un mapa ante los ojos, recorrer el **itinerario** del circo Urbino. Decidió hacer el viaje sin **permiso** de sus tutores del colegio y sin escribir antes a su padre, irrumpiendo[2] inesperadamente en la carpa.[3]

Arriba,[4] en el entretejido[5] de **sogas** y trapecios, le venía a la memoria[6] la imagen de la madre, que en su juventud había sido **trapecista**. Y tuvo la sensación de que entre los artistas se hallaba[7] también ella, en espíritu.

Una **moto estridente** entró, atronando[8] el espacio abierto bajo el mástil[9] de la carpa y vino a **turbar** sus reflexiones. Era un **mensaje** para Tanio Urbino y el hijo **experimentó** el orgullo[10] de su origen circense. Amalia Varano, su madre, le había relatado tantas anécdotas sobre el circo Urbino, que ya éste le era familiar. De Tanio Urbino, sin embargo,[11] su madre solía[12] hablarle con acento misterioso. De ahí que sólo pudiera[13] imaginarlo en el flamear[14] de la carpa al viento, en el **rugido** del león y en el estallido[15] del **látigo** de los domadores.[16]

—Es un telegrama para el jefe...

¡El jefe, el **propietario** del circo Urbino y él, su hijo, su **heredero**! Pero... ¿dónde estaba su padre? —Tendrás que esperar un buen rato. Y otra de las **artistas** añadió:[17] —Aunque mejor podrías, si es que no has anunciado tu visita, volverte al colegio....

—Creo que si has venido por tu propia **voluntad**, enojarás[18] a tu padre. Harías mejor en **marcharte**. El comentario, hecho por una mujer con el pelo rojo, trajo a la mente[19] la imagen de un hombre de anchas espaldas,[20] con un látigo en la mano, botas **lustrosas** y un vozarrón como para asustar[21] a las fieras.[22]

De pronto, alguien dijo: —¡Ahí llega Tanio! Volvió el **rostro** hacia donde se dirigían[23] todas las miradas y contempló al recién llegado. No, aquél no podía ser Tanio Urbino. Sin embargo, todos le saludaban y le llamaban por su nombre. Su madre se había limitado a hablarle de su padre en términos genéricos, sin describir su físico. Ahora, allí estaba un hombre desconocido y él no se atrevía[24] a correr para gritarle ¡Padre!

Una voz dijo: —Tanio, tu hijo está aquí. Ha venido del colegio a verte.

Una cabeza arrepollada,[25] ancha; unos ojillos tristes y unas manitas cortas se volvieron hacia él. El enano[26] aquél, el que no podía creer que fuera su padre, caminaba a su **encuentro**.

Both **itinerario** and **permiso** are cognates.

Besides trapezes, what would you find at the top of a circus tent?

What would a **trapecista** do?

What sort of transportation is a **moto**? What kind of noise does it make? / Think of the English word *to disturb*. / Drop the **n** to form a near cognate from **mensaje**. / Think of the English verb *to experience*.

What sound does a lion make? / What do lion tamers use? / **Propietario** is related to the word *property* and **heredero** to the verb *to inherit*. / What type of **artistas** are associated with a circus?

Has Tanio come out of his own volition? / Substitute **irte** for **marcharte**.

What type of boots would a lion tamer wear? Think of the English word *luster*.
What would you turn to look at something?

Use the meaning of **encontrar** to guess **encuentro**.

[2]*bursting* [3]*tent* [4]*Above* [5]*web* [6]*le... he remembered* [7]*se... was there*
[8]*deafening* [9]*tent pole* [10]*pride* [11]*sin... however* [12]*used to* [13]*he was able to*
[14]*flapping* [15]*cracking* [16]*lion tamers* [17]*added* [18]*you will anger* [19]*trajo... brought to mind* [20]*anchas... broad shoulders* [21]*frighten* [22]*wild beasts* [23]*se... were directed* [24]*él... he didn't dare* [25]*very round* [26]*dwarf*

—Hijo, perdona que no te haya escrito nunca. No quería que me
45 conocieras. Como ves, no soy más que un enano, un pobre enano que
no quiere que su hijo se avergüence[27] de él.

A Tanio Urbino, hijo, le **invadió** de súbito[28] una onda de ternura.[29]
Se **abrazó** a su progenitor y le vio, por fin, como le había soñado,[30] más
alto que el mástil del circo, tan alto como las nubes, y tuvo la impresión
50 de que iba **elevándose** hasta las estrellas, cielo arriba.[31] ▲

Invadió and **abrazó** are cognates.

Think of the English words *elevator* and *to elevate.*

[27]se... *to be ashamed*   [28]de... *suddenly*   [29]onda... *wave of tenderness*   [30]como... *as he had*
dreamed of him   [31]cielo... *up into the sky*

Después de leer

A *Comparar y contrastar.* Conteste las preguntas sobre Tanio hijo y padre.

TANIO, HIJO

1. ¿Qué edad tenía? ¿Qué hacía?
2. ¿Qué le había dicho su madre del padre de él?
3. ¿Cómo se imaginaba a su padre?
4. ¿Cómo se sentía antes de conocer a su padre? ¿Y después?

TANIO, PADRE

1. ¿Qué profesión tenía?
2. ¿Por qué nunca le escribió a su hijo?
3. ¿Cómo era el padre, físicamente?
4. ¿Cómo se sintió, al conocer a su hijo?

B *¿Cierto o falso?* Indique si las siguientes oraciones sobre el cuento son
correctas, y corrija las falsas. *If necessary, go back to the reading and scan to
find the answers.*

1. Tanio Urbino, hijo, tenía muchos deseos de conocer a su padre.
2. Su madre no le había dado permiso para visitar el circo.
3. Tanio hijo ya sabía todo sobre su padre.
4. Tanio Urbino, padre, había sido trapecista en su juventud.
5. Tanio hijo se imaginaba que su padre era un hombre grande, fuerte y
valiente.
6. Cuando Tanio hijo vio a su padre por primera vez, no sabía qué pensar.
7. Tanio padre nunca le escribió al hijo porque no sabía que tenía un hijo.
8. Tanio hijo no pudo aceptar a su padre porque era enano.

C *Identificaciones.* Diga qué palabra corresponde a cada definición.

1. las personas que trabajan con leones y otras fieras
2. salir o irse de un lugar
3. una persona extremadamente baja y pequeña
4. la persona que dirige (*runs*) un negocio
5. el lugar donde presentan el espectáculo del circo
6. tener la sensación de
7. sueños, deseos o esperanzas

a. ilusiones
b. experimentar
c. carpa
d. domadores
e. propietario
f. marchar
g. enano

Repaso visual

Invente Ud. oraciones completas sobre los dibujos. Considere las siguientes preguntas.

¿Qué hay en el dibujo?   ¿De qué hablan?
¿Cómo son las personas?   ¿Qué pasa en cada escena?
¿Dónde están las personas?   ¿Qué hicieron antes?

VERBOS ÚTILES

asistir (a)	doler	poner(le) una inyección
curar	llorar	sacar(le) una muela
dar	mirar	tocar
disfrutar	montar a caballo	tomar el sol
divertirse	nadar	visitar

Examen de repaso 4

A *Diálogo entre dos amigos.* Dé la forma apropiada del verbo indicado.

PEDRO: Prefiero que mis compañeros de apartamento no (*saber*[1]) que fui al médico, ni que estoy enfermo.

PABLO: ¿No quieres que yo les (*decir*[2]) la verdad?

▲ 321

PEDRO: No, por favor. Es mejor que no lo (*saber*[3]); por eso no quiero que el médico (*llamar*[4]) a casa.

PABLO: No creo que él (*haber*[5]) llamado todavía. Te aconsejo que (*ir*[6]) a hablar con él en su consulta. Dudo que alguien te (*ver*[7]) entrar allí.

PEDRO: También te pido que no (*hablar*[8]) de esto con nadie.

PABLO: Lo siento, Pedro, pero ya se lo (*haber*[9]) dicho a mi hermana. Espero que no te (*molestar*[10]) mucho. Creo que ella (*ser*[11]) una persona discreta.

PEDRO: La verdad es que me sorprende que se lo (*haber*[12]) dicho. Ella siempre quiere (*saber*[13]) todo lo que hago. Es obvio que no (*ser*[14]) muy discreta. Ahora es seguro que (*ir*[15]) a tener que darle explicaciones.

B *En el avión.* *Beni and Yoli are traveling to Mexico with some friends. Complete their conversation about their plans for Mexico City with the correct indirect object pronouns and forms of the verbs in parentheses. Use the conditional if appropriate.*

BENI: Yoli, ¿a ti no _____ _____[1] los vuelos (*flights*) largos? (*molestar*)

YOLI: No, al contrario. A mí _____ _____[2] viajar. Pero a Sonia no _____ _____[3] nada los aviones. (*encantar, gustar*)

BENI: A Uds., ¿qué _____ _____[4] hacer en la capital? (*gustar*)

YOLI: Pues, a mí _____ _____[5] visitar el Museo de Antropología. Y a Sonia y Ricardo _____ _____[6] ver Xochimilco y el Parque de Chapultepec. (*interesar, encantar*)

BENI: A mí todo eso _____ _____[7] muy bien. Pero antes, a nosotros _____[8] _____ _____[9] encontrar un hotel. (*parecer, hacer falta*)

YOLI: Sí, de acuerdo.

C *Celebraciones hispánicas, en la consulta médica y de viaje.* Dé la palabra apropiada.

1. El Día de la Hispanidad, también llamado Día de la _____, hay un _____ muy grande en las calles de mi ciudad. La reina y otras chicas bonitas van en una _____ muy adornada. Un charro pasa montado a _____ y el _____ de la ciudad, el _____ del estado y los otros representantes aplauden con entusiasmo.

2. —Doctor, ¿tengo la temperatura alta?
   —Sí, Ud. tiene _____, y como además tiene _____ de cabeza, le aconsejo que tome dos aspirinas. Además, le voy a poner una _____ de antibióticos y le voy a dar unas _____ para la nariz.

3. Cuando estamos de vacaciones, nos encanta ir a la playa. Pasamos todo el día en la playa, y en la _____ de playa llevamos de todo... toallas, _____ bronceadora, _____ de sol, sandalias... A mi esposa no le gusta broncearse tanto, así que también llevamos una _____. Una vez, mi esposa perdió un _____ de diamantes en la playa. Ahora deja todas sus _____ en la recepción del hotel.

D *Comparaciones en mi familia.* Complete las oraciones.

1. Tu casa es grande, pero la casa de mi familia es _____.
2. Aunque tienes muchos hermanos, no tienes _____ hermanos _____ yo.
3. De mis hermanos, Pepe es el que tiene más años. Es el _____. Él pesa 60 kilos y yo 80; él es _____ gordo que yo.
4. Mi hermanita sólo tiene 7 años. Ella es la _____.
5. Hay muchas madres buenas, pero mi madre es la _____ madre _____ mundo.
6. No quiero a mis dos primos. Antonio es malo y Enrique es _____ que él.

E *Los señores Real.* Complete con **pero, sino** o **sino que.**

1. Los señores Real harán una visita mañana a las Ramblas y al Barrio Gótico, _____ no saben qué hacer con su hijo Carlitos.
2. Él no quiere ir con sus padres, _____ con sus hermanas que van a Sitges.
3. El empleado del hotel dice que su hijo Enrique no se queda en el hotel mañana, _____ irá con algunos amigos a Tibidabo.
4. Por eso, Carlitos no tendrá que ir a Barcelona o a Sitges, _____ podrá acompañar a Enrique al famoso parque de atracciones.

F *Mis planes para el sábado.* Complete con la forma apropiada del futuro.

Cuando me levante, (*poner*[1]) la televisión para oír las noticias. ¿Qué (*decir*[2]) el locutor? Creo que (*hacer*[3]) buen tiempo y probablemente (*querer*[4]) ir a la playa con mis primos que (*venir*[5]) de Santiago. Pero si hay una tormenta inesperada, no (*nosotros: poder*[6]) nadar.

G *De visita en Barcelona.* Conteste, usando más de un negativo en su respuesta.

MODELO: ¿Uds. *siempre* van a hoteles de primera clase?
No, nosotros no vamos nunca a hoteles de primera clase.

1. ¿Hay *algunos* museos de arte en esta ciudad?
2. ¿Visitaron Uds. *alguna vez* la Sagrada Familia?
3. ¿Vio Ud. *algo* interesante esta tarde?
4. ¿Conoció a *alguien* en el vuelo a Barcelona?
5. ¿*Siempre* hacen Uds. excursiones en el verano?

H *Una emergencia médica.* Complete el párrafo con la forma apropiada del condicional.

Si un amigo tuviera (*had*) una emergencia médica, ¿qué (*hacer*[1]) yo? Lo primero, (*tener*[2]) que llamar una ambulancia o llevar a mi amigo al hospital. (*Estar*[3]) muy preocupado/a por mi amigo. En el hospital, les (*decir*[4]) a los médicos qué le pasó a mi amigo. También (*llamar*[5]) a sus padres. (*Querer*[6]) visitarlo todos los días en el hospital. (*Poder*[7]) llevarle regalos y cosas para divertirse, como revistas y libros.

DE VIAJE POR HISPANO-AMÉRICA

M E T A S

Comunicación: In this lesson you will learn vocabulary and expressions related to transportation and travel. You will learn about the mysterious city of Machu Picchu and read about a celebration that combines indigenous and Catholic beliefs. You will make requests concerning your travel needs, converse about your plans, and express your reactions to your travel experiences.

Estructuras:

13.1 Regular Endings of the Imperfect Subjunctive

13.2 Imperfect Subjunctive of Irregular and Stem-Changing Verbs

13.3 Sequence of Tenses with the Subjunctive

13.4 The Construction **hace... que**

 En el vídeo de esta lección, Elisa Velasco visita una agencia de viajes (*travel agency*). Ella es periodista (*journalist*) y escribe artículos para la sección de viajes de un periódico. Ahora va a escribir sobre las Islas Galápagos, unas islas de Ecuador donde hay muchos animales exóticos y especies (*species*) raras. ¿Conoce Ud. las Islas Galápagos? ¿Le gustaría visitarlas? ¿Prefiere Ud. visitar ciudades cosmopolitas o sitios exóticos? ¿Por qué?

 Visit the *Motivos de conversación* web site at www.spanish.mhhe.com.

GRÁFICOS

In the CD-ROM to accompany *Motivos de conversación* you will find additional practice with vocabulary, grammar, listening, and speaking.

Los transportes

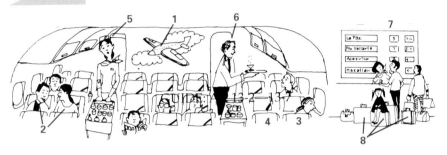

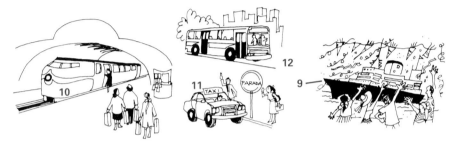

1. el avión
2. los pasajeros
3. el asiento de ventanilla
4. el asiento de pasillo
5. la aeromoza,* la azafata
6. el/la auxiliar de vuelo†
7. el horario electrónico
8. el equipaje
9. el barco
10. el tren
11. el taxi
12. el autobús / el ómnibus‡

Puntos de partida y llegada *(Departures and Arrivals)*

el aeropuerto	*airport*
la estación del ferrocarril	*railroad station*
la estación / la terminal de autobuses	*bus station, terminal*
la parada de autobuses / de taxis	*bus stop; taxi stand*
el puerto	*port*

Verbos

aterrizar (c)	*to land*
despegar (gu)	*to take off (an airplane)*
facturar el equipaje	*to check one's baggage*

Actividades

A Asociaciones. ¿Qué vehículos asocia Ud. con...

1. el aire?
2. las carreteras (*highways*)?
3. una estación?
4. la gasolina?
5. una aeromoza?
6. el mar?

---

*La aeromoza** is used in most of Spanish America.
†**El/La auxiliar (asistente) de vuelo** is a common term now, since many flight attendants are male.
‡**El ómnibus** is the preferred word in many Hispanic countries.

B ¿Dónde están las personas que dicen las siguientes frases?

1. ¿Desea café o té, señor?
2. Señorita, ¿quiere Ud. facturar el equipaje?
3. Por favor, ¿cuál de estos trenes va a Michoacán?
4. Señores pasajeros, aterrizaremos en cinco minutos.
5. ¿A qué hora despega el avión para Valparaíso?
6. ¡Viene una tormenta (*storm*)! ¡Mira qué olas tan grandes!
7. ¡Atención, señores pasajeros! El ómnibus para Rosario saldrá en diez minutos.

El contratiempo° de Elena

Mishap

VERBOS REGULARES

Pretérito de indicativo	*Imperfecto de subjuntivo*
-ar: confirmar	
confirmaron	que (yo) confirmara
	que (Ud./él/ella) confirmara
	que (ellos/ellas) confirmaran
-er: perder	
perdieron	que (yo) perdiera
	que (Ud./él/ella) perdiera
	que (ellos/ellas) perdieran
-ir: decidir	
decidieron	que (yo) decidiera
	que (Ud./él/ella) decidiera
	que (ellos/ellas) decidieran

1. el/la agente
2. el boleto / billete de ida (de ida y vuelta)
3. el viajero / la viajera

Adjetivos

contrariado/a	*upset*
delantero/a	*front*
lleno/a	*full*
preocupado/a	*worried*
único/a	*only*
vacío/a	*empty*

Verbos

advertir (ie, i)	*to warn*
escoger (j)	*to choose*
esperar	*to wait*
ocurrir	*to occur, happen*
olvidar	*to forget*
recordar (ue)	*to remember; to remind*

Sustantivos

el/la fumador(a)	*smoker*
el humo	*smoke*
la línea aérea	*airline*
el regreso	*return*
el vuelo	*flight*

Otras expresiones

camino del	*on one's way to*
hace + time (+ preterite)	*(time) ago*
no tener más remedio que + infinitive	*to have no choice but to (do something)*

Cuando compré el boleto de ida y vuelta para mi viaje a Sudamérica, escogí para el regreso un asiento de ventanilla en la sección delantera del avión. Me advirtieron que era necesario que confirmara la reservación de vuelta veinticuatro horas antes del vuelo. Olvidé hacerlo y mis amigos no me lo recordaron. Por eso iba muy preocupada camino del aeropuerto. ¡Sería terrible que perdiera mi asiento!

Así ocurrió. Cuando llegué, la agente de la línea aérea me dijo: «Lo siento, pero le dimos su asiento a otro pasajero hace diez minutos». Me informó además que el avión iba lleno y me pidió que decidiera entre ir en el único asiento vacío, que estaba en la sección de fumadores, o esperar hasta el día siguiente. Estaba muy contrariada, pero no tuve más remedio que esperar, porque soy alérgica al humo.

Actividades

A *El contratiempo de Elena.* Conteste las preguntas.

1. ¿Qué tipo de boleto compró Elena?
2. ¿Qué asiento escogió ella para el regreso? ¿En qué sección del avión estaba?
3. ¿Qué le advirtieron que era necesario hacer?
4. ¿Por qué iba preocupada Elena camino del aeropuerto?
5. ¿Qué le parecía a ella que sería terrible?
6. ¿Qué le dijo la agente de la línea aérea cuando ella llegó al aeropuerto? ¿De qué le informó además?
7. ¿Qué le pidió a Elena la agente? ¿Dónde estaba el único asiento vacío?
8. ¿Cómo se sintió Elena?
9. ¿Por qué no tuvo más remedio que esperar?
10. ¿Puede explicar Ud. en sus propias palabras el contratiempo de Elena?

B *Lo que le pasó a Elena.* Combine las frases para formar oraciones completas.

1. Era necesario que...
2. Sería terrible que...
3. Elena les pidió a sus amigos que...
4. Cuando iba para el aeropuerto, Elena le pidió al taxista que...
5. Elena estaba muy contrariada porque no le gustó que...
6. La agente le pidió a Elena que...
7. A Elena le molestó que...

a. le recordaran llamar a la línea aérea.
b. sólo hubiera un asiento vacío, en la sección de fumadores.
c. Elena confirmara la reservación de vuelta veinticuatro horas antes del vuelo.
d. ella perdiera su asiento.
e. le dieran su asiento a otro pasajero.
f. escogiera entre ir en la sección de fumadores o esperar hasta el día siguiente.
g. manejara (*to drive*) más rápido para llegar pronto.

La tarjeta de Elena

1. la tarjeta / la postal
2. el sello / la estampilla
3. la dirección

VERBOS IRREGULARES

▲▽▲▽▲▽▲▽▲▽▲▽▲▽▲▽▲▽▲▽▲▽▲▽

Pretérito de indicativo	Imperfecto de subjuntivo
-ar: estar	
estuvieron	estuvieras
	estuviéramos
-er: saber	
supieron	supieras
	supiéramos
-ir: ir	
fueron	fueras
	fuéramos

▲▽▲▽▲▽▲▽▲▽▲▽▲▽▲▽▲▽▲▽▲▽▲▽

a *Dear*
b Hace... *Only two hours ago*
c en... *at once*
d *with me*
e pasado... *day after tomorrow*
f *post office*
g *they close*
h *Kisses*

Actividades

A *La tarjeta de Elena.* Conteste.

1. ¿Cuánto tiempo hace que Elena llegó a Lima?
2. ¿Por qué decidió escribirle a su madre tan pronto?
3. Según Elena, ¿cómo es Lima?
4. ¿Qué le gustaría a Elena?
5. ¿Adónde quería Carmen que ella y Marta fueran?
6. ¿Adónde prefiere ir Elena?
7. ¿Por qué va Elena corriendo al correo?

B *La estancia en Lima.* Cambie las palabras indicadas por palabras sinónimas.

1. El avión de Elena *llegó a* Lima hace sólo dos horas.
2. Elena le escribió *inmediatamente* a su madre.
3. En la *postal* le decía que Lima es una ciudad *estupenda*.
4. La excursión a Machu Picchu sale *el día después de* mañana.
5. Elena quería ir *muy rápidamente* al correo para comprar *estampillas*.

MOTIVO CULTURAL

▲▼▲▼▲▼▲▼▲▼▲▼▲▼▲▼▲▼▲▼▲▼▲▼▲▼▲

Las ruinas de la antigua ciudad inca de Machu Picchu están situadas cerca de la ciudad de Cuzco, Perú. El viaje de Cuzco a Machu Picchu toma cuatro horas por tren. Estas misteriosas ruinas están escondidas (*hidden*) entre los altos picos de los Andes. El mundo civilizado no sabía de su existencia hasta que Hiram Bingham, un explorador norteamericano, las descubrió en 1911.

Arequipa es la segunda ciudad del Perú después de Lima y está en la región montañosa en el sur del país. Se llama la ciudad blanca a causa de la ceniza que cae (*ash that falls*) allí del volcán Misti, que está cerca.

▲▼▲▼▲▼▲▼▲▼▲▼▲▼▲▼▲▼▲▼▲▼

SITUACIONES ▲▼▲▼▲▼▲▼▲▼▲▼

Expresiones de necesidad

Es necesario/preciso...	
Hace falta...	It's necessary . . .
Hay que...	
Deberías + *infinitive*	You should . . .
Si fuera tú, + *conditional*	If I were you, . . .
Te conviene + *infinitive*	It's advisable (*worthwhile*) for you to . . .
No tengo (tienes) más remedio que...	I (You) have no choice but to . . .
Lo único que puedo (puedes) hacer es...	The only thing I (you) can do is . . .
Querría/Quisiera que + *imperfect subjunctive*	I would like . . .

Actividad

▸ ***Consejos para el viajero.*** Un amigo suyo va a hacer un viaje por Hispanoamérica muy pronto, y necesita sus consejos. Dígale cinco o seis cosas que debe hacer, usando las expresiones de **Situaciones.** Puede mencionar las actividades de la lista y otras que Ud. quiera.

VOCABULARIO ÚTIL

comprar (los) cheques de viajero	llamar al agente de viajes
facturar las maletas	(no) llevar muchas maletas
hacer una excursión a...	renovar (*to renew*) el pasaporte
ir a...	viajar por avión (tren, autobús)

MODELO: confirmar las reservaciones ▸
Recuerda que hay que confirmar las reservaciones veinticuatro horas antes del vuelo.

GRAMÁTICA ESENCIAL

13.1 Regular Endings of the Imperfect Subjunctive

In the CD-ROM to accompany *Motivos de conversación* you will find additional practice with vocabulary, grammar, listening, and speaking.

Me advirtieron que era
necesario que confirmara la
reservación.

The imperfect subjunctive is generally used in the same way as the present subjunctive, but for past events. To form the imperfect subjunctive, delete the third person plural ending of the preterite tense and add the imperfect subjunctive endings: **-a, -as, -a, -amos, -ais, -an.**

trabajar (TRABAJARØN)	comer (COMIERØN)	recibir (RECIBIERØN)
trabajara	comiera	recibiera
trabajaras	comieras	recibieras
trabajara	comiera	recibiera
trabajár**amos**	comiér**amos**	recibiér**amos**
trabajar**ais**	comier**ais**	recibier**ais**
trabajar**an**	comier**an**	recibier**an**

Note that the endings for **-er** and **-ir** verbs are the same in the imperfect subjunctive.*

13.2 Imperfect Subjunctive of Irregular and Stem-Changing Verbs

...quería que supieras que
llegué bien... y me gustaría
que estuvieras aquí conmigo.

Since the third person plural of the preterite is used as the stem for the imperfect subjunctive, its irregularities are found throughout the imperfect subjunctive conjugation. Irregular verbs with similar imperfect subjunctive endings are grouped together in the following chart.

---

*The imperfect subjunctive has a second set of endings that is used less frequently: **-ar** verbs: **-ase, -ases, -ase, -ásemos, -aseis, -asen**; **-er** and **-ir** verbs: **-iese, -ieses, -iese, -iésemos, -ieseis, -iesen**.

Key Stem Letter	Third Person Plural Preterite	Imperfect Subjunctive
f	**ir:** fuerøⁿ	fuera, fueras, fuera, etc.
	ser: fuerøⁿ	fuera, fueras, fuera, etc.
j	**decir:** dijerøⁿ	dijera, dijeras, dijera, etc.
	traer: trajerøⁿ	trajera, trajeras, trajera, etc.
s	**poner:** pusierøⁿ	pusiera, pusieras, pusiera, etc.
	querer: quisierøⁿ	quisiera, quisieras, quisiera, etc.
u	**poder:** pudierøⁿ	pudiera, pudieras, pudiera, etc.
	saber: supierøⁿ	supiera, supieras, supiera, etc.
v	**tener:** tuvierøⁿ	tuviera, tuvieras, tuviera, etc.
	estar: estuvierøⁿ	estuviera, estuvieras, estuviera, etc.
i	**venir:** vinierøⁿ	viniera, vinieras, viniera, etc.
	hacer: hicierøⁿ	hiciera, hicieras, hiciera, etc.
	dar: dierøⁿ	diera, dieras, diera, etc.

Dar and **estar** take the **-er, -ir** endings even though they are **-ar** verbs.
Decir, traer, ir, and **ser** drop the **i** of the imperfect subjunctive ending:
   trajera, trajeras; fuera, fueras, and so on.

The **-ir** stem-changing verbs that change **o** to **u** and **e** to **i** in the third person plural preterite feature the same change throughout the imperfect subjunctive.

Third Person Plural Preterite	Imperfect Subjunctive
dormir: durmieron	durmiera, durmieras, durmiera, durmiéramos, durmierais, durmieran
pedir: pidieron	pidiera, pidieras, pidiera, pidiéramos, pidierais, pidieran

Other verbs in this group are **divertirse (ie, i), morir (ue, u), preferir (ie, i), repetir (i, i), sentir (ie, i),** and **servir (i, i).**

Actividades

A Complete con el imperfecto de subjuntivo correspondiente a cada infinitivo.

EN TREN
Eran las 2:00 y yo no había almorzado. Le pedí al conductor del tren que me (*servir*) _____[1] algo de comer si no quería que me (*morir*) _____[2] de

hambre allí mismo. Él me explicó que era lástima que yo no (*traer*) _____ [3] nada para comer y que (*sentir*) _____ [4] tanta hambre, porque en ese tren no había ni comedor ni cocina. Me aconsejó que me (*dormir*) _____. [5]

PROBLEMAS DE DINERO

A mi padre no le gustó que mi prima y yo le (*pedir*) _____ [6] dinero al banco para hacer nuestro viaje. Nos aconsejó que no (*repetir*) _____ [7] este error, pero nos deseó que nos (*divertir*) _____ [8] mucho y hasta nos dio dinero para gastarlo como nosotros (*preferir*) _____. [9] ¡Qué buen padre tengo!

UNA INVITACIÓN A CENAR

Mi madre llamó a mi padre a la oficina; quería que él le (*decir*) _____ [10] a su jefe (*boss*) que (*venir*) _____ [11] a cenar a casa. Después me pidió que (*ir*) _____ [12] al supermercado y (*traer*) _____ [13] tomates y manzanas. Prefería que los tomates no (*estar*) _____ [14] verdes y que las manzanas (*ser*) _____ [15] grandes. Ella esperaba que yo le (*dar*) _____ [16] la comida a mi hermanito, que (*poner*) _____ [17] la mesa, y también que (*hacer*) _____ [18] y (*servir*) _____ [19] el café al final de la comida. Me dijo que era lástima que yo no (*saber*) _____ [20] cocinar.

B ***El primer semestre en la universidad.*** ¿Qué recuerda Ud. de su primer semestre en la universidad? Haga oraciones a base de las siguientes frases, combinándolas según sus propias experiencias. Use el imperfecto de subjuntivo.

MODELO: Era necesario que... →
En mi primer semestre, era necesario que yo trabajara para pagar mis libros.

Era necesario que...
Me sorprendió mucho que...
No me gustaba que...
No creía que...
Mis padres me aconsejaron que...
Mi consejero/a (*counselor*) me recomendó que...
Esperaba que...

sacar buenas notas
tomar clases muy temprano por la mañana
la universidad costar tanto
escoger una especialización
los profesores dar tanta tarea
trabajar para pagar mis libros
vivir en una residencia
hablar con mis profesores
ser fáciles las clases
tomar muchos exámenes

13.3 Sequence of Tenses with the Subjunctive

¡Sería terrible que perdiera mi asiento! ...y me pidió que decidiera entre ir en el único asiento vacío...

There is always a relationship between the tense of the main verb and the tense of the verb in the dependent clause. This relationship is called the *sequence of tenses,* and certain sequences are fairly standard.

A. The present subjunctive is most commonly used in the dependent clause after the following.

1. present indicative

Yo **deseo** que Ud. **vaya** en avión.	*I want you to go by plane.*

2. future indicative

Yo le **pediré** que **compre** un boleto de ida y vuelta.	*I will ask him to buy a round-trip ticket.*

3. command

Dígale que **confirme** su reservación.	*Tell him to reconfirm his reservation.*

B. The imperfect subjunctive is most commonly used after the following.

1. imperfect indicative

Queríamos que Ud. nos **reservara** una habitación.	*We wanted you to reserve a room for us.*

2. preterite

Mi madre me **pidió** que le **escribiera** a menudo.	*My mother asked me to write to her often.*

3. conditional

Yo **preferiría** que Ud. **viniese** en tren.	*I would prefer that you come by train.*

It is also possible to use the imperfect subjunctive when the main verb is in the present tense. Note that this same tense sequence is also used in English, as in the sentence below.

Me **molesta** que mi amigo no **llegara** a tiempo.	*It bothers me that my friend didn't arrive on time.*

All the rules that call for the use of the present subjunctive (after verbs of wanting, commanding, prohibiting and permitting, emotion, disbelief, doubt, and denial, as well as after most impersonal expressions) also apply to the imperfect and other subjunctive tenses.

Actividades

A *Un crucero* (*cruise*) *por el Caribe.* Complete.

1. Tenemos sólo una hora y es posible que no lleguemos al puerto a tiempo. → Teníamos sólo una hora y era posible...
2. Le diremos al taxista que vaya muy rápido. → Le dijimos al taxista...
3. Mi familia va a sentir mucho que perdamos el barco. → Mi familia sentiría...
4. Nos sorprende que no haya muchos viajeros en el puerto. → Nos sorprendió...
5. Dudamos que todos estén ya en el barco. → Dudábamos...
6. Voy allí con mi equipaje porque quiero que me lo facturen. → Fui allí con mi equipaje porque quería...

B *Reacciones y sentimientos de un viajero.* Use la expresión indicada y el tiempo correcto del subjuntivo.

MODELO: el taxi / costar tanto (Me molestaba...) →
Me molestaba que el taxi costara tanto.

1. el agente / darme un buen asiento (Me alegro de que...)
2. el avión / estar tan lleno (Me sorprendió...)
3. algunos pasajeros / fumar tanto (No me gustaba...)
4. las azafatas / hablar español (No podía creer...)
5. mi equipaje / perderse (Tengo miedo de...)
6. él / ponerse el cinturón (Dígale...)
7. el vuelo / llegar temprano (Dudo...)
8. mi familia / no esperarme en el aeropuerto (Sentiría...)

C Cambie al pasado la siguiente narración.

LA FIESTA EN EL BARCO
El capitán (*desea*[1]) que los viajeros se (*diviertan*[2]) mucho en su fiesta. Todos (*sentimos*[3]) que ésta (*sea*[4]) la última noche del viaje. Nos (*piden*[5]) a todos que nos (*vistamos*[6]) elegantemente, porque (*es*[7]) una noche de gala. (*Siento*[8]) mucho que mi amiga (*esté*[9]) enferma y no (*pueda*[10]) ir, pero el doctor le (*recomienda*[11]) que se (*quede*[12]) en cama porque (*está*[13]) muy mareada (*seasick*).

D *Faltan palabras.* Complete las siguientes oraciones según su propia experiencia. Después, compare sus ideas con las de un compañero / una compañera.

MODELO: Cuando yo era niño/a, no me gustaba que... →
UD.: Cuando yo era niño, no me gustaba que mi hermana jugara con mis cosas.
SU COMPAÑERO/A: A mí no me gustaba que no pudiéramos tener un perro.

EN LA CLASE DE ESPAÑOL
1. Yo preferiría que, en la clase de español, nosotros...
2. Antes de tomar español, yo no creía que...
3. Durante mi primer semestre de español, yo dudaba que...
4. Me gustaría que el profesor / la profesora...

LA CASA, LA FAMILIA Y LOS AMIGOS
5. Me gustaría que mi compañero/a de cuarto...
6. Querría que mi casa (apartamento, cuarto)...
7. Cuando yo era niño/a, mis padres querían que yo...
8. Cuando yo era niño/a, a mis padres no les gustaba que yo...
9. La última vez que hablé con mis padres, yo les pedí que...

E *Situaciones y reacciones. Imagine that you were in the following situations. Explain how you reacted, following the cues and using the imperfect subjunctive.*

MODELO: Ud. iba en avión, en un vuelo de no fumar. De pronto, la señora sentada a su lado sacó un cigarrillo y empezó a fumar. ¿Qué le pidió Ud.? →
Le pedí que no fumara.

1. Un amigo iba a hacer un viaje por la América del Sur. Le preguntó a Ud. adónde debía ir. ¿Qué le recomendó Ud.?

2. Un amigo le preguntó qué quería Ud. de regalo para su cumpleaños este año. ¿Qué le dijo Ud.?

3. Una amiga le preguntó a Ud. qué clases debía tomar el próximo (*next*) semestre. ¿Qué le aconsejó Ud.?

4. Su compañero/a iba a limpiar el apartamento ayer, pero no lo hizo. ¿Qué le pidió Ud. esta mañana?

5. Ayer Ud. estudiaba en la biblioteca. Unos estudiantes sentados en la mesa de al lado empezaron a hablar. ¿Qué les pidió Ud.?

6. Una amiga le dijo a Ud. que el novio la trata (*treats her*) muy mal. ¿Qué le dijo Ud.?

7. Un compañero de clase le preguntó a Ud. cómo debía prepararse para el examen final de español. ¿Qué le dijo Ud.?

13.4 The Construction *hace... que*

Hace sólo dos horas que aterrizamos en Lima.

A. Hace + *period of time* + **que** + *present or present progressive tense* expresses how long something has been going on.

Hace tres años que vivo en México.	*I have been living in Mexico for three years.*
Hace media hora que estamos esperando el autobús.	*We have been waiting for the bus for half an hour.*

B. Hace + *period of time* + **que** + *preterite tense* tells how long ago something happened.

Hace varias semanas que mis padres reservaron esa habitación.	*My parents reserved that room several weeks ago.*

C. To ask both how long something has been going on and how long ago something happened, use the construction **¿Cuánto/a/os/as** + *period of time* + **hace que... ?**

¿Cuánto tiempo (Cuántos minutos) hace que Uds. están esperando el autobús?	*How long (How many minutes) have you been waiting for the bus?*
¿Cuánto tiempo (Cuántas semanas) hace que tus padres reservaron esa habitación?	*How long (How many weeks) ago did your parents reserve that room?*

Actividades

A Ud. está de visita en la Ciudad de México y llama a su amigo Agustín por teléfono. Dígale cuánto tiempo hace que pasaron los eventos indicados.

MODELO: El avión aterrizó a las 10:00. (Son las 11:00.) →
Hace una hora que el avión aterrizó.

1. Ud. llegó a México el 16 de junio. (Hoy es el 23 de junio.)

2. Ud. terminó sus exámenes el 23 de mayo. (Hoy es el 23 de junio.)
3. Ud. encontró el número de Agustín en la guía telefónica a las 11:50. (Ahora son las 12:00.)
4. Hoy Ud. se despertó a las 9:00. (Son las 12:00.)
5. Su amigo Orlando lo/la llamó a las 11:35. (Son las 12:05.)
6. Orlando compró boletos para un viaje a Taxco el viernes. (Hoy es domingo.)

B *Entrevista.* ¿Cuánto tiempo hace que... ? Pregúntele a un compañero / una compañera.

MODELO:
UD.: ¿Cuánto tiempo hace que vives aquí?
SU COMPAÑERO/A: Hace un año. Antes vivía en Dallas. ¿Y tú?
UD.: Hace muchos años. Soy de aquí.

¿Cuánto tiempo hace que...

1. vives aquí?
2. estudias en esta universidad?
3. estudias español?
4. manejas un coche?
5. hiciste un viaje largo?
6. viste una película buena?

Para resumir y repasar

A *Planes de viaje.* El párrafo siguiente describe un viaje del tío Jaime. Ponga los verbos que están en letras cursivas (*italics*) primero en el futuro y después en el condicional.

Es posible que mi tío vaya a Patagonia, en el sur de Argentina, en el mes de marzo. Dice que (*es*[1]) agradable viajar en marzo, porque no (*hace*[2]) calor. (*Sale*[3]) en su coche de Buenos Aires, (*va*[4]) por carreteras entre montañas y pampas y (*disfruta*[5]) de vistas (*views*) muy bonitas. Creo que varios miembros de mi familia (*quieren*[6]) ir con mi tío, pero sé que él (*prefiere*[7]) viajar solo.

B *En el aeropuerto.* Ud. viaja por Hispanoamérica con unos amigos. Conteste las preguntas de sus amigos, usando pronombres de objeto.

MODELOS:
SUS AMIGOS: ¿Facturamos las maletas? (sí, ahora) →
UD.: Sí, factúrenlas ahora, por favor.

SUS AMIGOS: ¿Reservamos los asientos ahora? (no, mañana) →
UD.: No, no los reserven ahora. Mejor resérvenlos mañana.

1. ¿Hacemos mañana las reservaciones de vuelta? (no, ahora)
2. ¿Cambiamos los cheques de viajero aquí? (no, en el banco)
3. ¿Llamamos al agente de viajes? (sí, ahora)
4. ¿Ponemos las maletas aquí? (no, allí)
5. ¿Buscamos el hotel en el mapa? (sí, ahora)
6. ¿Compramos estampillas y tarjetas postales? (sí, allí en correos)
7. ¿Ponemos los pasaportes en las maletas? (no, en la bolsa)
8. ¿Mandamos las postales de Lima? (no, de Arequipa)
9. ¿Le pedimos la dirección del museo al taxista? (no, al empleado del hotel)

PARA VER DE VERAS

Vuelva a mirar la foto de la página 324 para contestar las siguientes preguntas.

1. Las personas de la foto están en una agencia de viajes. ¿Quiénes son? ¿Cuál cree Ud. que es el tema de su conversación? **2.** ¿Qué requisitos (*requirements*) podría tener la viajera? **3.** ¿Ha utilizado Ud. los servicios de un(a) agente de viajes alguna vez? ¿Qué le pidió Ud. a él/ella? ¿Hizo el/la agente todo lo que Ud. deseaba? En su opinión, ¿es preferible usar un(a) agente de viajes? ¿Por qué (no)? **4.** ¿Viajó Ud. en las últimas vacaciones? ¿A qué lugar fue? ¿Qué modos de transporte usó? ¿Son éstos los que Ud. prefiere? Si no, ¿cómo preferiría viajar? **5.** Si no viajó durante las últimas vacaciones, ¿le gustaría hacer un viaje en las próximas? ¿Adónde le gustaría ir? ¿Cómo llegaría a ese sitio? **6.** ¿Alguna vez ha tenido algunos contratiempos en un viaje? Por ejemplo, ¿se ha perdido alguna de sus maletas? ¿Qué más le ha pasado?

MOTIVO CULTURAL

Algunas fiestas de Hispanoamérica tienen su origen en el folklore indígena, otras, en la tradición católica; pero la mayoría de ellas son una combinación de estas dos influencias. Por ejemplo, la celebración del Día de los Muertos (el 2 de noviembre) une costumbres católicas e indígenas. En esta foto vemos unas figuras típicas del Día de los Muertos en México.

Altar en celebración del Día de los Muertos, en Oaxaca, México, con ofrendas de calaveras blancas, hechas de azúcar, frutas y «pan de muerto»

COMUNICACIÓN

De la vida real

In the CD-ROM to accompany *Motivos de conversación* you will find additional practice with vocabulary, grammar, listening, and speaking.

MALETÍN.

TRAJE DE NEGOCIOS.

PARQUEO RESERVADO.

REUNIÓN DE NEGOCIOS.

DESPERTADOR.

La vida cotidiana[a] de acuerdo a Carnival Cruise Lines.

Nosotros vemos la vida desde un punto de vista diferente y haremos todo lo posible para que usted también la vea así desde el momento que aborda[b] uno de nuestros cruceros. Carnival Cruise Lines se caracteriza por la alegría y el buen servicio que le ofrecemos a nuestros huéspedes,[c] por lo tanto,[d] si su intención es la de divertirse durante sus vacaciones y aprovecharlas al máximo, nosotros le ofrecemos sin duda alguna, lo que usted está buscando. Días llenos de actividades, espectáculos estilo Las Vegas, exquisita comida internacional, discotecas, refrescantes piscinas, visitas a pintorescos puertos y mucho más. Todo por un precio increíblemente razonable que permitirá que usted y toda su familia disfruten unas vacaciones inolvidables.

Tu Estilo de Diversión

VISÍTENOS

[a]*daily*　　[b]*you board*　　[c]*guests*　　[d]*por... therefore*

A *La vida a bordo de un crucero.* Indique si las siguientes oraciones son ciertas o falsas según el anuncio. Si son falsas, explique por qué.

1. La vida a bordo de un crucero de Carnival Cruise Lines es triste y muy formal.
2. Los huéspedes pueden contar con servicio excelente.
3. Carnival Cruise Lines se especializa en comida mexicana e italiana.
4. Hay pocas actividades de noche en estos cruceros.
5. Cuando Ud. viaja en un crucero de Carnival Cruise Lines, puede ganar otra perspectiva sobre la vida.
6. Los cruceros no paran en ningún puerto.
7. Se puede nadar y tomar el sol.
8. Hay ofertas especiales para los recién casados (*newlyweds*).
9. No se permite que los niños viajen en estos cruceros.
10. Si Ud. quiere divertirse y aprovechar sus vacaciones, un viaje en crucero sería ideal.

B *Entrevista.* Imagine que su clase de español está a bordo de un crucero de Carnival Cruise Lines. ¿Qué les interesa hacer a sus compañeros? Pregúntele a un compañero / una compañera sobre las siguientes actividades.

VERBOS ÚTILES

encantar
gustar

interesar
parecer

MODELO: la exquisita comida internacional

UD.: ¿Te interesa (Te gustaría) la exquisita comida internacional?

SU COMPAÑERO/A: Sí, por supuesto. ¡Me encanta probar (*to taste, try*) comida de diferentes culturas!

1. la exquisita comida internacional
2. las refrescantes piscinas
3. las discotecas
4. los espectáculos estilo Las Vegas
5. las visitas a pintorescos puertos
6. el «parqueo reservado»

Videotemas

Mire el episodio del vídeo de esta lección y después haga las actividades que siguen.

A *Comprensión.* Conteste las siguientes preguntas sobre el episodio del vídeo.

1. ¿Adónde fue Elisa el mes pasado?
2. ¿Adónde quiere ir ahora? ¿Por qué quiere ir a este lugar?
3. ¿Cuánto tiempo piensa pasar allí?
4. ¿Cuánto cuesta un boleto de ida y vuelta? ¿Cómo paga el viaje Elisa?
5. ¿Qué día va a salir el avión?
6. ¿Adónde fue el Sr. Gómez el año pasado? ¿En qué mes fue?
7. ¿Con quién viajó el Sr. Gómez? ¿Qué hicieron ellos allí?

B *En parejas.* Comente lo siguiente con un compañero / una compañera.

1. ¿Saca Ud. fotografías en sus viajes? ¿Es buen fotógrafo / buena fotógrafa?
2. ¿De qué prefiere sacar fotos? ¿de lugares o edificios? ¿de personas? ¿una combinación?
3. ¿Camina mucho en sus viajes o prefiere viajar en auto?
4. ¿Le gusta observar a los animales? ¿A qué animales?
5. Si Ud. pudiera viajar a cualquier lugar del mundo, ¿cuál sería? ¿Qué haría allí?

VOCABULARIO ACTIVO

Adjetivos

contrariado/a	upset
delantero/a	front
lleno/a	full
propio/a	own
próximo/a	next
querido/a	dear
único/a	only
vacío/a	empty

Sustantivos

Los transportes

la aeromoza	stewardess
el aeropuerto	airport
el/la agente	agent
el asiento de pasillo / de ventanilla	aisle/window seat
el/la auxiliar de vuelo	flight attendant
el avión	plane

la azafata	stewardess
el barco	ship
el boleto / el billete de ida (de ida y vuelta)	one-way (round-trip) ticket
la carretera	highway
el equipaje	baggage
la estación de autobuses	bus station
el horario (electrónico)	(electronic) schedule
la línea aérea	airline
el ómnibus	bus
la parada de autobuses / de taxis	bus stop / taxi stand
el/la pasajero/a	passenger
el puerto	port
el tren	train
el/la viajero/a	traveler
el vuelo	flight

Otros sustantivos

el beso	kiss
el contratiempo	mishap, disappointment
el correo	post office
la estampilla	stamp
el/la fumador(a)	smoker
el humo	smoke
la postal	postcard
el regreso	return
el sello	stamp
la tarjeta	postcard

Verbos

advertir (ie, i)	to warn, inform
anunciar	to announce
aterrizar (c)	to land
cerrar (ie)	to close
confirmar	to confirm
decidir	to decide
despegar (gu)	to take off (*an airplane*)
escoger (j)	to choose
esperar	to wait
manejar	to drive
ocurrir	to occur, happen
olvidar	to forget
recordar (ue)	to remember; to remind

Otras palabras y expresiones

camino del	on one's way to
conmigo	with me
en seguida	at once
facturar el equipaje	to check one's baggage
Hace falta / Hay que + *infinitive*	It's necessary to (*do something*)
no tener más remedio que (+ *infinitive*)	to have no choice but (*to do something*)
pasado mañana	day after tomorrow
Si fuera tú...	If I were you . . .
Te conviene + *infinitive*	It's advisable (worthwhile) for you to (*do something*)

COSTA RICA, NICARAGUA Y GUATEMALA

DATOS IMPORTANTES

NOMBRE OFICIAL:
República de Costa Rica

CAPITAL: San José

POBLACIÓN: 3.534.000 habitantes

ÁREA: 50.700 km² (19.575 millas²)

FIESTA NACIONAL: el 15 de septiembre, Día de la Independencia

NOMBRE OFICIAL:
República de Guatemala

CAPITAL: Ciudad de Guatemala

POBLACIÓN: 11.558.000 habitantes

ÁREA: 108.889 km² (42.042 millas²)

FIESTA NACIONAL: el 15 de septiembre, Día de la Independencia

NOMBRE OFICIAL:
República de Nicaragua

CAPITALS: Managua

POBLACIÓN: 4.386.000 habitantes

ÁREA: 128.875 km² (49.759 millas²)

FIESTA NACIONAL: el 15 de septiembre, Día de la Independencia

EL MUNDO NATURAL

Un quetzal en su hábitat natural

En el pequeño país de Costa Rica se encuentra una biodiversidad extraordinaria de plantas y animales. En efecto, allí se han catalogado más de 850 especies de aves,[1] un número mayor de las que se encuentran en toda Norteamérica, Europa o Australia.

El gobierno de Costa Rica ha establecido 36 parques nacionales y varias zonas semiprotegidas, un total de 27% del territorio nacional. Un parque, la Reserva Biológica Bosque Nubloso[2]

[1]*birds*　[2]*Bosque... Cloud Forest*

Monteverde, está en la cima de la cordillera[3] que se extiende a lo largo de[4] Costa Rica. La reserva comprende ocho zonas ecológicas y alberga[5] 490 especies de mariposas.[6] Además, hay unos 100 mamíferos, más de 400 aves y 2.500 insectos. Una de las aves más espectaculares es el resplandeciente[7] quetzal verde esmeralda.

[3]cima... *crest of the mountain chain*　　[4]a... *throughout*　　[5]*is home to*　　[6]*butterflies*
[7]*shining, irridescent*

Rigoberta Menchú

MOSAICO HUMANO

En 1992, el quinto centenario[8] del descubrimiento de América, la joven guatemalteca Rigoberta Menchú (1959–) recibió el Premio Nobel de la Paz en reconocimiento de su labor para atraer la atención del mundo a la situación horrenda de los indígenas guatemaltecos.

Menchú pertenece a los quiché, uno de los grupos descendientes de los antiguos mayas. En 1979 y 1980 las fuerzas armadas[9] torturaron y asesinaron a sus padres y a uno de sus hermanos. Cuando tenía sólo 21 años, Menchú se refugió en México para salvar la propia vida. Durante los próximos doce años luchó[10] por los derechos humanos de los indígenas mayas, que forman casi la mitad[11] de la población guatemalteca. *Yo, Rigoberta Menchú*, su autobiografía, trata de los esfuerzos[12] de los mayas por mantener su cultura y sus comunidades.

[8]quinto... *500th anniversary*　　[9]fuerzas... *armed forces*　　[10]*she fought*　　[11]*half*　　[12]*efforts*

POESÍA

Rubén Darío (1867–1916) fue el poeta nicaragüense más importante de su época. Sus libros —*Azul, Prosas profanas* y *Cantos de vida y esperanza*[13]— establecieron el «modernismo» como modo poético y aseguraron[14] su fama como poeta lírico. Aquí se ofrece la primera estrofa[15] de uno de sus poemas más conocidos.

Sonatina (fragmento)

La princesa está triste... ¿qué tendrá[16] la princesa?
Los suspiros[17] se escapan de su boca de fresa,[18]
que ha perdido la risa,[19] que ha perdido el color.
La princesa está pálida en su silla de oro,[20]
está mudo[21] el teclado[22] de su clave sonoro,[23]
y en un vaso olvidada se desmaya[24] una flor.

[13]*Hope*　　[14]*assured*　　[15]*stanza*　　[16]*is wrong with*　　[17]*sighs*　　[18]*strawberry*
[19]*laughter*　　[20]*gold*　　[21]*silent*　　[22]*keyboard*　　[23]clave ... *resonant clavichord*
[24]se ... *is fainting*

Rubén Darío

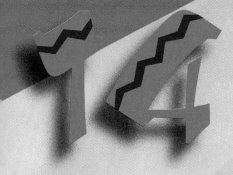

LAS RELACIONES HUMANAS

M E T A S

Comunicación: In this lesson you will learn vocabulary and expressions related to friends, sweethearts, and weddings. You will gossip about friends and family members, go to a wedding, and talk about your interpersonal relationships. You will also learn about dating, engagement, and wedding customs in the Spanish-speaking world.

Estructuras:
14.1 Reciprocal Constructions
14.2 Passive Constructions
14.3 Impersonal **se**
14.4 Subjunctive in Adjective Clauses

 En el vídeo de esta lección, Carlos y Mónica caminan por una plaza que tiene una hermosa (bonita) fuente. Carlos le pregunta a Mónica sobre la boda de Paloma, la prima de ella, y Mónica le cuenta (*tells*) algunas cosas interesantes. ¿Hubo (*Has there been*) una boda reciente en la familia de Ud. o entre sus amigos? ¿Quiénes se casaron? ¿A Ud. le gusta asistir a las bodas? ¿Por qué (no)?

 Visit the *Motivos de conversación* web site at www.spanish.mhhe.com

GRÁFICOS

Una boda elegante°

Una... *An Elegant Wedding*

In the CD-ROM to accompany **Motivos de conversación** you will find additional practice with vocabulary, grammar, listening, and speaking.

1. el novio
2. la novia
3. el anillo de compromiso
4. los anillos de boda
5. el suegro   *father-in-law*
6. la suegra   *mother-in-law*
7. el padrino   *best man*
8. la madrina   *bridesmaid, maid of honor*
9. el champán
10. los canapés   *hors d'oeuvres*

Sentimientos y expresiones

A. abrazar / el abrazo   *to embrace / embrace*
B. besar / el beso   *to kiss / kiss*
C. brindar / el brindis   *to toast / toast*
D. enamorarse (de)   *to fall in love (with)*
E. felicitar / la felicitación   *to congratulate / congratulation*
F. tener celos / los celos   *to be jealous / jealousy*

Otros verbos y sustantivos

amar / el amor   *to love / love*
casarse (con)   *to get married (to)*
divorciarse (de) / el divorcio   *to get divorced (from) / divorce*
la luna de miel   *honeymoon*
el matrimonio   *marriage*
odiar / el odio   *to hate / hate*
prometer / la promesa   *to promise / promise*

MOTIVO CULTURAL

Las costumbres sobre las bodas varían según el país. En España, por ejemplo, el novio le hace un regalo a la novia (generalmente una pulsera), y también ella le hace un regalo a él (un reloj, normalmente). En algunos países, existe la ceremonia de la «pedida o petición de mano», en la que el novio le pide oficialmente a su futuro suegro la mano de la novia, y se intercambian los regalos. En muchos países, el padrino es el padre de la novia, y la madrina, la madre del novio. En México, puede haber dos parejas (*pairs*) de padrinos y madrinas. A veces cada pareja ayuda con una parte de los gastos (*expenses*) de la boda: las flores, el vestido o la cena, por ejemplo. También en muchos países hispanos existe la costumbre de casarse dos veces: una vez por la iglesia y otra por lo civil (*in a civil service*).

Actividades

A *Una historia de amor.* Complete la historia con la forma apropiada de las palabras de la lista.

amar	brindis	felicitar
amor	casarse	odio
anillo de compromiso	celos	padrino
besar	divorcio	promesa
boda	enamorarse	prometer

En mayo del año pasado conocí a Julia y _____¹ de ella casi inmediatamente. Una noche quise darle un beso, pero ella me preguntó: «¿Por qué me quieres _____²? ¿Es que me _____³?» Me sorprendió tanto su pregunta y estaba tan nervioso que no pude declararle el _____⁴ que sentía. En octubre nos hicimos (*we became*) novios. Yo ya quería _____⁵ con ella y ella conmigo. No tenía mucho dinero, pero le di un precioso _____.⁶ ¡Le encantó su pequeño brillante! Celebramos nuestra _____⁷ en junio de este año. Fue una ceremonia un poco diferente, pues yo le _____⁸ algunas cosas, por ejemplo, que nunca tendría _____⁹ de ella aunque la viera con otro hombre. Ella también me hizo algunas _____.¹⁰ Después de la ceremonia, mi mejor amigo, el _____¹¹ de la boda, nos _____¹² con un abrazo y ofreció un _____¹³ con la copa de champán en la mano. Nos deseó mucha felicidad y que nunca llegaran el _____¹⁴ y el _____¹⁵ a nuestro hogar.

B *Definiciones*

MODELO: el padrino ›

UD.: Generalmente, es el padre de la novia. La lleva al altar en la ceremonia de la boda.

SU COMPAÑERO/A: ¿El padrino?

1. el suegro
2. la boda
3. el anillo de boda
4. la madrina

5. el odio
6. la felicitación
7. divorciarse
8. el anillo de compromiso

C *Entrevista.* Pregúntele a un compañero / una compañera.

PARA LOS SOLTEROS

1. ¿Tienes novio/a?
2. ¿Estás enamorado/a ahora?
3. ¿Piensas casarte algún día o no? ¿Por qué?
4. ¿Preferirías una boda grande y elegante o una boda pequeña?
5. ¿Dónde te gustaría pasar la luna de miel?

PARA LOS CASADOS

1. ¿Cuándo te casaste?
2. ¿Tuviste una boda grande o pequeña?
3. ¿Quién fue el padrino? ¿la madrina?
4. ¿Adónde fueron Uds. para la luna de miel?
5. En tu opinión, ¿cuáles son los ingredientes de un matrimonio feliz?

MEMO-PRÁCTICA ▼ ▲

If you can't think of a particular word in Spanish, don't stop talking or break into English. Instead, try to paraphrase or define the term. Here are some expressions that will help you paraphrase.

Es la cosa (la persona) que...
Es el lugar donde...
Se usa para...
Es como...

Exercise B will give you more practice in paraphrasing.

Abrazos y besos... fáciles y difíciles

RECIPROCAL ACTIONS

▲▽▲▽▲▽▲▽▲▽▲▽▲▽▲▽▲▽▲▽▲▽▲▽▲▽▲

se saludan	*they greet each other*
se odian	*they hate each other*
se quieren	*they love each other*
se abrazan	*they embrace each other*
se besan	*they kiss each other*
nos peleamos	*we fight each other*
nos pegamos	*we hit each other*

▽▲▽▲▽▲▽▲▽▲▽▲▽▲▽▲▽▲▽▲▽▲▽▲▽▲▽

SE AS PASSIVE VOICE

▲▽▲▽▲▽▲▽▲▽▲▽▲▽▲▽▲▽▲▽▲

| se resolverá | *will be resolved* |
| se arregla | *is fixed* |

▲▽▲▽▲▽▲▽▲▽▲▽▲▽▲▽▲▽▲▽▲▽▲▽▲

Otras palabras

el cuento	*story*
el disgusto	*quarrel*
en absoluto	*not at all*
en el fondo	*deep down*
lo malo	*the bad thing*
los mayores	*adults, grown-ups*
suponer	*to suppose*
tener la culpa	*to be to blame*

ÁNGEL: Papá, ¿por qué no se saludaron ayer en la boda el tío Alfonso y el tío Enrique?

PADRE: Porque tuvieron un disgusto serio hace años. Es un cuento largo... Pero todo se resolverá algún día... quizás.

ÁNGEL: ¿Quién tiene la culpa? ¿Es que se odian?

PADRE: ¡No, en absoluto! Pero supongo que piensan que no se quieren mucho.

ÁNGEL: ¿Y qué piensas tú?

PADRE: ¿Yo? Pues... que en el fondo se quieren, como dos hermanos.

ÁNGEL: Entonces, ¿por qué no se abrazan y se besan como Miguelito y yo después que nos peleamos y nos pegamos?

PADRE: Ah, mi Angelito... Lo malo con los mayores es que no todo se arregla tan fácilmente entre ellos. Pero... ¡ven aquí y dame un abrazo! Y tú, Miguelito, dame un beso.

Actividades

A **¿Quién hizo qué?** Explique la situación de esta familia, combinando los sujetos con las terminaciones apropiadas. Hay más de una terminación correcta para algunos sujetos.

1. El tío Alfonso y el tío Enrique...
2. El disgusto...
3. Ángel y Miguelito...
4. Los problemas entre los adultos...

a. se pelean y se pegan a veces.
b. no se saludaron ayer.
c. no siempre se arreglan tan fácilmente.
d. no se odian.
e. se quieren mucho en el fondo.
f. se resolverá algún día... tal vez.
g. no se abrazan ni se besan.

B **Asociaciones.** Diga qué personas, lugares y eventos asocia Ud. con los siguientes verbos, y explique por qué.

MODELO: besarse →
Asocio el acto de besarse con las bodas, porque todos se besan en las bodas. Se besan los novios, los suegros, los padrinos...

1. besarse
2. gritarse
3. pegarse
4. saludarse
5. odiarse
6. quererse
7. abrazarse
8. pelearse

La amistad°

Friendship

Otras palabras

distanciarse	to distance oneself
equivocado/a	mistaken, wrong
lo que	what, that which
ponerse de buen/ mal humor	to get in a good/bad mood
soportar	to tolerate, put up with
últimamente	lately

USES OF *SE*

▲▼▲▼▲▼▲▼▲▼▲▼▲▼▲▼▲▼▲▼▲▼▲▼▲▼▽

se divorciaron	*they got divorced*
no se debe hablar mal	*one shouldn't say bad things*

▲▼▲▼▲▼▲▼▲▼▲▼▲▼▲▼▲▼▲▼▲▼▲▼▲▼▽

PASSIVE VOICE

▲▼▲▼▲▼▲▼▲▼▲▼▲▼▲▼▲▼▲▼▲▼▲▼▽

fue atropellado	*was run over*
fue suspendido	*was failed*

▲▼▲▼▲▼▲▼▲▼▲▼▲▼▲▼▲▼▲▼▲▼▲▼▽

JUAN: ¿Carlos? ¡No soporto a ese chico! Últimamente, ni se puede hablar con él.

LOLA: Anoche traté de aconsejarlo y se puso de mal humor. Está distanciado de todos sus amigos.

MARIBEL: De todos, no. Discúlpenme, pero creo que Uds. están equivocados. Lo que pasa es que Carlos está muy preocupado estos días. Sus padres se divorciaron hace un mes, un tío suyo fue atropellado por un coche la semana pasada, y él fue suspendido en química el miércoles. Por eso, tengan paciencia con él. Ahora más que nunca necesita amigos que lo comprendan y lo ayuden.

MARÍA: Estoy de acuerdo con Maribel. Además, no se debe hablar mal de los amigos.

Actividades

A **Los problemas de Carlos.** Conteste las preguntas.

1. ¿A quién no soporta Juan? ¿Por qué?
2. ¿Qué trató de hacer anoche Lola? ¿Con qué resultado?

3. ¿Por qué se disculpa Maribel? ¿Qué les explica a sus amigos?

4. ¿Qué hicieron los padres de Carlos hace un mes?

5. ¿Qué le pasó a su tío?

6. ¿Es optimista la actitud de Maribel con relación a la situación de Carlos? ¿Qué dice ella?

7. ¿Qué piensa María?

B ***Ud. y los demás*** (*others*). Explique cómo son las relaciones entre Ud. y sus amigos y parientes, usando los siguientes verbos. También explique el por qué de esa relación.

MODELO: molestar ›
A veces, me molesta mi compañero/a de cuarto. De vez en cuando, él/ella usa mis cosas sin pedirme permiso.

1. tener paciencia

2. aconsejar

3. ponerse de mal humor

4. ayudar

5. no soportar

6. (no) hacer caso ([*not*] *to pay attention*)

7. escuchar

SITUACIONES ▲▽▲▽▲▽▲▽▲▽

Para hablar de las relaciones

Me cae bien. (Me cae fatal.)	*I like him/her. (I don't like him/her at all.)* *
Estoy harto/a de...	*I'm fed up with . . .*
Es un pesado / una pesada.	*He/She is a pain (bore).*
Es un chismoso / una chismosa.	*He/She is a gossip.*
Hacerse amigo de	*To become friends with*
Salir con	*To go out with (To date)*
Confiar (en)	*To trust*
Romper con	*To break up with*
Tener la culpa	*To be to blame*
Tener un malentendido (un disgusto, una pelea)	*To have a misunderstanding (a quarrel, a fight)*

---

*The expression **caerle bien** (**mal**) **a alguien** has no exact translation in English. The closest equivalent is *to make a good (bad) impression on someone* or, negatively, *to strike someone the wrong way.* This expression works like **gustar,** and always takes an indirect object pronoun.

Le caíste muy bien al profesor.
You made a great impression on the professor.
Nos cae mal Fernando.
We don't like Fernando. (He makes a bad impression on us.)

Actividad

▶ ***Chismes de la residencia*** (*Dorm gossip*). Cuéntele a un amigo / una amiga qué ha pasado o qué ocurre ahora en su residencia, según las indicaciones.

Minidiálogo

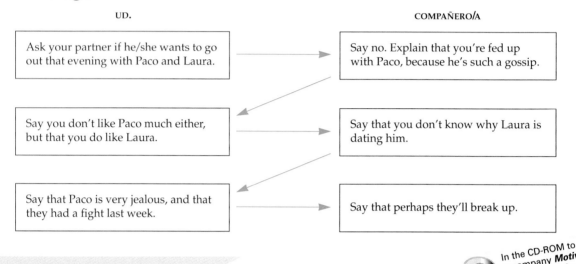

UD.	COMPAÑERO/A
Ask your partner if he/she wants to go out that evening with Paco and Laura.	Say no. Explain that you're fed up with Paco, because he's such a gossip.
Say you don't like Paco much either, but that you do like Laura.	Say that you don't know why Laura is dating him.
Say that Paco is very jealous, and that they had a fight last week.	Say that perhaps they'll break up.

In the CD-ROM to accompany ***Motivos de conversación*** you will find additional practice with vocabulary, grammar, listening, and speaking.

GRAMÁTICA ESENCIAL

14.1 Reciprocal Constructions

Papá, ¿por qué no se saludaron ayer en la boda el tío Alfonso y el tío Enrique?

Reciprocal actions are expressed in English with *each other* or *one another*. In Spanish, reciprocal actions are expressed with the reflexive pronouns **se, nos,** and **os.**

Los buenos amigos siempre se ayudan.	*Good friends always help one another.*
Hace diez años que Luis y yo nos conocemos.	*Luis and I have known each other for ten years.*
¿Os queréis mucho?	*Do you love each other a lot?*

Actividades

A **Las relaciones humanas.** Forme oraciones lógicas, combinando las personas con las acciones.

PERSONAS

1. los novios
2. los padres y los hijos
3. los amigos que viven en diferentes ciudades
4. los enemigos (*enemies*)
5. la novia y su suegra
6. los compañeros de clase
7. los primos
8. la persona que da una fiesta y sus invitados

ACCIONES

a. detestarse
b. llamarse por teléfono
c. odiarse
d. ayudarse
e. darse la mano
f. mirarse mucho a los ojos
g. no hablarse
h. saludarse con afecto (*affection*)
i. respetarse y quererse
j. besarse
k. escribirse

B **Entrevista.** Los mejores amigos. Pregúntele a un compañero / una compañera.

1. ¿Cuánto tiempo hace que tu mejor amigo/a y tú se conocen?
2. ¿Se ven Uds. con frecuencia?
3. ¿Cuántas veces a la semana se llaman por teléfono?
4. ¿Se pelean Uds. a veces? ¿frecuentemente? ¿nunca?
5. Cuando se ven en la calle, ¿se dan la mano? ¿Se abrazan? ¿Se besan?

14.2 Passive Constructions

...y un tío suyo fue atropellado
por un coche la semana pasada,
y él fue suspendido en química
el miércoles.

The term *active voice* is used when the subject of a sentence is the doer of the action; the term *passive voice* is used when the subject receives the action of the verb. Compare these sentences.

ACTIVE VOICE
John   wrote the letters.
subject   verb

PASSIVE VOICE
The letters were   written (by John).
subject   verb

A. Spanish has a true passive construction that employs a form of the verb **ser** with a past participle. In this construction the past participle functions as an adjective; that is, it agrees with the subject in gender and number. This construction is used when the doer of the action (the agent) is expressed or strongly implied.

Los novios fueron presentados por el padre de ella. (*Note:* **novios → presentados**)	*The bride and groom were presented (introduced) by her father.*
Su libro fue publicado (por la Editorial Castalia). (*Note:* **libro → publicado**)	*Her book was published (by the Castalia Publishing Co.).*

The true passive voice is seldom heard in spoken Spanish. It is used occasionally in written Spanish, but much less frequently than in English. It is presented here for recognition only; you will not be asked to use it.

B. If the agent is not stated and the recipient of the action is one or more things, an indefinite person, or a non-individualized group of people, the passive voice is usually expressed in Spanish with a reflexive construction. The verb will be in the third person singular or plural, depending on whether the recipient of the action is singular or plural. The recipient usually follows the verb.

VERBO SINGULAR	VERBO PLURAL
Se prepara una recepción magnífica.	Se contrataron camareros adicionales.
A magnificent reception is being prepared.	*Additional waiters were hired.*
Se abrirá la puerta a las 12:00.	Se servirán canapés con el champán.
The door will be opened at 12:00.	*Hors d'oeuvres will be served with the champagne.*

> **Se alquila** habitación a persona mayor. ℂ 5762045.
>
> **Se necesitan** camareros/as. Arturo Soria, 247.
>
> **Se necesita** mujer para office. Jornada continua. Urbanización Rivas. ℂ 6663525.
>
> **Se necesita** dependiente para bar familiar. Urgente. ℂ 2671833.
>
> **Se necesita** dependienta pastelería con experiencia. ℂ 7856797.

This construction is very common in Spanish and is seen in signs, newspaper classified advertisements, public notices, and so on.

Se habla español.	*Spanish (is) spoken.*
Se necesitan obreros.	*Workers wanted (are needed).*
Se alquilan trajes de novia.	*Wedding gowns (are) rented.*

C. A third person plural verb in the active voice is another common alternative for the passive voice when the agent is not stated. This construction is equivalent to the impersonal use of *they* in English.

La boda será aplazada y los regalos serán devueltos.	*The wedding will be postponed and the gifts will be returned.*
Aplazarán la boda y devolverán los regalos.	*They will postpone the wedding and return the gifts.*

Actividades

A *Preparativos para una boda.* Primero, complete el ejercicio usando **se** con un verbo de tercera persona. Luego, un compañero / una compañera cambiará la oración usando la tercera persona del plural.

En el presente

MODELO: (consultar) los libros de etiqueta →
Se consultan los libros de etiqueta. →
Consultan los libros de etiqueta.

1. (recibir) los regalos de los invitados
2. (discutir) después el plan de la boda
3. (escoger) el vestido de la novia

En el pretérito

MODELO: (alquilar) un Cadillac blanco →
Se alquiló un Cadillac blanco. → Alquilaron un Cadillac blanco.

4. (repetir) varias veces la marcha nupcial
5. (pagar) los billetes para el viaje a Japón
6. (comprar) champán para el banquete

En el futuro

MODELO: (planear) una luna de miel maravillosa →
Se planeará una luna de miel maravillosa. →
Planearán una luna de miel maravillosa.

7. (necesitar) más muebles para la casa
8. (traer) los canapés por la tarde
9. (celebrar) la boda en la iglesia

B *Una boda.* Describa una boda reciente a la que Ud. asistió. Siga el modelo y conteste las preguntas entre paréntesis, usando la voz pasiva. Si no sabe todos los detalles, invéntelos.

MODELO: invitar / personas (¿a cuántas?) →
Se invitaron 120 personas, aproximadamente.

1. celebrar / la boda (¿cuándo? ¿dónde?)
2. invitar / personas (¿cuántas?)
3. comprar / los regalos (¿dónde?)
4. servir / en la recepción (¿qué clase de comida?)
5. beber / licores y bebidas (¿qué?)
6. tocar / en la recepción (¿qué clase de música?)

14.3 Impersonal *se*

Además, no se debe hablar mal de los amigos.

Se followed by a third person singular verb may have a general or impersonal meaning usually expressed in English by *one, you, they,* or *people (in general)*.

Se trabaja mucho aquí.	*People (One) work(s) hard here.*
En algunas bodas se baila mucho.	*At some weddings they dance a lot.*
Se come bien en este restaurante.	*You eat well in this restaurant.*

Note that in most cases this construction is used with intransitive verbs; that is, verbs that don't take a direct object.

If the verb is reflexive, **uno** (*one*) is used in addition to **se.**

A veces uno se equivoca sin darse cuenta.	*Sometimes one makes a mistake without realizing it.*
Uno se divierte mucho en una boda.	*One enjoys oneself a lot at a wedding.*

Actividades

A *¿Qué se hace?* Use el **se** impersonal para comparar lo que hacen los españoles con lo que hacen los norteamericanos.

MODELO: Los españoles generalmente duermen una siesta por la tarde. →
En España, generalmente se duerme una siesta por la tarde.
Aquí, no se duerme una siesta.

1. Los españoles cenan tarde, a las 9:00 o las 10:00 de la noche.
2. Los españoles comen la comida principal a las 2:00 de la tarde.
3. Los españoles salen de vacaciones en agosto.
4. Los españoles bailan en las bodas.
5. Los españoles pasean mucho por los parques, calles y plazas.
6. Los españoles llegan un poco tarde a las fiestas y las citas.

B *La vida social.* Describa la vida social en la ciudad universitaria, usando los verbos indicados y el **se** impersonal.

MODELO: hablar mucho por teléfono con los amigos →
En la ciudad universitaria, se habla mucho por teléfono con los amigos.

1. conversar mucho con los otros estudiantes y profesores
2. trabajar después de clase
3. ir con frecuencia al cine
4. bailar los viernes por la noche en las discotecas
5. acostarse tarde/temprano

14.4 Subjunctive in Adjective Clauses

Ahora más que nunca necesita amigos
que lo comprendan y lo ayuden.

The first subjunctive group you studied involved noun clauses. Adjective clauses constitute the second large group of statements that can call for the use of the subjunctive. When a noun in the main clause is described by the entire dependent clause, this clause is referred to as an *adjective clause.* As the following chart illustrates, the entire statement introduced by **que** modifies the noun in the main clause.

MAIN CLAUSE CONTAINING A NOUN	QUALIFYING STATEMENT FUNCTIONING AS AN ADJECTIVE
Quiero comprar **un regalo** *I want to buy a gift*	**que** sea práctico. *that is practical.*
Ellos buscan **un apartamento** *They are looking for an apartment*	**que** tenga dos dormitorios. *that has two bedrooms.*

The use of the subjunctive in adjective clauses can be divided into two categories: (1) subjunctive in clauses modifying indefinite persons or things and (2) subjunctive in clauses modifying negative antecedents.

The subjunctive is used in the adjective clause if the latter describes an indefinite person, object, or event.

Necesito una compañera que realmente me comprenda.

I need a companion who really understands me.

If the words *some* or *any* can be inserted before the main-clause noun in English, it is probably indefinite.

If the person, object, or event is definite, however, the indicative—not the subjunctive—is used in the adjective clause.

Conozco a un hombre que **es** muy rico.

I know a man who is very rich.

Note that the personal **a** used above is required since **un hombre** is a definite person. Remember, too, that the personal **a** is also required when **alguien** or **nadie** is a direct object.

¿Conoce Ud. a alguien que pueda aconsejarme?
No conozco a nadie que quiera salir con él.

Do you know anyone who can advise me?
I don't know anyone who wants to go out with him.

When an adjective clause modifies a noun in a negative main clause, its verb must be in the subjunctive.

No había nadie allí que **conociera** a la novia.
No tengo ningún vestido que **pueda** llevar a la boda.

There was no one there who knew the bride.
I don't have a single dress that I can wear to the wedding.

Actividades

A *¡Qué complicado es casarse!* Complete con la forma apropiada del verbo entre paréntesis.

Los novios hablan de la luna de miel.

LUIS: Quiero ir a una playa que (ser) _____[1] muy bonita y donde nosotros (poder) _____[2] descansar y nadar.

TERE: Mi amor, yo prefiero ir a un lugar exótico, donde (*haber*) _____³ cosas interesantes que hacer. Además, quiero pasar la luna de miel en un hotel que (*tener*) _____⁴ canchas (*courts*) de tenis y una piscina grande. ¿Qué tal si vamos a Isla Margarita?

LUIS: Tere, tú sabes que eso (*ir*) _____⁵ a costar demasiado. Necesitamos ir a algún lugar que (*ser*) _____⁶ un poco más barato.

Tere y Luis tienen dudas.

TERE: Quiero un esposo que me (*escuchar*) _____⁷ y que me (*ayudar*) _____.⁸ ¡Luis es tan impaciente! Sé que él me quiere ahora, pero necesito a alguien que me (*querer*) _____⁹ para toda la vida.

LUIS: Quiero a Tere, pero a veces (*ser*) _____¹⁰ poco práctica con el dinero. Necesito una esposa que (*saber*) _____¹¹ economizar y que no (*necesitar*) _____¹² una casa elegante. Algún día, voy a tener un trabajo donde me (*ellos: pagar*) _____¹³ muy bien. Entonces, puedo comprarle la casa de sus sueños.

B *La realidad y las posibilidades.* *Leticia has some problems in her life right now. Contrast the way things are for her with the way she wants or needs them to be. Use the indicative or subjunctive as appropriate.*

MODELO: computadora (vieja / moderna y rápida) →
Su computadora es vieja. Quiere (Necesita) una computadora que sea moderna y rápida.

1. trabajo (aburrido / interesante)
2. novio (egoísta e impaciente / generoso y paciente)
3. apartamento (en las afueras / en el centro)
4. clases este semestre (difíciles / fáciles)
5. compañera de cuarto (irresponsable y desordenada / responsable y considerada)
6. auto (viejo y feo / nuevo y bonito)

C *Sondeo.* El novio / La novia ideal. Pregúnteles a tres compañeros sobre las características necesarias del novio / de la novia ideal, e indique sus respuestas en el cuadro usando la siguiente escala de valores.

1—Es absolutamente necesario.   2—Probablemente sea necesario.   3—No es necesario.

MODELO: Un novio / Una novia que sea rico/a →
UD.: Para ti, ¿es necesario que tu novio/a sea rico/a?
SU COMPAÑERO/A: No, no es necesario. (*You write 3 in the appropriate square.*)

¿Es necesario que tu novio/a...	Compañero/a 1	Compañero/a 2	Compañero/a 3
sea rico/a?			
viva en la misma ciudad que tú?			

¿Es necesario que tu novio/a...	Compañero/a 1	Compañero/a 2	Compañero/a 3
sea inteligente?			
tenga buen sentido del humor?			
sea sincero/a?			
sea de la misma religión?			
quiera tener familia?			

Para resumir y repasar

A *En la recepción.* Mire el dibujo de la página 345 y describa con un mínimo de ocho oraciones lo que ocurre en esta escena.

VERBOS POSIBLES

abrazar(se)	conocer(se)	mirar(se)
besar(se)	enamorarse	tener celos
brindar	felicitar	

MODELO: En este momento, el tío Héctor felicita al novio.

B *Fuimos a una boda.* ¿Imperfecto o pretérito? Complete con la forma correcta del verbo.

Mi vecina Julita (*casarse*[1]) el sábado en la catedral y (*invitarnos*[2]) a mi novio y a mí. Aunque estamos en abril, (*hacer*[3]) mucho frío y el cielo (*estar*[4]) gris (*gray*). Julita (*llevar*[5]) un traje precioso de seda y (*ser*[6]) evidente que (*estar*[7]) muy contenta. Cuando (*terminar*[8]) la ceremonia, Julita nos (*saludar*[9]) a todos. A mí (*abrazarme*[10]) y (*besarme*[11]). La fiesta de la boda (*ser*[12]) estupenda, pero mi novio y yo (*beber*[13]) demasiado champán.

PARA VER DE VERAS

Vuelva a mirar la foto de la página 344 para contestar las siguientes preguntas.

1. ¿Quiénes cree Ud. que son estas personas? **2.** ¿Cree Ud. que hablan de temas serios o casuales? **3.** Si estuvieran hablando sobre el matrimonio, ¿qué cree Ud. que dirían? ¿Estarían hablando del matrimonio de ellos dos o de otro matrimonio? ¿De cuál? **4.** ¿Cree Ud. que estas dos personas serían felices (*happy*) casadas? ¿Por qué (no)? **5.** Para Ud., ¿cuál es la diferencia entre una boda y un matrimonio? **6.** ¿Cree Ud. que es mejor casarse con un amigo / una amiga o que es mejor estar locamente enamorado/a de la persona con quien uno se casa? ¿Es posible que las dos cosas coincidan? Explique. **7.** ¿Cuál es la diferencia entre amar a una persona y estar enamorado/a de una persona?

COMUNICACIÓN

De la vida real

¡Aprenda el arte de enamorar por carta!

CÓMO ESCRIBIR CARTAS DE AMOR es la guía[a] más completa que se haya publicado sobre la correspondencia amorosa. En este original libro, el lector[b] encontrará las orientaciones indispensables sobre el arte de escribir y comunicarse con el ser amado.[c]

Cómo Escribir Cartas de AMOR

easa

¡El arte de enamorar por cartas!
¡El libro más completo sobre cartas de amor!
¡Aprenda a expresar todo su amor en cartas!

[a]*guide*
[b]*reader*
[c]*ser... loved one*
[d]*A... For sale*
[e]*stand*

Además,
CARTAS DE AMOR DE FIGURAS HISTÓRICAS

MODELOS ILUSTRATIVOS

A LA VENTA[d] EN SU LIBRERÍA O PUESTO[e] DE REVISTAS FAVORITO

LAS LISTAS DE MODA

Montar[a] la lista de bodas en El Corte Inglés está de moda[b] y es que no todos pueden ofrecer al mismo tiempo, la mayor variedad de artículos y los mejores servicios:
• 10% de descuento en todas sus compras en El Corte Inglés, seis meses antes y tres después de la boda.
• Regalo del 10% del importe total de su lista.

• Precios especiales para "La luna de miel" en nuestra agencia de viajes.
• Seguimiento por ordenador[e] del estado de su lista.
• Posibilidad de recibir regalos desde cualquier centro de El Corte Inglés en España.

El Corte Inglés

toda una lista de ventajas.[f]

[a]*Set up*
[b]*está... is fashionable*
[c]*value*
[d]*Following*
[e]*computer*
[f]*advantages*

A ***¡Aprenda el arte de enamorar por carta!*** Lea el anuncio y conteste.

1. ¿Qué aprenderá el lector con este libro?
2. ¿Cómo se describe el libro en el anuncio?
3. ¿Qué encontrará el lector en el libro?
4. Este libro también incluye cartas de amor de figuras históricas. ¿Qué figuras históricas aparecerán en este libro?
5. ¿Dónde se vende *Cómo escribir cartas de amor*?
6. ¿Compraría Ud. un libro así? ¿Por qué (no)?

B ***Las listas de bodas*** (*bride's registry*). Examine el anuncio y conteste.

1. ¿Cómo se llama este almacén? ¿Dónde está?
2. ¿Qué está de moda?
3. ¿Cuánto ofrece de descuento El Corte Inglés?
4. ¿Qué ofrece El Corte Inglés para la luna de miel?
5. ¿Cuáles son las ventajas de montar la lista de bodas en El Corte Inglés?

C ***¡Solitarios!*** Estudie este anuncio y conteste las preguntas.

1. ¿A quién se dirige este anuncio?
2. ¿Cuál es el propósito (*purpose*) del club?
3. ¿A quién deben escribir los interesados?
4. ¿Está Ud. de acuerdo con esta oración: «La vida, si no se comparte, no se disfruta»?

^a*level*
^b*Request*
^c*pamphlet*
^d*si... if it isn't shared*

¡SOLITARIOS!
¿DESEA CONTRAER MATRIMONIO?

El Club de Relacionamiento Humano, A. C., le pondrá en comunicación con personas de su mismo nivel^a y sus mismos intereses. Solicite^b folleto^c gratis al 592-38-67, o escríbanos:

Pisicóloga ANA VICTORIA SEGURA T.,
"CLUB DE RELACIONAMIENTO HUMANO", A. C.
VALLARTA 1. Desp. 109.-"B", México 4, D. F.
"La vida, si no se comparte,^d no se disfruta"

Videotemas

Mire el episodio del vídeo de esta lección y después haga las actividades que siguen.

A ***Comprensión.*** Conteste las siguientes preguntas sobre el episodio del vídeo.

1. ¿Qué tiene que estudiar Carlos? ¿Por qué quiere él que Mónica le hable de la boda de Paloma?
2. ¿Dónde va a estar Carlos cuando los novios estén en Cancún?
3. ¿Por qué espera Carlos casarse pronto?
4. ¿Cómo fue la boda de Paloma? ¿Asistió mucha o poca gente?
5. ¿Quiénes llegaban cuando Mónica saludaba a la familia Orgaz?
6. ¿Tocaron mucho los músicos?
7. ¿Quiénes querían bailar con Paloma? ¿Y con Humberto?
8. ¿Por qué no fueron Humberto y Paloma de luna de miel?
9. ¿Cuándo van a ir de luna de miel? ¿Adónde van a ir?

B *En parejas.* Comente lo siguiente con un compañero / una compañera.

1. ¿Va Ud. a muchas bodas o a pocas? ¿Cuál fue la última boda a la que asistió? ¿Cómo fue?
2. ¿Baila en las bodas o prefiere conversar con sus amigos y parientes?
3. ¿Cuándo cree que se va a casar? ¿Qué tipo de boda le gustaría tener? ¿grande o pequeña? Describa la boda ideal. Si ya está casado/a, ¿cuándo se casó? ¿Cómo fue la boda? Descríbala.
4. ¿Le gustaría ir de luna de miel a Cancún? ¿Por qué (no)? ¿A qué otro lugar le gustaría ir? Si ya tuvo una luna de miel, ¿adónde fueron Ud. y su esposo/a? Si tuvieran una segunda luna de miel, ¿irían al mismo lugar o a algún otro sitio? ¿Por qué?

MOTIVO CULTURAL

▲▼▲▼▲▼▲▼▲▼▲▼▲▼▲▼▲▼▲▼▲▼▲▼

La palabra **novio/a** tiene diferentes significados en español: *sweetheart, betrothed, bridegroom/bride, newlywed.* No se usa tan informalmente como *boyfriend/girlfriend* en los Estados Unidos.

El noviazgo (*courtship*) y el compromiso (*engagement*) en los países hispánicos generalmente duran más tiempo que en este país. Generalmente, las relaciones comienzan en un grupo de amigos. Otra diferencia es que, a menudo, los jóvenes viven en casa de sus padres hasta casarse. Así pueden ahorrar (*save*) dinero para después de la boda.

Una pareja joven y feliz pasea por las viejas calles de Guanajuato, México.

▲▼▲▼▲▼▲▼▲▼▲▼▲▼▲▼

VOCABULARIO ACTIVO

Adjetivos

amable	pleasant, polite
equivocado/a	mistaken, wrong

Sustantivos

La boda

el anillo de boda	wedding ring
el anillo de compromiso	engagement ring
el brindis	toast

el canapé	hors d'oeuvre
el champán	champagne
la felicitación	congratulations
el/la invitado/a	guest
la luna de miel	honeymoon
la madrina	bridesmaid, maid of honor
el matrimonio	marriage
el/la novio/a	sweetheart; bridegroom/ bride; fiancé/fiancée

el padrino	best man
la pareja	pair, couple
la promesa	promise
el/la suegro/a	father-in-law/mother-in-law

Otros sustantivos

el abrazo	embrace, hug
la amistad	friendship
los celos	jealousy
el cuento	story
el disgusto	quarrel
el divorcio	divorce
los mayores	adults, grown-ups
el odio	hatred

Verbos

abrazar (c)	to embrace
amar	to love
arreglar	to arrange; to fix
brindar	to toast
caerle bien (mal)	to make a good (bad) impression
casarse (con)	to get married (to)
confiar (en) (í)	to trust
disculparse	to excuse oneself, apologize
distanciarse	to distance oneself
divorciarse (de)	to get divorced (from)

enamorarse (de)	to fall in love (with)
estar harto/a (de)	to be fed up (with)
felicitar	to congratulate
hacerse amigo/a de	to become friends with
odiar	to hate
pegar (gu)	to hit
pelear	to fight
prometer	to promise
resolver (ue)	to solve, resolve
romper (con)	to break up (with)
soportar	to tolerate, put up with
suponer (*irreg.*)	to suppose
suspender	to fail (*a student*)

Otras palabras y expresiones

un(a) chismoso/a	a gossip
en absoluto	not at all
en el fondo	deep down
hacer caso a/de	to pay attention to, be considerate of
lo malo	the bad thing
lo que	what, that which
un(a) pesado/a	a pain, bore
ponerse de buen/mal humor	to get in a good/bad mood
tener celos	to be jealous
tener la culpa	to be to blame
tratar de + *infinitive*	to try to (*do something*)
últimamente	lately

Viaje por el mundo hispánico

MÉXICO*

MOSAICO HUMANO

En los estados mexicanos de Oaxaca y Chiapas se encuentra el mayor número de grupos indígenas que todavía mantienen sus costumbres e idiomas. En Oaxaca, los dos grupos principales son los zapotecas y los mixtecas, descendientes de civilizaciones antiguas que construyeron centros extraordinarios. El más importante de éstos es Monte Albán, que está situada en la cima nivelada de un promontorio[1] cerca de la ciudad de Oaxaca. Este gran centro religioso-ceremonial fue construido por sucesivas civilizaciones a lo largo de 2.500 años. La principal de estas civilizaciones fue la de los zapotecas. Para el año 200 a. de J.C.[2] los zapotecas ya tenían un sistema de escritura y un calendario propios y usaban el sistema numérico de los mayas. El último grupo ocupante fue el de los mixtecas, los cuales ocupaban Monte Albán cuando llegaron los españoles.

La excavación de Monte Albán comenzó en 1931. El equipo del arqueólogo mexicano Alfonso Caso descubrió la famosa Tumba 7. Consistía en joyas de oro, plata, cobre, turquesa, cuarzo, obsidiana y alabastro de la época mixteca. Hoy, el tesoro de la Tumba 7 se encuentra en el Museo Regional de Oaxaca.

[1]cima... *leveled summit of a small mountain*   [2]a... antes de Jesucristo

LITERATURA

La pequeña ciudad de San Cristóbal de las Casas, situada a 2.300 metros (7.550 pies) sobre el nivel del mar, todavía retiene su encanto colonial. Tradicionalmente ha sido el centro comercial de las comunidades mayas. Hoy día es también el punto de partida al dirigirse a la selva Lacandona o a las magníficas ruinas mayas en Palenque.

*For additional information on Mexico, see **Lecciones 1** and **10**.

Una vista de la Gran Plaza de Monte Albán

El Templo de Santo Domingo

Entre los lugares de interés en San Cristóbal está el antiguo convento de Santo Domingo. Al lado está el Templo de Santo Domingo, iglesia comenzada en 1547, que tiene una magnífica fachada barroca[3] y muchos ejemplos del arte religioso colonial. Enfrente, en el Museo Cultural de los Altos de Chiapas, hay exhibiciones sobre la cultura e historia regionales.

Después de que en San Cristóbal de las Casas estalló[4] la Rebelión Zapatista, la insurrección indígena del primero de enero de 1994, el novelista mexicano Carlos Fuentes dijo que, si uno quería comenzar a conocer Chiapas y sus problemas, debía leer las novelas de Rosario Castellanos. En *Balún-Canán* (1957) y *Oficio de tinieblas*[5] (1962), Castellanos enfoca los conflictos sociales que han afligido[6] a Chiapas desde la conquista hasta el presente. Trata honesta y personalmente los temas de las clases sociales y la situación de la mujer dentro de la familia y la sociedad mexicana, y denuncia fuertemente el racismo que es tan prevalente en Chiapas.

[3]fachada... *Baroque facade*   [4]*broke out*   [5]Oficio... *Tenebrae Service (held during Holy Week)*
[6]*afflicted*

POESÍA

Octavio Paz (1914–1998) fue un escritor mexicano de gran prestigio en todo el mundo. Recibió el Premio Nobel en 1990. Tal vez[7] su obra más famosa es el ensayo[8] largo *El laberinto de la soledad*. También escribió poemas de tipo abstracto, llenos de imágenes interesantes. El siguiente poema es un ejemplo de este estilo.

Visitas

A través de[9] la noche urbana de piedra y sequía[10]
entra el campo a mi cuarto.
Alarga[11] brazos verdes con pulseras de pájaros,
con pulseras de hojas.
Lleva un río de la mano.
El cielo del campo también entra,
con su cesta[12] de joyas acabadas de cortar.
Y el mar se sienta junto[13] a mí,
extendiendo su cola[14] blanquísima en el suelo.
Del silencio brota[15] un árbol.
Del árbol cuelgan[16] palabras hermosas[17]
que brillan,[18] maduran[19] caen.
En mi frente, cueva[20] que habita un relámpago[21]...
Pero todo se ha poblado de alas.[22]

Octavio Paz

[7]Tal... *Perhaps*   [8]*essay*   [9]A... *Throughout*   [10]*drought*   [11]*It stretches out*
[12]*basket*   [13]*next*   [14]*tail*   [15]*sprouts*   [16]*hang*   [17]*bonitas*   [18]*shine*
[19]*ripen*   [20]*cave*   [21]*(flash of) lightning*   [22]se... *has been filled by wings*

EL MUNDO DEL TRABAJO

METAS

Comunicación: In this lesson you will learn vocabulary and expressions related to the world of work. You will consider various job opportunities, talk about different professions, and discuss your own career plans. You will also learn about the impact of technology on Spanish-speaking countries and about the growing numbers of Hispanic women working outside the home.

Estructuras:

15.1 Subjunctive in Adverbial Clauses

15.2 Subjunctive in Adverbial Clauses of Purpose and Proviso

15.3 Subjunctive in Adverbial Clauses of Time

15.4 *If*-Clauses

En este episodio del vídeo, Diego ayuda a Lupe a buscar trabajo. ¿Dónde miran primero? ¿Mira Ud. allí cuando busca trabajo? ¿Cuáles son otras maneras de buscar trabajo? ¿Qué trabajo busca Lupe? ¿Por qué? Y a Ud., ¿qué trabajo le interesa?

Visit the *Motivos de conversación* web site at www.spanish.mhhe.com.

GRÁFICOS

In the CD-ROM to accompany *Motivos de conversación* you will find additional practice with vocabulary, grammar, listening, and speaking.

Carreras y materias

la arquitectura
las ciencias (la química, la biología)
el comercio *business*
la computación
las comunicaciones
la contabilidad *accounting*
el derecho *law*
la economía

la farmacia
las humanidades (el arte, la filosofía, las lenguas)
la ingeniería *engineering*
la medicina
el mercadeo / el márketing
la pedagogía *education*
la (p)sicología

En la universidad

el doctorado *doctorate*
la especialización *major*
graduarse

la maestría *master's degree*
la matrícula *tuition, registration*

¿Has pensado en una especialización?

Títulos y profesiones

el abogado / la abogada *lawyer*
el arquitecto / la arquitecta
el contador / la contadora *accountant*
el diseñador / la diseñadora
el/la dentista
el/la economista
el enfermero / la enfermera *nurse*
el farmacéutico / la farmacéutica
el hombre / la mujer de negocios
  businessman / businesswoman)

el ingeniero / la ingeniera
el maestro / la maestra
el médico / la médica
el/la periodista *journalist*
el profesor / la profesora
el programador / la programadora
el (p)sicólogo / la (p)sicóloga
el trabajador / la trabajadora social
el veterinario / la veterinaria

Actividades

A **Recomendaciones.** Diga qué deben estudiar estas personas y qué profesión sería buena para ellos, según sus intereses y talento. Trate de pensar en todas las posibles profesiones.

MODELO: A José Luis le encantan los animales. →
             Recomiendo que él estudie ciencias en la universidad. Sería un
             buen veterinario.

1. A Ernesto le interesa trabajar con el público.
2. A Teresa le fascinan las computadoras.
3. Laura tiene mucho talento artístico. Le encanta dibujar, especialmente casas y edificios.

4. A Marcos le gustaría enseñar inglés en una universidad algún día.
5. A Anita le encantan las matemáticas.
6. A Federico le interesa cuidar a los enfermos, pero no quiere estudiar para médico.
7. A Víctor le gusta comprar y vender cosas. Siempre está pensando en cómo ganar dinero.

B *Entrevista.* Pregúntele a un compañero / una compañera.

1. ¿Cuál es tu especialización en la universidad?
2. ¿Cuándo vas a graduarte?
3. ¿Qué profesión te gustaría tener después de graduarte?
4. ¿Por qué te interesa ese tipo de trabajo?
5. ¿Qué piensan tus padres sobre tus planes para el futuro? ¿Qué quieren ellos que hagas?
6. ¿Piensas volver a la universidad para sacar la maestría o el doctorado? ¿Por qué (no)?

Los obreros° y el dueño°

Workers / Owner

1. la tubería
2. el fontanero / la fontanera (el plomero / la plomera)
3. el aislamiento
4. el carpintero / la carpintera
5. el/la albañil
6. el pintor / la pintora
7. el/la electricista
8. la escalera

SUBJUNCTIVE IN ADVERBIAL CLAUSES
▲▽▲▽▲▽▲▽▲▽▲▽▲▽▲▽▲▽▲▽▲▽▲▽▲▽

antes de que se instale
before it's installed

hasta que me diga
until he tells me

a menos que se decida
unless he decides

para que sea
so that it will (may) be

después de que terminen
after they finish

con tal de que no se caiga y se mate
provided (that) he doesn't fall and kill himself

▲▽▲▽▲▽▲▽▲▽▲▽▲▽▲▽▲▽▲▽▲▽▲▽▲▽

Herramientas *Tools*

9. la llave inglesa
10. el serrucho
11. el martillo
12. el clavo

Verbos

caerse	*to fall down*
matarse	*to kill oneself*
pintar	*to paint*

Máquinas eléctricas

la lavadora	*washing machine*
la secadora	*(clothes) dryer*

Otros sustantivos		*Otras expresiones*	
la carpintería	*carpentry*	echarle una mano	*to lend someone a hand*
el/la dueño/a	*owner*	en vez de	*instead of*
el sótano	*basement*	peligroso/a	*dangerous*
		verdadero/a	*real*

EL CARPINTERO: ¿Saben? El dueño quiere que yo termine las paredes antes de que se instale el aislamiento. No sabe nada de carpintería.

EL FONTANERO: Yo no puedo poner la tubería del sótano hasta que él me diga dónde quiere instalar la lavadora y la secadora. Tendré un verdadero problema a menos que se decida antes del lunes.

EL ELECTRICISTA: Mi caso es peor. Me ha pedido que no haga algunas conexiones, para que el precio del trabajo sea más bajo. Dice que él las hará después de que el albañil y el pintor terminen su trabajo.

EL CARPINTERO: Sé que tiene problemas financieros...

EL ELECTRICISTA: Me gustaría echarle una mano, pero ¿por qué no pinta él la casa en vez de hacer las conexiones eléctricas? Pintar es más fácil y menos peligroso... bueno, con tal de que no se caiga de la escalera y se mate.

Actividades

A *Asociaciones.* ¿Qué palabras de la derecha asocia Ud. con los individuos de la izquierda?

1. carpintero/a
2. fontanero/a
3. electricista
4. pintor(a)
5. albañil

a. las conexiones
b. el aislamiento
c. la cocina eléctrica
d. la tubería
e. el cemento
f. las paredes

g. una puerta más
h. el agua caliente
i. la lavadora
j. las luces
k. el color
l. la escalera

B Ud. es el dueño / la dueña de la casa que se está construyendo. Déles instrucciones a los obreros.

MODELO: (yo) querer / Uds. esperar / hasta que / yo pintar paredes →
Quiero que Uds. esperen hasta que yo pinte las paredes.

1. (yo) querer / Uds. terminar paredes / antes de que / instalarse aislamiento
2. (yo) aceptar / Uds. traer / joven para trabajar en mi casa / con tal de que / él saber carpintería
3. (yo) esperar / Uds. no poner tubería / hasta que / yo decidir / dónde poner lavadora y secadora
4. (yo) necesitar / Uds. pintar sótano / después de que / pintar baño y cocina
5. (yo) no querer / Uds. hacer las conexiones / para que / precio del trabajo / no ser verdadero problema para mí
6. (yo) esperar / Uds. no dejar de trabajar / a menos de que / alguien caerse y matarse
7. (yo) necesitar / Uds. echarme una mano / para que / la construcción / no resultarme cara

En la oficina

1. el/la secretario/a
2. el intercomunicador
3. la máquina de escribir
4. el membrete   *letterhead*
5. la libreta de taquigrafía
6. el sobre
7. la computadora / el ordenador
8. el archivo
9. la carpeta
10. la copiadora
11. la impresora

Otras palabras

la circular	*memo, inter-office letter*
imprimir	*to print*
el/la jefe/a	*boss*
meter	*to put, place*
pasar a máquina	*to type*

SUBJUNCTIVE IN *IF*-CLAUSES

▲▽▲▽▲▽▲▽▲▽▲▽▲▽▲▽▲▽▲▽▲▽▲▽▲▽▲▽▲▽

¿Qué haría yo si no fuera por Ud.?	*What would I do if it weren't for you?*
¿Me pagaría más si le dijera que me voy?	*Would you pay me more if I told you I'm leaving?*

▲▽▲▽▲▽▲▽▲▽▲▽▲▽▲▽▲▽▲▽▲▽▲▽▲▽▲▽▲▽

JEFA: (*Por el intercomunicador*) Por favor, traiga la libreta de taquigrafía; voy a dictarle una circular. Quiero que la imprima en papel que tenga mi membrete personal, y que haga después diez copias.

SECRETARIA: (*Media hora más tarde*) Aquí lo tiene todo, señorita. La impresora no funciona, pero la pasé a máquina.

JEFA: En el archivo hay dos carpetas de López y Cía.° Necesito la carpeta que tiene el nombre en rojo. Busque un sobre que sea bastante grande y meta en él la carpeta con los documentos que le di ayer.

(Compañía) *Co.*

SECRETARIA: (*Diez minutos más tarde*) Aquí tiene el sobre.

JEFA: Muchísimas gracias. No sé qué haría yo si no fuera por Ud.

SECRETARIA: ¿Me pagaría más si le dijera que me voy?

Actividades

A ¿Qué se usa en una oficina para...

1. escribir cartas?
2. imprimir cartas?
3. organizar las carpetas?
4. escribir lo que dicta el jefe / la jefa?
5. hablar con alguien que está en otra habitación?
6. hacer copias de una carta?

B *¿Qué dice la jefa?* La jefa le pide a la secretaria que haga ciertas cosas.

MODELO: traer la libreta de taquigrafía →
Por favor, quiero que (necesito que) traiga la libreta de taquigrafía.

1. buscarme la carpeta de la compañía Iturbe
2. llamar al director y decirle que la reunión es a las 3:00
3. preparar una circular para los empleados
4. hacer diez copias de esta carta
5. pedirle al servicio de fotocopiadoras que venga mañana
6. imprimir el informe del mes pasado
7. pasar esta carta a máquina
8. acompañarme a la reunión con el director

SITUACIONES ▲▽▲▽▲▽▲▽▲▽

Buscando un puesto°

Job, Position

tener mucha (poca) experiencia	*to have a lot (little) experience*
un trabajo de tiempo parcial	*a part-time job*
preparar (mandar) un currículum	*to prepare (send) a résumé*
llenar una solicitud	*to fill out an application*
entrevistarse (tener una entrevista) con	*to have an interview with*
conseguir un puesto	*to get a job*
ganar un buen sueldo	*to earn a good salary*
pedir un aumento	*to ask for a raise*
renunciar (al puesto)	*to quit (the job)*
despedir (a)	*to fire*

Actividad

Entrevista. Pregúntele a un compañero / una compañera.

PARA LOS QUE TIENEN TRABAJO
1. ¿Dónde trabajas y qué haces?
2. ¿Cuánto tiempo hace que tienes ese trabajo?
3. ¿Preparaste solo/a tu currículum o te ayudó alguién?
4. ¿Cómo te preparaste para la entrevista de trabajo?
5. ¿Ganas un buen sueldo ahora?
6. ¿Vas a conservar el puesto que tienes, o piensas renunciar pronto?

PARA LOS QUE NO TIENEN TRABAJO
1. ¿Has tenido trabajo alguna vez? ¿Qué hacías en ese trabajo?
2. ¿Por qué renunciaste a ese puesto?
3. ¿Buscas trabajo ahora? ¿Has llenado solicitudes?
4. ¿Qué tipo de trabajo te gustaría tener?
5. ¿Tienes mucha experiencia en algún tipo de trabajo? ¿Cómo conseguiste esa experiencia?
6. ¿Cómo te preparas para una entrevista?

GRAMÁTICA ESENCIAL

15.1 Subjunctive in Adverbial Clauses

In the CD-ROM to accompany **Motivos de conversación** you will find additional practice with vocabulary, grammar, listening, and speaking.

You've already studied the subjunctive in noun clauses and adjective clauses. In both cases the dependent clause containing the subjunctive is introduced by **que.** The third and final use of the subjunctive is in adverbial clauses. In this instance the dependent clause, introduced by an adverbial conjunction rather than by **que,** modifies the verb of the main clause.

MAIN CLAUSE CONTAINING A VERB	QUALIFYING STATEMENT FUNCTIONING AS AN ADVERB
Yo trabajo	para que coma mi familia.
I am working	*so that my family can eat.*

Here the clause introduced by the adverbial conjunction **para que** indicates the reason for working.

The use of the subjunctive in adverbial clauses can be divided into two categories: subjunctive in adverbial clauses of purpose and proviso and subjunctive in adverbial clauses of time. The next two sections of **Gramática esencial** will explain these categories.

15.2 Subjunctive in Adverbial Clauses of Purpose and Proviso

Me ha pedido que no haga algunas conexiones para que el precio del trabajo sea más bajo.

The adverbial conjunctions **para que** (*in order that, so that*), **a menos que** (*unless*), **con tal (de) que** (*provided that*), and **en caso de que** (*in case*) always require the use of the subjunctive in the dependent clause, because they stipulate a condition that does not yet exist.

Te voy a ayudar **para que** aprendas a usar la computadora.	*I'm going to help you so that you learn how to use the computer.*
No le darán un aumento **a menos que** trabaje más.	*They won't give him a raise unless he works more.*
Ud. puede salir temprano **con tal de que** llegue temprano mañana.	*You may leave early on the condition that (provided that) you arrive early tomorrow.*
En caso de que me llamen, diles que regreso a las 5:00.	*In case they call me, tell them I'll be back at 5:00.*

Actividades

A ***Una recomendación.*** Complete con la forma correcta del verbo entre paréntesis.

En caso de que Ud. (*necesitar*[1]) un carpintero, llame a Carlos Suárez. Es muy bueno, pero es caro. Por eso, no lo llame a menos que Ud. (*tener*[2]) bastante dinero. Carlos trabaja con cuidado para que su trabajo siempre (*ser*[3]) bueno; en mi casa el año pasado él no pudo hacer cierta reparación y salió en seguida para (*comprar*[4]) la herramienta apropiada. Vale la pena (*It's worth it*) pagar mucho con tal de que el trabajo (*quedar*[5]) bien.

B ***Para obtener un buen trabajo.*** Imagine que su compañero/a busca trabajo. Déle consejos según el modelo.

MODELO: el día de la entrevista salir de tu casa temprano / para que / llegar a tiempo →
El día de la entrevista sal de tu casa temprano para que llegues a tiempo.

1. llevar buena ropa / para que / la jefa tener una buena impresión
2. llegar a su oficina un poco temprano / a menos que / tú realmente no querer el empleo
3. hacerle tú preguntas sobre la compañía / para que / ver que tú tener mucho interés
4. no hablar mucho de ti mismo/a / a menos que / la jefa hacerte primero preguntas sobre ti
5. no pedir más dinero / con tal de que / el sueldo ser suficiente
6. después de la entrevista escribirle una carta / para que / ella saber que tú ser muy cortés

15.3 Subjunctive in Adverbial Clauses of Time

El dueño quiere que yo termine las paredes antes de que se instale el aislamiento.

The subjunctive is required whenever an expression of time introduces a statement about something that hasn't happened yet. If future time is not implied, a verb in the indicative is used. This is always the case when the main verb is in the present tense, indicates habitual action, or is in a past tense. Compare the uses in the chart below.

Time Expression	With Present or Past (Indicative)	With Future (Subjunctive)
cuando	Siempre se lo doy cuando lo **pide.** *I always give it to him when he asks for it.*	Se lo daré cuando lo **pida.** *I'll give it to him when he asks for it.*

Time Expression	With Present or Past (Indicative)	With Future (Subjunctive)
después (de) que	Fui después (de) que **llegaste.** *I went after you arrived.*	Pienso ir después de que **llegues.** *I intend to go after you arrive.*
hasta que	Siempre trabajaba hasta que ella **salía.** *He always worked until she left.*	Vamos a trabajar hasta que ella **salga.** *We're going to work until she leaves.*
tan pronto como	Comenzamos a pintar tan pronto como **vinieron.** *We began to paint as soon as they came.*	Comenzaremos a pintar tan pronto como **vengan.** *We will begin to paint as soon as they come.*

NOTE: Because of its meaning, the conjunction **antes (de) que** (*before*) is always used with the subjunctive.

Él no podrá volver antes de que terminen su trabajo el albañil y el pintor.

He won't be able to return before the bricklayer and the painter finish their work.

Actividades

A *De ayer a mañana.* Complete con la forma correcta del verbo entre paréntesis.

1. Esperaron hasta que el ingeniero (*hacer*) la instalación.
   Esperarán hasta que el ingeniero (*hacer*) la instalación.
2. Habló después de que la abogada (*terminar*) la discusión.
   Hablará después de que la abogada (*terminar*) la discusión.
3. No quería dar una opinión antes de que la arquitecta (*anunciar*) sus planes.
   No va a dar una opinión antes de que la arquitecta (*anunciar*) sus planes.
4. Comenzó sus estudios cuando (*poder*) ahorrar (*to save*) suficiente dinero.
   Comenzará sus estudios cuando (*poder*) ahorrar suficiente dinero.
5. Vino después de que yo (*llamarlo*).
   Vendrá después de que yo (*llamarlo*).

B *Descripciones.* Complete las descripciones con la forma correcta del verbo entre paréntesis. Estudie el contexto para escoger entre el indicativo y el subjuntivo.

MARIO Y JULIO

Tan pronto como los muchachos (*llegar*[1]) al restaurante, Julio va a pedir un desayuno enorme. Cuando ellos (*desayunar*[2]) allí, a Mario le gusta pedir jugo de naranja. Antes de que (*salir*[3]) del restaurante, Julio debe pagar la cuenta.

Juanito

Cuando Juanito (*calmarse*[4]), el dentista va a examinarlo. El año pasado, cuando su mamá (*llevar*[5]) a Juanito al dentista, él no lloró nada. El dentista no puede empezar hasta que Juanito (*estar*[6]) tranquilo. Después de que (*terminar*[7]) el examen, el dentista va a descansar.

La secretaria

La secretaria nunca sale hasta que la jefa (*darle*[8]) permiso. El próximo año, cuando ella (*tener*[9]) más experiencia, posiblemente le darán un aumento de sueldo. Cuando ella (*empezar*[10]) a trabajar aquí, no sabía usar la computadora.

C **Con sus propias palabras.** Complete las oraciones, basándose en sus planes o su propia experiencia.

MODELO: Después de que consiga un buen trabajo, voy a comprar... →
Después de que consiga un buen trabajo, voy a comprar una casa grande.

1. Este semestre, tan pronto como terminen las clases...
2. Cuando me gradúe en la universidad...
3. Cuando mis amigos y yo nos graduamos en la escuela secundaria...
4. Anoche, después de que hice mi tarea...
5. Este semestre, antes de que tome los exámenes finales...
6. El semestre pasado, después de que tomé los exámenes finales...

15.4 *If*-Clauses

¿Qué haría yo si no fuera por Ud.?

Although many sentences containing "*if*-clauses" *do not* require the subjunctive, the following types of conditional statements always call for the use of the imperfect subjunctive in the *if*-clause.

A. Contrary-to-fact conditions
When a speaker speculates about conditions known to be contrary to the facts, he/she uses a subjunctive verb form in the *if*-clause. The main or "result" clause expresses the consequences of that hypothesis and requires a verb in the conditional.

Si ella estuviera aquí, me ayudaría.	*If she were here* (I know she isn't), she would help me.
Él imprimiría los documentos si funcionara la impresora.	*He would print the documents if the printer were working* (I know it isn't).

B. Improbable future actions and conditions

If the speaker speculates about a future action that is not likely to take place, he or she can convey uncertainty by using a subjunctive verb form in the *if-*clause.

Si Ana viniera mañana, podría firmar las cartas.	*If Ana should come tomorrow (and I doubt that she will), she could sign the letters.*
Iría a trabajar el sábado si mi jefe me lo pidiera.	*I would go to work on Saturday if my boss were to ask me (and it is not likely he will).*

Note that the *if-*clause may either precede or follow the main clause. In both instances, the conditional is used in the main clause and the imperfect subjunctive is used in the *if-*clause.

Actividades

A Complete estas narraciones con el imperfecto de subjuntivo de los infinitivos.

Sueños   Si yo (*ganar*[1]) la lotería, pondría una parte del dinero en el banco y compraría una casa que (*tener*[2]) jardín y piscina y que (*estar*[3]) en un buen barrio. También ayudaría a mis amigos si ellos lo (*necesitar*[4]) y les prestaría dinero si me lo (*pedir*[5]).

No soy un héroe   Si un bandido (*robar*[6]) el banco y yo (*estar*[7]) allí, no sería un héroe. Si él me (*amenazar*[8]) (*to threaten*) con un revólver y me (*mandar*[9]) acostarme, lo haría sin protestar. También le daría mi dinero si él me lo (*exigir*[10]) (*to demand*). Lo miraría bien si (*poder*[11]), para describirlo después a la policía. Le diría a la policía todo lo que (*recordar*[12]) del incidente. Y si lo (*capturar*[13]), iría a identificarlo.

B *El trabajo.* Haga oraciones completas. Use el condicional y el imperfecto de subjuntivo.

MODELO: si / yo / necesitar / trabajo, / leer / anuncios clasificados →
Si yo necesitara trabajo, leería los anuncios clasificados.

1. yo / ganar / más dinero / si / tener / más experiencia
2. si / yo / tener / más tiempo, / poder / trabajar / más horas
3. yo / hablar / con / jefe / si / querer / aumento de sueldo
4. si / yo / no saber / usar una computadora / tomar / un curso
5. yo / sentirse / muy contento/a / si / tener / una entrevista / con / compañía grande
6. en la entrevista, / si / ellos / preguntar «¿Habla Ud. español?», / yo / decir «¡Sí!»
7. si ellos / darme / trabajo, / yo / poder / empezar / esta semana

C *Las posibilidades.* Conteste las preguntas (1–4) y complete las oraciones (5–8).

¿Qué haría Ud....

1. si no tuviera clase hoy?
2. si no fuera estudiante?
3. si tuviera mucho dinero?
4. si fuera el presidente / la presidenta del país?

5. Compraría un nuevo carro si...
6. Tendría más dinero si...
7. Viajaría a otro país si...
8. Todos sacaríamos «A» en el examen final de español si...

Para resumir y repasar

A *En busca de trabajo.* Complete las oraciones con la forma correcta de los verbos entre paréntesis.

1. Le van a ofrecer el puesto a Daniel, a menos que él...
   (*llegar*) tarde para la entrevista, no (*tener*) suficiente experiencia, (*pedir*) un sueldo muy alto.
2. Hay que ofrecer cursos de orientación, para que los nuevos empleados...
   (*aprender*) a usar las computadoras, (*saber*) sus responsabilidades, (*tener*) la oportunidad de hacer preguntas, (*conocerse*) mejor.
3. Creo que voy a buscar un trabajo de tiempo parcial, con tal de que...
   no (*estar*) muy lejos de la universidad, (*ser*) interesante, (*pagar*) bien, no (*quitarme*) mucho tiempo.
4. No llegaré tarde a la entrevista, a menos que...
   (*haber*) mucho tráfico, (*perderse*), (*hacer*) mal tiempo, (*tener*) un accidente.

B *Los empleados y los jefes.* ¿Qué quieren y qué buscan los empleados y los jefes? Complete sus oraciones de forma lógica.

MODELO: Quiero trabajar en una compañía que... →
Quiero trabajar en una compañía que me pague un buen sueldo.

LOS EMPLEADOS DICEN
1. Quiero trabajar en una compañía que...
2. Quiero un trabajo que...
3. Prefiero trabajar con un jefe / una jefa que...
4. Me gustaría tener una oficina que...

LOS JEFES DICEN
5. Buscamos empleados que...
6. No queremos a nadie que...
7. Preferimos darle trabajo a alguien que...
8. No hemos entrevistado a ningún solicitante que...

PARA VER DE VERAS ▼▲▼▲▼▲▼▲▼▲▼▲

Vuelva a mirar la foto de la página 364 para contestar las siguientes preguntas.

1. Las personas de la foto miran los anuncios del periódico para buscar trabajo. ¿Qué tipo de trabajo cree Ud. que buscan? 2. ¿Cree Ud. que es una buena idea buscar trabajo en el periódico? ¿Por qué (no)? ¿Cuáles son otras buenas maneras de buscar trabajo? 3. ¿Qué trabajos serían ideales para un(a) estudiante? ¿Y para una madre joven? ¿Por qué? 4. ¿Cuál es el trabajo ideal para Ud.? ¿Cree que realmente se conoce bien a sí mismo/a? ¿Cuáles son sus mejores atributos para ese trabajo?

COMUNICACIÓN

In the CD-ROM to accompany *Motivos de conversación* you will find additional practice with vocabulary, grammar, listening, and speaking.

De la vida real

IGUALDAD DE LA MUJER EN EL PLAN DE EMPLEO

En el Plan de Empleo destacan[a] los programas de formación dirigidos a nuevas empresarias, que incluyen la posibilidad de conseguir apoyo[b] a las empresas promovidas[c] por mujeres durante su primer año de actividad.

[a]*stand out*
[b]*assistance*
[c]*promoted, started*

Cómo montar o hacer crecer[a] tu empresa sin perder el sueño.

[e]nsomnio, pesadillas,[b] angustia, números y más números, cuentas que no salen...[c] Hasta ahora sólo pensar en montar o ampliar tu empresa era motivo de muchas noches en blanco.[d]

Hoy, la Comunidad, Ayuntamientos,[e] Sindicatos[f] y Empresarios nos hemos puesto de acuerdo[g] para echarte una mano. Porque queremos crear[h] empleo. Y sabemos que eres tú quien puede hacerlo posible. Para eso está el Plan de Empleo en la Comunidad de Madrid. Dirigido a jóvenes. A pequeños y medianos empresarios. A gente tan emprendedora[i] como tú.

[a]*hacer... to make . . . grow*
[b]*nightmares*
[c]*no... don't come out right*
[d]*en... blank (sleepless)*
[e]*City Halls*
[f]*Labor Unions*
[g]*puesto... come to an agreement*
[h]*to create*
[i]*enterprising*

A **Plan de empleo.** Conteste las preguntas.

1. Según el anuncio, ¿cómo es, para la mayoría de las personas, la experiencia de montar una empresa?
2. ¿Quiénes se han puesto de acuerdo para comenzar este plan?
3. ¿Por qué lo han comenzado?
4. ¿A quiénes está dirigido el plan?
5. ¿Es este plan sólo para los hombres?
6. ¿Qué incluyen los programas para las empresarias?

B **Arquitecto o Ingeniero Civil.** Primero lea el anuncio de la próxima página. Luego, imagine que Ud. es el empresario / la empresaria que escribió este anuncio y descríbale a un compañero / una compañera el empleado / la empleada ideal para este puesto.

MODELO: Busco un arquitecto / una arquitecta que sea experto/a en asistencia técnica en proyectos de construcción.

Importante Empresa

Solicita para trabajar en Caracas

Arquitecto
o Ingeniero Civil

Requisitos:
— Para realizar[a] asistencia técnica en la industria de la construcción
— Bilingüe (español-inglés)
— Con vehículo propio
— Dispuesto a[b] viajar

La Empresa Ofrece:
— Remuneración acorde con la experiencia
— Posibilidades amplias de desarrollo[c]
— Cursos de adiestramiento[d]
— Pólizas de vida[e] y de hospitalización, cirugia y maternidad
— Excelente ambiente de trabajo

**Interesados favor enviar currículum vitae[f] al apartado 197,
Puerto Cabello.**

[a]*fulfill, carry out*
[b]Dispuesto... *Prepared to*
[c]*development*
[d]*training*
[e]Pólizas... *Life insurance*
[f]currículum... *résumé*

Ahora, imagine que Ud. está buscando trabajo. Usando la lista de lo que la empresa del anuncio ofrece como modelo, describa la empresa ideal.

MODELO: Busco una empresa que me ofrezca remuneración acorde con mi experiencia.

Videotemas

Mire el episodio del vídeo de esta lección y después haga las actividades que siguen.

A *Comprensión.* Conteste las siguientes preguntas sobre el episodio del vídeo.

1. ¿Qué trabajos encuentra Diego en el periódico? ¿Cuál es el que le interesa especialmente a Lupe? ¿Por qué?
2. ¿Cómo se viste Lupe para la entrevista? ¿Cómo se ve ella, según Diego?
3. ¿En qué banco es la entrevista? ¿Qué servicios ofrecen? ¿Qué tipo de persona buscan?
4. ¿Cuál será el trabajo de Lupe? ¿Qué obligaciones tendrá? ¿Cuál será su horario?
5. ¿Por qué renunció Lupe a su trabajo en la oficina del abogado?
6. ¿Qué preguntas le hace Lupe a la directora de personal, la señora Ibáñez? ¿La señora le ofrece el trabajo? ¿Lo acepta Lupe?

B *En parejas.* Comente lo siguiente con un compañero / una compañera.

1. ¿Ha tenido Ud. alguna vez una entrevista de este tipo? ¿Dónde y cuándo fue? ¿Qué preguntas le hizo el director / la directora de personal, y cuáles le hizo Ud. a él/ella? Si nunca ha tenido una entrevista, describa cómo imagina que sería.
2. ¿Es importante caerle bien al director / a la directora de personal? ¿Por qué (no)?
3. Describa un trabajo que le interesa de manera especial a Ud. y diga por qué le interesa.

MOTIVO CULTURAL

En los países hispánicos, como en los Estados Unidos, muchas compañías han experimentado (*experienced*) cambios radicales en muchas áreas. Hay ahora nuevos métodos, nuevas tecnologías y nuevas soluciones que no existían hace pocos años. Sin embargo, muchos de los antiguos problemas continúan en el presente: el desempleo, el pluriempleo (*moonlighting*), la inflación, etcétera.

Además de los cambios tecnológicos de ahora, hay muchos cambios sociales. Tal vez el más importante de hoy sea la participación de un gran número de mujeres en el campo profesional y en el técnico. Hoy en día, por ejemplo, hay muchas mujeres que son profesoras, abogadas, médicas, etcétera.

Elige bien tu profesión.
Elige bien tu futuro.

Elegir bien o mal tu profesión influye mucho en las posibilidades de encontrar un trabajo interesante. Y, ten por seguro, hoy en día no hay ninguna profesión que no te convenga tan sólo por el hecho de ser mujer. Lo que cuenta son tus gustos y capacidades y que tu formación se corresponda con el trabajo existente.

Para que puedas decidir tu futuro libremente, el Consejo Rector del Instituto de la Mujer ha puesto en marcha el Plan para la Igualdad entre Mujeres y Hombres.

AHORA YA PUEDES ELEGIR

MINISTERIO DE CULTURA
Instituto de la Mujer

PLAN PARA LA IGUALDAD DE OPORTUNIDADES

VOCABULARIO ACTIVO

Adjetivos

peligroso/a	dangerous
verdadero/a	real

Conjunciones adverbiales

a menos que	unless
antes (de) que	before
con tal (de) que	provided that
después (de) que	after
en caso (de) que	in case
hasta que	until
para que	in order that, so that
tan pronto como	as soon as

Sustantivos

Carreras, trabajadores y profesionales

el/la abogado/a	lawyer
el/la albañil	bricklayer
el/la arquitecto/a	architect
la arquitectura	architecture

el/la carpintero/a	carpenter
el comercio	business
la computación	computer science
las comunicaciones	communications
la contabilidad	accounting
el/la contador(a)	accountant
el derecho	law
el/la diseñador(a)	designer
la economía	economics
el/la economista	economist
el/la electricista	electrician
el/la farmacéutico/a	pharmacist
el/la fontanero/a	plumber
el hombre (la mujer) de negocios	businessman (business-woman)
las humanidades	humanities
la ingeniería	engineering
el/la ingeniero/a	engineer
el/la maestro/a	teacher
el mercadeo/el márketing	marketing
el/la obrero/a	worker
la pedagogía	teaching
el/la periodista	journalist
el/la pintor(a)	painter
el/la plomero/a	plumber
el/la programador(a)	programmer
la (p)sicología	psychology
el/la (p)sicólogo/a	psychologist
el/la trabajador(a) social	social worker
el/la veterinario/a	veterinarian

Herramientas y materiales

el aislamiento	insulation
el clavo	nail
la llave inglesa	pipe wrench
el martillo	hammer
el serrucho	saw
la tubería	plumbing, pipes

En la oficina

el archivo	filing cabinet
la carpeta	folder
la circular	memo, inter-office letter
la compañía	company
la computadora	computer
la copia	copy

la copiadora	copy machine
la impresora	printer
el/la jefe/a	boss
la libreta de taquigrafía	shorthand pad
el membrete	letterhead
la nota	note
el ordenador	computer
el/la secretario/a	secretary
el sobre	envelope

Otros sustantivos

el aumento	raise
la carpintería	carpentry
el currículum	résumé
el doctorado	doctorate
el/la dueño/a	owner
la entrevista	interview
la escalera	ladder; stairs
la especialización	major (area of study)
la lavadora	washing machine
la maestría	master's degree
la matrícula	tuition, registration
el puesto	job
la reparación	repair
la secadora	(clothes) dryer
la solicitud	application
el sótano	basement
el sueldo	salary
el título	degree; title

Verbos

caerse (y)	to fall (down)
cobrar	to charge
conseguir (i, i) (g)	to get
despedir (i, i) (a)	to fire
graduarse (en)	to graduate (from)
imprimir	to print
llenar	to fill out
matarse	to kill oneself, to get killed
meter	to put, place
pasar a máquina	to type
pintar	to paint
renunciar (a)	to quit

Otras palabras y expresiones

echarle una mano	to lend someone a hand
en vez de	instead of

Viaje por el mundo hispánico

ESTADOS
UNIDOS

LOS HISPANOS DE LOS ESTADOS UNIDOS*

LITERATURA

Julia Álvarez

En 1960, cuando Julia Álvarez tenía 10 años, su familia dejó su vida privilegiada en la República Dominicana y emigró a los Estados Unidos para escapar de la opresión del dictador Rafael Leónidas Trujillo. Se hizo mujer[1] en la ciudad de Nueva York durante los años 60 y 70, rodeada de familiares[2] que la unían con fuertes lazos[3] a la cultura y los valores dominicanos. Esta experiencia le dio a Álvarez una cantidad de material para varios poemas y cuentos. Su primera novela, *How the García Girls Lost Their Accents,* explora, con humor y gran emotividad, los conflictos que ocurren en semejante[4] situación, desde el punto de vista de las hermanas García.

En 1960, tres hermanas de la familia Mirabal, conocidas como «las mariposas»[5] por su hermosura,[6] fueron encontradas muertas junto a su auto destruido. Aunque, según la prensa[7] oficial, esto fue «un accidente», todo el mundo sabía de la participación de Trujillo en el incidente. La segunda novela de Julia Álvarez, *In the Time of the Butterflies*, está basada en este incidente histórico.

ARTE

La artista chicana Carmen Lomas Garza pertenece a la generación que llegó a la mayoría de edad[8] durante la época del movimiento chicano por los derechos civiles. El movimiento tuvo una influencia profunda sobre su percepción de sí misma y de su arte. Tomando

[1]se... *She grew up*   [2]rodeada... *surrounded by family members*   [3]*ties*   [4]*a similar*
[5]*butterflies*   [6]*beauty*   [7]*press*   [8]llegó... *came of age*

*For additional information on Hispanics in the United States see **Lección 3**.

380 ▲

la vida cotidiana[9] de los mexicoamericanos como tema de su arte, Lomas Garza convierte un estilo folklórico en un vehículo sofisticado de representación. Según ella, su propósito es pintar lo más bello[10] y bueno de su cultura.

Muchas de las escenas que presenta son recuerdos de su familia y niñez en Kingsville, Texas, donde su madre tenía raíces[11] profundas. Su padre nació en el estado mexicano de Nuevo León, donde su familia, que huía de los disturbios de la Revolución mexicana, se encontraba en camino a los Estados Unidos.

[9]everyday   [10]bonito   [11]roots

Beds for Dreams por
Carmen Lomas
Garza

Guadalupe Ochoa Thompson

POESÍA

Guadalupe Ochoa Thompson (1937–) vive en Texas. La viejita de este poema es un símbolo de las hispanas inmigrantes, que trabajan mucho para que sus hijos reciban la educación que ellas no pudieron tener.

Viejita analfabeta[12]

Viejita analfabeta
¡qué bonita!
Tuviste trece hijos
Diez vivos[13] educados.
Criándolos[14] trabajando.
Cosiendo y pelando[15]
tomates en la tomatera[16] . . .
Cosiendo hasta las dos
o tres de la mañana.

Quejándote[17] nunca.
Cuidando siempre
tu cosecha.[18]
Viejita analfabeta
No hay palabra
que te alabe.[19]
Tienes el amor de diez
y
la envidia[20] y el respeto de muchos.

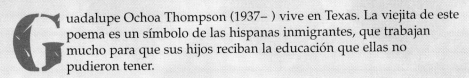

[12]Illiterate   [13]alive   [14]Raising them   [15]Cosiendo . . . Sewing and peeling   [16]tomato
cannery   [17]Complaining   [18]harvest   [19]praises   [20]envy

A VER SI SABÍAS QUE...

▲ en los Estados Unidos viven unos 24 millones de hispanos, los cuales constituyen el 9% de la población del país.

▲ aproximadamente el 50% de los hispanos en los Estados Unidos son menores de 26 años; el 33% son menores de 18 años.

▲ el 70% de los hispanos se concentran en los estados de California, Texas, Nueva York y la Florida.

▲ el 88% de la población hispana es urbana; el 40% vive en las ciudades de Los Ángeles, Miami y Nueva York.

▲ los hispanos en los Estados Unidos no constituyen una sola cultura, sino varias culturas distintas.

AMPLIACIONES 5

Lectura

Antes de leer

When reading in Spanish, always begin with a general overview of the selection. Photos, titles, and the like will give you an idea of the contents. It's also helpful to do a second detailed skim, this time trying to get a better feel for the selection's language and structure.

Take two minutes to skim this article now, focusing only on language. Look for cognates and words you know, and do not stop at unfamiliar words. Can you make some preliminary guesses about the article's topic based on this first skimming?

Another strategy that will help you when you read is skimming to get a feel of the article's underlying organization and structure. To do this, take another two minutes to read just the first sentence of each paragraph, which together give a fairly complete summary of the article. Pay attention to the subject of each sentence, its verb tense, and how it relates to preceding topic sentences. Now look over the English translations of these sentences below. Can you number them 1–9 to indicate their correct order?

_____ Later they had to familiarize themselves with reveille at 4:00 in the morning, . . .

_____ The entrance into and the first days of the course in the Academy were not easy for these women.

_____ Likewise, the statistics about desertion from the academy indicate that women endure . . . better than men.

_____ The majority of the group admit that at the beginning of the course they felt somewhat afraid of handling weapons.

_____ Thirty-two women are graduating as detectives in Bogotá in "urban detective" course number 72.

_____ In the second place, once matriculated, the "blue berets" had to become accustomed to the disciplinary regimen . . .

_____ According to them, female detectives have an advantage over men in some tasks.

_____ Later the women had to get used to dressing daily in blue-jeans, . . .

_____ On Colonel Murillo's desk there are résumés of more than fifty female aspirants . . .

The correct order is as follows: 4-2-8-6-1-3-7-5-9.

Based on this preliminary work, you should now have a good idea of the article's topic and organization. Doing previews like this will help you stay on track whenever you read in Spanish, and should make your reading a more enjoyable and less frustrating experience.

LAS BOINAS AZULES

▲▽

Treinta y dos mujeres se gradúan como detectives en Bogotá en el curso número 72 de «detectives urbanos». Son las primeras «boinas[1] azules», y no sólo están capacitadas[2] para **manejar** armas sino también para realizar[3] **labores** de inteligencia y contrainteligencia, desactivación de explosivos e incluso para actuar como escoltas.[4]

What verb makes sense with the noun *weapons*? / The English cognate of **labores** is usually singular.

El ingreso[5] y los primeros días del curso en la Academia no fueron fáciles para estas mujeres. En primer lugar, tenían que **renunciar** a casarse y casi abandonar los novios mientras durara el curso. Porque uno de los principales **requisitos** de admisión es que sean solteras entre los 20 y 26 años y que sean bachilleres.[6]

Think of the English verb *to renounce.*

What is another meaning of *requisites*?

En segundo lugar, una vez matriculadas,[7] las «boinas azules» tuvieron que **acostumbrarse** al régimen disciplinario de la academia, a la vida de **internado**, a las nuevas formas de vestir y a hablar un nuevo lenguaje: el militar.

Think of the expression *to get accustomed to.* / Relate to the English word *intern.*

Luego tuvieron que familiarizarse con el toque de diana[8] a las 4:00 de la mañana, el baño con agua **helada** y la salida al comedor para desayunar a las 5:00 de la mañana. En seguida el arreglo[9] de los salones y la preparación del material didáctico[10] hacia las 6:00 de la mañana, para estar listas para las clases a las 7:30 de la mañana.

Think of the food **helado**. What temperature is **agua helada**?

Posteriormente las mujeres tuvieron que **habituarse** a vestir diariamente con **bluyines**, buzos[11] grises y las ajustadas[12] botas.

Think of the English word *habit.*

Pronounce this word aloud.

La mayoría del grupo admite que al comenzar el curso sintieron algo de **temor** al manejar armas. «Al principio **temblábamos.** Creíamos que la submetralladora[13] se iba a **disparar** sola. Después nos fuimos familiarizando con las armas y actualmente las disparamos con mucha seguridad y precisión», asegura Mildred Mendoza.

Relate to the verb **temer**. / Think of the English verb *to tremble.* / What would a gun do all by itself?

Según ellas, las mujeres detectives aventajan a[14] los hombres en algunas labores. «Somos más **detallistas,** discretas e inflexibles. Tenemos a favor la intuición femenina y ésta, aunque no lo crean, ayuda mucho a detectar con más **facilidad** los **riesgos**.»

Relate to the English word *detail.*

Relate to **fácil**. / What English cognate makes sense for this context? / Delete the initial **e** of this cognate.

Asímismo,[15] las **estadísticas** de deserción en la academia señalan[16] que las mujeres «aguantan»[17] más el régimen disciplinario y las pruebas[18] que los hombres. Según el coronel José Jacinto Murillo, «La mujer

[1]*berets*   [2]*qualified, equipped*   [3]*carry out, perform*   [4]*bodyguards*   [5]*entrance, admission*   [6]*high school graduates*   [7]*una... once registered*   [8]*toque... reveille*   [9]*tidying up*   [10]*educational*   [11]*sweatshirts*   [12]*tight*   [13]*submachine gun*   [14]*aventajan... surpass*   [15]*Likewise*   [16]*indicate*   [17]*endure*   [18]*tests*

35 se adapta más a las exigencias[19] de la academia y **tiende** a ser más
se adapta más a las exigencias[19] de la academia y **tiende** a ser más
estable. Quizá también esto sea consecuencia de la rigurosa preselec-
ción que se hace del personal.»

En el escritorio del coronel Murillo reposan[20] las hojas de vida[21] de
más de cincuenta mujeres **aspirantes** a ser detectives. Pero sólo habrá
40 cupo[22] para treinta nuevas «boinas azules».

CROMOS, Colombia ▲

Think of the English expression *tends to.*

Relate to the Spanish verb **esperar** and the English *aspire*. What makes sense for the context?

[19]*demands*   [20]*lie*   [21]*hojas... résumés*   [22]*openings, room*

Después de leer

A ***Comprensión de la lectura.*** Conteste las preguntas sobre el artículo. Si es necesario, lea secciones del artículo de nuevo para dar toda la información pedida.

1. ¿Qué aprenden a hacer las mujeres detectives en este curso? Mencione tres cosas.
2. ¿Cuáles son dos de los requisitos de admisión para ser «boina azul»?
3. ¿Cómo es la vida dentro de la academia? Describa la rutina de las estudiantes, mencionando tres o cuatro detalles sobre el horario, la forma de vestir, las clases, etcétera.
4. ¿Cómo se sentían las mujeres cuando empezaron a aprender a usar armas? ¿Y después?
5. ¿Cuáles son las características y puntos fuertes (*strong points*) de las mujeres detectives? Mencione tres cosas.
6. ¿Cuántas mujeres esperan participar en el próximo curso de «boinas azules»?

B ***En su opinión.*** Conteste las preguntas sobre la lectura según su propia opinión.

1. ¿Por qué cree que a estas mujeres detectives se les llama «boinas azules»?
2. En su opinión, ¿por qué tienen que ser solteras, jóvenes y bachilleres?
3. Describa los varios aspectos de la vida militar.
4. ¿Cree que las mujeres son más detallistas que los hombres? Dé ejemplos.
5. ¿Cree en la intuición femenina? Explique.
6. ¿A Ud. le gustaría ser «boina azul»? ¿Por qué (no)?

Repaso visual

Invente oraciones completas sobre los dibujos. Considere las siguientes preguntas:

¿Qué hay en el dibujo?   ¿Cómo son las personas?

¿Dónde están las personas?   ¿Qué pasa en cada escena?
¿De qué hablan?   ¿Qué hicieron primero?

VERBOS ÚTILES

arreglar	despegar	pintar
aterrizar	escribir	preparar
besar	felicitar	querer
casarse con	llorar	salir
confirmar	pedir	visitar

Examen de repaso 5

A *Mi viaje a Buenos Aires.* Cambie al pasado.

Mis tíos me *piden*[1] que *vaya*[2] a Buenos Aires a visitarlos este verano. Mis amigos *desean*[3] que me *divierta*[4] mucho, que *tenga*[5] tiempo para visitar muchos lugares interesantes y que les *traiga*[6] muchos regalos. Mi madre me *recuerda*[7] que *haga*[8] la maleta con tiempo, que no *ponga*[9] mi pasaporte en la maleta y que *salga*[10] temprano para el aeropuerto.

B *¿Cúanto tiempo hace que... ?* Summarize each statement or pair of statements below, using an expression of time with **hace... que.**

MODELO: Elena salió para Lima el jueves. Hoy es sábado. →
Hace dos días que Elena salió para Lima.

1. El avión aterrizó a las 6:00 de la tarde. Ahora son las 9:00.
2. Elena y y su amiga Carmen se conocieron en 1990. Todavía son muy buenas amigas.
3. En 1993, Carmen visitó otra vez la ciudad de Arequipa.
4. Elena aprendió a manejar a los 20 años. Ahora tiene 23 años.
5. Carmen empezó sus estudios en la Universidad Católica de Lima el año pasado.

C *El día de la boda.* Complete usando **se** + **verbo** (en el presente) como equivalente de la voz pasiva.

1. (Recibir) muchos regalos de los invitados.
2. (Celebrar) la ceremonia en una iglesia muy grande.
3. (Decorar) la iglesia con muchas flores.
4. (Tocar) una hermosa marcha nupcial.
5. (Beber) mucho champán y otras bebidas.

D *En la consulta de la Dra. Iriarte.* Complete las quejas (*complaints*) de los pacientes de la Dra. Iriarte, una sicóloga que se especializa en el matrimonio y las relaciones personales. Use el presente de subjuntivo o el indicativo.

1. No conozco a nadie que (creer) en el matrimonio.
2. Me voy a casar con Ramiro, porque es un hombre que realmente me (querer).
3. No hay nadie con quien yo (querer) casarme.
4. Busco a una persona que (entenderme).
5. Mi esposo es una persona que no (saber) escuchar a los demás.
6. Necesito tener una relación que (ser) estable.

E *Problemas del trabajo.* ¿Qué dicen los empleados en el trabajo? Complete sus oraciones con el presente de subjuntivo, el presente de indicativo o el pretérito.

1. ¡Odio este trabajo! Voy a buscar otro puesto tan pronto como (tener) suficiente dinero.
2. ¡Caramba! Hoy llegué a la oficina después de que (llegar) el jefe.
3. Cuando ellos por fin (arreglar) la computadora, voy a poder terminar este informe.
4. No voy a llamar a casa ahora, para que no me (oír) el jefe.
5. Anoche no salimos hasta que (terminar) el proyecto... ¡a las 10:00 de la noche!
6. Necesito escribir esta carta ahora, para que (nosotros: poder) salir temprano hoy.

F *En la agencia de viajes.* Dé la forma apropiada del verbo entre paréntesis. Use el imperfecto de subjuntivo o el condicional.

Mi esposa y yo siempre pensamos que nos (*encantar*[1]) hacer un viaje a Europa, pero no sabíamos cuánto (*costar*[2]). Por eso, fui ayer a la agencia de viajes. El agente me explicó que (*tener*[3]) que hacer las reservaciones muy pronto. Entonces me preguntó cómo (*nosotros: querer*[4]) viajar. Le dije que (*nosotros: preferir*[5]) ir en avión. Entonces él me dijo que si yo (*hacer*[6]) las reservaciones ahora mismo, él (*poder*[7]) darnos un descuento del treinta por ciento en el precio de los billetes. Pero era necesario que (*nosotros: pagar*[8]) los billetes en efectivo (*in cash*). Llamé a mi esposa y le expliqué la situación. Ella me dijo que (*ser*[9]) mejor que nosotros (*pensar*[10]) un poco más antes de comprar los billetes. Dos días después, volví a la agencia y le pedí al agente que nos (*dar*[11]) dos billetes de ida y vuelta para Madrid. ¡Vamos a salir en dos semanas!

G *¿Quién(es)?* Diga Ud. la palabra o expresión apropiada para la persona que...

1. hace un viaje
2. vende boletos
3. ayuda a la novia el día de la boda
4. pone toda la tubería en una casa nueva
5. hace los planes para una casa nueva

¿Qué? Ahora dé la palabra o expresión apropiada para la cosa que...

6. Ud. necesita comprar antes de hacer un viaje
7. Ud. escribe a su familia cuando está de vacaciones
8. se dan los novios el día de la boda
9. hay que pagar todos los semestres en la universidad
10. se usa para imprimir un documento

Appendix 1: Verbs

A. Regular Verbs: Simple Forms

INFINITIVE PRESENT PARTICIPLE PAST PARTICIPLE	INDICATIVE					SUBJUNCTIVE		IMPERATIVE
	PRESENT	IMPERFECT	PRETERITE	FUTURE	CONDITIONAL	PRESENT	IMPERFECT[1]	
to speak *speaking* *spoken*	*I speak, do speak, am speaking, etc.*	*I was speaking, used to speak, spoke, etc.*	*I spoke, did speak, etc.*	*I shall (will) speak, etc.*	*I should (would) speak, etc.*	*(that) I (may) speak, etc.*	*(that) I (might) speak, etc.*	*speak* *don't speak* *let's speak*
hablar	hablo	hablaba	hablé	hablaré	hablaría	hable	hablara	
hablando	hablas	hablabas	hablaste	hablarás	hablarías	hables	hablaras	habla tú, no hables
hablado	habla	hablaba	habló	hablará	hablaría	hable	hablara	hable Ud.
	hablamos	hablábamos	hablamos	hablaremos	hablaríamos	hablemos	habláramos	hablemos
	habláis	hablabais	hablasteis	hablaréis	hablaríais	habléis	hablarais	hablad, no habléis
	hablan	hablaban	hablaron	hablarán	hablarían	hablen	hablaran	hablen Uds.
comer	como	comía	comí	comeré	comería	coma	comiera	
comiendo	comes	comías	comiste	comerás	comerías	comas	comieras	come tú, no comas
comido	come	comía	comió	comerá	comería	coma	comiera	coma Ud.
	comemos	comíamos	comimos	comeremos	comeríamos	comamos	comiéramos	comamos
	coméis	comíais	comisteis	comeréis	comeríais	comáis	comierais	comed, no comáis
	comen	comían	comieron	comerán	comerían	coman	comieran	coman Uds.
vivir	vivo	vivía	viví	viviré	viviría	viva	viviera	
viviendo	vives	vivías	viviste	vivirás	vivirías	vivas	vivieras	vive tú, no vivas
vivido	vive	vivía	vivió	vivirá	viviría	viva	viviera	viva Ud.
	vivimos	vivíamos	vivimos	viviremos	viviríamos	vivamos	viviéramos	vivamos
	vivís	vivíais	vivisteis	viviréis	viviríais	viváis	vivierais	vivid, no viváis
	viven	vivían	vivieron	vivirán	vivirían	vivan	vivieran	vivan Uds.

B. Regular Verbs: Perfect Forms

INDICATIVE					SUBJUNCTIVE	
PRESENT PERFECT	PLUPERFECT	PRETERITE PERFECT[2]	FUTURE PERFECT[2]	CONDITIONAL PERFECT[2]	PRESENT PERFECT	PLUPERFECT[3]
I have spoken, etc.	*I had spoken, etc.*	*I had spoken, etc.*	*I shall (will) have spoken, etc.*	*I should (would) have spoken, etc.*	*(that) I (may) have spoken, etc.*	*(that) I (might) have spoken, etc.*
he	había	hube	habré	habría	haya	hubiera
has	habías	hubiste	habrás	habrías	hayas	hubieras
ha hablado	había hablado	hubo hablado	habrá hablado	habría hablado	haya hablado	hubiera hablado
hemos comido	habíamos comido	hubimos comido	habremos comido	habríamos comido	hayamos comido	hubiéramos comido
habéis vivido	habíais vivido	hubisteis vivido	habréis vivido	habríais vivido	hayáis vivido	hubierais vivido
han	habían	hubieron	habrán	habrían	hayan	hubieran

[1]The imperfect subjunctive has another set of endings not used in *Motivos de conversación*: hablase, hablases; aprendiese, aprendiésemos; vivieseis, viviesen

[2]These forms are not covered in *Motivos de conversación*.

C. Irregular Verbs

This section gives only irregular forms, not entire verb conjugations. If a form is not listed, you can assume that it is regular.

andar *to walk; to go*

Preterite anduve, anduviste, anduvo, anduvimos, anduvisteis, anduvieron
Imperfect subjunctive anduviera, anduvieras, anduviera, anduviéramos, anduvierais, anduvieran

caer *to fall*

Present participle cayendo
Past participle caído
Present indicative caigo, caes, cae, caemos, caéis, caen
Preterite caí, caíste, cayó, caímos, caísteis, cayeron
Present subjunctive caiga, caigas, caiga, caigamos, caigáis, caigan
Imperfect subjunctive cayera, cayeras, cayera, cayéramos, cayerais, cayeran

dar *to give*

Present indicative doy, das, da, damos, dais, dan
Preterite di, diste, dio, dimos, disteis, dieron
Present subjunctive dé, des, dé, demos, deis, den
Imperfect subjunctive diera, dieras, diera, diéramos, dierais, dieran

decir *to say; to tell*

Present participle diciendo
Past participle dicho
Present indicative digo, dices, dice, decimos, decís, dicen
Preterite dije, dijiste, dijo, dijimos, dijisteis, dijeron
Present subjunctive diga, digas, diga, digamos, digáis, digan
Imperfect subjunctive dijera, dijeras, dijera, dijéramos, dijerais, dijeran
Future diré, dirás, dirá, diremos, diréis, dirán
Conditional diría, dirías, diría, diríamos, diríais, dirían
Imperative di (tú)

estar *to be*

Present indicative estoy, estás, está, estamos, estáis, están
Preterite estuve, estuviste, estuvo, estuvimos, estuvisteis, estuvieron
Present subjunctive esté, estés, esté, estemos, estéis, estén
Imperfect subjunctive estuviera, estuvieras, estuviera, estuviéramos, estuvierais, estuvieran

haber *to have*

Present indicative he, has, ha, hemos, habéis, han
Preterite hube, hubiste, hubo, hubimos, hubisteis, hubieron
Present subjunctive haya, hayas, haya, hayamos, hayáis, hayan
Imperfect subjunctive hubiera, hubieras, hubiera, hubiéramos, hubierais, hubieran
Future habré, habrás, habrá, habremos, habréis, habrán
Conditional habría, habrías, habría, habríamos, habríais, habrían

hacer *to do; to make*

Past participle hecho
Present indicative hago, haces, hace, hacemos, hacéis, hacen
Preterite hice, hiciste, hizo, hicimos, hicisteis, hicieron
Present subjunctive haga, hagas, haga, hagamos, hagáis, hagan
Imperfect subjunctive hiciera, hicieras, hiciera, hiciéramos, hicierais, hicieran
Future haré, harás, hará, haremos, haréis, harán
Conditional haría, harías, haría, haríamos, haríais, harían
Imperative haz (tú)

ir *to go*

Present participle yendo
Present indicative voy, vas, va, vamos, vais, van
Imperfect indicative iba, ibas, iba, íbamos, ibais, iban
Preterite fui, fuiste, fue, fuimos, fuisteis, fueron
Present subjunctive vaya, vayas, vaya, vayamos, vayáis, vayan
Imperfect subjunctive fuera, fueras, fuera, fuéramos, fuerais, fueran
Imperative ve (tú)

oír *to hear*

Present participle oyendo
Past participle oído
Present indicative oigo, oyes, oye, oímos, oís, oyen
Preterite oí, oíste, oyó, oímos, oísteis, oyeron
Present subjunctive oiga, oigas, oiga, oigamos, oigáis, oigan
Imperfect subjunctive oyera, oyeras, oyera, oyéramos, oyerais, oyeran
Imperative oye (tú)

poder *to be able, can*

Present participle pudiendo
Present indicative puedo, puedes, puede, podemos, podéis, pueden
Preterite pude, pudiste, pudo, pudimos, pudisteis, pudieron
Imperfect subjunctive pudiera, pudieras, pudiera, pudiéramos, pudierais, pudieran
Future podré, podrás, podrá, podremos, podréis, podrán
Conditional podría, podrías, podría, podríamos, podríais, podrían

poner *to put, place*

Past participle puesto
Present indicative pongo, pones, pone, ponemos, ponéis, ponen
Preterite puse, pusiste, puso, pusimos, pusisteis, pusieron
Present subjunctive ponga, pongas, ponga, pongamos, pongáis, pongan
Imperfect subjunctive pusiera, pusieras, pusiera, pusiéramos, pusierais, pusieran
Future pondré, pondrás, pondrá, pondremos, pondréis, pondrán
Conditional pondría, pondrías, pondría, pondríamos, pondríais, pondrían
Imperative pon (tú)

Like **poner: componer** (*to compose*), **oponer** (*to oppose*), **proponer** (*to propose*)

querer *to wish, want*
Present indicative quiero, quieres, quiere, queremos, queréis, quieren
Preterite quise, quisiste, quiso, quisimos, quisisteis, quisieron
Imperfect subjunctive quisiera, quisieras, quisiera, quisiéramos, quisierais, quisieran
Future querré, querrás, querrá, querremos, querréis, querrán
Conditional querría, querrías, querría, querríamos, querríais, querrían

saber *to know*
Present indicative sé, sabes, sabe, sabemos, sabéis, saben
Preterite supe, supiste, supo, supimos, supisteis, supieron
Present subjunctive sepa, sepas, sepa, sepamos, sepáis, sepan
Imperfect subjunctive supiera, supieras, supiera, supiéramos, supierais, supieran
Future sabré, sabrás, sabrá, sabremos, sabréis, sabrán
Conditional sabría, sabrías, sabría, sabríamos, sabríais, sabrían

salir *to go out; to leave*
Present indicative salgo, sales, sale, salimos, salís, salen
Present subjunctive salga, salgas, salga, salgamos, salgáis, salgan
Future saldré, saldrás, saldrá, saldremos, saldréis, saldrán
Conditional saldría, saldrías, saldría, saldríamos, saldríais, saldrían
Imperative sal (tú)

ser *to be*
Present participle siendo
Past participle sido
Present indicative soy, eres, es, somos, sois, son
Imperfect indicative era, eras, era, éramos, erais, eran
Preterite fui, fuiste, fue, fuimos, fuisteis, fueron
Present subjunctive sea, seas, sea, seamos, seáis, sean
Imperfect subjunctive fuera, fueras, fuera, fuéramos, fuerais, fueran
Imperative sé (tú)

tener *to have*
Present indicative tengo, tienes, tiene, tenemos, tenéis, tienen
Preterite tuve, tuviste, tuvo, tuvimos, tuvisteis, tuvieron
Present subjunctive tenga, tengas, tenga, tengamos, tengáis, tengan
Imperfect subjunctive tuviera, tuvieras, tuviera, tuviéramos, tuvierais, tuvieran
Future tendré, tendrás, tendrá, tendremos, tendréis, tendrán
Conditional tendría, tendrías, tendría, tendríamos, tendríais, tendrían
Imperative ten (tú)

Like **tener: detener** (*to detain*), **mantener** (*to maintain*)

traer *to bring*
Present participle trayendo
Past participle traído
Present indicative traigo, traes, trae, traemos, traéis, traen
Preterite traje, trajiste, trajo, trajimos, trajisteis, trajeron

Present subjunctive traiga, traigas, traiga, traigamos, traigáis, traigan
Imperfect subjunctive trajera, trajeras, trajera, trajéramos, trajerais, trajeran

valer *to be worth*
Present indicative valgo, vales, vale, valemos, valéis, valen
Present subjunctive valga, valgas, valga, valgamos, valgáis, valgan
Future valdré, valdrás, valdrá, valdremos, valdréis, valdrán
Conditional valdría, valdrías, valdría, valdríamos, valdríais, valdrían

venir *to come*
Present participle viniendo
Present indicative vengo, vienes, viene, venimos, venís, vienen
Preterite vine, viniste, vino, vinimos, vinisteis, vinieron
Present subjunctive venga, vengas, venga, vengamos, vengáis, vengan
Imperfect subjunctive viniera, vinieras, viniera, viniéramos, vinierais, vinieran
Future vendré, vendrás, vendrá, vendremos, vendréis, vendrán
Conditional vendría, vendrías, vendría, vendríamos, vendríais, vendrían
Imperative ven (tú)

ver *to see*
Past participle visto
Present indicative veo, ves, ve, vemos, veis, ven
Imperfect indicative veía, veías, veía, veíamos, veíais, veían
Preterite vi, viste, vio, vimos, visteis, vieron
Present subjunctive vea, veas, vea, veamos, veáis, vean

D. Stem-Changing Verbs

1. e → ie and o → ue

comenzar *to begin*
Present indicative comienzo, comienzas, comienza, comenzamos, comenzáis, comienzan
Present subjunctive comience, comiences, comience, comencemos, comencéis, comiencen

volver *to return*
Present indicative vuelvo, vuelves, vuelve, volvemos, volvéis, vuelven
Present subjunctive vuelva, vuelvas, vuelva, volvamos, volváis, vuelvan

Verbs with similar changes are as follows: **acostarse (ue)** (*to go to bed*), **cerrar (ie)** (*to close*), **costar (ue)** (*to cost*), **doler (ue)** (*to hurt*), **empezar (ie)** (*to begin*), **encontrar (ue)** (*to meet*), **entender (ie)** (*to understand*), **jugar (ue)** (*to play*), **llover (ue)** (*to rain*), **negar (ie)** (*to deny*), **nevar (ie)** (*to snow*), **pensar (ie)** (*to think*), **perder (ie)** (*to lose*), **querer (ie)** (*to wish, want*), **sentarse (ie)** (*to sit down*)

2. e → ie, i and o → ue, u

preferir *to prefer*
Present participle prefiriendo

Present indicative   prefiero, prefieres, prefiere, preferimos, preferís, prefieren
Preterite   preferí, preferiste, prefirió, preferimos, preferisteis, prefirieron
Present subjunctive   prefiera, prefieras, prefiera, prefiramos, prefiráis, prefieran
Imperfect subjunctive   prefiriera, prefirieras, prefiriera, prefiriéramos, prefirierais, prefirieran

dormir   *to sleep*

Present participle   durmiendo
Present indicative   duermo, duermes, duerme, dormimos, dormís, duermen
Preterite   dormí, dormiste, durmió, dormimos, dormisteis, durmieron
Present subjunctive   duerma, duermas, duerma, durmamos, durmáis, duerman
Imperfect subjunctive   durmiera, durmieras, durmiera, durmiéramos, durmierais, durmieran

Verbs with similar changes are as follows: **divertirse (ie, i)** (*to enjoy oneself*), **morir (ue, u)** (*to die*), **sentir (ie, i)** (*to feel*)

3. e → i, i

pedir   *to ask for*

Present participle   pidiendo
Present indicative   pido, pides, pide, pedimos, pedís, piden
Preterite   pedí, pediste, pidió, pedimos, pedisteis, pidieron
Present subjunctive   pida, pidas, pida, pidamos, pidáis, pidan
Imperfect subjunctive   pidiera, pidieras, pidiera, pidiéramos, pidierais, pidieran

Other -ir verbs of this type are as follows: **repetir (i, i)** (*to repeat*), **seguir (i, i)** (*to follow*), **servir (i, i)** (*to serve*)

E. Verbs with Spelling (Orthographic) Changes

1. c → qu

buscar   *to look for*

Preterite   busqué, buscaste, buscó, buscamos, buscasteis, buscaron
Present subjunctive   busque, busques, busque, busquemos, busquéis, busquen

Like **buscar: explicar** (*to explain*), **sacar** (*to take out*), **significar** (*to mean*), **tocar** (*to play music*)

2. c → zc

conocer   *to know, be acquainted*

Present   conozco, conoces, conoce, conocemos, conocéis, conocen
Present subjunctive   conozca, conozcas, conozca, conozcamos, conozcáis, conozcan

Like **conocer: aparecer** (*to appear*), **ofrecer** (*to offer*)

3. z → c

comenzar (ie)   *to begin*

Preterite   comencé, comenzaste, comenzó, comenzamos, comenzasteis, comenzaron
Present subjunctive   comience, comiences, comience, comencemos, comencéis, comiencen

Like **comenzar: cruzar** (*to cross*), **empezar (ie)** (*to begin*), **organizar** (*to organize*)

4. g → gu

llegar   *to arrive*

Preterite   llegué, llegaste, llegó, llegamos, llegasteis, llegaron
Present subjunctive   llegue, llegues, llegue, lleguemos, lleguéis, lleguen

Like **llegar: jugar (ue)** (*to play*), **negar (ie)** (*to deny*), **pagar** (*to pay*)

5. g → j

corregir (i, i)   *to correct*

Present indicative   corrijo, corriges, corrige, corregimos, corregís, corrigen
Present subjunctive   corrija, corrijas, corrija, corrijamos, corrijáis, corrijan

Like **corregir: dirigir** (*to direct*), **escoger** (*to choose*), **proteger** (*to protect*)

6. gu → g

seguir (i, i)   *to follow*

Present indicative   sigo, sigues, sigue, seguimos, seguís, siguen
Present subjunctive   siga, sigas, siga, sigamos, sigáis, sigan

Like **seguir: conseguir** (*to get, obtain*)

7. i → y

creer   *to believe*

Preterite   creí, creíste, creyó, creímos, creísteis, creyeron
Imperfect subjunctive   creyera, creyeras, creyera, creyéramos, creyerais, creyeran

Like **creer: leer** (*to read*)

construir   *to build, construct*

Present indicative   construyo, construyes, construye, construimos, construís, construyen
Preterite   construí, construiste, construyó, construimos, construisteis, construyeron
Present subjunctive   construya, construyas, construya, construyamos, construyáis, construyan
Imperfect subjunctive   construyera, construyeras, construyera, construyéramos, construyerais, construyeran

Like **construir: contribuir** (*to contribute*), **incluir** (*to include*)

Appendix 2: Punctuation, Capitalization, and Syllabication

A. Punctuation

Generally speaking, Spanish uses punctuation marks very much as English does. Note, however, the following exceptions.

1. Spanish uses inverted initial interrogation and exclamation marks.

   ¿Cómo se llama Ud.?
   ¡Qué clase!

2. Spanish uses dashes rather than quotation marks to set off the discourse of speakers.

   —Se lo daré ahora mismo —dijo el vendedor.

3. The comma is used more frequently in Spanish to separate adjectival and adverbial phrases of more than three or four words.

   Más hermosa que nunca, se presentó en la recepción, acompañada por su hermana.

   On the other hand, no comma is used in Spanish when a conjunction precedes the last item of a series.

   En ese cajón tengo lápices, bolígrafos, papel y sobres.

4. Spanish reserves quotation marks for words or phrases that are not being used in their normal sense, or to indicate that a passage is being quoted textually. In such instances most other punctuation marks usually go outside the quotation marks.

   Luego afirmó: «Reformarse es vivir».

B. Capitalization

The main differences between Spanish and English capitalization are the following.

1. Spanish does not capitalize adjectives of nationality, days of the week, or names of months. (In some Spanish American countries, however, the names of months are capitalized.)

   Era un señor uruguayo.
   Vendrá el lunes, 24 de noviembre.

2. In Spanish only the first letter of a title is capitalized.

   Elogio de la inteligencia y la imaginación

C. Dividing Words into Syllables

1. A single consonant forms a new syllable with the vowel(s) following it. For syllabication, consider **ch, ll,** and **rr** as single consonants in Spanish and do not separate them.

   ca-ma   mu-cho   gui-ta-rra   ca-ba-llo

2. Most consonants followed by **l** or **r** form an indivisible group that counts as one consonant.

   la-bra-dor   a-pli-ca-ción   Pe-dro   ha-blo

3. Other groups of two consonants are divided in the middle.

   Car-men   Al-ber-to   es-tu-dia   Mar-ga-ri-ta

4. If more than two consonants occur between vowels, the last consonant or consonantal group (those with **l** or **r**) forms a new syllable with the vowel(s) following it.

   cons-truc-ción   im-plo-ro   pers-pec-ti-va

5. Any combination of two or more vowels containing an **i** or **u** is considered one unit, except when there is a written accent on **i** or **u.**

   Ma-rio   con-ti-nuo   Ma-rí-a   con-ti-nú-o

Appendix 3: Answers to *Para resumir y repasar* and *Exámenes de repaso*

LECCIÓN 1

A. (*Possible answers*): **1.** Javier habla con Elena. **2.** Elena escribe en el cuaderno. **3.** El profesor Vargas habla con la profesora Méndez. **4.** Yo leo mis apuntes. **5.** Julia y Carla hablan. **6.** Diana entra en la clase. **7.** Blanca lee y yo también leo.
B. 1. Buenos días. Bien, gracias. ¿Y Ud.? **2.** te llamas... eres... de (Los Ángeles)... de (Los Ángeles)

LECCIÓN 2

A. (*Possible answers*): **1.** Yo hago la tarea por la noche. Mi amigo Juan hace la tarea por la tarde. **2.** Yo leo el periódico por la mañana. Mi amiga Silvia lee el periódico por la noche. **3.** Yo tengo la clase de español todos los días. Mi amiga tiene la clase de español todos los días. Mi amiga tiene la clase de español los lunes y los miércoles. **4.** Yo como un sándwich. Mi amigo come un sándwich. **5.** Tomo dos exámenes hoy. Mi amiga toma un examen hoy. **6.** Yo hablo por teléfono. Mi amigo también habla por teléfono. **7.** Miro la televisión muy poco. Mi amigo mira la televisión mucho. **8.** Vengo a la universidad temprano. Mi amiga viene a la universidad muy tarde.
B. (*Possible answers*): **1.** Sus clases son interesantes/difíciles. **2.** Mis nuevos compañeros de casa son cómicos/inteligentes. **3.** Sus fiestas son buenas/grandes. **4.** La comida de su restaurante es deliciosa/cara. **5.** Sus exámenes son difíciles/complicados. **6.** Mi apartamento es pequeño/feo.

LECCIÓN 3

A. (*Possible answers*): **1.** Hay una señora vieja. Ella lleva una chaqueta blanca y una falda de cuadros. **2.** Hay un joven que lleva una camiseta blanca. Él compra un billete de lotería. **3.** Hay un muchacho. Él lleva una camisa de rayos y

escucha al hombre viejo. **4.** Hay una señorita. Está con el joven y escucha su conversación con la señora vieja.
B. 1. ¿Cuánto cuesta un perfume francés, unos cincuenta dólares? No, cuesta más. Un perfume francés cuesta unos setenta dólares. **2.** ¿Cuánto cuesta una chaqueta de piel, unos ciento setenta y cinco dólares? No, cuesta más. Una chaqueta de piel cuesta unos doscientos veinticinco dólares. **3.** ¿Cuánto cuestan unos tenis, treinta dólares? No, unos tenis cuestan más. Cuestan unos cuarenta y cinco dólares. **4.** ¿Cuánto cuesta una corbata de seda, unos diecisiete dólares? No, una corbata de seda cuesta más, unos veinticinco dólares. **5.** ¿Cuánto cuestan unos vaqueros, veinte dólares? No, unos vaqueros cuestan más. Cuestan unos cuarenta dólares. **6.** ¿Cuánto cuesta una camiseta de algodón con el emblema de la universidad, unos ocho dólares? No, una camiseta de algodón con el emblema de la universidad cuesta más, unos doce dólares. **7.** ¿Cuánto cuesta una botella de vino californiano, unos diez dólares? No, una botella de vino californiano cuesta más, unos veinte dólares. **8.** ¿Cuánto cuestan unas botas de piel, unos sesenta dólares? No, unas botas de piel cuestan más. Cuestan unos cien dólares.

EXAMEN DE REPASO 1

A. 1. la **2.** la **3.** el **4.** el **5.** el **6.** el **7.** la **8.** el **9.** la **10.** el **11.** el **12.** la **13.** el **14.** el **15.** el **16.** el
B. 1. a. El edificio es nuevo. **b.** La biblioteca es nueva. **c.** Los automóviles son nuevos. **d.** Las iglesias son nuevas. **2. a.** El abrigo está rebajado. **b.** La blusa está rebajada. **c.** Los vaqueros están rebajados. **d.** Las faldas están rebajadas.
C. 1. Son las doce y media de la tarde. **2.** Son las tres menos vein-

ticinco de la tarde. **3.** Son las diez y cuarto de la mañana. **4.** Son las doce menos cuarto de la noche.
D. 1. dos millones de estudiantes **2.** trescientos sesenta y siete libros **3.** cuatro mil quinientas setenta y nueve pesetas **4.** el cuatro de julio de mil novecientos noventa y nueve **5.** nuestro barrio **6.** el apartamento (piso) de la señora Pacheco **7.** el coche del señor Rivera **8.** su tienda
E. 1. enseña / practicamos **2.** escribo / leen **3.** está / entra **4.** dice / digo **5.** da / estudiamos **6.** son / necesitamos **7.** vamos / viene **8.** tomo / come **9.** venden / deseo **10.** tenemos / compramos
F. 1. negro **2.** amarillo **3.** rojo, blanco y azul **4.** blanco **5.** rojo y blanco **6.** rosado **7.** verde
G. 1. un reloj **2.** papel y lápiz (pluma, bolígrafo) **3.** una cámara **4.** un libro (un diccionario, un cuaderno) **5.** una tienda / un almacén **6.** dinero / tarjeta de crédito **7.** abrigo (chaqueta, etc.) **8.** suéter **9.** falda (traje) / chaqueta y corbata (traje, etc.)
H. 1. Me gusta la corbata de rayas. **2.** A Sara le gusta la falda de cuadros. **3.** Te gustan los vaqueros, ¿verdad? **4.** Me gustan los grandes almacenes. **5.** A Fernando no le gustan los calcetines de lana. **6.** ¿Te gusta ir de compras? **7.** No me gusta pagar con una tarjeta de crédito.
I. 1. Cuál **2.** Dónde **3.** Qué **4.** Cómo **5.** Cuántas **6.** Cuántos **7.** Cuándo **8.** A qué hora
J. 1. está **2.** es **3.** están **4.** Es **5.** es **6.** Es **7.** es **8.** es **9.** es **10.** está **11.** está **12.** está **13.** está
K. (*Answers will vary.*)

LECCIÓN 4

1. ven **2.** pon / plato / tenedor / cuchillo / cuchara **3.** busca / copas / vasos **4.** jarra / hielo / ve **5.** Haz **6.** ten / tazas **7.** mantel / trae **8.** usa / servilletas **9.** sal **10.** Di

LECCIÓN 5

A. (*Answers will vary.*)
B. (*Possible answers*): **1.** Hace mucho frío en enero en Alaska. **2.** Hace mucho calor en agosto en San Antonio. **3.** Hace mucho viento en octubre en Chicago. **4.** Pronto, porque tenemos mucha hambre. **5.** Por eso, tengo que estudiar. **6.** ¿Qué pasa? ¿Tienes frío?
C. 1. Sal de casa a las cinco de la tarde. **2.** Ve a la tienda de don Ramiro. **3.** Compra azúcar y plátanos. **4.** Dile a don Ramiro que necesitas plátanos y no piñas. **5.** Trae todas las compras a casa rápidamente. **6.** Abre una lata de leche condensada. **7.** Lee las instrucciones de la receta. **8.** Haz el postre.

LECCIÓN 6

A. 1. Jorge, no llegues tarde. **2.** Jorge, limpia la cocina. **3.** Jorge, no abras las ventanas. **4.** Jorge, no pongas el sofá en el dormitorio. **5.** Jorge, trae tu camión. **6.** Jorge, no prendas el estéreo. **7.** Venid (Vengan) a las 9:00 de la mañana. **8.** No pongáis (pongan) los platos en la sala. **9.** Buscad (Busquen) las bombillas. **10.** Id (Vayan) a la tienda para comprar bebidas. **11.** Tened (Tengan) cuidado con la computadora. **12.** Pasad (Pasen) la aspiradora.
B. 1. hice **2.** ayudó **3.** hizo **4.** puse **5.** pasó **6.** barrí **7.** fuimos **8.** fue **9.** vino **10.** tuvo **11.** pagó **12.** regresamos
C. 1. es **2.** está **3.** están **4.** son **5.** son **6.** está

EXAMEN DE REPASO 2

A. 1. estas **2.** esta **3.** estos **4.** este **5.** esas **6.** ese **7.** esa **8.** esos **9.** esa **10.** ésos **11.** ésa **12.** ésas
B. 1. tengo **2.** sé **3.** pongo **4.** oigo **5.** salgo **6.** conozco **7.** dicen **8.** voy **9.** Traigo **10.** veo **11.** digo **12.** doy
C. Anoche 1. llegué **2.** a casa a las tres. **3.** Subí a mi **4.** dormitorio y **5.** abrí la puerta. **6.** Vi **7.** a una persona extraña cerca de mi **8.** cama. **9.** dije **10.** salí. **11.** Entré **12.** sala de estar **13.** llamé. **14.** salió **15.** hice **16.** Llamé **17.** a **18.** vino **19.** a
D. (*Possible answers*): **1.** Tenemos calor. **2.** Tiene sueño (no tiene que estudiar). **3.** Tengo mucha hambre. **4.** Blanca no tiene razón. **5.** No tenemos suerte. **6.** Ernesto tiene mala suerte. **7.** La gente tiene frío. **8.** Mi sobrino tiene miedo. **9.** Tengo que estudiar. **10.** Hoy tengo calor.
E. 1. Conoces **2.** conozco **3.** sabes **4.** sé **5.** sabes **6.** sé **7.** saber **8.** sabe **9.** sé
F. 1. mi sobrino **2.** mi prima **3.** mi abuela **4.** mis nietos **5.** la naranja **6.** el pavo **7.** la judía verde **8.** leche / huevos **9.** jarra **10.** servilleta **11.** tazas **12.** el mantel **13.** el dormitorio (la alcoba) / la cocina **14.** la cocina (el fregadero) **15.** la mesa (el escritorio, el estante) **16.** la cómoda (el armario)
G. (*Possible answers*): **1.** hacer / preparar: Prepare el almuerzo, por favor. **2.** limpiar / poner: Ponga la mesa inmediatamente, por favor. **3.** abrir / lavar / limpiar: Lave las ventanas hoy. **4.** limpiar: Limpie el sofá muy bien. **5.** lavar / limpiar / sacar: Saque la ropa para los niños antes de las ocho. **6.** barrer / limpiar: Barra la cocina con cuidado. **7.** sacar: Saque la basura muy temprano. **8.** hacer: Haga la cama de Rafael primero. **9.** pasar: Pase la aspiradora por toda la casa hoy porque mi familia viene mañana. **10.** limpiar: Limpie el cuarto de baño también.
H. 1. sal **2.** mires **3.** Ve **4.** lava **5.** pon **6.** digas
I. 1. para **2.** Por **3.** por **4.** por **5.** para **6.** por **7.** Para **8.** por

LECCIÓN 7

A. 1. tuve **2.** deseabas **3.** estudié **4.** dijiste **5.** tenías **6.** necesitaba **7.** usaste **8.** estaba **9.** entré **10.** usabas **11.** ibas **12.** lavé **13.** hiciste **14.** pusiste
B. (*Answers will vary.*)

C. (*Possible answers*): **1.** Aquella águila no come nada, pero ésta come una serpiente. **2.** Este lago tiene dos árboles, pero aquél tiene uno. **3.** Aquel volcán está más lejos que éste. **4.** Aquellos dos camiones van a México, pero éstos tres vienen a los Estados Unidos. **5.** Aquel puente es diferente de ése y éste. **6.** Aquella fábrica tiene humo, pero éste no lo tiene.

LECCIÓN 8

A. 1. quiero **2.** sirven **3.** cuesta **4.** almorcé **5.** pedí **6.** pido **7.** pienso **8.** Entiendo **9.** prefiero **10.** vuelvo **11.** jugamos **12.** comenzaron **13.** podíamos **14.** preferimos **15.** duermo **16.** volvió **17.** empezó **18.** escuchó **19.** quería **20.** no pude
B. (*Answers will vary.*)

LECCIÓN 9

A. 1. ¿Has comprado el vino? No, todavía no lo he comprado. **2.** ¿Has limpiado la sala? Sí, la he limpiado esta mañana. **3.** ¿Has lavado los platos? No, todavía no los he lavado. **4.** ¿Has llamado a los invitados? Sí, los he llamado (los llamé) ayer. **5.** ¿Has hecho la ensalada? Sí, la he hecho esta tarde. **6.** ¿Has puesto la mesa? No, todavía no la he puesto.
B. 1. me afeitaba **2.** llamó **3.** dijo **4.** eran **5.** comenzaba **6.** me enojé **7.** necesitaba **8.** Insistió **9.** había **10.** decidí

EXAMEN DE REPASO 3

A. 1. La llamé. **2.** Te llamarán mañana. **3.** Los/Las llamo ahora. (Estoy llamándolos/las ahora.) **4.** No me llames. **5.** Llámelos/las ahora, por favor. **6.** ¿Me lo compras? (¿Me lo comprarás?) **7.** Se lo compra. (Está comprándoselo.) **8.** Nos los compraron. **9.** Cómpraselo. **10.** Cómpresela, por favor.
B. 1. Eran **2.** salí **3.** Iba **4.** Hacía **5.** me puse **6.** andaba (caminaba) **7.** vi **8.** entró **9.** Era **10.** llevaba **11.** No sabía **12.** No quería

13. Tenía **14.** tuve **15.** Fui
16. llamé **17.** expliqué **18.** había
C. 1. Quiere **2.** prefiere **3.** piensa **4.** cuesta **5.** visite **6.** Pida
7. comencé
D. 1. me acuesto **2.** levantarme
3. Despiértate **4.** se baña **5.** se afeita **6.** lavarse **7.** lávate
8. nos sentamos
E. 1. el valle **2.** un bosque
3. las estrellas, la luna **4.** volcanes **5.** la trompeta, la guitarra (el piano, el acordeón, el órgano, etc.) **6.** un billete (entrada, boleto) **7.** los discos compactos
8. devolver **9.** la boca, la mano, los pies, los ojos **10.** toalla
11. se acuesta, se levanta **12.** despertador **13.** se viste
F. 1. ha escrito **2.** he leído **3.** ha dicho **4.** he abierto **5.** he tenido
6. Había escrito **7.** había tomado
8. ha hecho, ha ido
G. 1. Don José se lo ha comprado.
2. Marta se las dio. **3.** Ella me lo explicó. **4.** Yo se la di. **5.** Mi hermano y yo se lo pedimos.
6. Mi padre nos lo dijo.

LECCIÓN 10

A. 1. Sí, quiero (les/os pido) que me los preparen/preparéis ahora.
2. Sí, quiero (te pido) que me las traigas. **3.** Sí, quiero (te pido) que se la pidas. **4.** Sí, quiero (te pido) que se la des. **5.** Sí, quiero (te pido) que me los prestes. **6.** Sí, quiero (te pido) que me expliques cómo hacer una sangría. **7.** Sí, quiero (te pido) que se la digas a todos. **8.** Sí, quiero (te pido) que lo pongas en la sala.
B. (*Answers will vary.*) **1.** Siento que salga con otra persona. / Temo que salga con otra persona. **2.** Le recomiendo que vaya a... / Espero que compre un auto nuevo y no un auto usado. **3.** Le recomiendo que hable directamente con el compañero. / Espero que hable con otro amigo de los dos. **4.** Siento que los tenga. / Le recomiendo que vea a un consejero. **5.** Siento que esté enfermo/a. / Le recomiendo que guarde cama. **6.** Le recomiendo que empiece a estudiar ahora. / Temo que saque una mala nota en esta clase.

LECCIÓN 11

A. (*Verbs will vary*): **1.** Sí, te pido que me la prepares ahora. **2.** Sí, quiero que me lo busques. **3.** Sí, es importante que me la compre.
4. Sí, es necesario que me lo traigas. **5.** Sí, te pido que me las des. **6.** Sí, quiero que me lo pongas en mi cuarto.
B. (*Possible answers*): **1.** ...la sepan tampoco. **2.** ...vayamos allí todos los días también. **3.** ...sea tan fácil.
4. ...esté con la gripe también.
5. ...le contestes completamente.
6. ...esté en su cuarto también.
7. ...tampoco es grave. **8.** ...lo dé también. **9.** ...vayas allí también.
C. 1. tuvieron **2.** se despertó
3. se sentía **4.** le dolía **5.** puso
6. tenía **7.** llamó **8.** dijo
9. tenía **10.** estaba **11.** decidió
12. lloró **13.** gritó **14.** quería
15. llegaron

LECCIÓN 12

A. 1. esté **2.** sea **3.** esté
4. vaya **5.** sepa **6.** dé
B. 1. sea / pueda **2.** tenga / se cure **3.** es **4.** tomen (tomemos)
5. duela / dice
C. (*Answers will vary.*)

EXAMEN DE REPASO 4

A. 1. sepan **2.** diga **3.** sepan
4. llamé **5.** haya **6.** vayas
7. vea **8.** hables **9.** he
10. moleste **11.** es **12.** hayas
13. saber **14.** es **15.** va
B. 1. te molestan **2.** me encanta
3. le gusta **4.** les gustaría **5.** me interesaría **6.** les encantaría
7. me parece **8.** nos **9.** haría falta
C. 1. Raza, desfile, carroza, caballo, alcalde, gobernador **2.** fiebre, dolor, inyección, gotas **3.** bolsa, loción, gafas, sombrilla, anillo, joyas
D. 1. más grande **2.** tantos, como
3. mayor, menos **4.** menor
5. mejor, del **6.** peor
E. 1. pero **2.** sino **3.** sino que
4. sino que
F. 1. pondré **2.** dirá **3.** hará
4. querré **5.** vendrán
6. podremos
G. 1. No, no hay ningún museo...

2. No visitamos nunca... **3.** No vi nada... **4.** No conocí a nadie...
5. No hacemos excursiones nunca...
H. 1. haría **2.** tendría **3.** Estaría
4. diría **5.** llamaría **6.** Querría
7. Podría

LECCIÓN 13

A. 1. será / sería **2.** hará / haría
3. Saldrá / Saldría **4.** irá / iría
5. disfrutará / disfrutaría
6. querrán / querrían **7.** preferirá / preferiría
B. 1. No, no las hagan mañana. Mejor háganlas ahora. **2.** No, no cambien los cheques de viajero aquí. Mejor cámbienlos en el banco.
3. Sí, llámenlo ahora, por favor.
4. No, no pongan las maletas aquí. Mejor pónganlas allí. **5.** Sí, búsquenlo en el mapa ahora, por favor.
6. Sí, cómprenlas allí en correos, por favor. **7.** No, no los pongan en las maletas. Mejor guárdenlos en la bolsa. **8.** No, no las manden de Lima. Mejor mándenlas de Arequipa.
9. No, no se la pidan al taxista. Mejor pídansela al empleado del hotel.

LECCIÓN 14

A. (*Possible answers*): **1.** María Elena habla con José. **2.** Carmen mira mal a José. **3.** Sandra y Juan Carlos bailan. **4.** El tío Héctor saluda al novio. **5.** Alberto besa a la novia. **6.** Edgar y doña Cecilia levantan su copa.
B. 1. se casó **2.** nos invitó
3. hacía **4.** estaba **5.** llevaba
6. era **7.** estaba **8.** terminó
9. saludó **10.** me abrazó **11.** me besó **12.** fue **13.** bebimos

LECCIÓN 15

A. 1. llegue, no tenga, pida
2. aprendan, sepan, tengan, se conozcan **3.** no esté, sea, pague, no me quite **4.** haya, se pierda, haga, tenga
B. (*Possible answers*): **1.** ...me pague bien. **2.** ...me guste mucho.
3. ...sea muy simpático/a. **4.** ...no estuviera lejos de casa. **5.** ...trabajen mucho. **6.** ...no quiera trabajar. **7.** ...sea muy simpático/a.
8. ...sea aburrido/a.

EXAMEN DE REPASO 5

A. **1.** pidieron **2.** fuera **3.** deseaban **4.** divirtiera **5.** tuviera **6.** trajera **7.** recordó **8.** hiciera **9.** pusiera **10.** saliera
B. **1.** Hace tres horas que aterrizó el avión. **2.** Hace diez (2001 = once, 2002 = doce, etc.) años que se conocieron. **3.** Hace... años que Carmen visitó la ciudad de Arequipa. **4.** Hace tres años que Elena aprendió a manejar. **5.** Hace un año que Carmen empezó sus estudios...
C. **1.** Se reciben **2.** Se celebra **3.** Se decora **4.** Se toca **5.** Se bebe (*Optional—preterite:* **1.** Se recibieron **2.** Se celebró **3.** Se decoró **4.** Se tocó **5.** Se bebió)
D. **1.** crea **2.** quiere **3.** quiera **4.** me entienda **5.** sabe **6.** sea
E. **1.** tenga **2.** llego **3.** arreglen **4.** oiga **5.** terminamos **6.** pueda
F. **1.** encantaría **2.** costaría **3.** tendríamos **4.** querríamos **5.** preferiríamos **6.** hiciera **7.** podría **8.** pagáramos **9.** sería **10.** pensáramos **11.** diera
G. **1.** viajero **2.** agente **3.** madrina **4.** fontanero (plomero) **5.** arquitecto **6.** billete **7.** carta **8.** anillo **9.** matrícula **10.** impresora

Vocabularies

The Spanish-English Vocabulary contains all the words that appear in the text, with some exceptions in the following categories: definite and indefinite articles, close and identical cognates, verb conjugations, regular past participles, absolute superlatives ending in **-ísimo/a,** adverbs ending in **-mente,** diminutives, cardinal numbers, pronouns, possessive adjectives, and the proper names of individuals. The number in parentheses after some definitions refers to the lesson in which a word appears in an active (end-of-chapter) vocabulary list; vocabulary not included in an active vocabulary list is not numbered. *P* indicates words appearing in the preliminary lesson. The English-Spanish Vocabulary includes all words and expressions in the active vocabulary lists, as well as all vocabulary needed to do the English-to-Spanish translation exercises in the text.

The gender of nouns is indicated except for masculine nouns ending in **-o** and feminine nouns ending in **-a.** Stem and spelling changes are shown for verbs: **dormir (ue, u); llegar (gu).** Verbs having both are followed by two sets of parentheses: **comenzar (ie) (c).** The conjugations of verbs marked *irreg.* are found in Appendix 1.

Words with **ch** and **ll** are alphabetized as in English. The **ñ** is treated as a **n** for purposes of alphabetization. For example, **leche** precedes **lectura, ella** precedes **eludir,** and **año** precedes **anuncio.**

The following abbreviations are used.

adj.	adjective	*Mex.*	Mexican
adv.	adverb	*n.*	noun
Arg.	Argentinian	*obj. of prep.*	object of a preposition
Col.	Colombian	*pl.*	plural
conj.	conjunction	*p.p.*	past participle
d.o.	direct object	*poss.*	possessive
f.	feminine	*prep.*	preposition
fam.	familiar	*pron.*	pronoun
form.	formal	*refl. pron.*	reflexive pronoun
i.o.	indirect object	*sing.*	singular
inf.	infinitive	*Sp.*	Spanish (*i.e.,* of Spain)
interj.	interjection	*Sp. Am.*	Spanish American
interrog.	interrogative	*sub. pron.*	subject pronoun
irreg.	irregular	*subj.*	subjunctive
m.	masculine	*U.S.*	United States

Spanish-English Vocabulary

A

a to (P); **a la, a las** at (time); **¡a despertar!** wake up! (6); **a veces** sometimes (1)

abajo below; **hacia abajo** downward

abandono abandonment

abarrotado/a jam-packed

abierto/a (*p.p. of* abrir) open, opened (9)

abismo abyss

abogado/a lawyer (15)

abrazar (c) to embrace, hug (14)

abrazo embrace, hug (14)

abrigo coat (3)

abril *m.* April (P)

abrir (*p.p.* abierto/a) to open (2)

absolutamente absolutely

absoluto: en absoluto not at all (14)

abuelo/a grandfather/ grandmother (4)

aburrido/a boring (9)

aburrimiento boredom

acabar de + *inf.* to have just (*done something*) (9)

aceite *m.* oil (5)

aceptar to accept (3)

acera sidewalk

acerca de about, concerning, with regard to

acidez *f.* heartburn

ácido acid

acomodar to accommodate

acompañar to accompany

acondicionado: aire (*m.*) **acondicionado** air conditioner; air conditioning

aconsejar to advise (10)

acontecimiento event

acordarse (ue) to remember

acostado/a lying down (6)

acostarse (ue) to go to bed (9)

acostumbrarse to get used to

actitud *f.* attitude

actor/actriz actor/actress (10)

actualmente currently

actuar (actúo) to act; **actuar como** to work as

acuerdo: de acuerdo agreed (2, 12); **no estoy de acuerdo** I

disagree (2); **ponerse** (*irreg.*) **de acuerdo** to agree

acusar to accuse

adaptarse to adjust to

adecuado/a appropriate, adequate

adelantar to get ahead

adelante forward; **de... en adelante** from . . . up (*prices*); **hacia adelante** forward

adelgazar (c) to lose weight

además (de) besides (4)

adiestramiento training

adiós goodbye (P)

adivinador(a) fortune-teller

adivinar to guess

adjunto/a enclosed

administración (*f.*) **de empresas** business administration (15)

admirar(se) to admire (oneself)

admisión *f.* admission

admitir to admit to

adonde where

¿adónde? *interrog.* (to) where?

adorar to worship

adornado/a ornamented, adorned

adorno ornament

adquirir (ie) to buy, to get

advertir (ie, i) to warn, to inform (13); to notice

aéreo/a *adj.* air; **línea aérea** airline (13)

aerolínea airline (13)

aeromozo/a flight attendant (13)

aeropuerto airport (13)

afectuosamente affectionately

afeitadora eléctrica electric razor (12)

afeitar: máquina de afeitar electric shaver (12); **maquinilla de afeitar** razor (12)

afeitar(se) to shave (oneself) (9)

afirmación *f.* affirmation, statement

afortunado/a fortunate

agencia agency; **agencia de viajes** travel agency

agente *m., f.* agent (13)

agitar to agitate

agosto August (P)

agotado/a sold out

agradable *m., f.* pleasant

agregar (gu) to add

agrícola *m., f.* agricultural

agua *f.* (*but* **el agua**) water (2); **agua de colonia** cologne (12)

aguantar to endure

águila *f.* (*but* **el águila**) eagle (7)

ahí there (6)

ahora now (1); **ahora mismo** right now (9)

ahorros savings

aire *m.* air; **aire acondicionado** air conditioner; air conditioning; **al aire libre** outdoor(s)

aislamiento insulation (15)

ajustado/a snug, tight (*attire*)

ajuste *m.* adjustment

al + *inf.* upon (*doing something*) (9)

a la, a las at (*time*)

ala f. (*but* **el ala**) wing

alacena *Mex.* kitchen cabinet

albañil *m., f.* bricklayer (15)

albóndiga meatball

alcalde/alcaldesa mayor (10)

alcázar *m.* palace

alcoba bedroom

alegrarse to be(come) happy (9)

alegre *m., f.* happy, cheerful

alegría joy, happiness

alemán *m.* German language; **alemán/alemana** German man/woman (1)

alergia allergy

alfombra rug, carpet (6)

alfombrado/a carpeted

algo something (6, 9, 12); **algo más** anything else (6)

algodón *m.*: **de algodón** (made of) cotton (3)

alguien someone (6, 12)

algún (alguno/a/os/as) some (8, 12); any

alguna vez ever (12)

alimentación *f.* nourishment

alimento food

aliviar to relieve

alivio relief

allí there (2); **allí mismo** right there

alma *f.* (*but* **el alma**) soul

almacén (*also* **almacenes**) *m.* department store (2); **almacén de ropa** clothing store

almohada pillow (9)

almorzar (ue) (c) to eat lunch (5, 8)

almuerzo lunch (5)

alojamiento lodging

alquilar to rent (8)

alrededor around, about

alternativa option

alto/a tall (3)

altura height

aluminio aluminum

alumno/a student (1)

amable *m., f.* pleasant, polite (14)

amar to love (14)

amarillo/a yellow (3)

ambos/as both

ambiente *m.* environment, atmosphere (*indoors*)

ambulancia ambulance

amenazar (c) to threaten

amigo/a friend (P); **hacerse** (*irreg.*) **amigo/a (de)** to become friends (with) (14)

amistad *f.* friendship (14)

amor *m.* love

amoroso/a *adj.* love

ampliar (amplío) to expand

amplificar to amplify

amplio/a ample

amueblado/a furnished

añadir to add

análisis *m. sing.* analysis, test

anaranjado/a orange (*color*) (3)

ancho/a wide

andar (*irreg.*) to walk; **andar en bicicleta** to ride a bike

angustia anguish

anillo (de brillantes) (diamond) ring (12)

anillo de boda / de compromiso wedding/engagement ring (14)

animado/a: dibujos animados cartoons

animarse to cheer up (9)

anímate cheer up (9)

año year (4); **el año pasado** last year; **tener** (*irreg.*)**... años** to be . . . years old (4)

anoche last night (5)

antepasado/a ancestor

anterior *m., f.* previous

antes (de) before (4, 7); **antes (de) que** before (15)

anticipar to advance (*money*)

antiguo/a old (2)

antipático/a nasty, unpleasant

anunciar to advertise (10); to announce (13)

anuncio advertisement

apagar (gu) to turn off (6)

aparato appliance, fixture (6)

aparecer (zc) to appear

apariencia appearance

apartado postal post office box

apartamento apartment (2)

apasionadamente passionately

apellido last name

aplaudir to applaud (8)

aplauso applause

aplazar (c) to postpone

apoyar to support

apoyo *n.* support

apreciar to appreciate (10)

aprender to learn (4); **aprender de memoria** to memorize

aprobar (ue) to approve of

apropiado/a appropriate

aprovechar to take advantage of

aproximación *f.* consolation prize (*lottery*)

aproximadamente approximately

apto.: *abbreviation of* **apartamento** apartment

apuntes *m. pl.* notes

aquel, aquella/os/as *adj.* that, those (6)

aquél, aquélla/os/as *pron.* that (one), those; the former (6)

aquello *pron. neuter* that, that thing (6)

aquí here (1); **por aquí** this way

aragonés/aragonesa from Aragón, Spain

árbol *m.* tree (2, 7)

archivo filing cabinet (15)

arena sand

arete *m.* **(de plata)** (silver) earring (12)

argumento plot (10)

armario closet, wardrobe (6)

arreglar to arrange; to fix (14); **arreglarse** to work out, be all right (14)

arreglo tidying up

arriba up; **hacia arriba** upward

arroz *m.* rice (5)

arquitecto/a architect (15)

arquitectura architecture (15)

arterial: presión (*f.*) **arterial alta/baja** high/low blood pressure (12)

artista *m., f.* actor/actress; artist

ascensor *m.* elevator (6, 12)

asegurar to assure

asentado/a situated

así in this manner, thus; as follows (8, 9); **así así** so-so (P); **así de grande** this big (9); **así que** so therefore (6); **y así sucesivamente** and so on

asiento de pasillo / de ventanilla aisle/window seat (13)

asignatura school subject (1)

asistir (a) to attend (8)

asociar to associate

aspecto look, appearance; aspect

aspiradora vacuum cleaner (6); **pasar la aspiradora** to vacuum (6)

aspirante *m., f.* applicant, candidate

asunto matter

ataque *m.*: **ataque al corazón** heart attack (11); **ataque de nervios** nervous attack

atender (ie) to take care of; to help (*in a store*)

aterrizar (c) to land (13)

atomizador *m.* atomizer

atrapar to trap

atrás: hacia atrás backward

atrasado/a delayed

atropellar to run over (*with a car*) (14)

atún *m.* tuna (5)

audífonos earphones (8)

aumentar to increase

aumento increase (7); raise (15)

aunque although (11, 14)

autobús *m.* bus (2, 13); **estación** (*f.*) **de autobuses** bus station (13)

autocar *m.* *type of bus*

autoconfianza self-confidence

automóvil *m.* automobile, car (2)

auxiliar (*m., f.*) **de vuelo** flight attendant (13)

avance(s) *m.* preview (*movie/TV*); advance

avanzar (c) to advance
avda.: *abbreviation of* **avenida** avenue
ave *f.* (*but* **el ave**) bird
a veces sometimes (1)
avenida *abbreviated* **avda.** avenue
aventajar to surpass
avión *m.* airplane (13); **por avión** (by) airmail
aviso ad, notice, warning
ayer yesterday (P)
ayudar to help (4)
azafata flight attendant (*f.*) (13)
azafrán *m.* saffron (*spice*)
azúcar *m.* sugar (5)
azul *m., f.* **(claro/marino/oscuro)** (light/navy/dark) blue (3)

B

bachiller *m., f.* high school graduate
bachillerato high school diploma
bailar to dance (8)
bailarín/bailarina dancer
baile *m.* dance
bajar to go down; to reduce (*a price*); **bajarse** to get off (*a vehicle*)
bajo *n.* bass (8)
bajo/a short (*person*) (3); low
balcón *m.* balcony, window
balneario resort
balsa raft
bañador (*m.*) **(de dos piezas)** (two-piece) swimming suit (12)
bañarse to bathe oneself (9)
bancario/a *adj.* bank, financial
banco bank; bench (2)
bandera flag (10)
bañera bathtub (6)
baño: cuarto de baño bathroom (6); **traje** (*m.*) **de baño** swimming suit (12)
banquero/a banker
bar *m.* bar (2)
barato/a inexpensive, cheap (2)
barbaridad *f.*: **una barbaridad** a lot, a very large amount (5)
bárbaro *interj.* great (8)
barco ship (13)
barra de labios lipstick (12)
barrer to sweep (6)
barrio neighborhood (2)
base: a base de based on

bastante quite, rather (7, 9); enough
basura garbage; **sacar** (*qu*) **la basura** to take out the garbage
batería drum set (8)
beber to drink (2)
bebida drink
belleza beauty
bello/a beautiful
beneficencia welfare
besar to kiss (10)
beso *n.* kiss (13)
Biblia Bible
biblioteca library (1)
bicicleta bicycle; **andar** (*irreg.*) **en bicicleta** to ride a bike; **montar en bicicleta** to ride a bike (10)
bien well, fine (P); **muy bien, gracias** very well, thank you
bienvenido/a welcome
bilingüe *m., f.* bilingual (10)
billete *m.* ticket (8); **billete de ida / de ida y vuelta** one-way/round-trip ticket (13); **billete de lotería** lottery ticket (2)
bistec *m.* steak (5)
bisturí *m.* surgeon's knife
blanco/a white (1, 3); **espacio en blanco** blank (space)
bloquear to block
bluyines *m. pl.* jeans
blusa blouse (3)
boca mouth (9)
bocina (loud)speaker
boda wedding (14); **anillo de boda** wedding ring (14)
boina beret
boleto ticket (8, 13)
bolígrafo ballpoint pen (1)
bolívar *m.* *monetary unit of Venezuela*
bolsa purse, bag (3); shopping bag (5); **bolsa de playa** beach bag (12)
bolso bag, purse (3)
bombero/a firefighter
bombilla lightbulb (6)
bombón *m.* chocolate
bonificación *f.* bonus
bonito/a pretty, beautiful (2)
borde *m.* edge; **al borde de** on the verge of
bordo: a bordo on board
borrador *m.* eraser (1)

bosque *m.* forest (7)
bota boot (3)
botella bottle (5)
boticario/a pharmacist
botón *m.* button
botones *m. sing.* bellhop (12)
brazo arm (9); **brazo roto** broken arm (11)
breve *m., f.* brief
brevedad *f.*: **a la mayor brevedad posible** as soon as possible
brillante *n. m.* diamond; **anillo de brillantes** diamond ring (12)
brindar to toast (14); to offer
brindis *m.* toast (14)
broncearse to (get a) tan (12)
buen, bueno/a/os/as good (2); **qué bueno** how nice (5)
bueno... well . . . (5)
burlarse (de) to make fun (of), mock (10)
buscar (qu) to look for (3)
butaca seat (*at theater, movies*)
buzo *Col.* sweatshirt, T-shirt

C

caballero gentleman; knight
caballo horse (10); **montar a caballo** to ride a horse
cabaña hut, cabin
cabeza head (9); **dolor** (*m.*) **de cabeza** headache (11)
cada each, every (4)
caducar (qu) to expire
caer(se) (*irreg.*) to fall (down) (15); **caerle bien (mal) a alguien** to make a good (bad) impression on someone; to be liked (disliked) (14)
café *m.* coffee; café, restaurant (2); **café con leche** coffee with milk (5); **café solo** black coffee (5); **color** (*m.*) **café** brown (3)
cafetería coffee shop (2)
caja cashier's (3); box (5)
cajero/a teller; cashier
calambre *m.* cramp (11)
calcetín *m.* sock (3)
calculadora calculator (1)
calefacción *f.* heating
calidad *f.* quality
caliente *m., f.* hot
calle *f.* street (2)
calmante *m.* tranquilizer (11)

calor *m.* heat, warmth; **hacer** (*irreg.*) **calor** to be hot (out); **tener** (*irreg.*) **calor** to be (feel) hot

calvo/a bald (9)

cama bed (6); **guardar cama** to stay in bed (11); **hacer** (*irreg.*) **la cama** to make the bed (6)

cámara camera (2)

camarero/a waiter/waitress (2)

camarón *m.* shrimp (5)

cambio: en cambio instead

caminar to walk (4)

caminata walk, hike

camino road (7); **camino de** + *place* on one's way to + *place* (13)

camión *m.* truck (7); *Mex.* bus

camisa shirt (3)

camiseta T-shirt (3)

campeonato championship

campestre *adj. m., f.* country

campo countryside

canal *m.* TV channel

canapé *m.* hors d'oeuvre (14)

cancha tennis court

canción *f.* song (8)

cansarse to get tired (9)

cantante *m., f.* singer (8)

cantar to sing (8)

cantidad *f.* amount, quantity

capa layer

capacidad *f.* capability

capacitado/a qualified

capital *f.* capital (7)

capitán/capitana captain

cara face (9)

caries *f. sing.* cavity (11)

cariño affection (5)

cariños (*closing a letter*) affectionately

carne *f.* meat; **carne de cerdo/ cordero/res** pork/lamb/beef (5)

carnet (*m.*) **de identidad** ID card

carnicería meat market (10)

caro/a expensive (2)

carpeta folder (15)

carpintería carpentry (15)

carpintero/a carpenter (15)

carrera career

carretera highway (10, 13)

carrito (de las compras) shopping cart (5)

carro car (2)

carroza float (in parade) (10)

carta letter (2); playing card (8)

cartel *m.* sign (10)

cartera purse, handbag (3)

cartón *m.* cardboard; **cartón liso** uncorrugated cardboard

casa house, home (2); **en casa** at home (6); **casa de socorro** emergency hospital

casarse (con) to get married (to) (14)

casero/a *n.* gentleman/lady of the house; *adj.* home; **remedio casero** homemade remedy

casete *m.* cassette (8)

casetera cassette player (8)

casi almost (4); **casi siempre** almost always (4)

caso: en caso (de) que in case (15); **hacer** (*irreg.*) **caso a/de** to pay attention to (14)

castaño/a brown (9)

castillo castle (10)

catarro cold (*illness*) (11)

causa: a causa de because of

caza *n.* hunting

cebolla onion (5)

celebrar to celebrate (10)

celos jealousy (14); **tener** (*irreg.*) **celos de** to be jealous of (14)

cena dinner, supper (5)

cenar to eat dinner; to dine (5)

centro downtown (2); **mesa de centro** coffee table (6)

Centroamérica Central America

cepillo brush (9); **cepillo de dientes** toothbrush (12); **cepillo de (para el) pelo** hairbrush (12)

cerca (de) near (8)

cerdo pig; **carne** (*f.*) **de cerdo** pork (5)

cereal *m.* cereal (5)

cerrar (ie) to close; to shut (13)

cerveza beer (2)

cesta basket

ceviche *m.* *dish made of marinated raw fish*

champán *m.* champagne (14)

champú *m.* shampoo (9, 12)

chaqueta jacket (3)

charlar to chat

charro Mexican cowboy (10)

chequear (*also* **checar**) to check

chicano/a *American of Mexican descent*

chico/a boy/girl (3)

chisme *m.* piece of gossip

chismoso: un chismoso / una chismosa a gossip (14)

chiste *m.* joke

chuleta chop, cutlet (5)

cielo sky (7); heaven

ciencia ficción *f.* science fiction (8)

cien(to) one hundred (2); **por ciento** percent

cierto/a (a) certain (7); **es cierto** it's true (11)

cifra figure (*numerical*)

cine *m.* movie theater (2)

cintura waist (9)

cinturón *m.* belt; **cinturón de seguridad** safety belt

circular *f.* memo; intra-office letter (15)

cirugía surgery; **cirugía plástica** cosmetic surgery

cirujano/a surgeon; **cirujano/a plástico/a** plastic surgeon

cita appointment (8)

ciudad *f.* city (1)

ciudadano/a citizen

claro/a clear; **claro (que sí)** of course (2); **azul** (*m.*) **claro** light blue (3)

clase *f.* class; **clase media** middle class; **compañero/a de clase** classmate (1); **sala de clase** classroom (1); **toda clase** all kinds

clavo nail (15)

cliente/a customer, client (3)

clima *m.* climate, weather

clínica clinic, hospital (11)

cobrar to charge (15); to collect

coche *m.* car (2)

cocimiento medicinal tea

cocina kitchen (6)

cocina (eléctrica / de gas) (electric/gas) range (6)

cocinar to cook (5)

cocinero/a cook

cóctel *m.* cocktail

coger (j) to grab; to take hold of (12)

coleccionar to collect

colegio school, (*in some countries*) high school

colgar (ue) (gu) to hang (up)

colina hill (7)

collar (*m.*) **(de perlas)** (pearl) necklace (12)

colocar (qu) to place

colombiano/a Colombian (7)

Colón: Cristóbal Colón Christopher Columbus

colón *m.* *monetary unit of Costa Rica*

colonia colony; residential neighborhood; **agua** (*f., but* **el agua**) **de colonia** cologne (9, 13)

color *m.*: **color café** brown (3); **color naranja** orange (*color*) (3)

colorete *m.* rouge, blush (12)

colorido *n.* color

columpio swing (12)

combinar to go with; to match (3)

comedor *m.* dining room (6)

comentario commentary

comenzar (ie) (c) to begin (8)

comer to eat (2)

comercial: anuncio comercial ad, (TV) commercial

comerciante *m., f.* merchant (10)

comercio commerce, business (15)

comestibles *m. pl.* food items, provisions (5)

cómico/a comic(al), funny (P)

comida food (4); (midday) meal; dinner (5)

como since, as, like; **como si** as if

¿cómo? *interrog.* how?; what? (P); **¿cómo está Ud.?** how are you (*form.*)? (P); **¿cómo estás tú?** how are you (*fam.*)? (P) **¿cómo es/son?** what is/are . . . like? (3)

cómoda dresser, chest of drawers (6)

comodidad *f.* comfort

cómodo/a comfortable (3)

compañero/a (de clase) classmate (1); **compañero/a de cuarto** roommate

compañía *abbreviated* **Cía.** company (15)

comparar to compare

compartir to share

competencia competition (14)

complejo/a complex, complicated

complejo residencial residential development

completo/a complete; **tiempo completo** full-time

complicación *f.* complication

componente *m.* component

componerse (*like* **poner**) **de** to consist of

comportamiento behavior

compra purchase; **hacer** (*irreg.*) **las compras** to do (weekly) shopping (5); **ir** (*irreg.*) **de compras** to go shopping (3)

comprender to understand (4)

comprensivo/a understanding

compromiso commitment; **anillo de compromiso** engagement ring (14)

compuesto (*p.p. of* **componer**): **estar** (*irreg.*) **compuesto/a de** to consist of

computación *f.* computer science (15)

computadora computer (6, 15)

computarizado/a computerized

común *m., f.* common, ordinary; **mercado común** common market

comunicación *f.* communication, connection; **comunicaciones** *f. pl.* communications (15)

comunicar (qu) to convey; **comunicarse (qu)** to get in touch, call

comunismo communism

con with (1); **con tal (de) que** provided that (15)

concebir (i, i) to conceive

concertar (ie) to arrange

concierto concert

condensado: leche (*f.*) **condensada** condensed milk

condición *f.* condition

conectar to connect

conexión *f.* connection; **conexión eléctrica** electrical connection

conferencia conference, convention

confesión *f.* confession

confiar (confío) (en) to trust (14)

confidencialidad *f.* confidentiality

confirmar to confirm (13)

confortable *m., f.* comfortable

congestionado/a congested (11)

congreso congress, convention

conjetura conjecture, guess

conjugar (gu) to conjugate

conjunto (musical) group (8)

conmemorar to commemorate

conmigo with me (13)

conocer (zc) to know, be acquainted with (4)

conocimiento knowledge, notion

conque and so

conquistador(a) conqueror

conseguir (i, i) (g) to get, obtain (12, 15)

consejero/a adviser

consejo advice

conservar to preserve, keep

consigo with him/her/them/you (*form. sing.*)

consistir en to consist of

constantemente constantly

constituir (y) to constitute

construir (y) to construct, build

cónsul *m., f.* consul (10)

consulta doctor's office (11); consultation

consultorio doctor's office (11)

contabilidad *f.* accounting (15)

con tal (de) que provided that (15)

contador(a) accountant (15)

contaminación *f.* pollution, contamination

contar (ue) to relate, tell; to count

contemplar to contemplate, examine

contener (*like* **tener**) to contain

contenido contents

contento/a happy (3), satisfied

contestar to answer, respond (1)

contigo with you (*fam. sing.*)

continente *m.* continent

continuo/a continuous; **jornada continua** full-time (*work*)

contrabajista *m., f.* bass player

contradecir (*like* **decir**) to contradict

contraer (*like* **traer**) to contract, get (*a disease*); **contraer matrimonio** to marry (14)

contrainteligencia counterintelligence

contrariado/a upset (13)

contrario/a contrary, opposite; **al contrario** on the contrary

contratar to contract, hire

contratiempo mishap, disappointment (13)

contrato contract

contribuir (y) to contribute

control (*m.*) **remoto** remote control (10)

convenir (*like* **venir**) to be convenient; to suit; **te conviene** it's advisable (worthwhile) for you to (13)

conversación *f.* conversation

conversar (con) to converse, talk (with) (1)

convertirse (ie, i) (en) to become, turn into (10)

copa wine glass (4)

copia copy (15)

copiadora copying machine (15)

coquetería coquetry, vanity

corazón *m.:* **ataque** (*m.*) **al corazón** heart attack (12)

corbata necktie (3)

cordero lamb; **carne** (*f.*) **de cordero** lamb (*culinary*) (5)

cordillera mountain range

córdoba *m.* *monetary unit of Nicaragua*

cordón *m.* cord, rope

coro choir

coronel(a) colonel

corregir (i, i) (j) to correct

correo post office (13), mail

correr to run

correspondencia correspondence

correspondiente *adj. m., f.* corresponding

corriente *f.* current (*water*); *adj. m., f.* current

cortar to cut

corte *m.* cut

cortés *m., f.* courteous

corto/a short (9)

cosa thing (1)

cosméticos cosmetics (14)

costa coast (7)

costar (ue) to cost (8)

costarricense *m., f.* Costa Rican

costo *n.* cost

costumbre *f.* custom

creación *f.* creation

crear to create

crecer (zc) to grow

crecimiento growth

credibilidad *f.* credibility

crédito credit; **tarjeta de crédito** credit card (3)

creer (y) to think, believe (6); **no lo creo** I don't believe it (9)

crema (para la cara) (face) cream (12)

creyón (*m.*) **de labios** lipstick (12)

criar (crío) to raise

cristal *m.* glass (6)

criticar (qu) to criticize

crucero cruise

cruz *f.* (*pl.* **cruces**) cross

cruzar (c) to cross (10)

cuaderno notebook (1)

cuadra (city) block (2)

cuadro picture, painting (6)

cuadros: de cuadros plaid, checkered (3)

cual: el/la cual, los/las cuales which, who, whom

¿cuál(es)? *interrog.* what?; which, which one? (1, 3)

cualidad *f.* quality

cualquier(a) (just) any, whichever (one); **en cualquier momento** anytime

cuando when; **aun cuando** even though

¿cuándo? *interrog.* when? (1)

cuanto: en cuanto as soon as (9)

¿cuánto/a? how much? (1); **¿cuánto cuesta?** how much does it cost? (3)

¿cuántos/as? *interrog.* how many? (1, 3); *interj.* so many (5)

cuarto room; quarter (hour) (P); *adj.* fourth; **compañero/a de cuarto** roommate; **cuarto de baño** bathroom (6)

cubierto/a (*p.p. of* **cubrir**) covered (9)

cubiertos silverware (4)

cubrir(se) (*p.p.* **cubierto/a**) to cover (oneself)

cuchara spoon (4)

cucharita teaspoon (4)

cuchillo knife (4)

cuello collar (*in a garment*)

cuenta: lo que cuenta what counts; **darse** (*irreg.*) **cuenta (de)** to realize; **tener** (*irreg.*) **en cuenta** to take into account

cuento story (14); short story

cuero: de cuero (made of) leather (3)

cuerpo body (9)

cuesta (*present of* **costar**): **¿cuánto cuesta?** how much is it? (3)

cuestionario questionnaire

cuidado *interj.* watch out; **con cuidado** with care, carefully; **tener** (*irreg.*) **cuidado** to be careful (4)

cuidar(se) to take care (of) (oneself) (11)

culpa: ¿quién tiene/tuvo la culpa? *interrog.* whose fault is/was it?

cultura culture; education

cumbia *dance from Colombia* (8)

cumpleaños *m. sing.* birthday (10)

curar to cure (11); **curarse** to cure oneself; to heal, get well

curita Band-Aid (11)

currículum *m.* résumé (15)

cursiva italics

curso course, class; school year

cuyo/a/os/as whose

D

dama lady (6)

danés/danesa Danish

daño: hacer (*irreg.*) **daño** to damage

dar (*irreg.*) to give (3); **dar las gracias** to say thanks; **dar(le) miedo** to scare; **dar(le) oxígeno** to give (one) oxygen (11); **dar(le) un ataque al corazón** to have a heart attack (11); **darse cuenta de** to realize; **dar(se) la mano** to shake hands (9); **dar un paseo** to take a walk

date prisa (you) hurry up (9)

dato information

de of; from (P); in; about; than (*before numeral*); **de acuerdo** agreed, I agree (2); **de nada** you are welcome; **de vacaciones** on vacation; **de veras** in truth

debajo de underneath (8)

deber to owe; should, ought to, must (7, 8)

débil *m., f.* weak (9)

década decade

decidir to decide (13); **decidirse (a)** to make up one's mind (about)

décimo/a tenth (14)

decir (*irreg.*) to say, tell (2)

decorar to decorate

dedicar (qu) to dedicate, devote

dedo finger (9); **dedo del pie** toe (9)

dejar to allow, permit (10); to leave behind; **dejar de** + *inf.* to stop (*doing something*) (7)

delante de in front of (8)

delantero/a *adj.* front (13)

delgado/a thin (3)

delicioso/a delicious

demás: los/las demás the others, the rest

demasiado/a *adj.* too much, too many (5); *adv.* too, too much, excessively (5, 6)

demostrar (ue) to show, prove

dentista *m., f.* dentist (11)

dentro (de) inside (of), within

departamento apartment; **departamento de sanidad** sanitation department

dependiente/a salesclerk (3)

deporte *m.* sport

deportivo/a *adj.* sport

derecha right (*direction*); **hacia la derecha** toward/to the right

derecho/a straight; **derecho** law (career) (15); **derechos de matrícula** registration fees; **facultad** (*f.*) **de derecho** law school; **todo derecho** straight ahead

desacuerdo disagreement

desarrollo development, improvement (7)

desastre *m.* disaster (13)

desayunar(se) to eat breakfast (5)

desayuno breakfast (5)

descansar to rest (6)

descanso *n.* rest

desconocido/a stranger; *adj.* unknown

descontento/a discontented, dissatisfied

describir (*p.p.* **descrito/a**) to describe

descubrir (*p.p.* **descubierto/a**) to discover

descuento discount (1, 3)

desde since; from; **desde luego** of course

deseable *m., f.* desirable

desear to desire, want (2)

desempleo unemployment (7)

deseo desire, wish

desfile *m.* parade (10)

desgraciadamente unfortunately

desodorante *m.* deodorant (9, 12)

desorden *m.*: **¡qué desorden!** what a mess! (6)

desordenado/a messy, disorganized (6)

despedir (i, i) to fire (*employee*) (15)

despegar (gu) to take off (*in an airplane*) (13)

despertador: (reloj) (*m.*) **despertador** alarm clock (9)

despertar(se) (ie) to wake (oneself) up (9); **¡a despertar!** wake up! (6)

desprender to get rid of, release

después afterward, later (4); **después de** *prep.* after; **después de** + *inf.* after (*doing something*); **después (de) que** *conj.* after (15)

destacar(se) (qu) to stand out

destino destination

destruir (y) to destroy

detalle *m.* detail

detallista *m., f.* meticulous, detail-oriented

detener (*like* **tener**) to detain, stop

deteriorar to deteriorate

determinado/a certain

detestar(se) to detest (each other)

detrás (de) behind (8)

deuda debt

devolver (ue) (*p.p.* **devuelto/a**) to return (*something*) (8)

día *m.* day (P); **día del santo** saint's day (10); **hoy día** nowadays; **por el día** during the day; **todos los días** every day; **un día** someday

diagnóstico diagnosis

diálogo dialogue

diamante *m.* diamond

diana: toque (*m.*) **de diana** reveille

diario diary

diario/a daily

dibujo drawing (1); **dibujos animados** cartoons

diccionario dictionary (1)

dicho/a (*p.p. of* **decir**) said (9)

diciembre December (P)

dictar to dictate

diente *m.* tooth; **cepillo de dientes** toothbrush (12); **lavarse los dientes** to brush one's teeth (9); **pasta de dientes** toothpaste (9)

diferencia difference

diferente *m., f.* different

difícil *m., f.* difficult (1)

dificultad (*f.*) **para respirar** difficulty in breathing (11)

dinero money (3)

Dios *m.* God; **Dios mío** my goodness (6); **por Dios** for heaven's sake

diptongo diphthong

dirección *f.* address (1, 13)

directo/a direct

disciplinario/a disciplinary

disco record; **disco compacto** compact disc (8)

discoteca discotheque

discreto/a discreet

disculparse to excuse oneself; to apologize (14)

discurso speech

discutir to argue; to discuss (2)

diseñador(a) designer (15)

diseño design

disfraz *m.* (*pl.* **disfraces**) costume

disfrutar (de) to enjoy (10)

disgusto quarrel (14)

disparar to shoot

dispuesto/a (*p.p. of* **disponer**) **(a)** ready/willing (to)

distancia distance; **larga distancia** long distance (4)

distanciar(se) to distance (oneself) (14)

distinto/a different

distribuidor(a) distributor, dealer

distrito district

disturbio disturbance

diversidad *f.* diversity

diversión *f.* diversion, amusement

divertirse (ie, i) to have a good time (9)

divorciarse (de) to get divorced (from) (14)

divorcio divorce (14)

doblar to turn (10); to bend

doble *m.* double

docena dozen (7)

doctor(a) doctor (11, 12)

doctorado doctorate (15)

dólar *m.* dollar

doler (ue) to ache, hurt, give pain (11)

dolor *m.* pain, ache; **dolor de cabeza** headache (11); **dolor de**

estómago stomachache (11); **dolor de garganta** sore throat (11); **el dolor no se me quita** the pain won't go away (11)

doméstico/a domestic

dominante *m., f.* domineering (10)

domingo Sunday (P)

dominicano/a Dominican

don *title of respect before male first names*

doña *title of respect before female first names*

donde where (P); **de donde** from where; **en donde** where, in which

¿dónde? *interrog.* where? (P); **¿de dónde?** from where? (P)

dormir (ue, u) to sleep (8); **dormirse** to fall asleep (9); **dormir una/la siesta** to take a nap (8);

dormitorio bedroom (6)

dos two (P); **los/las dos** both; **el dos de** the second of (P)

dramático/a dramatic

ducha shower (6, 9)

ducharse to shower (9)

duda doubt; **sin duda** undoubtedly

dudar to doubt (11)

dueño/a owner (15)

dulce *adj. m., f.* sweet; *n. m.* candy

durante during (7)

durar to last

duro/a hard (4)

E

echar to throw; **echar de menos** to miss, long for; **echarle una mano** to lend someone a hand (15)

economía economy; economics (15)

economista *m., f.* economist (15)

edad *f.* age

edificio de apartamentos apartment building (2); **edificio de oficinas** office building (2)

efectivo: en efectivo *adj.* cash; **hacer** (*irreg.*) **efectivo un cheque** to cash a check (9)

efecto invernadero greenhouse effect

ejemplo example; **por ejemplo** for example (4)

elaborar to produce, make

electricista *m., f.* electrician (15)

eléctrico/a electric; **aparato eléctrico** appliance (6); **cocina eléctrica** electric stove (6)

electrónico/a: horario electrónico electronic schedule

elegante *m., f.* elegant

elegir (i, i) (j) to elect, choose

elemental *m., f.* beginning, basic (1)

elevado/a high

elevador *m.* elevator (13)

embajador(a) ambassador (10)

embarazada pregnant

embargo: sin embargo nevertheless, however

embarque: tarjeta de embarque boarding pass

emergencia: sala de emergencia emergency room

empanada *meat turnover*

empastar to fill in (*a tooth*) (11)

empaste *m.* filling (11)

empeñarse (en) to insist (on)

empezar (ie) (c) to begin, start

empleado/a employee, clerk

emplear to employ, hire

empleo employment; job, position (7)

emprendedor(a) enterprising

empresa company, business (15)

empresario/a businessman/ businesswoman

en in, on (1); **en cuanto** as soon as (9); **en seguida** at once (13)

enamorarse (de) to fall in love (with) (14); **estar** (*irreg.*) **enamorado/a (de)** to be in love (with) (10)

encender (ie) to turn on (8)

encima de on top of (8)

encontrar (ue) to find (8)

encuentro *n.* encounter

encuesta poll, survey

enemigo/a enemy

enero January (P)

enfermedad *f.* illness (11)

enfermero/a nurse (11, 15)

enfermo/a ill (3)

enfrente (de) in front (of)

enojado/a angered (9)

enojarse to get angry (9)

ensalada salad (5)

enseñar to teach (1); to show

entender (ie) to understand (8)

entonces then (3)

entrar (en) to enter (1)

entre between, among (7, 9)

entregar (gu) to deliver, hand in

entretenimiento entertainment

entrevista interview (15)

entrevistar to interview

envase *m.* container (5)

en vez de instead of (15)

enviar (envío) to send

envuelto/a wrapped

época epoch, time

equipaje *m.* baggage (13)

equipamiento equipping

equivaler (*like* **valer**) to be equivalent

equivocado/a mistaken (14)

equivocarse (qu) to make a mistake; to be wrong (14)

erradicar (qu) to eradicate

errar (yerro) to err

escalera ladder (15); **escalera(s)** stair(s), staircase (12)

escalofríos chills (11)

escándalo scandal

escena scene

escenario stage (theater) (8)

escoba broom (6)

escoger (j) to choose (4, 13)

escolta *n. m., f.* escort

esconder to hide

escribir (*p.p.* **escrito/a**) to write (2); **escribir en la computadora** to type in the computer (6); **máquina de escribir** typewriter (6)

escritorio desk, writing table (6)

escuchar to listen (6)

escuela school (4); **escuela primaria** primary school

ese/a/os/as *adj.* that, those (6)

ése/a/os/as *pron.* that (one), that fellow/character; those (6)

esfuerzo effort

esmeralda emerald

esmero care, neatness

eso *pron. neuter* that, that thing (6); **por eso** for that reason, therefore (5, 13)

espacio space; **espacio en blanco** blank (space)

espalda back (*of person*) (9); **a nuestras espaldas** behind us

español *m.* Spanish language; **español(a)** Spanish man/woman (1)

esparcir (z) to spread

especial *m., f.* special (1)

especialidad *f.* specialty (5)

especialización *f.* major (*area of study*) (15)

especializarse (c) (en) to specialize (in)

especificación *f.* specification

espectáculo show, pageantry

espectador(a) spectator, person in the audience

espejo mirror (9)

esperanza hope

esperar to hope (10); to wait (for) (13); to expect

espía *m., f.* spy (8)

esposo/a husband/wife (4)

espuma foam

esquina corner (1)

estable *adj. m., f.* stable

establecido/a established

establo *n.* stable

estación *f.* season (P); station; **estación de autobuses** bus station (13); **estación del ferrocarril** railroad station; **estación de metro** subway station (2)

estadística statistic

estado state

estampilla (postage) stamp (13)

estandarte *m.* standard; banner

estante *m.* bookcase (6)

estar (*irreg.*) to be (3); **estar compuesto/a de** to consist of; **estar de acuerdo** to be in agreement (2); **(no) estar en casa** (not) to be at home (6); **estar harto/a (de)** to be fed up (with) (14); **estar seguro/a de** to be sure of (11)

estatua statue

este *m.* east (7)

este/a/os/as this/these (6)

éste/a/os/as *pron.* this (one), these; the latter (6)

estéreo stereo (8)

estereotipo stereotype

estilo style

estirar to stretch

esto *pron. neuter* this, this thing (6)

estómago: dolor (*m.*) **de estómago** stomachache (11)

estratégico/a strategic

estrecho/a narrow

estrella star (7)

estrenar to use something for the first time; to premiere (*a play, movie, etc.*)

estreno premiere (*of a play, movie, etc.*)

estricto/a strict

estrofa stanza

estructura structure

estuche *m.* case (1); **estuche de maquillaje** makeup kit (12)

estudiante *m., f.* student (P)

estudiar to study (1)

estudioso/a studious

estufa *Mex.* stove

estupendo/a stupendous, wonderful (8)

estúpido/a stupid

etapa stage (*of a project, etc.*)

etiqueta etiquette

étnico/a ethnic (10)

evidente *m., f.:* **es evidente** it's evident (11)

evitar to avoid, prevent (11)

examen *m.* examination

excelente *m., f.* excellent

excesivamente excessively

exceso *n.* excess

excursión *f.:* **de excursión** on an excursion

exhausto/a exhausted

exigencia demand

exigente *m., f.* demanding (6)

exigir (j) to demand, insist on

exiliado/a person in exile

existir to exist

éxito success

exitoso/a successful, popular, famous

experto/a expert

explicación *f.* explanation

explicar (qu) to explain (9)

explorador(a) explorer

explorar to explore

explosivo *n.* explosive

exportar to export

exposición *f.* exposition, exhibit

expresar(se) to express (oneself)

expresión *f.* expression

extenderse (ie) to extend

extenso/a extensive

extranjero/a foreigner

extraño/a *adj.* strange; *n.* stranger

extremo/a extreme

F

fábrica factory (7)

fabricación *f.* manufacturing

fabuloso/a great (8)

fácil *m., f.* easy (1)

facilidad *f.:* **con facilidad** easily

facilitar to facilitate

facturar el equipaje to check one's baggage (13)

facultad *f.* university school; **facultad de derecho** law school

falda *n.* skirt (3)

fallar to fail

falso/a false

falta: hacer(le) (*irreg.*) **falta (a uno)** to be necessary (for one); to be lacking (8); **hace falta...** it's necessary . . . (13)

faltar to be absent; **faltar(le) (a uno)** to be necessary (for one); to be missing (*something*)

familiar *adj. m., f.* family

familiarizarse (c) to familiarize (oneself)

famoso/a famous

fanático/a fan (8)

fantasía fantasy

fantástico *interj.* great (8)

farmacéutico/a pharmacist (15)

farmacia pharmacy, drugstore (11)

fatal *interj.* awful (8)

fatigar (gu) to tire

favor *m.:* **a favor (de)** in favor of; **haga (Ud.) el favor (de)** please; **por favor** please (5)

favorito/a favorite

febrero February (P)

fecha date (*calendar*) (P)

felicidad *f.* happiness

felicitación *f.* congratulation (14)

felicitar to congratulate (14)

feliz *m., f.* (*pl.* **felices**) happy, joyful

femenino/a feminine

fenomenal *interj.* great (8)

fenómeno phenomenon (13)

feo/a ugly (2)

ferrocarril *m.*: **estación** (*f.*) **del ferrocarril** railroad station

fértil *m., f.* fertile, rich

ficción *f.*: **ciencia ficción** science fiction (8)

fiebre *f.* fever (11)

fiesta party (3)

figura (human) figure

fijarse to pay attention

fijo/a fixed, steady

fila row (*of seats*)

filete *m.* steak, fillet (*of beef or fish*)

filosofía philosophy

fin *m.* end, conclusion; **fin de semana** weekend (14); **por fin** finally (5)

financiamiento financing

financiero/a *adj.* financial

finca land, farm

firma signature

firmar to sign one's name

físico/a physical

flan *m.* custard

flor *f.* flower (2)

florería flower shop

florero vase

flotar to float

folleto pamphlet, brochure

fondo bottom; back, rear; background; **en el fondo** deep down (14)

fontanero/a plumber (15)

formación *f.* training, education

forma form

formar to form, shape; **formar parte (de)** to be part (of)

formulario de pedido order blank

forro book cover (1)

foto(grafía) photo (2); **tomar fotografías** to take photographs (2)

francés *m.* French language (1); **francés/francesa** Frenchman/Frenchwoman (1)

frasco flask, bottle

frase *f.* phrase

fraternidad *f.* fraternity

frecuencia: con frecuencia frequently

frecuente *m., f.* frequent

fregadero (kitchen) sink (6)

freír (*irreg.*) to fry (5)

frente *n. f.* forehead (9)

frente a in front of (8); **en frente de** in front of

fresa strawberry (5)

fresco: hacer (*irreg.*) **fresco** to be cool (weather) (4)

fresquísimo/a very fresh

frijoles *m.* beans (5)

frío/a cold; **hacer** (*irreg.*) **frío** to be cold (out) (4); **tener** (*irreg.*) **frío** to be (feel) cold (4)

frito/a (*p.p. of* **freír**) fried (5); **papas/patatas fritas** French fries

frívolo/a frivolous

frontera border (7)

fruta fruit (5)

frutería fruit stand (4)

frutero/a fruit vendor

fuego fire

fuente *f.* fountain (2)

fuera (*imperfect subj. form of* **ir** *and* **ser**): **si fuera tú** if I were you (13)

fuerte *m., f.* strong (9)

fuerza strength

fumador(a) smoker (13)

fumar to smoke (10, 11)

función *f.* role

funcionamiento operation

funcionar to work, function (*machine or apparatus*) (6, 9)

furioso/a furious

fútbol *m.* soccer; **fútbol americano** football

futuro/a future (7)

G

gafas de sol sunglasses (12)

galletitas cookies

galón *m.* gallon

ganar to earn (3); to win; **ganarse la vida** to earn a living

ganas: tener (*irreg.*) **ganas de** + *inf.* to feel like (*doing something*) (4)

ganga bargain (8)

garaje *m.* garage (10)

garantía guarantee

garantizar (c) to guarantee

garganta: dolor (*m.*) **de garganta** sore throat (11)

gastar to spend (3)

gatito, gatico kitten (4)

gato cat (4)

generación *f.* generation

general(a) *n.* general (*rank*); **por lo general** generally

generalmente generally

generoso/a generous

gente *f.* people (2)

geografía geography

gerente *m., f.* manager

germánico/a Germanic

gigante/a giant

gimnasia: hacer (*irreg.*) **gimnasia** to do calisthenics

giratorio/a revolving

giro postal money order

glotón/glotona glutton (5)

gobernador(a) governor (10)

gordo/a fat (3)

gotas para la nariz / los ojos nose/eye drops (11)

gozar (c) (de) to enjoy (8)

grabar to record (8)

gracias thank you (P); **dar** (*irreg.*) **las gracias** to say thanks; **muy bien, gracias** very well, thanks (P)

gracioso/a funny

graduarse (me gradúo) to graduate (15)

gráfico/a graphic

gramática grammar

gran *m., f. shortened form of* **grande,** *used before nouns* great

grande *m., f.* large, big (2); **así de grande** this big (9)

grasa fat

gratis *m., f.* free, at no cost

grave *m., f.* serious

Grecia Greece

griego/a Greek

gripe *f.* flu (11)

gris *m., f.* gray (3)

gritar to shout, yell (6)

grueso/a fat

grupo group (8)

guapo/a handsome

guaraní *m. monetary unit of Paraguay* (7)

guardar cama to stay in bed (11)

guardia: estar (*irreg.*) **de guardia** to be open all night (*pharmacy*)

guatemalteco/a *n., adj.* Guatemalan (7)

guerra war

guía *f.* manual (*book*); *m., f.* (*person*) guide; **guía de teléfonos** telephone book

guisante *m.* pea (5)

guitarra (principal) (lead) guitar (8)

gustar(le) (a uno) to be pleasing (to one); to like (P), (10)

gusto taste; **con gusto** gladly; **mucho gusto** (I am) pleased to meet you

H

haber (*irreg.*) to have (*auxiliary verb*); to be (*inf. form of* **hay**)

había (*imperfect form of* **haber**) there was/were (5, 7)

habilidad *f.* skill, ability

habitación *f.* room (6)

habitante *m., f.* inhabitant (8)

hábito habit

habituarse (me habitúo) to get used to

hablar to speak (1)

hacer (*irreg.*) to do; to make (2); **hace buen/mal tiempo** the weather is good/bad (4); **hace calor/fresco/frío/sol/viento** it is hot/cool/cold/sunny/windy (weather) (4); **hacer caso a/de** to pay attention to (14); **hacer daño** to damage; **hacer efectivo un cheque** to cash a check (9); **hacer falta** to need (1); to be lacking, necessary (14); **hacer gimnasia** to do calisthenics; **hacer la cama** to make the bed (6); **hacer la maleta** to pack; **hacer preguntas** to ask questions; **hacerse amigo/a (de)** to become friends (with) (14); **hacer un viaje** to take a trip (8); **hazme un favor** do me a favor (4)

hacia toward (7); about; **hacia abajo/arriba** downward/ upward; **hacia adelante/atrás** forward/backward; **hacia la derecha/izquierda** toward/to the right/left

haga (*subj. form of* **hacer**): **haga (Ud.) el favor (de)** please

hallar to find

hambre *f.* (*but* **el hambre**) hunger; **tener** (*irreg.*) **hambre** to be hungry (4)

hamburguesa hamburger (5)

harina flour (5); **harina de maíz** cornmeal

harto/a: estar harto/a (de) to be fed up (with) (14)

hasta until (6, 10); even, up to (7); **hasta luego/mañana** until later/soon/tomorrow (P); **hasta que** *conj.* until (15)

hay there is/are (P); **hay que...** it's necessary . . . (13); **¿qué hay?** *interrog.* what's up? (P)

hecho/a (*p.p. of* **hacer**) done; made (9)

heladería ice cream parlor (10)

heladero/a ice cream vendor

helado ice cream (5)

hemisferio hemisphere (8)

herbolario/a vendor of herbs

heredar to inherit

herida *n.* wound (11)

herido/a wounded person (11)

hermano/a brother/sister (4)

hermoso/a beautiful, lovely, handsome

héroe/heroína hero/heroine

heroico/a heroic

herramienta tool (15)

hielo ice (4)

hierba grass; herb

hijo/a son/daughter (4)

hispánico/a Hispanic (10)

hispanidad *f.*: **Desfile** (*m.*) **de la Hispanidad** Columbus Day Parade (10)

hispano/a Hispanic

hispanoamericano/a Spanish American

hispanohablante *m., f.* Spanish-speaking (7)

historia story (10); history

histórico/a historic(al)

hogar *m.* home

hoja leaf (1)

hojalata tin, tinplate

hola hello (P)

holandés/holandesa Dutch

hombre *m.* man (2); **hombre de negocios** businessman (15)

hondureño/a Honduran

honrado/a honest (10)

hora hour; time; **¿a qué hora?** *interrog.* at what time? (P); **es hora de** + *inf.* it's time (*to do something*) (9); **¿qué hora es?** *interrog.* what time is it? (P)

horario (electrónico) (electronic) schedule (13)

horno oven (6); **horno de microondas** microwave oven

horrible *m., f.* awful (8)

hortalizas vegetables, greens (5)

hospedarse to stay (*at a hotel*)

hotel *m.* hotel (2)

hoy today (P); **hoy día** nowadays (8); **hoy mismo** today without fail

huevo egg (5); **huevos rancheros** *Mex.* scrambled eggs with chili peppers and tomatoes

humanidades *f. pl.* humanities (15)

humano/a human

humo smoke (13)

humor *m.*: **ponerse** (*irreg.*) **de mal/buen humor** to get in a bad/good mood (14)

I

ida one-way; **billete** (*m.*) **de ida y vuelta** round-trip ticket (13)

idealista *m., f.* idealistic

identidad *f.* identity; **carnet** (*m.*) **de identidad** identity card

identificar (qu) to identify

idioma *m.* language (10)

ídolo idol

iglesia church (2)

ignorante *m., f.* ignorant; unaware

igual *m., f.* equal; **igual de** + *adj.* as . . . as; **igual que** the same as, just like

igualdad *f.* equality

ilustración *f.* illustration

imagen *f.* image

imaginar(se) to imagine

imaginario/a imaginary

impaciente *m., f.* impatient

impedir (i, i) to prevent (from)

imperfecto imperfect (*grammar*)

imperio empire (7)

imponer (*like* **poner**) to impose

importa: no importa it doesn't matter, never mind (4)

importancia importance

importante *m., f.* important; **es importante** it's important (11)

importe *m.* total amount (14)

impresión *f.* impression

impreso/a (*p.p. of* **imprimir**) printed

impresora printer (15)

imprimir (*p.p.* **impreso/a**) to print (15)

improbable *m., f.* improbably, unlikely

improvisado/a improvised

impuesto tax

incluir (y) to include

incluso *adv.* even

incómodo/a uncomfortable (3)

incompatibilidad *f.* incompatibility

incorporar to incorporate

increíble *m., f.* incredible

independencia independence

indicaciones *f. pl.* indications, directions

indicar (qu) to indicate (7, 9)

indicativo indicative (*grammar*)

indígena *m., f.* indigenous, native

indio/a Indian

individuo *n.* individual

industria industry

inédito/a unpublished

inesperado/a unexpected

inevitable *m., f.* inevitable, unavoidable

infanta Spanish princess

infección *f.* infection

infinitivo infinitive (*grammar*)

infinito/a infinite

inflación *f.* inflation

inflar to inflate

influencia influence

influir (y) to influence

información *f.* information

informar to inform

informativo/a informative

informe *m.* report, term paper (6)

ing. *abbreviation of* **ingeniero/a** engineer

ingeniería engineering (15)

ingeniero/a engineer (15)

Inglaterra England

inglés *m.* English language (1); **inglés/inglesa** Englishman/ Englishwoman (1); **llave inglesa** pipe wrench (15)

ingrediente *m.* ingredient

ingresar to enter (*as employee, student, etc.*)

ingreso entry into, admission to

iniciar(se) to begin

ininterrumpido/a uninterrupted

inmediatamente immediately

inmediato: de inmediato immediately

inmigrante *m., f.* immigrant

inmovilidad *f.* immobility

inodoro toilet (6)

inolvidable *m., f.* unforgettable

inscribir(se) (*p.p.* **inscrito/a**) to enroll, register, sign up

insistir (en) to insist (on) (10)

insomnio insomnia

instalación *f.* installation

instalar to install; **instalarse** to settle (down)

instituto institute

instrucciones *f. pl.* instructions, directions

insultarse to exchange insults

integrar(se) to integrate

inteligencia intelligence

inteligente *m., f.* intelligent

intenso/a intense

intentar + *inf.* to try (*to do something*) (12)

intercambiar to interchange, exchange

intercomunicador *m.* intercom (9)

interesado/a: los interesados those interested

interesante *m., f.* interesting

interesar to interest (10); **interesarse (en)** to be interested (in)

interiormente inside

internado/a: vida de internado life as an internee

interpretar to interpret

íntimo/a intimate

inútil *m., f.* useless

inventar to invent

invernadero/a: efecto invernadero greenhouse effect

investigador(a) researcher

invierno winter (P)

invitado/a *n.* guest (14); *adj.* invited

invitar to invite

inyección *f.* injection (11); **poner(le)** (*irreg.*) **una inyección** to give (one) a shot (injection) (11)

ir (*irreg.*) to go (3); **ir a** + *inf.* to be going to (*do something*) (4); **ir de compras** to go shopping (3); **ir de paseo** to go for a walk

Irlanda Ireland

irlandés/irlandesa Irishman/ Irishwoman

irritado/a irritated (12)

isla island (7)

Italia Italy

italiano Italian language; **italiano/a** Italian man/woman (1)

itinerario itinerary, route

izquierdo/a *adj.* left; **a la izquierda** to/on the left; **de la izquierda** on the left; **hacia la izquierda** toward/to the left

J

jabón *m.* soap (9)

jamás ever, never (12)

jamón *m.* ham (2)

Japón *m.* Japan

japonés/japonesa Japanese (1)

jardín *m.* garden, yard

jarra pitcher (4)

jeans *m. pl.* jeans (3)

jefe/a boss (15)

jersey (*the* **j** *is pronounced the Spanish way*) *Sp.* sweater

jornada working day; **jornada continua** full-time (*work*)

joven young man/woman (1); *adj., m., f.* young (3)

joya piece of jewelry (12); **las joyas** jewelry (12)

juego game, match; flexibility

jueves *m. sing., pl.* Thursday (P)

jugador(a) player (14)

jugar (ue) (gu) to play (*a game, sport, etc.*) (8)

jugo juice; **jugo de naranja** orange juice (2)

julio July (P)

junio June (P)

juntos/as together (3)

justo/a just, fair

juvenil *m., f.* youthful
juventud *f.* youth (8)

K
kilo *abbreviation of* **kilogramo** kilogram
kilómetro kilometer

L
labio lip; **barra de labios** lipstick; **creyón** (*m.*) **de labios** lipstick; **lápiz** (*m.*) **labial / para los labios** lipstick (12)
labor *f.* work
laboral *adj. m., f.* labor
laboratorio laboratory
laca hairspray (12)
lacio/a straight (*hair*) (9)
lácteo/a lacteous, milky
lado: al lado de next to (8)
lagarto lizard
lago lake (7)
lámpara lamp (6)
lana wool; **de lana** (made of) wool (3)
langosta lobster
lápiz *m.* (*pl.* **lápices**) pencil (1); **lápiz labial** lipstick (12)
largo/a long (9); **a largo plazo** long term; **larga distancia** long distance (4)
lástima: es (una) lástima it's a pity (11)
lata can (*tin, etc.*) (5); **qué lata** what a nuisance (13)
latino/a *adj.* Latin
Latinoamérica Latin America
lavabo wash basin (6)
lavadora washing machine (15)
lavaplatos *m. sing.* dishwasher (6)
lavar to wash (3, 6); **lavarse** to wash oneself (9); **lavarse los dientes** to brush one's teeth (9)
lección *f.* lesson (1)
leche *f.* milk (2); **café** (*m.*) **con leche** coffee with milk (5)
lechuga lettuce (5)
lector(a) reader (14)
lectura *n.* reading
leer (y) to read (2)
legumbre *f.* vegetable (5)
lejano/a distant, far away
lejos de far from (8)

lempira *m.* *monetary unit of Honduras*
lengua language (1)
lenguaje *m.* language
letra letter of alphabet; handwriting; lyrics of a song
levantarse to get up (9)
ley *f.* law
leyenda legend (7)
liberalizar (c) to open up, remove restrictions (from) (7)
libertad *f.* liberty, freedom
librarse (de) to escape (from)
libre *m., f.* free, unrestricted (7); **al aire libre** open-air, outside
libremente freely
librería bookstore
librero bookcase (6)
libreta de taquigrafía shorthand pad (15)
libro book (1)
lic. *abbreviation of* **licenciado/a,** *a title before a lawyer's name*
liceo high school (*in some countries*)
líder *m., f.* leader
límite *m.* limit
limón *m.* lemon; **torta de limón** lemon pie
limpiar to clean (6)
limpio/a clean (6)
línea line; **línea aérea** airline (13)
liquidación *f.* liquidation, sale
líquido/a liquid
liso/a smooth (*surface*)
listo/a: estar listo/a to be ready (3); **ser listo/a** to be smart (3)
literario/a literary
litro liter
llamada call
llamar to call; **llamar por teléfono** to call on the telephone (4); **llamarse** to call oneself, be named (P, 9); **¿cómo se llama Ud.? / ¿cómo te llamas?** *interrog.* what is your name? (P); **me llamo...** my name is . . . (P)
llave *f.* key; **llave inglesa** pipe wrench (15)
llegada arrival (13)
llegar (gu) to arrive (6)
llenar to fill out (15); **llenar de/con** to fill with

lleno/a full (of) (13)
llevar to wear (3); to take; to carry (4); **llevarse bien/mal** to get along well/badly (9)
llorar to cry (11)
llover (ue) to rain (8)
lluvia rain (13)
lo *d.o. pron. neuter, m. sing.* you/it; **lo cual** which; **lo + adj.** the . . . thing; **lo que** what, that which (14); **lo siento** I am sorry (about it) (4)
local *n. m.* place, premises; *adj.* local
localidad *f.* place, town
loción *f.*: **loción bronceadora** suntan lotion (12); **loción de afeitar** aftershave lotion (12); **loción para las manos** hand lotion (12)
loco/a crazy, silly; **como un(a) loco/a** like crazy (6); **ni loco** no way (12)
locutor(a) TV/radio announcer (10)
loma hill (7)
Londres London
lotería lottery; **billete** (*m.*) **de lotería** lottery ticket (2)
ltda. *abbreviation of* **limitada,** *a type of company*
luchar to fight, struggle
luego then; later (P); **desde luego** of course; **hasta luego** until later (P)
lugar *m.* place (8)
lujo luxury; **de lujo** deluxe
luna moon (7); **luna de miel** honeymoon (14)
lunes *m. sing., pl.* Monday (P)
luneta seat (*at theater*)
luz *f.* (*pl.* **luces**) light (1)

M
madre *f.* mother (4)
madrina bridesmaid, maid of honor (14)
maestría master's degree (15)
maestro/a teacher; master
magnífico/a magnificent, great
mago: los Reyes (*m. pl.*) **Magos** Three Wise Men, Magi
maíz *m.* corn (5); **harina de maíz** cornmeal

mal *adv.* badly, poorly (8); *adj. shortened form of* **malo** *used before m. sing. nouns*

mala suerte *f.* bad luck (6)

malas noticias bad news (6)

maldito/a damned; cursed

malentendido misunderstanding (14)

maleta suitcase (12); **hacer** (*irreg.*) **la maleta** to pack

maletín *m.* carry-on bag (12)

maligno/a malignant

malo/a bad (2); **lo malo** the bad thing (14)

mañana morning; *adv.* tomorrow (P); **pasado mañana** day after tomorrow (13)

mancha stain

manchado/a stained (3)

mandar to send; to order (9); to command (10)

mandato command

manejar to drive; to handle (13)

manejo *n.* driving; handling

manera manner, way; **de ninguna manera** by no means, no way (12); **de todas maneras** at any rate

manipular to handle

mano *f.* hand (9); **dar(se)** (*irreg.*) **la mano** to shake hands (9); **echarle una mano** to lend someone a hand (15)

mantecado *type of ice cream* (10)

mantel *m.* tablecloth (4)

mantener (*like* **tener**) to maintain, keep; to support

mantenimiento upkeep

mantequilla butter (5)

manzana apple (4)

mapa *m.* map (1)

mapache *m.* raccoon

maquillaje *m.* makeup; **estuche** (*m.*) **de maquillaje** makeup kit (12)

maquillarse to put on makeup (9)

máquina machine; **máquina de afeitar** (electric) shaver (12); **máquina de escribir** typewriter (6); **pasar a máquina** to type (15)

maquinilla de afeitar razor (12)

mar *m.* sea (7)

maravilla: de maravilla *adv.* marvelously (8)

maravilloso/a marvelous, wonderful

marca brand name

marcha march; **poner** (*irreg.*) **en marcha** to set in motion

mareado/a seasick

margen *m.* margin

mariachis *m. pl.* mariachi band (10)

marino/a marine, nautical; **azul** (*m.*) **marino** navy blue (3)

marisco shellfish; **mariscos** seafood (5)

mármol *m.* marble (2)

marquesina *Puerto Rico* porch

martes *m. sing., pl.* Tuesday (P)

martillo hammer (15)

marzo March (P)

más more, plus (1, 3, 4); most; **algo más** anything else; **el/la/los/las más...** the most . . . (11); **más bien** rather (5); **más... que** more . . . than (11); **más o menos** more or less

matanza slaughter

matar(se) to kill (oneself); to get killed (15)

matemáticas mathematics

materia (*school*) subject (1)

maternidad *f.* maternity

materno/a *adj. for relative on mother's side of family*

matrícula tuition, registration (15); **derechos de matrícula** registration fees

matrimonial: cama matrimonial double bed

matrimonio marriage; **contraer** (*like* **traer**) **matrimonio** to marry (14)

máximo/a maximum; **al máximo** to the maximum

mayo May (P)

mayor major; greater; greatest; older (4); **la mayor parte** most; **los mayores** adults, grown-ups (14); **premio mayor** first prize

mayoría majority (10)

mecánico/a mechanic; **ingeniería mecánica** mechanical engineering

mecedora rocking chair (9)

mediano/a medium-sized

medianoche *f.* midnight

medicina medicine

médico/a medical doctor (11)

medida: a la medida customized; **a medida que** as

medio/a half; **diez y media** ten-thirty; **clase** (*f.*) **media** middle class; **medio de transporte** means of transportation (2)

mejor better (8); best; **es mejor** it's better (11); **lo mejor** the best (thing)

mejorar to improve, get better (11)

melocotón *m.* peach (5)

membrete *m.* letterhead (15)

memoria memory; **aprender de memoria** to memorize

mencionar to mention

menor minor; younger; youngest (4); less; lesser; least; smaller; smallest

menos minus, less (P); fewer; **a menos que** unless (15); **echar de menos** to miss, long for; **más o menos** more or less; **menos mal** fortunately; **menos que** less than; **menos... que** less . . . than (11); **ni mucho menos** not at all (12); **por lo menos** at least

mensualidad *f.* monthly payment

menudo: a menudo often

mercadeo marketing (15)

mercado market; **mercado común** common market

mercancía merchandise

merendar (ie) to snack (9)

merengue *m. type of music from Dominican Republic*

merienda snack

mermelada jam, marmalade (5)

mes *m.* month (P)

mesa table (1); **mesa de centro** coffee table (6); **mesa de noche** nightstand (6); **poner** (*irreg.*) **la mesa** to set the table (4)

meta goal, objective

meter to put in; to place (15)

método method

metro subway (2); **estación** (*f.*) **de metro** subway station (2)

mexicano/a Mexican

mezcla mixture

mezquita mosque

miedo   fear; **tener** (*irreg.*) **miedo** to be afraid (4); **dar(le)** (*irreg.*) **miedo**   to scare

miel *f.*: **luna de miel**   honeymoon

miembro *m., f.*   member

mientras   while (4); **mientras tanto** in the meantime

miércoles *m. sing., pl.*   Wednesday (P)

milagro   miracle (14)

militar *adj. m., f.*   military

milla   mile

millón *m.*   million (2)

millonario/a   millionaire

mínimo/a   minimum, minimal

ministerio   ministry

minuto   minute

mirar   to watch, to look at (2); **mirar la televisión**   to watch television (6); **mirarse**   to look at oneself, each other; **sin mirar** without looking

misa   Mass

mismo/a/os/as   same; very; myself, yourself, *etc.* (12); **ahora mismo** right now (9); **al mismo tiempo** at the same time (8); **allí mismo** right there; **hoy mismo**   today without fail; **lo mismo**   the same thing (11)

misterio   mystery

mitad *f.*   half; **a mitad de precio** half price (8)

mitología   mythology

mochila   backpack (1)

moda   fashion, trend; **estar** (*irreg.*) **de moda**   to be in style (14)

modelo *m., f.*   model

moderado/a   moderate

moderno/a   modern

modismo   idiom, idiomatic expression

modo: de todos modos   in any case

mojado/a   wet (9)

molestar   to annoy, bother (10, 14)

molestia   inconvenience, nuisance

molesto/a   annoying

momento   moment; **en cualquier momento**   anytime; **en este momento**   at the present time; **por el momento**   for the time being

moneda   coin

monetario/a: unidad (*f.*) **monetaria** monetary unit

mono/a   cute (4)

monólogo   monologue

montaña   mountain (7); **montaña rusa**   roller coaster (12)

montar   to mount, ride; set up (14); **montar (a caballo / en bicicleta)** to ride (a horse / a bike) (10); **montar una empresa**   to start a business

morado/a   purple (3)

morir (ue, u) (*p.p.* **muerto/a**)   to die (8)

mostrar (ue)   to show

motor *m.*   motor, engine

mover (ue)   to move

movimiento   movement

muchacho/a   boy/girl (2)

muchedumbre *f.*   crowd (10)

mucho/a   lot, much (P); **mucho gusto**   (I am) pleased to meet you; **muchos/as**   many

mudar(se)   to move away

mueble *m.*   piece of furniture; *pl.* furniture (6)

mueblería   furniture store

muela   molar (11)

muelle (*m.*) **pesquero**   fishing pier

muerte *f.*   death

muerto/a (*p.p. of* **morir**)   dead (9)

mujer *f.*   woman (2); **mujer de negocios**   businesswoman (15)

multa   fine; **poner(le)** (*irreg.*) **una multa**   to give (one) a ticket, fine

mundial *adj., m., f.*   world, worldwide

mundo   world; **todo el mundo** everybody (8)

muro   wall

músculo   muscle

museo   museum

música   music

músico/a   musician

muy   very (P); **muy bien, gracias** very well, thank you (P)

N

nacer (zc)   to be born

nacimiento   birth

nación *f.*   nation

nacionalidad *f.*   nationality

nada   nothing, not anything (4, 12); **de nada**   you are welcome; **nada de nuevo** nothing new (P)

nadar   to swim (12)

nadie   no one, nobody, not anyone (12)

naranja   orange (5); **color** (*m.*) **naranja**   orange (*color*) (3); **jugo de naranja**   orange juice (2)

nariz *f.* (*pl.* **narices**)   nose (9); **gotas para la nariz**   nose drops (11)

narración *f.*   narration

narrador(a)   narrator

natación *f.*   swimming

nativo/a   native

naturaleza   nature

naturalmente   naturally

Navidad *f.*   Christmas

necesario/a   necessary; **es necesario**   it's necessary (11)

necesidad *f.*   necessity, need

necesitar   to need (2)

necio/a   foolish (9)

negar (ie) (gu)   to deny (11)

negativo/a   negative

negocio   business; **hombre/mujer de negocios**   businessman/ businesswoman (15)

negro/a   black (3)

nervios   nerves; **ataque** (*m.*) **de nervios**   nervous attack

nervioso/a   nervous

nevar (ie)   to snow (8)

ni   neither, nor, not even; **ni mucho menos**   not at all; **ni... ni** neither . . . nor (12); **ni se te ocurra**   don't even think about it (12)

nicaragüense *m., f.*   Nicaraguan (7)

nieto/a   grandson/granddaughter (4)

nieve *f.*   snow (8)

ningún (ninguno/a)   no, not any (12); **de ninguna manera**   by no means (12)

niño/a   child, boy/girl (4); **de niño/a**   as a child (9)

nivel *m.*   standard, level; **nivel de vida**   standard of living (7)

no   no (P)

noche *f.*   night; evening; **buenas noches**   good night/evening (P); **de/en/por la noche**   in the evening, at night (1); **de noche** at night; **esta noche**   tonight (3);

mesa de noche   nightstand (6);
Nochebuena   Christmas Eve;
toda la noche   all night; **todas las noches**   every night
nocturno/a   nocturnal; **centro nocturno** *Mex.*   night club
nombrar   to name
nombre *m.*   name (1)
nopal *m.*   prickly pear cactus (7)
normas   norms
norte *m.*   north (7); **América del Norte**   North America
Norteamérica   North America
norteamericano/a   North American
noruego/a   Norwegian
nota   note (15); academic grade
notable *m., f.*   remarkable, notable
notarse   to be noticeable
noticias   news (2)
novela   novel
novelista *m., f.*   novelist
noveno/a   ninth
noviembre *m.*   November (P)
novillo   steer
novio/a   boyfriend/girlfriend, sweetheart (4); fiancé(e); groom/bride (14); **novios** boyfriends, sweethearts; fiancés; bride and groom
nube *f.*   cloud (7)
nuestro/a/os/as   our (2); (of) ours
nuevo/a   new (1); **de nuevo**   again; **nada de nuevo**   nothing new (P)
nulo/a   not valid
número   number (2)
numeroso/a   numerous
nunca   never, not ever (12)
nupcial: marcha nupcial   wedding march (14)
nutritivo/a   nourishing, nutritious

O

o   or (3); **o... o** either . . . or
obedecer (zc)   to obey
obispo   bishop
objetivamente   objectively
objeto   object
obligar (gu)   to force, oblige
obligatorio/a   obligatory
obra   work
obrero/a   worker (15)
obstante: no obstante   nevertheless, however

obtener (*like* **tener**)   to obtain, get
obvio: es obvio   it's obvious (11)
ocasionalmente   occasionally
occidente *m.*   west
océano   ocean (7)
ocio   leisure
octavo/a   eighth
octubre *m.*   October (P)
ocupado/a   busy (3)
ocuparse   to take care of
ocurra: ni se te ocurra   don't even think about it (12)
ocurrir   to happen; to occur (13)
odiar   to hate (14)
odio   hatred (14)
odontología   dentistry, dental surgery
oeste *m.*   west (7)
ofensa   offense
oferta   offer
oficina   office (15); **edificio de oficinas**   office building (2)
ofrecer (zc)   to offer
oír (*irreg.*)   to hear (4)
ojo   eye (9); **gotas para los ojos** eyedrops; **sombra para los ojos** eyeshadow (12)
olvidar   to forget (13)
ómnibus *m. sing.*   bus (13)
operación *f.*   operation
operarse   to have an operation
oponer (*like* **poner**)   to oppose
oportunidad *f.*   opportunity, chance
optar (por)   to choose, opt for
optimista *m., f.*   optimistic
opuesto *n.*   opposite
oración *f.*   sentence (*grammar*) (3)
orden *m.*   order; arrangement; *f.* religious order
ordenado/a   neat, in order (6)
ordenador *m. Sp.*   computer (15)
ordenar   to put in order; to order
oreja   ear (9)
orgánico/a: química orgánica organic chemistry
organizar (c)   to organize
orientado/a   oriented
orientarse   to point; to be geared to
oriente *m.*   orient, east (7)
origen *m.*   origin
originarse   to originate
orilla   bank of river

oro   gold
orquesta   orchestra
oscuridad *f.*   darkness
oscuro/a   dark; **azul** (*m.*) **oscuro** dark blue
otoño   autumn, fall
otro/a   other, another (2); another one
oxígeno: dar(le) (*irreg.*) **oxígeno**   to give (one) oxygen (11)

P

padre *m.*   father (4); **padres** *m. pl.* fathers; parents (4)
padrino   best man (14)
pagar (gu)   to pay (3)
país *m.*   country (8)
pájaro   bird
palabra   word (1)
pálido/a   pale (12)
palmera   palm tree (12)
pan *m.*   bread (4)
panecillo   (bread) roll (5)
pantalones *m. pl.*   pants (3); **pantalones cortos**   shorts (3)
papa   potato (5)
papel *m.*   paper (1)
paquete *m.*   package (1, 5)
par *m.*   pair
para   intended for, in order to (2); for; in the direction of (4); **para que**   in order that (15)
parada   stop; **parada de autobuses** bus stop; **parada de taxis**   taxi stand (13)
parar   to stop
parcial: tiempo parcial   part-time
parecer (zc)   to look like; to seem (10); **¿qué le parece... ?** *interrog.* how about . . . ? (8)
pared *f.*   wall (1)
pareja   pair, couple (14)
parentesco   family relationship
pariente *m., f.*   relative
parque *m.*   park (2); **parque de atracciones**   amusement park (12)
parqueadero *Col.*   parking lot
párrafo   paragraph
parrilla: a la parrilla   grilled
parrillada   mixed grill
parte *f.*   part; **en/por todas partes** everywhere; **formar parte (de)**   to be part (of); **la mayor parte** most

participio participle (*grammar*);
participio pasado (pasivo) past
participle
particularmente especially
partida departure
partido match, game; **sacarle (qu)
partido** to take advantage
pasado/a past, last (5, 7); last;
participio pasado past participle
(*grammar*); **pasado mañana** day
after tomorrow (13); **la semana
pasada** last week
pasajero/a passenger (13)
pasan: lo pasan fantástico they
have a great time (4)
pasaporte *m.* passport
pasar to happen (8); **lo pasan
fantástico** they have a great
time (4); **pasar a máquina** to
type (15); **pasar el rato** to pass
the time (of day); **pasar la
aspiradora** to vacuum (6); **¿qué
te pasa/pasó?** *interrog.* what is
happening/happened to you,
what is/was wrong with you? (9);
¿se te ha pasado... ? *interrog.*
have you gotten over . . . ? (11)
pasatiempo pastime
pasear (por) to walk (along/in); to
stroll (12)
paseo walk, stroll; **ir** (*irreg.*) **de
paseo** to go for a walk
pasillo aisle, hall; **asiento de
pasillo** aisle seat (15)
pasivo/a passive; **participio
pasivo** past participle (*grammar*)
pasta de dientes toothpaste (9, 12)
pastel *m.* pie; cake (5)
pastelería pastry shop, bakery
pastelero/a pastry chef, baker
pastilla tablet, pill (11)
pata leg (*of animal*)
patalear to kick, stamp (11)
patata potato (5)
patio yard, central court, patio
patria homeland
patrocinador(a) sponsor
patrocinar to sponsor
patrón/patrona patron(ess),
patron saint
pavo turkey (5)
paz *f.* peace
pecho chest (9)
pedagogía education, teaching (15)

pedir (i, i) to ask for; to order (8)
pegar (gu) to hit (14)
peinarse to comb (one's hair) (9)
peine *m.* comb (9, 12)
pelea fight
pelear to fight (14); **peleado/a**
estranged (14); **estar** (*irreg.*)
peleado/a (con) to be in a fight
(with) (14)
película film, movie (8)
peligroso/a dangerous (15)
pelo hair (9); **cepillo de (para el)
pelo** hairbrush (12); **secador**
(*m.*) **de pelo** hairdryer
pelota ball
pena: valer (*irreg.*) **la pena** to be
worth the trouble, worthwhile
pendientes *m. pl.* **(de plata)**
(silver) earrings (12)
pensar (ie) to think (8)
peor worse; worst (8)
pepino cucumber (5)
pequeño/a small, little (2)
pera pear (5)
perder (ie) to lose (8, 10); **perder
peso** to lose weight; **perderse** to
get lost (9); to miss (*an event*) (10)
perezoso/a lazy (6, 9)
perfecto/a perfect
perfume *m.* perfume (12)
periódico newspaper (2)
periodista *m., f.* journalist (15)
permanecer (zc) to remain
permiso permission
permitir to permit (10)
pero but (1)
perrito/a puppy (4)
perro/a dog (4)
personaje *m.* character (10)
pesado: un pesado / una pesada a
pain, a bore (14)
pesar to weigh; **a pesar de** in
spite of
pescado fish (5)
pescador(a) fisherman/woman
peseta *monetary unit of Spain*
pésimo/a the worst (8)
peso *monetary unit of Bolivia,
Colombia, Cuba, Chile, the
Dominican Republic, Mexico,
Uruguay*
pesquero/a: muelle (*m.*) **pesquero**
fishing pier
pico peak

pie *m.* foot (9); **a pie** on foot;
dedo del pie toe
piedra rock, stone (7)
piel *f.* skin; **de piel** (made of)
leather (3)
pierna leg (9)
pieza piece; part
píldora pill
piloto *m., f.* pilot
pimienta pepper (5)
piña pineapple (5)
pintar to paint (15); **pintarse** to
put on makeup (9)
pintor(a) painter (15)
pintorescamente in a picturesque
way
pintura paint
pirata *m., f.* pirate (8)
piscina swimming pool (12)
piso floor (12, 14); *Sp.* apartment
pistola pistol
pizarra blackboard (1)
plácido/a placid
planear to plan
plástico/a plastic; **cirugía plástica**
cosmetic surgery; **cirujano/a
plástico/a** plastic surgeon
plata silver
plataforma platform
plátano banana (4)
plato plate; dish (4)
playa beach (12); **bolsa de playa**
beach bag (12)
plaza public square (2)
plazo time period (7); **a largo
plazo** long term
plenamente fully, completely
plomero/a plumber (15)
pluma pen, ballpoint pen (1);
feather
pluscuamperfecto pluperfect
(*grammar*)
población (*f.*) population
pobre poor (3)
poco/a (a) little (3); **unos pocos** a
few
poder (*irreg.*) to be able, can (8)
poesía poetry
política politics (2)
póliza (insurance) policy
pollo chicken (5); **arroz** (*m.*) **con
pollo** rice with chicken
polvo dust; **quitar el polvo** to
dust

pomada ointment (11)
poner (*irreg.*) to put (4); **poner en marcha** to set in motion, get going; **poner la mesa** to set the table (4); **poner la televisión** to turn the television on; **poner(le) el termómetro** to take (one's) temperature (11); **poner(le) una inyección** to give a shot (11); **poner(le) una multa** to give (one) a ticket, fine; **ponerse** to put on (*clothing*) (9); **ponerse +** *adj.* to become, get + *adj.;* **ponerse de acuerdo** to agree; **ponerse de mal/buen humor** to get in a bad/good mood (14)
por for; through, in (4); on; because of; along, by; for the sake of, on behalf of; per; **por aquí** this way; **por avión** (by) airmail; **por ciento** percent; **por Dios** for heaven's sake (5); **por ejemplo** for example (4); **por eso** for that reason, therefore (5, 13); **por esta razón** for this reason; **por favor** please (5); **por fin** finally (5); **por la mañana/tarde/noche** in the morning / in the afternoon / at night (P); **por lo general** generally; **¿por qué?** *interrog.* why? (1); **por suerte** luckily; **por supuesto** of course (5, 10); **por teléfono** by/on (the) telephone (5); **por todas partes** everywhere; **por último** finally; **tener** (*irreg.*) **por seguro** to be sure (*about something*)
porcentaje *m.* percentage
porque because (1)
portada front cover
portafolio portfolio; folder
portátil *m., f.* portable
portero/a doorman/woman
portugués/portuguesa Portuguese
poseer (y) to possess
posesivo/a possessive (*grammar*)
posibilidad *f.* possibility
posibilitar to make possible
posible: es posible it's possible (11)
posición *f.* position
positivo/a positive
posponer (*like* **poner**) to postpone

postal *f.* postcard (13); *adj.* postal; **apartado postal** post office box; **giro postal** money order
posteriormente later
postre *m.* dessert (5)
potencia potency, power
potente *m., f.* potent
pozo (water) well
pqte. *abbreviation of* **paquete** *m.* package
practicar (qu) to practice (1)
práctico/a practical
preceder to precede
precio price (3)
precioso/a very pretty, lovely
preciso: es preciso it's necessary (11)
predicción *f.* prediction
predominar to predominate
prefabricado/a prefabricated
preferencia preference
preferido/a favorite
preferir (ie, i) to prefer (8)
pregunta question (1); **hacer** (*irreg.*) **preguntas** to ask questions
preguntar to ask (*a question*) (1); **preguntarse** to ask oneself; to wonder
prejuicio prejudice
premiado/a prize-winning
premio prize (2, 4); **premio mayor** first prize
prenda garment, article of clothing; pledge
prender to turn on (6)
preocupado/a worried, concerned (13)
preocuparse (de) to worry (about) (11); **no se preocupe** don't worry
preparar to prepare (1); **prepararse** to prepare oneself, get ready (9)
preparativos preparation
preposición *f.* preposition (*grammar*)
presencia presence
presentar to present; to introduce
presente *m., f.* present
presidente/a president
presidir to preside
presión *f.* stress; pressure; **estar** (*irreg.*) **bajo mucha presión /**

mucho estrés to be under a lot of pressure/stress (11); **presión arterial alta/baja** high/low blood pressure (11); **tomar(le) la presión** to take (one's) blood pressure (11)
prestación *f.* loan, advance
prestar to lend (3, 10); **¿te presto... ?** *interrog.* shall I lend you . . . ? (3)
prestigioso/a prestigious
presupuesto budget
pretender to try to
pretérito preterite, past (tense)
primario/a: escuela primaria primary school
primavera spring(time) (P)
primer *shortened form of* **primero,** *used before m. sing. nouns*
primero/a first (5); **lo primero** the first thing
primo/a cousin (4)
princesa princess
principal *m., f.* main; **guitarra principal** lead guitar (8)
príncipe *m.* prince
principio: al principio in/at the beginning
prisa haste; **date prisa** (you) hurry up (9); **tener** (*irreg.*) **prisa** to be in a hurry (4)
prisionero/a prisoner
privado/a private
probable: es probable it's probable (11, 12)
probar (ue) to prove; to taste
problema *m.* problem
procedimiento procedure
procesamiento processing
procesar to process
proclamar to proclaim, expose
producir (zc) (j) to produce
profesión *f.* profession
profesor(a) professor (P)
profundo/a deep, profound
programa *m.* program
programador(a) programmer (15)
progresivo: presente progresivo present progressive (*grammar*)
progreso progress
prohibir (prohíbo) to prohibit, forbid (10)
promesa promise (14)
prometer to promise (14)

promover (ue) to promote
pronombre *m.* pronoun (*grammar*)
pronto soon, right away (8); **tan pronto como** as soon as (15)
pronunciar to pronounce (1)
propio/a own (13)
propósito purpose
protagonista *m., f.* main character (10)
proteger (j) to protect
protestar to protest
proveedor(a) provider
provincia province
próximo/a next (13)
proyectar to protect
prudencia prudence, care
prueba proof
(p)sicología psychology (15)
(p)sicológico/a psychological
(p)sicólogo/a psychologist (15)
(p)siquiatra *m., f.* psychiatrist (15)
pto. *abbreviation of* **puerto** port
pts. *abbreviation of* **pesetas,** *monetary unit of Spain*
publicar (qu) to publish
público/a *adj.* public; *n. m.* public
pueblo town, village
puente *m.* bridge (7)
puerta door (1)
puerto port (13)
puertorriqueño/a Puerto Rican (7)
pues... well . . . (P)
puesto stand (*newspaper, fruit, etc.*); job (15)
puesto/a (*p.p. of* **poner**) put, placed (9)
pulgada inch
pulpito small octopus
pulsera (de oro) (gold) bracelet (12)
punto point; **punto de vista** viewpoint
puro/a pure

Q
que who, that (1); which (3); than (12); **a menos que** unless (15); **antes (de) que** before (15); **así que** so, therefore (6); **con tal (de) que** provided that (15); **después (de) que** after (15); **en caso (de) que** in case (15); **hasta (que)** until (15) **lo que** what,

that, which (14); **más/menos que** more/less than; **para que** so that, in order that (15); **tener** (*irreg.*) **que** + *inf.* to have to (*do something*) (4)
¿qué? *interrog.* what, which? (P); **¿con qué?** with what, with which?; **¿de qué?** of what?; **¿qué hay?** what's up? (P); **¿qué le parece?** what do you think?; **¿qué más?** what else?; **¿qué pasa/pasó?** what is happening / happened? (9); **¿qué tal?** what's up?; **¿qué tienes?** what's wrong with you? (4)
qué... *interj.* how . . . , what (a) . . . ; **qué bien** (how) great; **qué bien (mal) toca (canta)** how well (badly) he/she plays (sings) (8); **qué bueno** how nice (5); **qué lata** what a nuisance (*bother*) (13)
quedar(se) to remain; to stay; to be (12); **quedamos en...** we agree(d) to . . . (12); **quedarle grande (pequeño, bien) (a uno)** to be too large (too small, right) (for one) (3)
queja complaint
quemadura burn (11)
quemar to burn
querer (*irreg.*) to want, love (8, 14); **quererse** to love each other (14)
querido/a dear, beloved (13)
queso cheese (2)
quetzal *monetary unit of Guatemala*
Quetzalcóatl *plumed serpent god of the Aztecs*
quien(es) who, whom
¿quién(es)? *interrog.* who, whom? (P); **¿a quién(es)?** whom, to whom?; **¿con quién(es)?** with whom?; **¿de quién(es)?** whose?
quieto/a still; quiet, calm (11)
química chemistry (15)
químico/a *n. m., f.* chemist (15); *adj.* chemical
quinto/a fifth
quirúrgico/a surgical
quisiera (*imperfect subj.* [*softened*] *form of* **querer**) I (you/he/she) would (really) like
quitar to remove (13); **el dolor no se me quita** the pain won't go

away (11); **quitarse** to take off (*clothing*) (9); **quitar el polvo** to dust (6)
quizá(s) perhaps, maybe

R
radiografía: sacar(le) (qu) una radiografía to take an X-ray (11)
raíz *f.* (*pl.* **raíces**) root
rambla scenic drive, boulevard
ramo branch, field, specialization
ranchero/a: huevos rancheros *Mex. scrambled eggs with chili peppers and tomatoes*
rapidez *f.* rapidity, speed
rápido/a *adj.* rapid, quick; *adv.* quickly
raro/a odd, rare; **raras veces** seldom
rasgo feature (*facial*)
rato a while, short period of time (4); **pasar el rato** to pass the time (of day)
raya: de rayas striped (3)
raza race (*breed*); **Día de la Raza** Columbus Day
razón *f.* reason; **con razón** no wonder (5); **(no) tener** (*irreg.*) **razón** to be right (wrong) (4); **por esta razón** for this reason
razonable *m., f.* reasonable
reacción *f.* reaction
real *m., f.* real; royal
realista *m., f.* realistic (10)
realizar (c) to perform, carry out
realmente really
realzar (c) to enhance
rebajado/a reduced (*in price*) (3)
rebelde *adj., m., f.* rebellious; stubborn; *n., m., f.* rebel
recámara *Mex.* bedroom
recepción *f.* reception; front desk (12)
receta recipe; prescription (11)
recetar to prescribe
rechazar (c) to reject; to refuse
recibir to receive
reciclar to recycle
reciente *m., f.* recent
recipiente *m.* container (5)
reclinable *m., f.* reclining
recodo turn (*road, river*)
recomendación *f.* recommendation

recomendar (ie) to recommend (10)

reconocer (zc) to recognize

reconstruir (y) to reconstruct

recordar (ue) to remember (8); **recordar(le)** to remind (13)

recorrer to travel, tour

recreo: salón (*m.*) **de recreo** recreation room (8)

recuperar to recuperate

recurrir to resort to

red *f.* net; network

redacción *f.* editing; wording

reducir (zc) (j) to reduce

reembolso refund

reemplazar (c) to replace, substitute

referirse (ie, i) to refer

reflexivo/a reflexive (*grammar*)

refresco cold drink

refrigerador *m.* refrigerator (6)

refugiado/a refugee (10)

regalar to give (*a gift*) (9)

regalo gift, present (2)

régimen *m.* (*pl.* **regímenes**) set of rules

regio fine, great (12)

regional: traje (*m.*) **regional** regional costume/dress (10)

regla rule

regresar to return

regreso *n.* return (13)

regular to regulate

rehabilitación *f.* rehabilitation

reina queen (10)

reír(se) (i, i) to laugh

reja iron bars, grating

relación *f.* relation(ship)

relacionado/a related

relámpago lightning flash

relativamente relatively

religioso/a religious; **boda religiosa** church wedding; **orden** (*f.*) **religiosa** religious order

reloj *m.* watch; clock (1, 2); **reloj despertador** alarm clock (9)

remedio remedy (11); **no tener** (*irreg.*) **más remedio que** + *inf.* to have no choice but to (*do something*) (13); **remedio casero** homemade remedy

remoto/a remote

rendido/a exhausted, worn out, very tired

renunciar to quit, give up (15)

reparación *f.* repair (15)

reparar to repair (15)

reparto real-estate development

repasar to review

repaso *n.* review

repetir (i, i) to repeat (8)

reponer (*like* **poner**) to replace, reinstate

reposar to rest, lie, be in a place

representar represent

requerir (ie, i) to require

res: carne (*f.*) **de res** beef (5)

reserva reservation

reservar to reserve

resfriado *n.* cold (*illness*) (11)

residente *m., f.* resident

resistente *m., f.* strong

resistirse (a) to resist; to be reluctant (*to do something*)

resolver (ue) (*p.p.* **resuelto/a**) to solve; to resolve (7, 14)

respectivamente respectively

respecto: con respecto a with regard to

respetar to respect

respeto *n.* respect

respirar to breathe; **dificultad** (*f.*) **para respirar** difficulty in breathing (11)

responder to respond, answer

responsable *m., f.* responsible

respuesta answer, reply (7)

restaurante *m.* restaurant (2)

resto: el resto the rest, the remainder

resultado *n.* result

resultante *m., f.* resulting

resultar to turn out to be; to result

resumen summary

resumir to summarize

resurrección *f.* resurrection, revival

reumatismo rheumatism (11)

reunir(se) (me reúno) to assemble; meet; unite

revés *m.*: **al revés** backward, reversed

revisar to check

revista magazine; **puesto de revistas** newspaper stand

revuelto (*p.p. of* **revolver**): **huevos revueltos** scrambled eggs

rey *m.* king (*pl.* king and queen, kings); **los Reyes Magos** Three Wise Men, Magi

rico/a rich (3); delicious (5)

ridículo/a ridiculous

riesgo risk

riguroso/a rigorous

río river (7)

riqueza richness, wealth

ritmo rhythm

rito rite

rizado/a curly (9)

roca rock (stone)

rodeado/a (de) surrounded (by)

rodilla knee

rojo/a red (3)

romper (*p.p.* **roto**) to break; **romper con** to break up with (14)

ronco/a hoarse (11)

ropa clothes, clothing (3); **almacén** (*m.*) **de ropa** clothing store

ropero clothes closet (6)

rosa *n.; adj. m., f.* rose

rosado/a pink (3)

rotativo/a rotating

roto/a (*p.p. of* **romper**) broken (9); **brazo roto** broken arm (11)

rubio/a blond(e) (9)

rugir *n. m.* roaring

ruido noise (8)

ruinas ruins

ruso/a: montaña rusa roller coaster (12)

ruta route

rutina routine

S

sábado Saturday (P)

sábana sheet (9)

saber (*irreg.*) to know (*a fact*) (4); **saber** + *inf.* to know how to (*do something*) (4)

sabor *m.* flavor, taste

sabroso/a pleasant, enjoyable

sacar (qu) to get, obtain; to take out; **sacar buenas notas** to get good grades (4); **sacar la basura** to take out the garbage (6); **sacar(le) partido** to take advantage; **sacar(le) una muela** to extract a tooth (11); **sacar(le) una radiografía** to take an X-ray (11)

sacrificio sacrifice

Sagüesero *pertaining to the southwest area of Miami* (10)

sal *f.* salt (5)

sala living room (6); **sala de clase** classroom (1); **sala de emergencia** emergency room (11)

salario salary

salchicha sausage

salida exit, departure

salir (*irreg.*) to leave, go out (4)

salmón *m.* salmon (5)

salón *m.*: **salón de recreo** recreation room (8)

salsa *type of music*

salud *f.* health (11)

saludable *m., f.* healthy

saludar to greet; to salute (9); **saludarse** to greet each other (14)

saludo greeting (P)

salvadoreño/a Salvadoran (7)

salvaje *m., f.* wild, unexplored

salvavidas *m. sing.* life preserver (12)

san *shortened form of* **santo,** *used before most male saints' names*

sandalia sandal (3)

sandía watermelon (5)

sándwich *m.* sandwich (2)

sangre *f.* blood (11)

sangría *wine and fruit punch*

sanidad *f.*: **departamento de sanidad** sanitation department

santo/a saint; **día** (*m.*) **del santo** saint's day (10)

satélite *m.* satellite

satisfacción *f.* satisfaction

secador (*m.*) **de pelo** hair dryer (9)

secadora dryer (15)

secar(se) (qu) to dry (oneself) (9); **secarse el pelo** to dry one's hair (9)

seco/a dry

secretario/a secretary (15)

secundario/a secondary

sed *f.* thirst; **tener** (*irreg.*) **sed** to be thirsty (4)

seda silk; **de seda** (made of) silk (3)

seguido/a in a row, continued (13); **en seguida** at once (13); **más seguido** more often (4)

seguir (i, i) (g) to follow; to continue (10); **seguir** + *gerund* to keep on + *-ing* (10)

según according to (3)

segundo/a *adj.* second (5)

seguridad *f.* security; **cinturón** (*m.*) **de seguridad** safety belt

seguro/a sure; **es seguro** it's certain (11); **estar** (*irreg.*) **seguro/a** (**de**) to be sure (of) (11)

seleccionado/a selected

sello (postage) stamp (13)

selva jungle

semana week (P); **fin** (*m.*) **de semana** weekend (14); **la semana pasada** last week; **todas las semanas** every week

semejanza similarity (7)

semestre *m.* semester

seña: hacer (*irreg.*) **señas** to signal

senador(a) senator

señal (*f.*) **de tráfico** traffic sign (10)

señalar to indicate

sencillo/a simple

señor *m.* gentleman, man; sir (P); Mr.; *pl.* Mr. and Mrs., ladies and gentlemen

señora lady, woman; madam; Mrs. (P); wife

señorita young lady, young woman; Miss (P)

sensibilidad *f.* sensibility

sensualidad *f.* sensuality

sentarse (ie) to sit down (9)

sentimiento feeling; sentiment

sentir(se) (ie, i) to feel (8, 9); to regret, be sorry (8)

sepa (*present subj. of* **saber**)

separar to separate

septiembre *m.* September (P)

séptimo/a seventh

ser (*irreg.*) to be (3); **ser de** to be from (P); to belong to; to be made of; **el ser** (*n. m.*) **amado** the loved one (14)

serie *f. sing.* series

serio/a serious (10)

serpiente *f.* snake (7)

serrucho saw (15)

servicio service; **baño de servicio** bathroom for servants; **técnico/a de servicio** service person; technician

servilleta napkin (4)

servir (i, i) to serve (8)

sexto/a sixth (14)

si if (P); **si fuera tú** if I were you (13)

sí yes (P)

sicología psychology (15)

sicológico/a psychological

sicólogo/a psychologist (15)

siempre always (4, 7, 12)

siento (*present form of* **sentir**): **lo siento** I am sorry (about it) (4)

sierra mountain ridge

siesta nap; **dormir (ue, u) la (una) siesta** to take a nap (8)

siglo century

significado meaning

significar (qu) to mean, signify

siguiente *m., f.* following, next (3); **a la mañana siguiente** on the following morning; **al día siguiente** on the following day

silencio silence

silla chair (1)

sillón *m.* easy chair (6)

símbolo symbol

simpático/a nice, pleasant (3)

simplemente simply

sin without (7, 8); **sin duda** undoubtedly; **sin embargo** however, nevertheless; **sin mirar** without looking

sinceramente sincerely

sincero/a sincere

sindicato union (*workers*)

sino but (rather), except (12); **sino que** but, on the contrary (12)

sinónimo synonym

síntoma *m.* symptom; sign

siquiatra *m., f.* psychiatrist (15)

sistema *m.* system

sitio place; location, site

situación *f.* situation

situado/a located

soberbio/a haughty (10)

sobrar(le) (a uno) to have in excess

sobre *n. m.* envelope (15); *prep.* on, upon; over, above; concerning, about (1); **sobre todo** above all

sobrino/a nephew/niece (4)

sociedad *f.* society

socio/a member (4); (business) partner

sociología sociology

sociólogo/a sociologist

socorro: casa de socorro emergency hospital

sofá *m.* sofa, couch (6)

sol *m.* sun (7); **gafas de sol** sunglasses (12); **hacer** (*irreg.*) **sol** to be sunny (4); **tomar el sol** to sunbathe (12)

solamente only (5)

soledad *f.* solitude, loneliness

solicitar to seek, ask for, request

solicitud *f.* application (15)

solo/a alone; single (4); **café** (*m.*) **solo** black coffee (5)

sólo only (1)

soltarse (ue) to get loose; to let oneself go

soltero/a *n.* unmarried person; *adj.* unmarried, single (4)

sombra para los ojos eyeshadow (12)

sombrero hat (3)

sombrilla sun shade, beach umbrella (12)

soñar (ue) (con) to dream (about)

sopa soup (5)

soportar to tolerate, put up with (14)

sorprender to surprise (10, 11)

sorpresa *n.* surprise (4)

sostener (*like* **tener**) to maintain, support

sótano basement (15)

suave *m., f.* mild

subametralladora submachine gun

subir to go up (5); to get on

subjuntivo subjunctive (*grammar*)

succionar to suck up

sucesivamente: y así sucesivamente and so on

sucio/a dirty (6)

sucre *m. monetary unit of Ecuador*

Sudamérica South America (7)

sudamericano/a South American (7)

Suecia Sweden

sueco/a Swedish

suegro/a father-in-law/mother-in-law (14)

sueldo salary (15)

suelo floor; soil

sueño dream (6); **tener** (*irreg.*) **sueño** to be sleepy (4)

suerte luck; **por suerte** luckily; **tener** (*irreg.*) **suerte** to be lucky

suéter *m.* sweater (3)

suficiente *m., f.* sufficient

sugerencia suggestion

sugerir (ie, i) to suggest

Suiza Switzerland

suizo/a Swiss

sujeto subject

sumergir (j) to submerge, sink

superar to overcome

superestrella *m., f.* superstar

superlativo superlative (*grammar*)

supermercado supermarket (5)

supersticioso/a superstitious

suponer (*like* **poner**) to suppose (14)

supuesto (*p.p. of* **suponer**)**: por supuesto** of course (5, 10)

sur *m.* south (7)

sureste *m.* southeast (8)

surtido selection, assortment

suspender to fail (*a student*) (14)

sustancia substance

sustantivo noun

T

tabaco tobacco

tableta tablet

tabú *m.* taboo

tal such (a) (7); **con tal (de) que** provided that (15); **¿qué tal?** *interrog.* what's up?; **tal vez** perhaps (8); **tales como** such as

talla (garment) size (3)

tamaño size (1)

también also, too (1, 6, 12)

tampoco either/neither (3) (12)

tan so (6); as (11); **tan... como** as . . . as (11); **tan pronto como** as soon as (15)

tanque *m.* gas tank

tanto/a as much, so much; *pl.* as many, so many (8); **tanto/a/os/as como** as much (many) as (11); **mientras tanto** in the meantime

tapa *Sp.* appetizer

tapia outside wall

taquigrafía shorthand (15); **libreta de taquigrafía** shorthand pad (15)

tarde *f.* afternoon; **buenas tardes** good afternoon (P); **de/en/por la tarde** in the afternoon, evening (1, 6); *adv.* late (5, 9); **tarde o temprano** sooner or later

tarea homework (2)

tarjeta card, calling card; postcard (13); **tarjeta de crédito** credit card (3); **tarjeta de embarque** boarding pass; **tarjeta de identificación** ID card (15)

taxi *m.* taxi, cab (2); **parada de taxis** taxi stand (13)

taxista *m., f.* taxi driver

taza cup (4)

té *m.* tea

teatro theater

técnico/a technician (15)

tecnología technology

telediario newscast

telefónico/a pertaining to the telephone

teléfono telephone; **guía de teléfonos** telephone book; **llamar por teléfono** to call on the telephone (4)

telenovela soap opera (8)

televisión *f.***: por televisión** on television; **mirar la televisión** to watch television (6); **poner** (*irreg.*) **la televisión** to turn on the television

televisor *m.* television set (6)

tema *m.* theme, topic

temblar (ie) to tremble, shake

temer to fear, be afraid (10)

temor *m.* fear

temperatura temperature

tempestad *f.* storm

temporada season

temprano early (5); **tarde o temprano** sooner or later

tender (ie) to tend to

tenedor *m.* fork (4)

tener (*irreg.*) to have (2); **no tener más remedio que** + *inf.* to have no choice but to (*do something*) (13); **¿qué tienes?** *interrog.* what's wrong? (4); **tener... años** to be . . . years old (4); **tener calor/frío** to be/feel hot/cold (4); **tener celos de** to be jealous of (14); **tener cuidado** to be careful (4); **tener en cuenta** to take into account; **tener ganas de** + *inf.* to feel like (*doing something*) (4); **tener hambre/sed** to be hungry/thirsty (4); **tener miedo** to be afraid (4); **tener paciencia** to be patient; **tener**

prisa to be in a hurry (4); **tener que** + *inf.* to have to (*do something*) (4); **(no) tener razón** to be right (wrong) (4); **tener sueño** to be sleepy (4); **tener suerte** to be lucky

tenis *m.* tennis; sneaker (3); **cancha de tenis** tennis court

teoría theory

tercer *shortened form of* **tercero,** *used before m. sing. nouns* (14)

tercero/a third (5)

terminal (*f.*) **de autobuses** bus terminal (15)

terminar to end, finish (6); **terminar de** + *inf.* to finish + -*ing* (4)

termómetro: poner(le) (*irreg.*) **el termómetro** to take (one's) temperature (11)

territorio territory

tesorero/a treasurer

testigo *m., f.* witness

tiempo time (2), weather; **a tiempo** on time; **al mismo tiempo** at the same time (8); **¿cuánto tiempo hace que?** + *present interrog.* how long? + *present perfect;* **hace buen/mal tiempo** the weather is good/bad (4); **¿qué tiempo hace hoy?** *interrog.* what's the weather like today? (4); **tiempo completo/ parcial** full/part-time

tienda store (2); **tienda de animales** pet shop (4)

tierra land, earth, world (7); territory

tímido/a timid

tinto: vino tinto red wine

tío/a uncle/aunt (4)

tiovivo merry-go-round (12)

típico/a typical

tipo type

título degree; diploma (15); title

tiza chalk (1)

toalla towel (9)

tocadiscos *m. sing.* record player (8)

tocar (qu) to play (*a musical instrument*) (8)

todavía still, yet (6, 12); **todavía no** not yet (12)

todo/a/os/as all (1); every (12); everything; **de todas maneras** at any rate; **de todos modos** in any case; **en/por todas partes** everywhere; **toda clase** all kinds; **todo derecho** straight ahead (10); **todo el día / toda la mañana/tarde/noche** all day/morning/afternoon/evening long; **todo el mundo** everybody (8); **todos** everyone; **todos los días** every day (2)

tomar to drink; to take (2); **tomar el sol** to sunbathe (12); **tomar fotografías** to take photographs (2); **tomar(le) la presión** to take (one's) blood pressure (11)

tomate *m.* tomato (5)

tono tone

tonto/a dumb (3)

toque (*m.*) **de diana** reveille

torre *f.* tower

torta round cake, tart

tortilla omelette; *Sp. Am.* cornmeal pancake; **tortilla española** potato omelette

tortuga tortoise, turtle

tos *f.* cough (11)

tostada toast (5)

totalmente totally

trabajador(a) *n.* worker; *adj.* hard-working (6); **trabajador(a) social** social worker (15)

trabajar to work (1)

trabajo *n.* work (3); job

tradición *f.* tradition

traducir (zc) (j) to translate

traer (*irreg.*) to bring (4)

tráfico traffic; **señal** (*f.*) **de tráfico** traffic sign

traje *m.* suit (3); **traje de baño** swimming suit (12); **traje regional** regional costume (10)

tramitar to carry through, process (6)

tranquilo/a calm (9)

transcribir (*p.p.* **transcrito/a**) to transcribe

transferir (ie, i) to transfer

transformarse to transform

tránsito transit

transmitir to transmit

transporte *m.* transportation, means of transportation (2); **medio de transporte** means of transportation (2)

tras behind

tratado treaty (7)

tratamiento treatment (11)

tratar: tratar de + *inf.* to try to (*do something*) (11, 14); **tratarse de** to be a matter of; to be

través: a través de through

trece thirteen (P)

treinta thirty (P, 2); **treinta y uno** thirty-one (P)

tren *m.* train (13); **por/en tren** by train

tres three (P)

trescientos/as three hundred (2)

tribu *f.* tribe

trigo wheat

triste *m., f.* sad (3)

triunfar to triumph

triunfo triumph

trompeta trumpet

trono throne

trozo section

tubería plumbing, pipes (15)

turista *m., f.* tourist

turno turn; **estar** (*irreg.*) **de turno** to be open all night (*a pharmacy*)

U

Ud(s). *abbreviation of* **usted (ustedes)** you (*form. sing., pl.*)

úlcera ulcer (11)

últimamente lately (14)

último/a last, latest; **por último** finally

ungüento ointment (11)

único/a only (13)

unidad (*f.*) **monetaria** monetary unit

unir to join, unite (7)

universidad *f.* university (1)

universitario/a *adj.* university

urbanización *f.* real estate development, residential neighborhood

urbano/a urban

urgencia urgency, emergency

urgente *m., f.* urgent

usar to use (1); to wear (3)

usualmente usually

utilidades *f. pl.*   profits
utilizar (c)   to utilize, use
uva   grape (5)

V

vacaciones *f. pl.*   vacation (8); **de vacaciones**   on vacation
vacío/a   empty, available (13)
vacunar   to vaccinate
vale   OK (12)
valenciano/a   *from the Spanish region of Valencia*
valer (*irreg.*)   to be worth; **valer la pena**   to be worth the trouble, worthwhile
válido/a   valid
valiente *m., f.*   courageous, brave (11)
valle *m.*   valley (7)
valor *m.*   value
vals *m.*   waltz
vaqueros   jeans (3)
variar (varío)   to change, to be variable
variedad *f.*   variety
varios/as   several, various (1)
varón *n., adj. m.*   male
vaso   (drinking) glass (4, 5)
vecino/a   neighbor
vegetal *m.*   vegetable
vegetariano/a *n., adj.*   vegetarian
vejez *f.*   old age
velocidad *f.*   speed
venado   deer
venda   bandage, dressing (11)
vendedor(a)   seller, salesperson
vender   to sell (2)
venezolano/a   Venezuelan (7)
venir (*irreg.*)   to come (2)
venta   sale; **a la venta**   for sale
ventaja   advantage (14)
ventana   window (1)
ventanilla: asiento de ventanilla   window seat (13)

ver (*irreg.*)   to see (4); **a ver**   let's see
verano   summer(time) (P)
verbo   verb (*grammer*)
verdad *f.*   truth (1); *interrog.* really? (1); **es verdad**   it's true (2)
verdadero/a   true, real (15)
verde *m., f.*   green (3); **estar** (*irreg.*) **verde**   to be unripe
verduras *f. pl.*   vegetables, greens
vestido *n.*   dress (3); **vestido de novia**   wedding gown
vestir (i, i)   to dress; **vestirse**   to get dressed (9); **vestido/a (de)**   dressed (in)
veterinario/a   veterinarian (15)
vez *f.* (*pl.* **veces**)   time, occasion (8); **alguna vez** (*in a question*) ever; **a veces**   sometimes (1); **de una vez**   once and for all; **en vez de**   instead of (15); **otra vez**   again (4); **raras veces**   seldom; **tal vez**   perhaps
viajar   to travel (7)
viaje *m.*   trip, journey (7); **agencia de viajes**   travel agency; **hacer** (*irreg.*) **un viaje**   to take a trip (8)
viajero/a   traveler (13); **cheque** (*m.*) **de viajero**   traveler's check
víctima *m., f.*   victim
vida   life; **ganarse la vida**   to earn a living; **nivel** (*m.*) **de vida**   standard of living (7)
vídeo   videotape; VCR (8)
vídeo grabadora   VCR (10)
vidrio   glass (6)
viejo/a   old, elderly (2); old man/woman (2)
viento   wind; **hace viento**   it's windy (4)
viernes *m. sing., pl.*   Friday (P)
vinculado/a   joined
vino   wine; **una copa de vino**   a glass of wine (2)

Virgen *f.*   Virgin Mary; **selva virgen**   unexplored jungle
visita   visit; **estar** (*irreg.*) **de visita**   to be visiting
visitar   to visit
vista: punto de vista   viewpoint
vitalidad *f.*   vitality
vivir   to live (2)
volar (ue)   to fly
volcán *m.*   volcano (7)
vólibol *m.*   volleyball
voltear   to turn over
volumen *m.*   volume
volver (ue) (*p.p.* **vuelto/a**)   to return, come back (8); **volver a +** *inf.*   to do something again
votar   to vote
voto *n.*   vote
voy a (*present form of* **ir**)   I am going to (4)
voz *f.* (*pl.* **voces**)   voice; **en voz baja**   in a low voice
vuelo   flight (13); **auxiliar** (*m., f.*) **de vuelo**   flight attendant (13)
vuelta   return; **dar** (*irreg.*) **la vuelta**   to go around (10); **de ida y vuelta**   round-trip (13)
vuelto/a (*p.p. of* **volver**)   returned (10)

Y

y   and (P)
ya   already (8); **ya no**   no longer (9, 11)
yerba (*also* **hierba**)   herb; grass

Z

zanahoria   carrot (5)
zapatero/a   shoemaker (3)
zapato   shoe (3)
zona   zone, region, area
zoología   zoology

English-Spanish Vocabulary

A

able: to be able   **poder** (*irreg.*) (8)
about   **de, sobre**
above   **sobre, arriba, (por) encima (de)** (8); above all   **por encima de todo** (4)
absolutely: absolutely not   **de ninguna manera** (12); **en absoluto**
accept   **aceptar** (3)
according to   **según** (3)
account   **cuenta;** to take into account   **tener** (*irreg.*) **en cuenta**
accountant   **contador(a)** (15)
accounting   **contabilidad** *f.* (15)
ache *v.*   **doler (ue)** (11)
acquainted: to be acquainted with   **conocer (zc)** (4)
actor   **actor** (10)
actress   **actriz** (*pl.* **actrices**) (10)
address   **dirección** *f.* (2, 13)
administration: business administration   **administración** (*f.*) **de empresas** (15)
adults   **mayores** *m. pl.* (14)
advertise   **anunciar** (10)
advise   **aconsejar** (10, 11); it's advisable for you to . . .   **te conviene...** (13)
affection   **cariño** (5)
afraid: to be afraid   **temer** (10), **tener** (*irreg.*) **miedo** (4)
after (*afterward*)   **después** (4); **después (de) (que)** (15)
afternoon   **tarde** *f.;* good afternoon   **buenas tardes** (P); in the afternoon   **por/de/en la tarde** (P)
again   **otra vez, de nuevo** (4)
agency: travel agency   **agencia de viajes**
agent   **agente** *m., f.* (13)
ago: a month ago   **hace un mes**
agreed   **de acuerdo** (2)
airline   **línea aérea** (13)
airplane   **avión** *m.* (13)
airport   **aeropuerto** (13)
aisle: aisle/window seat   **asiento de pasillo / de ventanilla** (13)
alarm   **alarma;** alarm clock   **reloj** (*m.*) **despertador** (9)
all   **todo/a/os/as** (1); all day/morning/night long   **todo el**

día / toda la mañana / toda la noche;** not at all   **en absoluto** (14)
allergy   **alergia** (11)
allow   **permitir, dejar** (10)
almost   **casi** (4)
alone   **solo/a** (4)
along   **por** (5)
along: to get along well/badly   **llevarse bien/mal** (9)
already   **ya** (6, 8)
also   **también** (1, 6, 12)
although   **aunque** (10, 11)
always   **siempre** (4, 7, 12)
ambassador   **embajador(a)** (10)
among   **entre** (7, 9)
amusement park   **parque** (*m.*) **de atracciones** (12)
and   **y** (P)
angry   **enojado/a** (9); to get angry   **enojarse** (9)
announce   **anunciar** (13)
announcer (*TV or radio*)   **locutor(a)** (10)
annoy   **molestar** (10)
another   **otro/a** (2)
answer *v.*   **contestar** (1); *form. command*   **conteste Ud.;** *n.*   **respuesta** (7)
antique *adj.*   **antiguo/a** (2)
any (*some*)   **algún (alguno/a/os/as)** (8, 12); not any   **ningún, ninguno/a** (12)
anyone   **alguien** (6, 12), **alguno**
anything: anything else   **algo más** (6); not anything   **nada** (4, 12)
apartment   **apartamento, piso** (*Sp.*) (2); apartment building   **edificio de apartamentos** (2)
apologize   **disculparse** (14)
appetizers   **canapés** *m. pl.* (14); **tapas** (*Sp.*)
applaud   **aplaudir** (8)
apple   **manzana** (4)
appliance: electrical appliance   **aparato eléctrico** (6)
appointment   **cita** (8)
appreciate   **apreciar** (10)
April   **abril** *m.* (P)
architect   **arquitecto/a** (15)
architecture   **arquitectura** (15)

are: there are   **hay;** there aren't   **no hay** (P)
argue   **discutir** (2)
arm   **brazo** (9); broken arm   **brazo roto** (11)
around: to go around   **dar** (*irreg.*) **la vuelta (a)** (10)
arrange   **arreglar** (14)
arrival   **llegada** (13)
arrive   **llegar (gu)** (6)
as   **como;** as . . . as   **tan... como** (11); as many . . . as   **tantos/as... como;** as much . . . as   **tanto/a... como** (11); as soon as   **en cuanto, tan pronto como** (15)
ask   **preguntar** (1); to ask for   **pedir (i, i)** (8); to ask questions   **hacer** (*irreg.*) **preguntas** (8)
asleep: to fall asleep   **dormirse (ue, u)** (9)
at   **a, en** (1); at (*time*)   **a la, a las** (P)
attack *n.*: heart attack   **ataque** (*m.*) **al corazón** (11); to have a heart attack   **dar(le)** (*irreg.*) **un ataque al corazón** (11)
attend   **asistir (a)** (8)
attention: to pay attention to   **hacer** (*irreg.*) **caso a/de** (14)
August   **agosto** (P)
aunt   **tía** (4)
authority   **autoridad** *f.* (10)
authorize   **autorizar (c)**
automobile   **auto(móvil)** *m.,* **carro, coche** *m.* (2)
autumn   **otoño** (P)
avenue   **avenida**
avoid   **evitar** (11)
awful   **fatal, horrible** (8)

B

bachelor   **soltero** (4)
back *n.*   **espalda** (9)
backpack   **mochila** (1)
backward   **hacia atrás**
bad   **mal, malo/a** (2); the bad thing   **lo malo** (14)
badly   **mal** (8)
bag: carry-on bag   **maletín** *m.* (12)
baggage   **equipaje** *m.* (12, 13)
bald   **calvo/a** (9)
ball   **pelota**

ballpoint pen **bolígrafo** (P)

banana **banana, plátano** (4)

band **banda** (8)

bandage **venda** (11)

Band-Aid **curita** (11)

bank **banco** (2); bank employee **empleado/a de banco**

bar **bar** *m.* (2)

bargain **ganga** (8)

basement **sótano** (15)

basic **elemental** *m., f.* (1)

bass (*musical instrument*) **bajo** (8)

bathe (oneself) **bañar(se)** (9)

bathroom **(cuarto de) baño** (6)

bathtub **bañera** (6)

be **estar** (*irreg.*) (3); **ser** (*irreg.*) (3); to be . . . years old **tener** (*irreg.*) **. . . años** (4); to be able **poder** (*irreg.*); to be afraid **temer, tener** (*irreg.*) **miedo** (4); (not) to be at home **(no) estar en casa** (6); to be called **llamarse** (P); to be careful / hot / cold / hungry / in a hurry / sleepy / thirsty **tener** (*irreg.*) **cuidado/calor/frío/hambre/prisa/sueño/sed** (4); to be fed up (with) **estar harto/a (de)** (14); to be glad of **alegrarse de** (9); to be pleasing **gustar** (P); to be right (wrong) **(no) tener** (*irreg.*) **razón** (4); to be sorry **sentir (ie, i)** (8); to be sure (of) **estar seguro/a de** (11); don't be . . . **no seas...** (9)

beach **playa** (12); beach bag **bolsa de playa** (12)

bean **frijol** *m.* (5)

beautiful **bonito/a** (2); **hermoso/a**

because **porque** (2, 3)

become **ponerse** (*irreg.*) + *adj.*; **convertirse (ie, i) en** + *noun* (10)

bed **cama** (6); to go to bed **acostarse (ue)** (9)

bedroom **alcoba, cuarto, dormitorio** (6), **recámara** (*Mex.*) (6)

beef **carne** (*f.*) **(de res)** (5)

beefsteak **bistec** *m.* (5)

beer **cerveza** (2)

before **antes (de) (que)** (7, 15)

begin **comenzar (ie) (c)** (8); **empezar (ie) (c)** (8)

beginning *adj.* **elemental** *m., f* (1)

behind *adv.* **detrás de** (8)

believe **creer (y)** (6); I don't believe it **no lo creo** (9)

bellboy **botones** *m. sing.* (12)

bench **banco** (2)

beside **al lado de** (8)

besides **además** (4)

best **el/la mejor** (11); best man **padrino** (14); the best thing **lo mejor** (11)

better **mejor** (8); it's better **es mejor** (11); to get better **mejorar** (11)

between **entre** (7, 9)

big **grande** *m., f.* (2); this big **así de grande** (9)

bilingual **bilingüe** *m., f.* (10)

bill (*to be paid*) **cuenta;** (*of money*) **billete** *m.*

bird **pájaro**

birthday **cumpleaños** *m. sing.* (10)

black **negro/a** (3)

blackboard (*chalkboard*) **pizarra** (1)

block (*city*) **cuadra** (2)

blond(e) **rubio/a** (9)

blood **sangre** *f.* (11); blood pressure **presión** (*f.*) **arterial** (11)

blouse **blusa** (3)

blow-dryer **secador** (*m.*) **de pelo** (9)

blue **azul** *m., f.* (3); dark blue **azul oscuro** (3); light blue **azul claro** (3); navy blue **azul marino** (3)

body **cuerpo** (9)

book **libro** (1)

bookcase (*bookshelf*) **estante** *m.,* **librero** (6)

boot **bota** (3)

border **frontera** (7)

boring: to be boring **ser** (*irreg.*) **aburrido/a** (9)

boss **jefe/a** (15)

bother **molestar** (14)

bottle **botella** (5)

box **caja** (5)

boy **muchacho, niño** (2); **chico** (3)

boyfriend **novio** (4)

bracelet **pulsera** (12)

branch (*field*) **ramo** (15)

bread **pan** *m.* (4)

break: to break up (with) **romper (con)** (14)

breakfast **desayuno** (5); to eat breakfast **desayunar(se)** (5)

breathing: difficulty in breathing **dificultad** (*f.*) **para respirar** (11)

bricklayer **albañil** *m., f.* (15)

bride **novia** (14)

bridegroom **novio** (14)

bridesmaid **madrina** (14)

bridge **puente** *m.* (7)

bring **traer** (*irreg.*) (4)

broken **roto/a** (*p.p. of* **romper**) (9)

broom **escoba** (6)

brother **hermano** (4)

brown **color** (*m.*) **café** (3); **castaño/a** (9)

brush *n.* **cepillo** (9); toothbrush **cepillo de dientes** (9); to brush one's teeth **lavarse (cepillarse) los dientes** (9)

build **construir (y)**

building **edificio;** apartment/office building **edificio de apartamentos/oficinas** (2)

burn *n.* **quemadura** (11)

bus **autobús** *m.* (2), **ómnibus** *m.* (13); bus stop **parada de autobuses** (13)

business **comercio, empresa** (15), **negocio**

business administration **administración** (*f.*) **de empresas** (15)

businessman/businesswoman **empresario/a, hombre/mujer de negocios** (15)

busy **ocupado/a** (3)

but **pero** (1, 12); **sino** (12); **sino que** (12)

butter **mantequilla** (5)

buy *v.* **comprar** (2)

by **por** (5)

C

café **café** *m.* (2)

calculator **calculadora** (1)

call *v.* **llamar;** to call on the phone **llamar por teléfono** (4); to be called, call oneself **llamarse** (9)

calm **quieto/a** (11), **tranquilo/a** (9)

camera **cámara** (2)

can *n.* **lata** (5); *v.* (*to be able*) **poder** (*irreg.*) (8)

cancer **cáncer** *m.* (11)

capital (*city*) **capital** *f.* (7)

car **auto(móvil)** *m.,* **carro, coche** *m.* (2)

card: credit card **tarjeta de crédito** (3); identification (ID) card **tarjeta de identificación;** playing cards **cartas** (8)

care: to take care (of) **cuidar (de);** to take care of oneself **cuidarse** (11); with care, carefully **con cuidado, cuidadosamente**

careful: to be careful **tener** (*irreg.*) **cuidado** (4)

carpenter **carpintero/a** (15)

carpentry **carpintería** (15)

carpet **alfombra** (6)

carrot **zanahoria** (5)

carry **llevar** (4)

carry-on bag **maletín** *m.* (12)

case: in case **en caso (de) que** (15)

cash: to pay in cash **pagar (gu) al contado** (3)

cashier **cajero/a**

cashier's **caja** (3)

cassette **casete** *m.* (8); cassette player **casetera** (8)

castle **castillo** (7)

cat **gato/a** (4)

cathedral **catedral** *f.*

cavity **caries** *f. sing.* (11)

celebrate **celebrar** (10)

cent: percent **por ciento**

century **siglo** (7)

cereal **cereal** *m.* (5)

certain: (a) certain **cierto/a** (7); it's certain **es cierto, es seguro** (11)

chair **silla** (1); easy chair **sillón** *m.* (6)

chalk **tiza** (1)

chalkboard **pizarra** (1)

champagne **champán** *m.* (14)

channel (*TV*) **canal** *m.* (10)

character **personaje** *m.;* main character **protagonista** *m., f.* (10)

charge *v.* **cobrar** (15)

chat *v.* **charlar, conversar** (1)

cheap **barato/a** (2)

check **cheque** *m.;* checking account **cuenta corriente / de cheques**

check: to check one's baggage **facturar el equipaje** (13)

checkered **de cuadros** (3)

cheerful **alegre** *m., f.*

cheer up **animar(se)** (9); *fam. command* **anímate** (9)

cheese **queso** (2)

chemist **químico/a** (15)

chemistry **química** (15)

chest **pecho** (9)

chest of drawers **cómoda** (6)

chicken **pollo** (5)

child **niño/a** (4); as a child **de niño/a**

chills **escalofríos** (11)

choice: to have no choice but to (*do something*) **no tener** (*irreg.*) **más remedio que** + *inf.* (13)

choir **coro**

choose **escoger (j)** (4, 13)

chop **chuleta;** lamb/pork chop **chuleta de cordero/cerdo** (5)

Christmas **Navidad** *f.;* Christmas Eve **Nochebuena**

church **iglesia** (2)

circular **circular** *f.* (15)

city **ciudad** *f.* (2); city block **cuadra** (2); city hall **palacio municipal**

class **clase** *f.* (1)

classmate **compañero/a de clase** (1)

classroom **sala de clase** (1)

clean *v.* **limpiar** (6); *adj.* **limpio/a** (6)

cleaner: vacuum cleaner **aspiradora** (6)

clerk **dependiente/a** (3)

clever **listo/a** (3)

client **cliente/a** (3)

climate **clima** *m.*

clock **reloj** *m.* (2)

close *v.* **cerrar (ie)** (13)

closet (*clothes*) **ropero** (6)

clothes (*clothing*) **ropa** (3)

cloud **nube** *f.* (7)

coast *n.* **costa** (7)

coat *n.* **abrigo** (3)

coffee **café** *m.* (2); black coffee **café solo** (5); coffee with milk **café con leche** (5)

coffee shop **cafetería, café** *m.* (2)

coin **moneda**

cold (*illness*) **catarro** (11); it's cold (out) **hace frío** (4); to be (feel) cold **tener** (*irreg.*) **frío** (4)

collect (*pick up, gather*) **recoger (j)**

cologne **agua** *f.* (*but* **el agua**) **de colonia** (9, 12)

comb *n.* **peine** *m.* (9, 12); *v.* (*one's hair*) **peinarse** (9)

come **venir** (*irreg.*) (2); *fam. command* **venga;** come back **volver (ue)** (8)

comfortable **cómodo/a** (3)

commerce **comercio** (7)

commercial *n.* (*TV or radio*) **anuncio comercial**

communications **comunicaciones** *f. pl.* (15)

compact disc **disco compacto** (8)

company **compañía, empresa** (15)

competition **competencia**

computer **computadora** (6), **ordenador** *m.* (*Sp.*) (15); computer science **computación** *f.* (15)

concert **concierto** (8)

confirm **confirmar** (13)

congested **congestionado/a** (11)

congratulate **felicitar** (14)

congratulation **felicitación** *f.* (14)

consul **cónsul** *m., f.* (10)

consult **consultar**

continue **seguir (i, i) (g)**

cook *v.* **cocinar** (5)

cool: to be cool (out) **hacer** (*irreg.*) **fresco** (4)

cooperate **colaborar**

copy *n.* **copia** (15)

copy(ing) machine **copiadora** (15)

corn **maíz** *m.* (5)

corner **esquina** (2)

cosmetics **cosméticos** (12)

cost *v.* **costar (ue)** (8); how much does it cost? **¿cuánto cuesta?** (3)

costume: regional costume **traje** (*m.*) **regional** (10)

cotton: (made of) cotton **de algodón** (3)

couch **sofá** *m.* (6)

cough *n.* **tos** *f.* (11); cough drop **pastilla para la tos** (11)

count *v.* **contar (ue)**

country **país** *m.* (7)

couple *n.* **pareja** (14)

courageous **valiente** *m., f.* (11)

course *n.* **curso**

course: of course **claro que sí** (2), **desde luego, por supuesto** (5); of course not **claro que no**

court (*tennis*) **cancha**

cousin **primo/a** (4)

cowboy **charro** (*Mex.*) (10)

cramp **calambre** *m.* (11)

crazy: like crazy **como un(a) loco/a** (6)

cream: (face) cream **crema (para la cara)** (12)

credit *n.* **crédito;** credit card **tarjeta de crédito** (3)

cross *v.* **cruzar (c)**

crowd *n.* **muchedumbre** *f.* (10)

cry *v.* **llorar** (11)

cucumber **pepino** (5)

culture **cultura**

cup **taza** (4)

cure *v.* **curar;** to get cured **curarse** (11)

curly **rizado/a** (9)

currently **actualmente**

customer **cliente/a** (3)

cute **mono/a** (4)

D

dance *n.* **baile** *m.* (10); *v.* **bailar** (8)

dangerous **peligroso/a** (15)

date *n.* (*appointment*) **cita;** (*calendar*) **fecha** (P)

daughter **hija** (4)

day **día** *m.* (P); day after tomorrow **pasado mañana** (13); every day **todos los días** (2); the following day **al día siguiente;** saint's day **día del santo** (10)

daytime: in the daytime **de día**

dead **muerto/a** (*p.p. of* **morir**) (9)

dear **querido/a** (13)

December **diciembre** *m.* (P)

decide **decidir** (13)

deep **profundo/a;** deep down **en el fondo** (14)

degree **grado; título** (15)

delicious **delicioso/a, rico/a** (5)

delight *v.* **encantar**

demanding *adj.* **exigente** *m., f.* (6)

dentist **dentista** *m., f.* (11)

deny **negar (ie) (gu)** (11)

deodorant **desodorante** *m.* (9, 12)

department store **almacén** *m.,* **almacenes** *m. sing.* (2)

deposit *v.* **depositar**

designer **diseñador(a)** (15)

desire *v.* **desear** (2)

desk **escritorio** (6); front desk (*of a hotel*) **recepción** *f.* (12)

dessert **postre** *m.* (5)

diamond **diamante** *m.;* **brillante** *m.*

dictate *v.* **dictar** (15)

dictionary **diccionario** (1)

die *v.* **morir (ue, u)** (*p.p.* **muerto/a**) (8)

difficult **difícil** (1)

difficulty **dificultad** *f.* (11)

dining room **comedor** *m.* (6)

dinner **comida, cena** (5); to eat dinner **cenar, comer** (5)

dirty **sucio/a** (6)

disagree: I disagree **no estoy de acuerdo** (2)

disappointment **contratiempo** (13)

discover **descubrir** (*p.p.* **descubierto/a**)

discuss **discutir** (2)

dish *n.* **plato** (4, 5)

dishwasher **lavaplatos** *m. sing.* (6)

disorganized **desordenado/a** (6)

distance *v.* **distanciarse** (14)

district **barrio** (2)

divorce *n.* **divorcio** (14); to get a divorce **divorciarse** (14)

do **hacer** (*irreg.*) (2)

doctor *n.* **doctor(a), médico/a** (11); doctor's office **consulta, consultorio** (11)

doctorate **doctorado** (15)

dog **perro/a** (4)

domineering **dominante** *m., f.* (10)

done **hecho/a** (*p.p. of* **hacer**) (9)

door **puerta** (1)

dot: on the dot **en punto** (P)

doubt *v.* **dudar** (11); *n.* **duda;** without a doubt **sin duda**

down **abajo;** deep down **en el fondo** (14); to go down **bajar**

downtown **centro** (2)

dozen **docena** (7)

dramatic **dramático/a**

drawers: chest of drawers **cómoda** (6)

drawing **dibujo** (1)

dream *v.:* to dream (about) **soñar (ue) (con);** *n.* **sueño** (6)

dress *v.* **vestir(se) (i, i)** (9); *n.* **vestido** (3); regional dress **traje** (*m.*) **regional** (10)

dresser (*furniture*) **cómoda** (6)

drink *v.* **beber, tomar** (2); *n.* **bebida** (4); soft drink **refresco** (5)

drive *v.* **manejar** (13), **conducir (zc) (j)**

driver **chofer** *m., f.,* **conductor(a)**

drop: cough drops **gotas para la tos** (11); eye/nose drops **gotas para los ojos / la nariz** (11)

drugstore **farmacia** (11)

drum set **batería** (8)

dry *v.* (oneself) **secarse (qu)** (9); dry one's hair **secarse el pelo** (9); *adj.* **seco/a**

dryer (*clothes*) **secadora** (15)

dryer (*hair*) **secador** (*m.*) **de pelo** (9)

dumb **tonto/a** (3)

during **durante** (7)

dust *v.* **quitar el polvo** (6)

E

each **cada** (4)

eagle **águila** *f.* (*but* **el águila**) (7)

ear **oreja** (9)

early **temprano** (5)

earn **ganar** (3); to earn a living **ganarse la vida**

earphone **audífono** (8)

earring **arete** *m.;* **pendiente** *m.* (*Sp.*) (12)

earth **tierra** (7)

east **este** *m.,* **oriente** *m.* (7)

easy **fácil** *m., f.* (1); easy chair **sillón** *m.* (6)

eat **comer** (2); *fam. command* **come** (4); to eat dinner/supper **cenar** (5); to eat lunch **almorzar (ue) (c)** (5)

economics **economía** (15)

economist **economista** *m., f.* (15)

egg **huevo** (5)

eighteen **diez y ocho** (P), **dieciocho** (P)

eighth **octavo/a**

either . . . or **o... o;** not either **tampoco** (3, 12)

elderly **viejo/a** (2)

electrician **electricista** *m., f.* (15)

electronic: electronic schedule **horario electrónico** (13)

elevator **ascensor** *m.,* **elevador** *m.* (12)

else: anything else **algo más** (6)

embrace *v.* **abrazar (c)** (14); *n.* **abrazo** (14)

emergency **emergencia** (11)

empire **imperio** (7)

employee **empleado/a** (12)

employment **empleo** (7)

empty **vacío/a** (13)

encounter *v.* **encontrar (ue)** (8)

end *v.* **terminar** (6); *n.* **final** *m.* (15); at the end **al final** (15)

engagement ring **anillo de compromiso** (14)

engineer **ingeniero/a** (15)
engineering **ingeniería** (15)
English **inglés/inglesa** (1); English language **inglés** *m.* (1)
enjoy **disfrutar (de)** (10), **divertirse (ie, i)** (10), **gozar (c) (de)** (8)
enough **bastante** (9)
enter **entrar (en)** (1)
envelope *n.* **sobre** *m.* (15)
eraser **borrador** *m.* (1)
estranged **peleado/a** (14)
ethnic **étnico/a** (10)
even *adv.* **hasta** (6, 7)
evening: good evening **buenas noches** (P); in the evening **por/de/en la noche** (1)
ever (*in a question*) **alguna vez** (12); **jamás** (12)
every **cada** (4); every day **todos los días** (2)
everybody **todo el mundo** (8)
everyone **todos** (8), **todo el mundo** (8)
evident: it's evident **es evidente** (11)
example **ejemplo;** for example **por ejemplo** (4, 5)
excursion: on an excursion **de excursión** (*f.*)
excuse (oneself) **disculpar(se)** (14)
exit *n.* **salida**
expect **esperar**
expensive **caro/a** (2)
explain **explicar (qu)** (9)
extract: to extract a tooth **sacar(le) (qu) una muela** (11)
eye **ojo** (9); eye drops **gotas para los ojos** (11)
eyeshadow **sombra para los ojos** (13)

F
face *n.* **cara** (9)
factory **fábrica** (7)
fail (*a student*) **suspender** (14)
fall *v.* **caer(se)** (*irreg.*) (15); *n.* **otoño** (P); to fall asleep **dormirse (ue, u)** (9); to fall down **caerse** (*irreg.*) (15); to fall in love (with) **enamorarse (de)** (14)
fan (*audience*) **fanático/a** (8)
far (from) **lejos (de)** (8)
fat **gordo/a** (3)

father **padre** *m.* (4), **papá** *m.* (4)
father-in-law **suegro** (14)
favor *n.* **favor** *m.;* do me the favor of . . . *fam.* command **hazme el favor de...** (4)
favorite **preferido/a**
fear *v.* **temer** (10)
feather **pluma**
February **febrero** (P)
fed: to be fed up with **estar** (*irreg.*) **harto/a de** (14)
feel **sentir(se) (ie, i)** (8, 9); to feel like (*doing something*) **tener** (*irreg.*) **ganas de** + *inf.* (4)
fever **fiebre** *f.* (11)
fewer: fewer than **menos que**
fiancé/fiancée **novio/a** (14)
field (*of study*) **ramo**
fifth **quinto/a**
fight *v.* **pelear** (14)
file (*filing cabinet*) **archivo** (15)
fill *v.* **llenar;** to fill in (*a tooth*) **empastar** (11)
fillet **filete** *m.* (5)
filling *n.* **empaste** *m.* (11)
film **película** (8)
finally **por fin** (5)
find *v.* **encontrar (ue)** (8)
fine *adv.* **bien;** fine, thanks **muy bien, gracias** (P)
finger *n.* **dedo** (9)
finish *v.* **terminar** (6); finish + *-ing* **terminar de** + *inf.* (4)
fire (*an employee*) **despedir (i, i) (a)** (15)
first **primer, primero/a** (5); the first of . . . **el primero de...** (P)
fish *n.* **pescado** (5)
fix *v.* **arreglar** (14)
flag *n.* **bandera** (7, 10)
flight **vuelo** (13); flight attendant **auxiliar** (*m., f.*) **de vuelo, azafata, aeromozo/a** (13)
float *n.* **carroza** (10)
floor (*of building*) **piso** (12)
flour **harina** (5)
flower *n.* **flor** *f.* (2)
flu **gripe** *f.* (11)
folder **carpeta** (15)
follow **seguir (i, i) (g)** (10)
following **siguiente** (3); the following day **al día siguiente**
food **comida** (4); food items **comestibles** *m. pl.* (5)

foolish **necio/a** (9)
foot **pie** *m.* (9)
for (*intended for*) **para** (2); (*in the direction of, in order to*) **para** (5); (*through, in*) **por** (5); for his sake **por él** (5); in exchange for **por** (5)
foreign **extranjero/a**
forest **bosque** *m.* (7)
forget **olvidar** (10, 13)
fork **tenedor** *m.* (4)
fountain **fuente** *f.* (2)
fourth **cuarto/a**
free **libre** *m., f.* (7)
French **francés/francesa** (1); French language **francés** *m.* (1)
frequently **con frecuencia**
Friday **viernes** *m. sing., pl.* (P)
fried **frito/a** (5, 9)
friend **amigo/a** (P)
friendly **amable** *m., f.* (14)
friends: to become friends (with) **hacerse** (*irreg.*) **amigo/a (de)** (14)
friendship **amistad** *f.* (14)
from **de** (P); from where? **¿de dónde?** (P); I am from **soy de** (P)
front: in front of (*facing*) **frente a, en frente de** (8); (*in a line*) **delante de** (8); front desk (*of a hotel*) **recepción** *f.* (12); front seat **asiento delantero** (13)
fruit **fruta** (5); fruit stand, fruit store **frutería** (4)
full **lleno/a** (13)
fun: to make fun (of) **burlarse (de)** (10)
function *v.* **funcionar** (6)
furious **furioso/a**
furniture **muebles** *m. pl.;* piece of furniture **mueble** *m.* (6)
furthermore **además** (4)
future *n.* **futuro** (7)

G
game (*match*) **partido**
gather **recoger (j)**
generous **generoso/a**
gentleman **señor** *m.* (P); old gentleman **señor** (*m.*) **viejo** (2)
German **alemán/alemana** (1); German language **alemán** *m.* (1)
get **coger (j)** (12); **conseguir (i, i) (g)** (15); to get along well/badly

llevarse bien/mal (9); to get divorced **divorciarse (de)** (14); to get dressed **vestirse (i, i)** (9); to get good grades **sacar (qu) buenas notas** (4); to get married (to) **casarse (con)** (14); to get ready **prepararse** (9); to get a suntan **broncearse** (12); to get hold of **coger (j)** (12); to get up **levantarse** (9)

gift **regalo** (2)

girl **muchacha** (2); **chica** (3); **niña** (4)

girlfriend **novia** (4)

give **dar** (*irreg.*) (3); to give a gift **regalar** (9); to give a shot (*injection*) **ponerle** (*irreg.*) **una inyección** (11)

glad **contento/a** (3); to be glad of/about **alegrarse de** (9)

glass (*wine*) **copa** (4); (*drinking*) **vaso** (4); (*material*) **cristal** *m.,* **vidrio** (6); a glass of wine **una copa de vino** (2)

glutton **glotón/glotona** (5)

go **ir(se)** (*irreg.*) (3); (don't) go, *form. command* **(no) vaya Ud.** (6); to go to bed **acostarse (ue)** (9); to go down **bajar;** to go out **salir** (*irreg.*) (4); to go shopping **ir** (*irreg.*) **de compras** (3); to go up **subir** (5); to go with (*clothing*) **combinar** (3)

going: I am (not) going **(no) voy** (3)

gold **oro**

good **buen, bueno/a** (2); good afternoon **buenas tardes** (P); good evening/night **buenas noches** (P); good morning **buenos días** (P)

goodbye **adiós**

gossip *n.* (*person*) **chismoso/a** (14)

gotten: have you gotten over . . . **se te ha pasado...** (11)

governor **gobernador(a)** (10)

grab **coger (j)** (12)

grade *n.* **nota;** to get good grades **sacar (qu) buenas notas** (4)

graduate **graduarse (me gradúo)** (15)

granddaughter **nieta** (4)

grandfather **abuelo** (4)

grandmother **abuela** (4)

grandparents **abuelos** (4)

grandson **nieto** (4)

grape **uva** (5)

grass **hierba**

gray **gris** *m., f.* (3)

great **gran, grande** (5)

green **verde** *m., f.* (3)

greet **saludar** (9)

greeting **saludo** (P)

ground *n.* **suelo**

group (*musical*) **conjunto** (8)

guest **invitado/a** (14)

guitar: (lead) guitar **guitarra (principal)** (8)

H

hair **pelo** (9)

hairbrush **cepillo para el pelo/cabello** (12)

hair spray **laca** (12)

half **mitad** *f.;* half price **a mitad de precio** (8)

ham **jamón** *m.* (2)

hammer *n.* **martillo** (15)

hand *n.* **mano** *f.* (9); to lend a hand **echar una mano** (15)

handbag (*small suitcase*) **maletín** *m.* (12)

happen **pasar; ocurrir** (13); what's happening? *interrog.* **¿qué pasa?** (9)

happy **alegre** *m., f.,* **contento/a, feliz** (*pl.* **felices**) *m., f.* (3); to become happy **alegrarse** (9)

hard **duro/a** (4); hardworking **trabajador(a)** (6)

hat **sombrero** (3)

hate *v.* **odiar** (14)

hatred **odio** (14)

haughty **soberbio/a** (10)

have **tener** (*irreg.*) (2); to have to **tener que** (4), **deber** (4); to have a good time **divertirse (ie, i)** (8); to have just (*done something*) **acabar de** + *inf.* (9)

head **cabeza** (9)

headache **dolor** (*m.*) **de cabeza** (11); to have a headache **doler(le) (ue) (a uno) la cabeza** (11)

health **salud** *f.* (11)

hear **oír** (*irreg.*) (4)

heart **corazón** *m.* (11); to have a heart attack **dar(le)** (*irreg.*) **un ataque al corazón** (11)

heaven: for heaven's sake **Dios mío** (4); **por Dios** (5)

hello **hola** (P)

help *v.* **ayudar** (4)

here **aquí** (1)

herself **ella misma** (12); **sí misma**

highway **carretera** (7, 13)

hill **colina, loma** (7)

himself **él mismo** (12); **sí mismo**

hire *v.* (*rent*) **alquilar** (8)

Hispanic **hispánico/a, hispano/a** (10)

history **historia** (10)

hit *v.* **pegar (gu)** (14)

hoarse **ronco/a** (11)

home **casa** (2); *adv.* **a casa;** at home **en casa** (6)

homework **tarea** (2)

honest **honrado/a** (10)

honeymoon **luna de miel** (14)

hope *v.* **esperar** (10)

hors d'oeuvres **canapés** *m. pl.* (14); **tapas** (*Sp.*)

horse **caballo** (10); to ride a horse **montar a caballo** (10)

hot **caliente** *m., f.;* to be hot (*out*) **hacer** (*irreg.*) **calor** (4); to be (feel) hot **tener** (*irreg.*) **calor** (4)

hotel **hotel** *m.* (2)

hour **hora** (P)

house **casa** (2); apartment house **edificio de apartamentos** (2)

how? *interrog.* **¿cómo?** (P); how are you? **¿cómo está Ud.?** (*form.*), **¿cómo estás?** (*fam.*) (P); how many? **¿cuántos/as?** (3); how much does it cost? **¿cuánto cuesta?** (3); how about . . . ? **¿qué le parece... ?** (8)

however **pero** (1), **sin embargo**

hug *v.* **abrazar (c)** (14); *n.* **abrazo** (14)

humanities **humanidades** *f. pl.* (15)

hundred: one hundred **cien, ciento** (2)

hungry: to be (very) hungry **tener** (*irreg.*) **(mucha) hambre** (4)

hurry *n.* **prisa;** to be in a hurry **tener** (*irreg.*) **prisa** (4); hurry up *fam. command* **date prisa** (9)

hurt *v.* **doler (ue)** (11)

husband **esposo** (4)

I

ice **hielo** (4)

ice cream **helado** (5), **mantecado** (10); ice cream parlor **heladería** (10)

identification (ID) card **tarjeta de identificación**

if **si** (P); if I were you **si fuera tú** (13)

ill **enfermo/a** (3)

illness **enfermedad** *f.* (11)

importance **importancia**

important: it's important **es importante** (11)

impression: to make a good (bad) impression **caerle** (*irreg.*) **bien (mal)** (14)

improve **mejorar** (11)

in **en** (1), **por** (5); in order that **para que** (15); in order to **para** (5)

increase *n.* **aumento** (7)

indeed **sí que**

indicate **indicar (qu)** (7)

indigenous **indígena** *m., f.* (7)

inexpensive **barato/a** (2)

inform **advertir (ie, i)** (13)

inhabitant **habitante** *m., f.*

injury **herida** (11)

insist (on) **insistir (en)** (10)

instead of **en vez de** (15)

insulation **aislamiento** (15)

intercom **intercomunicador** *m.* (9)

interest *v.* **interesar**

interesting **interesante** *m., f.*

interview *n.* **entrevista** (15); *v.* **tener** (*irreg.*) **una entrevista (con), entrevistarse (con)** (15)

into **en**

invite **invitar**

irritated **irritado/a** (14)

is **es; there is hay** (P); is there? *interrog.* **¿hay?** (P)

island **isla** (7)

J

jacket **chaqueta** (3)

jam **mermelada** (5)

January **enero** (P)

Japanese **japonés/japonesa** (1)

jealous: to be jealous **tener** (*irreg.*) **celos** (14)

jealousy **celos** (14)

jeans **pantalones** (*m. pl.*) **vaqueros** (3), **jeans** *m. pl.* (3)

jewelry **joyas**

job **trabajo** (4); **puesto** (15)

join **unir** (7)

journalist **periodista** *m., f.* (15)

juice **jugo** (2)

July **julio** (P)

June **junio** (P)

just: to have just (*done something*) **acabar de** + *inf.* (9)

K

keep on (*doing something*) **seguir (i, i) (g)** + *present participle*

key **llave** *f.* (13)

kick *v.* (*stamp*) **patalear** (11)

kill *v.* **matar**; to kill oneself **matarse** (15)

kiss *v.* **besar** (10, 14); *n.* **beso** (14)

kit: makeup kit **estuche** (*m.*) **de maquillaje** (12)

kitchen **cocina** (6)

kitten **gatito/a, gatico/a** (4)

knife **cuchillo** (4)

know (*someone*) **conocer (zc)** (4); (*a fact*) **saber** (*irreg.*) (4)

L

ladder **escalera** (15)

lady **señora** (P); young lady **señorita** (P); **dama** (6)

lake **lago** (7)

lamb **carne** (*f.*) **de cordero** (5)

lamp **lámpara** (6)

land *v.* **aterrizar (c)** (13); *n.* **tierra** (7)

language **lengua** (P), **idioma** *m.* (10)

large **grande** *m., f.* (2)

last (*in a series*) **último/a**; (*with expressions of time*) **pasado/a** (7); last night **anoche** (5)

late **tarde** (9)

lately **últimamente** (14)

later **después** (4), **luego** (P), **más tarde** (4); see you later **hasta luego** (P)

law **ley** (*f*) (*course of study*) **derecho** (15)

lawyer **abogado/a** (15)

lazy **perezoso/a** (6, 9)

learn **aprender** (4)

leather: made of leather **de cuero, de piel** (3)

leave **dejar** (10); **partir, salir** (*irreg.*) (4); *fam. command* **sal** (4)

leg **pierna** (9)

legend **leyenda** (7)

lend **prestar** (3); shall I lend you . . . ? **¿te presto... ?** (3)

less **menos** (P); less than **menos que/de** (11)

lesson **lección** *f.* (1)

let **dejar** (10); (*to rent*) **alquilar** (12)

letter **carta** (2); (*circular*) **circular** *f.* (15)

letterhead **membrete** *m.* (15)

lettuce **lechuga** (5)

level **nivel** *m.* (7)

liberalize (*to open up*) **liberalizar (c)** (7)

library **biblioteca** (1)

life **vida** (4)

life preserver **salvavidas** *m. sing.* (12)

light **luz** *f.* (*pl.* **luces**) (1, 6)

lightbulb **bombilla, foco** (6)

likable **simpático/a** (3)

like *v.* **gustar**; to feel like (*doing something*) **tener** (*irreg.*) **ganas de** + *inf.* (4); how do you like . . . ? (*form.*) **¿qué le parece... ?** (8); I like **me gusta(n)**; you (*form.*)/he/she like(s) **le gusta(n)** (P)

line: to stand in line **hacer** (*irreg.*) **cola**

lipstick **barra de labios, creyón** (*m.*) **de labios, lápiz** (*m.*) **labial / para los labios** (12)

listen (to) **escuchar, oír** (*irreg.*) (6); *form. command* **escuche Ud.**

little **pequeño/a** (2); **poco/a**; a little **un poco** (3)

live *v.* **vivir** (2)

living room **sala** (6)

long **largo/a** (9)

long distance **larga distancia** (4)

longer: no longer **ya no** (9)

look (at) **mirar** (2); to look for **buscar (qu)** (3)

lose **perder (ie)** (8); to get lost **perderse** (9)

lot: a lot of **mucho/a/os/as** (P); a lot **una barbaridad** *f.* (5)

lotion: aftershave lotion **loción** (*f.*) **de afeitar** (12); hand lotion **loción para las manos** (12); suntan lotion **loción bronceadora** (12) lottery: lottery ticket **billete** (*m.*) **de lotería** (2)

love *v.* **querer** (*irreg.*) (8); **amar** (14); *n.* **amor** *m.* (8); to be in love (with) **estar** (*irreg.*) **enamorado/a (de)** (10); to fall in love (with) **enamorarse (de)** (14); to love something **encantarle (a uno)** (10)

luck: bad (good) luck **mala (buena) suerte** *f.* (6)

luckily **por suerte** (5)

lunch *n.* **almuerzo** (5); to eat lunch **almorzar (ue) (c)** (5) (8)

lying down **acostado/a** (6)

M

madam **señora** (P)

made **hecho/a** (*p.p. of hacer*) (9)

maid of honor **madrina** (14)

main character **protagonista** *m., f.* (10)

major (*area of study*) **especialización** *f.* (15)

majority **mayoría** (10)

make **hacer** (*irreg.*) (2); to make the bed **hacer la cama** (6)

makeup: to put on makeup **maquillarse, pintarse** (9)

makeup kit **estuche** (*m.*) **de maquillaje** (12)

man **señor** (P); **hombre** *m.* (2); best man **padrino** (14); old man **viejo** (2); young man **joven** *m.* (2)

manager **gerente** *m., f.* (15)

manner **manera;** in this manner **así** (8)

manufacturing **fabricación** *f.* (7)

many **muchos/as;** how many? *interrog.* **¿cuántos/as?** (5)

map *n.* **mapa** *m.* (1)

March **marzo** (P)

market **mercado;** meat market **carnicería** (10); marketing (*subject*) **mercadeo, márketing** *m.* (15)

marmalade **mermelada** (5)

marriage **matrimonio** (14)

married **casado/a** (4); to get married (to) **casarse (con)** (14)

marvelously **de maravilla** (8)

master's degree **maestría** (15)

match *n.* (*game*) **partido;** to match (*clothing*) **combinar** (3)

matter: it doesn't matter **no importa** (4)

May **mayo** (P)

mayor **alcalde/alcaldesa** (10)

meal **comida** (4, 5)

means: by no means **de ninguna manera** (12)

meantime: in the meantime **mientras tanto**

meat **carne** *f.* (5); meat market **carnicería** (10)

medical doctor **médico/a** (11)

medicine **medicina** (11)

member (*of a club, organization*) **socio/a** (4)

memo **circular** *f.* (15)

memory **recuerdo**

merchant **comerciante** *m., f.* (10)

merry-go-round **tiovivo, caballitos** (12)

mess: what a mess! **¡qué desorden!** (6)

messy **desordenado/a** (6)

milk **leche** *f.* (2)

million: one million **un millón** (2)

mine: of mine *poss. adj.* **mío/a/os/as**

minus **menos** (P)

mirror *n.* **espejo** (9)

mishap **contratiempo** (13)

miss (*an event*) **perderse (ie)** (10)

Miss **señorita** (P)

mistaken **equivocado/a** (14); to make a mistake **equivocarse (qu)** (14)

molar **muela** (11)

Monday **lunes** *m. sing., pl.* (P)

money **dinero** (3)

month **mes** *m.* (P); a month ago **hace un mes**

mood: to get in a good/bad mood **ponerse** (*irreg.*) **de buen/mal humor** (14)

moon **luna** (7); honeymoon **luna de miel** (14)

more **más** (P, 3); more than **más que** (11); **más de** (*with numbers*)

morning **mañana** (P); all morning **toda la mañana;** good morning **buenos días** (P); in the morning **por/de/en la mañana** (P)

most: the most + *adj.* **el/la/los/las más** + *adj.* (11)

mother **madre** *f.,* **mamá** (4)

mother-in-law **suegra** (14)

motor **motor** *m.*

mountain **montaña** (7)

mouth *n.* **boca** (9)

move *v.* **mover (ue)** (8)

movie **película** (8); movie theater **cine** *m.* (2)

much **mucho/a** (P); so much **tanto/a;** too much *adv.* **demasiado**

museum **museo** (2)

music **música** (8)

must **deber** (7, 8)

myself **yo mismo/a** (12)

N

nail **clavo** (15)

name *n.* **nombre** *m.* (1); my name is **me llamo** (P); what's his/her name? **¿cómo se llama él/ella?;** what's your name? **¿cómo se llama Ud.?** (*form.*) (P), **¿cómo te llamas (tú)?** (*fam.*) (P)

nap *n.* **siesta;** to take a nap **dormir (ue, u) la/una siesta** (8)

napkin **servilleta** (4)

nation **país** *m.* (7)

near *prep.* **cerca de** (8)

neat **ordenado/a** (6)

necessary: it's necessary **es necesario, es preciso** (11), **hace falta, hay que** (13); to be necessary (for one) **hacer(le)** (*irreg.*) **falta (a uno)** (8)

necklace **collar** *m.* (12)

necktie **corbata** (3)

need *v.* **necesitar** (2); **hacer(le)** (*irreg.*) **falta (a uno)** (10)

neighbor **vecino/a**

neighborhood **barrio** (2)

neither **tampoco** (3, 12); neither . . . nor **ni... ni** (12)

nephew **sobrino** (4)

never **nunca** (6); **jamás** (12)

nevertheless **sin embargo**

new **nuevo/a** (1); nothing new **nada de nuevo** (P)

news **noticias** (2); bad news **malas noticias** (6)

newspaper **periódico** (2)

next **siguiente** *m., f.* (3); **próximo/a** (13)

next to **al lado de** (8)

nice **simpático/a** (3); how nice *interj.* **qué bueno** (5)

niece **sobrina** (4)

night **noche** *f.* (P); all night **toda la noche;** at night **de noche, por la noche** (P); good night **buenas noches** (P); last night **anoche**

nightstand **mesa de noche** (6)

nine **nueve** (P)

nine hundred **novecientos/as** (2)

nineteen **diez y nueve** (P), **diecinueve** (P)

ninety **noventa** (2)

ninth **noveno/a**

no **no** (P); no longer **ya no**

nobody **ninguno/a, nadie** (12)

noise **ruido** (8)

none **ningún, ninguno/a** (12)

no one **ninguno/a, nadie**

north **norte** *m.* (7)

nose **nariz** *f.* (*pl.* **narices**) (9); nose drops **gotas para la nariz** (11)

not: not any **ningún, ninguno/a** (12); not at all **de ninguna manera** (12); **en absoluto** (14); not very **poco** (3)

note *n.* **nota** (15)

notebook **cuaderno** (1)

nothing **nada** (4, 12); nothing new **nada de nuevo** (P)

November **noviembre** *m.* (P)

now **ahora** (1); right now **ahora mismo** (9)

nowadays **hoy día** (8)

nurse *n.* **enfermero/a** (11)

O

obtain **conseguir (i, i) (g)** (12, 15)

obvious: it's obvious **es obvio, es evidente** (11)

occasion **vez** *f.* (8)

occur **ocurrir** (13)

ocean **océano** (7)

October **octubre** *m.* (P)

of **de** (P)

office **oficina** (15); doctor's office **consulta, consultorio** (11); office building **edificio de oficinas** (2)

oil (olive) *n.* **aceite** (*m.*) **(de oliva)** (5)

ointment **pomada** (11), **ungüento** (11)

OK **vale, de acuerdo** (12)

old **viejo/a** (2); (*things only*) **antiguo/a** (2); old man/woman **viejo/a** (2)

older **mayor** (4)

omelette **tortilla** (5)

on **en** (1); on (top of) **sobre** (8); **encima de** (8)

once: at once **en seguida** (13)

one **uno** (P)

one hundred **cien, ciento** (2)

onion **cebolla** (5)

only **sólo** (1), **solamente** (5); *adj.* **único/a** (13)

open *v.* **abrir** (2)

open, opened **abierto/a** (*p.p. of* **abrir**) (9)

opera: soap opera **telenovela** (8)

or **o** (3)

orange **naranja** (5); orange juice **jugo de naranja** (2); (*color*) **color** (*m.*) **naranja, anaranjado/a** (3)

order *v.* (*to command*) **mandar;** (10); (*to ask for*) **pedir (i, i)** (8)

order *n.*: in order that **para que** (15); in order to **para** (5)

other **otro/a** (2)

ought (to) **deber** (8); you ought to **debiera** (*form. sing.*), **debieras** (*fam. sing.*)

oven **horno** (6)

over (on top of) **(por) encima de** (7)

overcoat **abrigo** (3)

owe **deber** (8)

own *adj.* **propio/a** (13)

owner **dueño/a** (15)

oxygen: to give (*someone*) oxygen **dar(le)** (*irreg.*) **oxígeno** (11)

P

package **paquete** *m.* (5)

pad: shorthand pad **libreta de taquigrafía** (15)

pain *n.* **dolor** *m.* (11); the pain won't go away **el dolor no se me quita** (11)

paint *v.* **pintar** (15)

painter **pintor(a)** (15)

pair *n.* **pareja** (14)

pale *adj.* **pálido/a** (12)

palm tree **palmera** (12)

pants **pantalones** *m. pl.* (3)

papa **papá** *m.* (2)

paper *n.* **papel** *m.* (1); (*class report*) **informe** *m.* (6)

parade **desfile** *m.* (10)

paralysis **parálisis** *f.* (11)

parents **padres** *m. pl.* (4)

park *n.* **parque** *m.* (2)

park *v.* **aparcar (qu), estacionar**

parlor: ice cream parlor **heladería** (10)

party *n.* **fiesta** (3)

pass (by) **pasar (por)**

passenger **pasajero/a** (13)

past *adj.* **pasado/a** (9); *n.* **pasado** (7)

patient *n.* **paciente** *m., f.* (11); to be patient **tener** (*irreg.*) **paciencia** (4)

pay *v.* **pagar (gu)** (3); to pay attention to **hacer** (*irreg.*) **caso a/de** (14); to pay in cash **pagar (gu) al contado**

pea **guisante** *m.* (5)

peach **melocotón** *m.*, **durazno** (5)

pear **pera** (5)

pearl **perla** (12); pearl necklace **collar** (*m.*) **de perlas** (12)

pen (*ballpoint*) **bolígrafo** (1)

pencil **lápiz** *m.* (*pl.* **lápices**) (1)

people **gente** *f. sing.* (2)

pepper **pimienta** (5)

per **por;** percent **por ciento**

perfume **perfume** *m.* (12)

perhaps **tal vez** (8)

permit *v.* **permitir, dejar** (10)

pet shop **tienda de animales** (4)

pharmacist **farmacéutico/a** (15)

pharmacy **farmacia** (11)

photograph *n.* **fotografía** (2)

pick up **recoger (j)**

pie **pastel** *m.* (5)

pill **píldora, pastilla** (11)

pillow **almohada** (9)

pineapple **piña** (5)

pink **rosado/a** (3)

pipe **tubería** (15); pipe wrench **llave** (*f.*) **inglesa** (15)

pitcher **jarra** (4)

pity **lástima;** it's a pity **es (una) lástima** (11)

place *n.* **lugar** *m.* (7, 8)

plane **avión** *m.* (13)

plate **plato** (4)

play *v.* (*a game*) **jugar (ue) (gu) a** (8); (*a musical instrument*) **tocar (qu)** (8); to play a role **hacer** (*irreg.*) **un papel** player   **jugador(a)**; record player **tocadiscos** *m. sing.* (8)

pleasant (*people*)   **simpático/a** (3), **agradable** *m., f.*, **amable** *m., f.* (5, 14)

please *adv.*   **por favor** (5)

pleased: pleased to meet you **encantado/a, mucho gusto** (P)

pleasing: to be pleasing (to someone)   **gustar(le) (a alguien)** (P)

plot *n.* (*of story*)   **argumento** (10)

plumber   **fontanero/a** (*Sp.*), **plomero/a** (15)

plumbing   **tubería** (15)

plus (*with numbers*)   **más** (P)

pneumonia   **pulmonía** (11)

pocket   **bolsillo**

police (force)   **policía**; police officer   **policía** *m.*, **mujer policía** *f.*

polite   **amable** *m., f.* (14)

politics   **política** *sing.* (2)

pool: swimming pool   **piscina** (12)

poor   **pobre** *m., f.* (3)

poorly   **mal** (8)

pork   **carne** (*f.*) **de cerdo** (5)

port   **puerto** (13)

possible: it's possible   **es posible** (11)

post office   **correo** (13)

postage stamp   **sello, estampilla** (13)

postcard   **tarjeta postal; tarjeta** (13)

potato   **papa, patata** (5)

practice *v.*   **practicar (qu)** (1)

prefer   **preferir (ie, i)** (8)

prepare   **preparar** (1); prepare oneself   **prepararse** (9)

prescription   **receta** (11)

present *n.* (*gift*)   **regalo** (2)

president   **presidente/a** (2)

pressure: high/low blood pressure **presión** (*f.*) **arterial alta/baja** (11); to take (one's) blood pressure **tomar(le) la presión** (11); to be under a lot of pressure   **estar bajo mucha presión** (11)

pretty   **bonito/a** (2)

prevent   **evitar** (11)

price   **precio** (3); half price   **a mitad de precio** (8)

prickly pear cactus   **nopal** *m.* (7)

print *v.*   **imprimir** (*p.p.* **impreso**) (15)

printer   **impresora** (15)

prize   **premio** (4)

probable: it's probable   **es probable** (11)

probably   **probablemente, seguramente**

professor   **profesor(a)** (P)

program *n.*   **programa** *m.*

programmer   **programador(a)** (15)

promise *n.*   **promesa** (14)

pronounce   **pronunciar** (1)

provided: provided that   **con tal (de) que** (15)

provisions (*food*)   **comestibles** *m. pl.* (5)

psychiatrist   **(p)siquiatra** *m., f.* (15)

psychologist   **(p)sicólogo/a** (15)

pulse *n.*   **pulso** (11)

puppy   **perrito/a** (4)

purple   **morado/a** (3)

purse   **bolso, bolsa, cartera** (3)

put   **poner** (*irreg.*), **puesto/a** (*p.p. of* **poner**) (9); *fam. command* **pon** (4); to put into   **meter** (15); to put on (*clothes*)   **ponerse** (9); to put up with   **soportar** (14)

Q

quarrel *n.*   **disgusto** (14)

quarter: it's a quarter after one   **es la una y cuarto** (P)

queen   **reina** (10)

question *n.*   **pregunta** (1)

quiet (*calm*)   **tranquilo/a** (9)

quit   **renunciar** (15)

quite   **bastante** (7)

R

railroad station   **estación** (*f.*) **del ferrocarril** (13)

rain *v.*   **llover (ue)** (8); *n.*   **lluvia**; it's raining   **está lloviendo** (8)

raise *n.*   **aumento** (15)

range *n.* (*kitchen*)   **cocina eléctrica / de gas** (6)

rather   **bastante** (7, 9); rather (*instead*)   **más bien** (5)

razor blade   **maquinilla de afeitar** (12)

read   **leer (y)** (2)

ready   **listo/a** (3, 9)

real   **verdadero/a** (15)

realistic   **realista** *m. f.* (10)

really   **realmente**; *interrog.* **¿verdad?** (1)

reason: for that reason   **por eso** (5)

receive   **recibir**

reception   **recepción** *f.* (13)

recommend   **recomendar (ie)**

record *v.*   **grabar** (8); *n.* (phonograph)   **disco** (8); record player   **tocadiscos** *m. sing.* (8)

recreation room   **salón** (*m.*) **de recreo** (8)

red   **rojo/a** (3)

reduced   **rebajado/a** (3)

refreshment   **refresco**

refrigerator   **refrigerador** *m.* (6)

refugee   **refugiado/a** (10)

registration   **matrícula** (15)

regret *v.*   **sentir (ie, i)** (8)

relative *n.*   **pariente** *m., f.* (4)

remedy *n.*   **remedio** (11)

remember   **recordar (ue)** (8)

remind   **recordar (ue)** (13)

remote control   **control** (*m.*) **remoto** (10)

remove   **quitar**

rent *v.*   **alquilar** (8)

repair   **reparar** (15); *n.*   **reparación** *f.* (15)

repeat   **repetir (i, i)** (8); *form. command* **repita Ud.**

reply *n.*   **respuesta** (7)

report *n.*   **informe** *m.* (6)

request *v.*   **pedir (i, i)** (8)

resolve *n.*   **resolver (ue)** (*p.p.* **resuelto**) (14)

rest *v.*   **descansar** (6)

restaurant   **café** *m.* (2), **restaurante** *m.* (2)

résumé   **currículum** *m.* (15)

return *v.* (*to a place*)   **volver (ue)** (8); (*give back*)   **devolver (ue)** (8); *n.* **regreso** (13)

returned   **vuelto/a** (*p.p. of* **volver**) (9); **devuelto/a** (*p.p. of* **devolver**) (9)

review *v.*   **repasar**

rice   **arroz** *m.* (5)

rich   **rico/a** (3)

ride a horse   **montar a caballo** (10)

right: (not) to be right   **(no) tener** (*irreg.*) **razón** (4); to/on the right **a la derecha**; right? *interrog.* **¿verdad?** (2); right now   **ahora mismo** (9)

ring *n.* **anillo;** diamond ring **anillo de brillantes** (12); engagement ring **anillo de compromiso** (14); wedding ring **anillo de boda** (14)

river **río** (7)

road **camino** (7)

rock **piedra** (7)

rocking chair **mecedora** (9)

roll (*bread*) **panecillo** (5)

roller coaster **montaña rusa** (12)

room *n.* **habitación** *f.*, **cuarto, recámara** (*Mex.*) (6); dining room **comedor** *m.* (6); living room **sala** (6); recreation room **salón** (*m.*) **de recreo** (8)

rouge (*blush*) **colorete** *m.* (12)

round-trip ticket **billete** (*m.*)/**boleto de ida y vuelta** (13)

rug **alfombra** (6)

run *v.* **correr**

S

sad **triste** *m., f.* (3)

sail *v.* **navegar (gu)** (9)

saint's day **día** (*m.*) **del santo** (10)

salad **ensalada** (5)

salary **sueldo**

sale **liquidación** *f.*, **venta**

salesclerk **dependiente/a** (3)

salmon **salmón** *m.* (5)

salt **sal** *f.* (5)

same **mismo/a** (12); the same **lo mismo**

sand **arena** (12)

sandal **sandalia** (3)

sandwich **sándwich** *m.* (2)

satisfied **contento/a** (3)

Saturday **sábado** (P)

save (*money*) **ahorrar**

saw *n.* **serrucho** (15)

say **decir** (*irreg.*) (2); *fam. command* **di** (4); you don't say *interj.* **no me diga**

schedule **horario;** electronic schedule **horario electrónico** (13)

school **escuela** (4)

science fiction **ciencia ficción** *f.* (8)

sea **mar** *m.* (7)

seafood **marisco(s)** (5)

season **estación** *f.* (P)

seat *n.* **asiento;** aisle/window seat **asiento de pasillo / de ventanilla** (13)

second *adj.* **segundo/a** (5); second of . . . **el dos de...** (P)

secretary **secretario/a** (15)

see **ver** (*irreg.*) (4); let's see **a ver**

seek **solicitar** (15)

seem **parecer (zc)** (10)

seen **visto/a** (*p.p. of* **ver**) (9)

seldom **raras veces**

sell **vender** (2)

send **mandar** (9)

sentence **oración** *f.* (3)

September **septiembre** *m.* (P)

serious **serio/a** (11)

serpent **serpiente** *f.* (7)

serve *v.* **servir (i, i)** (8)

service (*technician*) **técnico/a** (15)

set: television set **televisor** *m.* (6); to set the table **poner** (*irreg.*) **la mesa** (4)

seventh **séptimo/a**

several **varios/as**

shake: to shake hands **dar(se)** (*irreg.*) **la mano** (9, 14)

shampoo **champú** *m.* (9, 12)

sharp (*on time*) **en punto (P)**

shave (oneself) **afeitar(se)** (9)

shaver (electric) **afeitadora (eléctrica)** (12)

sheet (*bed*) **sábana** (9)

shellfish **marisco(s)** (5)

ship **barco** (13)

shirt **camisa** (3); T-shirt **camiseta** (3)

shoe **zapato** (3)

shop *n.* **tienda** (2); pet shop **tienda de animales** (4)

shopping: to go shopping **ir** (*irreg.*) **de compras** (3); to do the shopping **hacer** (*irreg.*) **las compras** (5); shopping bag **bolsa** (5); shopping cart **carrito (de las compras)** (5)

short (*stature*) **bajo/a** (3); (*in length*) **corto/a** (9); short time **rato** (4)

shorter **más bajo/a; más corto/a** (11)

shorthand pad **libreta de taquigrafía** (15)

shorts **pantalones** (*m. pl.*) **cortos** (3)

shot: to give a shot **poner(le)** (*irreg.*) **una inyección** (11)

shout *v.* **gritar** (6)

shower *n.* **ducha** (9); *v.* **ducharse** (9)

shrimp **camarón** *m.* (5)

shut *v.* **cerrar (ie)** (8)

shy **tímido/a** (8)

sick **enfermo/a** (3, 11)

sidewalk **acera**

sign *v.* **firmar** (15); *n.* **cartel** *m.*; (*road/street*) **letrero**

signature **firma** (15)

silk **seda** (3); made of silk **de seda** (3)

silver **plata** (12)

silverware **cubiertos** (4)

since (*because*) **como**

sing **cantar** (8)

singer **cantante** *m., f.* (8)

single (*unmarried*) **soltero/a** (4)

sink (*kitchen*) **fregadero** (6)

sister **hermana** (4)

sit down **sentarse (ie)** (9)

sixth **sexto/a**

size (*clothes*) **talla** (3); (*shoes*) **número** (3)

ski *v.* **esquiar (esquío)**

skin *n.* **piel** *f.*

skirt *n.* **falda** (3)

sky **cielo** (7)

sleep *v.* **dormir (ue, u)** (8)

sleepy: to be sleepy **tener** (*irreg.*) **sueño** (4)

small **chico/a, pequeño/a** (2)

smart **listo/a** (3)

smoke *v.* **fumar** (10); *n.* **humo** (7, 13)

smoker **fumador(a)** (13)

snack *v.* **merendar (ie)** (9)

snake **serpiente** *f.* (7)

sneaker **tenis** *m.* (3)

snow *n.* **nieve** *f.*; *v.* **nevar (ie)** (8)

so **así** (P), **tan** (6); so-so **así así** (P); and so **conque** (15); so much **tanto/a** (8); so that **para que** (15)

soap **jabón** *m.* (9)

soap opera **telenovela** (8)

sociologist **sociólogo/a** (15)

sock *n.* **calcetín** *m.* (3)

sofa **sofá** *m.* (6)

soft **blando/a**

soft drink **refresco**

sold out **agotado/a** (8)

solicit **solicitar** (15)

solve **resolver (ue)** (7, 14)

some **algún, alguno/a/os/as** (8, 12)

someone **alguien** (6, 12), **alguno** (12)

something **algo** (6, 9, 12)

sometimes **a veces** (1)

son **hijo** (4)

song **canción** f. (8)

soon **pronto** (8); as soon as **tan pronto como; en cuanto** (9)

sore throat **dolor** (m.) **de garganta** (11)

sorry: I am sorry **lo siento** (6); to be/feel sorry **sentir (ie, i)** (8)

soup **sopa** (5)

south n. **sur** m. (7)

Spain **España** (P)

Spanish **español(a)** (1); Spanish language **español** m. (1); Spanish-speaking **hispanohablante** m., f. (7)

speak **hablar** (1)

spend (money) **gastar** (3); (time) **pasar**

spite: in spite of **a pesar de** (10)

spoon n. **cuchara** (4)

spring(time) **primavera** (P)

stage n. **escenario** (8)

stained **manchado/a** (3)

stairs (staircase) **escalera(s)** (12)

stamp (postage) **sello, estampilla** (13)

stand: taxi stand **parada de taxis** (13)

standard of living **nivel** (m.) **de vida** (7)

star n. **estrella** (7)

start a business **montar una empresa** (15)

state n. **estado** (7)

station: bus station **estación** (f.) **de autobuses** (13); railroad station **estación** (f.) **del ferrocarril** (13); subway station **estación** (f.) **de metro** (2)

station wagon **camioneta**

stay **quedarse** (12)

steak **bistec** m. (5)

stereo **estéreo** (8)

still adv. **todavía** (6); adj. **quieto/a** (11)

stomach **estómago;** stomachache **dolor** (m.) **de estómago** (11)

stone **piedra** (7)

stop v. **parar;** to stop (doing something) **dejar de** + inf. (7)

stop: bus stop **parada de autobuses** (13)

store n. **tienda** (2)

storm n. **tormenta**

story **historia, cuento** (14)

stove (electric/gas) **cocina (eléctrica / de gas)** (6)

straight (hair) **lacio/a** (9)

strawberry **fresa** (5)

street **calle** f. (2); street sign **letrero**

stress **estrés** m. (11); to be under a lot of stress **estar** (irreg.) **bajo mucho estrés** (11)

striped **de rayas** (3)

stroll v. **pasear** (12)

strong **fuerte** (9)

student **alumno/a** (1), **estudiante** m., f. (P)

study v. **estudiar** (1)

subway **metro** (2)

such (a) **tal** (7)

sugar **azúcar** m. (5)

suit n. (clothes) **traje** m. (3)

suitcase **maleta** (12)

summer(time) **verano** (P)

sun **sol** m. (7); sun shade **sombrilla** (12)

sunbathe **tomar el sol** (12)

Sunday **domingo** (P)

sunglasses **gafas de sol** (12)

sunny: to be sunny (out) **hacer** (irreg.) **sol** (4)

suntan lotion **loción** (f.) **bronceadora** (12)

supermarket **supermercado** (5)

supper **cena** (5)

suppose **suponer** (irreg.) (14)

surprise v. **sorprender** (10); n. **sorpresa** (4)

sweater **suéter** m. (3)

sweep **barrer** (6)

sweetheart **novio/a** (14)

swim v. **nadar** (12)

swimming pool **piscina** (12)

swimming suit (two-piece) **bañador** (m.) **de dos piezas** (12)

swing n. **columpio** (12)

T

table **mesa** (1); coffee table **mesa de centro** (6)

tablecloth **mantel** m. (4)

tablespoon **cuchara** (4)

tablet **pastilla** (11)

take **tomar; llevar** (4); to take a nap **dormir (ue, u) la/una siesta** (8); to take off (clothing) **quitarse** (9); to take off (plane) **despegar (gu)** (13); to take out the garbage **sacar (qu) la basura** (6); to take pictures **tomar fotos** (2); to take a trip **hacer** (irreg.) **un viaje**

talk v. **conversar** (1), **charlar** (1)

tall **alto/a** (3)

taller **más alto/a** (11)

tan: to (get a) tan **broncearse** (12)

tape: tape recorder **grabadora;** tape player **casetera** (8)

taxi **taxi** m. (2); taxi stand **parada de taxis** (13)

teach v. **enseñar** (1)

teacher **maestro/a** (15)

teaching (career) **pedagogía** (15)

teaspoon **cucharita** (4)

technician **técnico/a** (15)

telephone n. **teléfono;** to call on the telephone **llamar por teléfono** (4)

television **televisión** f.; television set **televisor** m. (6)

tell **decir** (irreg.) (2); (narrate) **contar (ue)**

teller **cajero/a** (15)

temperature **temperatura;** to take (one's) temperature **poner(le)** (irreg.) **el termómetro** (11)

tennis **tenis** m.

tenth **décimo/a**

term paper **informe** m. (6)

than **que** (11)

that adj. **ese/a** (6), **aquel/aquella** (6); pron. **ése/a** (6), **aquél/aquélla** (6), neuter **eso** (6), **aquello** (6); conj. **que** (1); that which **lo que** (14)

then **entonces** (3), **luego** (3)

there **allí** (2); **ahí** (6); there is/are **hay** (P); there was/were **había** (5)

therefore **así que** (6)

these **estos/as** (6)

thin **delgado/a** (3)

thing **cosa** (1)

think **pensar (ie)** (8); **creer (y)** (6); to think about **pensar en**

third **tercer, tercero/a** (5)

thirsty: to be thirsty **tener** (*irreg.*) **sed** (4)

this *adj.* **este/a** (6); this (one) *pron.* **éste/a** (6), **esto** (6); this big **así de grande** (9)

those *adj.* **esos/as, aquellos/as** (6); *pron.* **ésos/as, aquéllos/as** (6)

throat: sore throat **dolor** (*m.*) **de garganta** (11)

through *prep.* **por** (5)

Thursday **jueves** *m. sing., pl.* (P)

thus **así**

ticket **boleto, billete** *m.* (8); round-trip ticket **boleto/billete de ida y vuelta** (13); to give (one) a ticket (*fine*) **poner(le)** (*irreg.*) **una multa**

time *n.* **hora, tiempo, vez** *f.* (*pl.* **veces**); at the same time **al mismo tiempo;** at times **a veces;** at what time? **¿a qué hora?** (P); full/part-time **tiempo completo/parcial** (15); it's time to **es hora de** (9); to have a good time **divertirse (ie, i)** (9); what time is it? **¿qué hora es?** (P)

time period **plazo** (7)

tired **cansado/a** (3); to get tired **cansarse** (9)

title **título** (15)

to **a** (P); (in order) to **para** (2)

toast *n.* (*bread*) **tostada** (5); (*drink*) **brindis** *m.* (14); *v.* (*to drink a toast*) **brindar** (14)

today **hoy** (P)

toe **dedo del pie** (9)

together **juntos/as** (3)

toilet **inodoro** (6)

tolerate **soportar** (14)

tomato **tomate** *m.* (5)

tomorrow **mañana** (P); until (I see you) tomorrow **hasta mañana** (P)

tonight **esta noche** (3)

too (*excessively, too many*) **demasiado** (5); (*also*) **también** (1)

tool **herramienta** (15)

toothbrush **cepillo de dientes** (9, 12)

toothpaste **pasta de dientes** (9, 12)

top: on top of **encima de** (7)

toward **hacia** (7)

towel *n.* **toalla** (9)

traffic **tráfico;** traffic light **semáforo**

train **tren** *m.* (13)

tranquilizer **calmante** *m.* (11)

transportation: means of transportation **medio de transporte** (2), **transportes** *m. pl.* (13)

travel **viajar** (7)

travel agency **agencia de viajes**

traveler **viajero/a** (13); traveler's check **cheque** (*m.*) **de viajero**

treaty **tratado** (7)

tree **árbol** *m.* (7)

trip **viaje** *m.* (7, 12); to take a trip **hacer** (*irreg.*) **un viaje** (12)

trouble: to be worth the trouble **valer** (*irreg.*) **la pena**

truck *n.* **camión** *m.* (7)

true: it's true **es cierto, es verdad** (2)

trust *v.* **confiar (confío) en** (14)

truth **verdad** *f.;* the truth is that **la verdad es que**

try (*to do something*) **tratar de** + *inf.* (11, 14); **intentar** (12)

T-shirt **camiseta** (3)

Tuesday **martes** *m. sing., pl.* (P)

tuition **matrícula** (15)

tuna **atún** *m.* (5)

turkey **pavo** (5)

turn *v.* **doblar;** to turn around **dar** (*irreg.*) **la vuelta;** to turn off **apagar (gu)** (6); to turn on **prender** (6), **encender (ie)** (8)

type *v.* **pasar a máquina** (15)

typewriter **máquina de escribir** (6)

U

ugly **feo/a** (2)

ulcer **úlcera** (11)

umbrella **paraguas** *m. sing.;* beach umbrella **sombrilla** (12)

uncle **tío** (4)

uncomfortable **incómodo/a** (3)

under(neath) **debajo de** (8)

understand **comprender** (4), **entender (ie)** (8)

unemployment **desempleo** (7)

unite **unir** (7)

university **universidad** *f.* (1)

unless **a menos que** (5)

unmarried **soltero/a** (4)

unrestricted **libre** *m., f.* (7)

until **hasta** (6, 10), **hasta (que)** (15); until later/tomorrow **hasta luego/mañana** (P)

up: to get up **levantarse** (9); to go up **subir** (5)

upon (*doing something*) **al** + *inf.* (9)

upset **disgustado/a, contrariado/a** (13)

use *v.* **usar** (1, 3)

useless **inútil** *m., f.* (15)

V

vacation **vacaciones** *f. pl.*

vacuum cleaner **aspiradora** (6); to vacuum **pasar la aspiradora** (6)

valley **valle** *m.* (7)

VCR **vídeo** (8); **vídeo grabadora** (10)

vegetable **legumbre** *f.* (5)

very **muy** (P); not very **poco;** very well, thanks **muy bien, gracias** (P)

veterinarian **veterinario/a** (15)

videotape *n.* **vídeo** (8)

volcano **volcán** *m.* (7)

W

waist **cintura** (9)

wait (for) **esperar** (13); *form. command* **espere Ud.**

waiter/waitress **camarero/a** (2)

wake up (*command*) **¡a despertar¡** (6); *v.* **despertarse (ie)** (9)

walk *v.* **caminar; pasear** (12)

wall **pared** *f.* (1); **muro** (7)

want *v.* **desear** (2), **querer** (*irreg.*) (8); I want **quiero** (3)

war *n.* **guerra**

warn **advertir (ie, i)** (13)

wash *v.* **lavar** (3); to wash (oneself) **lavarse** (9)

wash basin **lavabo** (6)

washing machine **lavadora** (15)

watch *n.* **reloj** *m.* (2); *v.* **mirar** (2)

water **agua** *f.* (*but* **el agua**) (2)

watermelon **sandía** (5)

wave *n.* (*water*) **ola**

way: on one's way to **camino de** (13)

weak **débil** *m., f.* (9)

wear *v.* **llevar, usar** (3)

weather *n.* **tiempo;** to be bad/good weather **hacer** (*irreg.*) **mal/buen tiempo** (4); what's the weather like today?   **¿qué tiempo hace hoy?**

wedding   **boda** (14); wedding ring **anillo de boda** (14)

Wednesday   **miércoles** *m. sing., pl.* (P)

week   **semana** (P); last week   **la semana pasada;** next week   **la semana próxima**

weekend   **fin** (*m.*) **de semana**

welcome: you are welcome   **de nada**

well   **bien, pues** (P); very well, thanks   **muy bien, gracias** (P); well . . .   **bueno...**

west   **oeste** *m.,* **occidente** *m.* (7)

wet   **mojado/a** (9)

what   **lo que** (14)

what? *interrog.*   **¿cómo?** (P); **¿qué?** (P); **¿cuál?;** what is he/she like? **¿cómo es?** (P, 3); what's up, what's new?   **¿qué hay?** (P); at what time is . . . ?   **¿a qué hora es... ?** (P); what's wrong?   **¿qué te pasa?;** what do you think? **¿qué te parece?**

when? *interrog.*   **¿cuándo?** (1)

where? *interrog.*   **¿dónde?** (P); where from?   **¿de dónde?** (P); where to?   **¿adónde?, ¿a dónde?;** where are you from?   **¿de dónde es Ud.?, ¿de dónde eres tú?** (P)

which   **que** (3); that which   **lo que** (14)

which? *interrog.*   **¿cuál(es)?, ¿qué?** (P)

while   **mientras** (4); little while **rato** (4)

white   **blanco/a** (P, 3)

who   **que** (1), **quien** (1)

who? *interrog.*   **¿quién(es)?** (P); who is (he/she)?   **¿quién es él/ella?** (P)

whom? *interrog.:* to whom?   **¿a quién(es)?** (P); with whom? **¿con quién(es)?**

why: that's why   **por eso** (5)

why? *interrog.*   **¿por qué?** (2)

wife   **esposa** (4)

win *v.*   **ganar**

window   **ventana** (1); window seat **asiento de ventanilla** (13)

windy: to be windy   **hacer** (*irreg.*) **viento** (4)

wine   **vino** (2); a glass of wine **una copa de vino** (2)

wine glass   **copa** (4)

winter(time)   **invierno** (P)

with   **con** (1); with me   **conmigo** (13); with you (*fam.*)   **contigo** (13)

without   **sin** (7, 8)

woman   **mujer** *f.* (2), **señora** (P); old woman   **vieja** (2); young woman   **joven** *f.* (2)

wonder: no wonder   **con razón** (5)

wool: (made of) wool   **de lana** (3)

word   **palabra** (1)

work *n.*   **trabajo** (4); *v.*   **trabajar** (1); (*machine, car*) **funcionar** (6)

worker   **trabajador(a), obrero/a** (15); social worker **trabajador(a) social** (15)

world   **mundo**

worried   **preocupado/a** (13)

worry (about)   **preocuparse (de)** (11); don't worry   **no se preocupe**

worse   **peor** (8)

worst   **peor** (8); the worst *interj.* **pésimo/a** (8)

worth: (not) to be worth the trouble **(no) valer** (*irreg.*) **la pena**

wound *n.*   **herida** (11)

wounded person   **herido/a** (11)

write   **escribir** (*p.p.* **escrito**) (2); *form. command*   **escriba Ud.**

writing table   **escritorio** (6)

written   **escrito/a** (*p.p. of* **escribir**) (9)

wrong: to be wrong   **no tener** (*irreg.*) **razón** (4); what's wrong? *interrog.*   **¿qué te pasa?, ¿qué tienes?** (4)

X

X ray: to take an X-ray   **sacar(le) (qu) una radiografía** (11)

Y

year   **año;** to be . . . years old **tener** (*irreg.*)**... años** (4)

yellow   **amarillo/a** (3)

yes   **sí** (P)

yesterday   **ayer** (P)

yet: not yet   **todavía no** (12)

young   **joven** *m., f.* (3); young man/woman   **joven** *m., f.* (3); young lady   **señorita** (P)

younger   **menor** (4)

yourself   **tú mismo/a** (12)

youth   **juventud** *f.*

Index

This index is divided into two parts: **Part 1: Structures** covers topics in grammar, structure, and usage; **Part 2: Topics** lists cultural, functional, and vocabulary topics treated in the text, as well as study hints. Topics in **Part 2** appear as groups; they are not cross-referenced.

Part 1: Structures

A

a
  + **el**, 52
  personal, 52n, 110–11, 309, 355
  uses of, as a preposition, 53, 110–11
accent marks, 54n, 233n
active versus passive voice, 347–48, 351–52
adjectives
  agreement and position of, 31, 133–34
  clauses, 354–55
  demonstrative, 151, 160, 165
  possessive, 54–55
  with **ser** and **estar**, 82–83
  shortened forms of, 133–34
adverbial clauses, subjunctive in, 366, 370–72
affirmatives and negatives, 7, 10–11, 35, 298, 309, 315
ago, 335
agreement of adjectives, 31
alphabet, Spanish, 6
andar. *See* Appendix 1
-ar verbs
  command, 114, 149, 157–58
  conditional, 304
  future, 299, 303
  imperfect indicative, 177, 184
  imperfect subjunctive, 326, 330–31
  present indicative, 22, 24, 34–35, 47, 49
  present perfect, 232–33
  present subjunctive, 253, 255, 258–59
  preterite, 125, 127, 130–31
  See also Appendix 1
articles
  definite, uses of, 6, 11, 15–16, 52–53, 229
  plural, 29
  singular, 28
-ase and **-iese** endings for imperfect subjunctive, 330n
  See also Appendix 1
auxiliary verbs. *See* **haber**

B

become, expressed with reflexive, 230
buscar. *See* Appendix 1
but, equivalents for, 310–11

C

caer. *See* Appendix 1
capitalization. *See* Appendix 2
clarification of possessive adjectives, 55
cognates, 6–7, 27
comenzar. *See* Appendix 1
comer. *See* Appendix 1
commands
  classroom, 14
  familiar affirmative, 105, 114
  familiar negative, 105, 114
  polite (formal), 14, 149, 157–58, 202, 207
  with pronouns, 58n, 235–36
  See also Appendix 1
comparatives, 287–88
conditional
  with *if*-clauses, 368, 373–74
  irregular forms of, 300, 306–07
  regular forms of, 300, 304
  uses of, 304
  See also Appendix 1
conocer, 105, 108, 158n, 259. *See also* Appendix 1
  conocer versus **saber,** 108
construir. *See* Appendix 1
contractions (**al** and **del**), 52
contrary-to-fact conditions, 368, 373–74
corregir. *See* Appendix 1
countries, articles with names of, 53
creer. *See* Appendix 1
¿cuáles? versus **¿qué?,** 25

D

dar, 78, 132, 158, 278, 281, 331. *See also* Appendix 1
dashes (*to indicate direct dialogue*), 9n
dates, expression of, 12, 13
dates, reading, 61
days of the week, 12
de
  + **el**, 49n, 52
  as different from **dé**, 281n
  with numbers, 61
  to show material, 80
  to show origin, 80
  to show possession, 10n, 80
  with time of day, 16
decir, 58–59, 105, 114, 151, 155–58, 233, 259, 300, 307, 331. *See also* Appendix 1

definite article. *See* articles
demonstratives
  adjectives, 151, 160, 165
  pronouns, 151, 160–61, 165
diminutives, 105n
direct address, 53
direct dialogue, 9
direct object preceded by **a,** 110–11
direct object pronouns, 202, 211–13
dividing words into syllables. *See* Appendix 2
dormir. *See* Appendix 1
double negatives, 309
double object pronouns. *See* two object pronouns

E

el with words beginning with stressed **a** or **ha,** 28n
-er verbs
  commands, 114, 149, 157–58
  conditional, 300, 304
  future, 299, 303
  imperfect indicative, 177, 184
  imperfect subjunctive, 326, 330
  present indicative, 47, 49, 56–57
  present perfect, 232–33
  present subjunctive, 253, 255, 258
  preterite, 125, 130–31
  See also Appendix 1
estar, 73, 78, 149, 155–56, 278, 281, 299, 328, 331
  versus **ser,** 79–80, 82–83
  uses of, 74, 80, 82–83
  See also Appendix 1

F

familiar commands
  affirmative, 105, 114
  negative, 157–58
  See also Appendix 1
formal commands. *See* polite commands
from, 235n
future
  irregular forms of, 299, 306–07
  of probability, 303
  regular forms of, 299, 303
  in reported speech, 304
  See also Appendix 1
future perfect. *See* Appendix 1